KAISER PERMANENTE

Estimado miembro de Kaiser:

Con mucho gusto le regalamos el presente libro, *La salud en casa: Guía práctica de Healthwise y Kaiser Permanente.* Este manual fue revisado por cientos de médicos y otros trabajadores de la salud de Kaiser Permanente. Esperamos que le ayude a cuidar de su salud y la de su familia.

Este manual contiene información sobre...

- más de 180 problemas de salud, tales como los dolores de cabeza, las uñas encarnadas y las quemaduras.
- diferentes formas de mantenerse sano y de evitar enfermedades.
- el tratamiento en casa, con indicaciones de cuándo llamar a Kaiser Permanente.
- modos de prepararse para una consulta con su médico o para una llamada a la enfermera consejera.

Al final del libro también hay un índice, o sea una lista de todos los temas que aparecen en el libro. El índice incluye el nombre en inglés de cada tema.

Esperamos que usted pueda tomarse unos momentos para repasar el libro, pues podría ser de interés para usted aun cuando no esté enfermo. Le recomendamos que lo guarde en un lugar donde pueda encontrarlo rápidamente cuando lo necesite.

El personal médico de Kaiser Permanente siempre está a sus órdenes. Apreciamos mucho la oportunidad de servirle y de ayudar a usted y a su familia a mantenerse saludables.

Muy atentamente,

Dr. Francis J. Crosson
Director Ejecutivo
La Federación Permanente

Dr. David M. Lawrence
Presidente y Gerente General
Plan de Salud y Hospitales de la
Fundación Kaiser

LA SALUD EN CASA

Guía práctica de Healthwise y Kaiser Permanente

- *Más de 180 problemas de salud*
- *Prevención*
- *Tratamiento en casa*
- *Cuándo llamar a su doctor*

DONALD W. KEMPER

EL PERSONAL DE HEALTHWISE

LOS MÉDICOS Y EL PERSONAL DE
KAISER PERMANENTE

LISA DE AVILA Y LYNN GORDON, EDITORAS

healthwise®
PUBLICATIONS

Una publicación de Healthwise®
Healthwise, Incorporated, Boise, Idaho
(Una organización sin fines de lucro)

KAISER PERMANENTE

Concepto de la cubierta de la edición especial de Kaiser Permanente por Seventeenth Street Studios, cubierta e ilustraciones actuales de la edición especial de Kaiser Permanente por Kathy Locke de Locke Veach Communications Group

Ilustraciones del texto por Jim Perkins de Nucleus Interactive

Primera Edición en inglés, 1976

Decimotercera Edición, 1997

Primera Edición de Kaiser Permanente, 1994

Edición revisada de Kaiser Permanente, 1999

13hwhb / Kaiser California / Spanish / 8-99

ISBN: 1-877930-72-5

Impreso en los Estados Unidos de América

Printed in the United States of America

Tabla de contenido

A nuestros lectores ix

Sobre Healthwise x

Agradecimientos xi

Introducción xiv

Lista de control de Healthwise para el cuidado propio 1

Lista de preguntas para el doctor 2

Capítulo 1: Compañeros en la salud 3

Juegue un papel activo en el cuidado de su salud 3

Participe en la toma de decisiones 7

Obtenga información por su cuenta 14

Capítulo 2: Cómo mantenerse sano y evitar enfermedades 15

Diez formas de mantenerse sano 15

Vacunas 16

Pruebas y detección temprana 19

Los signos vitales 21

Señales de advertencia del cáncer, la diabetes, los ataques cardíacos y los derrames cerebrales 24

Capítulo 3: Primeros auxilios y emergencias 27

Qué hacer en una emergencia 27

Pérdida accidental de un diente 28

Mordidas de animales y de gente 28

Sangre bajo una uña 29

Contusiones abdominales 30

Moretones 31

Quemaduras 32

Quemaduras por productos químicos 34

Atragantamiento 34
Cortadas 37
Cómo quitar un anzuelo 40
Qué hace si una parte del cuerpo se le atora en algo 41
Congelación 41
Golpes o heridas en la cabeza 42
Agotamiento por calor e insolación 44
Hiperventilación 45
Hipotermia 46
Piquetes de insectos y de arañas 47
Piquetes de aguamala o medusa 49
Sangrado de la nariz 50
Objetos en el oído 51
Objetos en el ojo 52
Objetos en la nariz 52
Envenenamiento 53
Estacadas o pinchazos fuertes 54
Respiración de boca a boca y resucitación cardiopulmonar ... 55
Raspones 59
Choque 60
Mordeduras de serpiente 61
Lesiones de la médula espinal 62
Quemaduras de sol 62
Piquetes de garrapata 64
Pérdida del conocimiento 65

Capítulo 4: Problemas del abdomen o barriga 67
Cuadro de problemas del abdomen 68
Apendicitis 69
Estreñimiento 70
Deshidratación 72
Diarrea 74
Acidez o agruras 75
Hemorroides o almorranas 76
Hernias 77

Síndrome del intestino delicado 78
Náusea y vómito 80
Infecciones intestinales y envenenamiento con alimentos 82
Úlceras 84
Pérdida del control para orinar 85

Capítulo 5: Problemas de la espalda y del cuello 87
Problemas de la espalda 87
Cuadro de primeros auxilios para los problemas de la espalda . 88
Problemas del cuello 98

Capítulo 6: Problemas de los huesos, músculos y coyunturas 103
Artritis o reumas 103
Juanetes y dedos engarrotados 106
Bursitis y tendinitis 107
Síndrome del túnel del carpo 110
Problemas de la rodilla 112
Calambres musculares y dolor de pierna 114
Osteoporosis 115
Fascitis plantar 117
Lesiones deportivas 118
Músculos jalados, torceduras y huesos rotos 120
Debilidad y fatiga 124

Capítulo 7: Problemas del pecho y de la respiración 127
Alergias 127
Cuadro de problemas respiratorios, del pecho, de la nariz y de la garganta 128
Asma 132
Infecciones por bacterias 135
Bronquitis 136
Dolor de pecho 138
Catarros 140
Tos 142

Fiebre 144
Gripe 145
Laringitis 146
Pulmonía 147
Sinusitis 148
Dolor de garganta e infección por estreptococos en la garganta 150
Nodos linfáticos hinchados 152
Amigdalitis 153
Cómo dejar de fumar 155

Capítulo 8: Problemas de los ojos y de los oídos 159
Resequedad de los ojos 159
Cuadro de problemas de los ojos 160
Infecciones de los ojos 160
Orzuelos o perrillas 163
Mareos 164
Cuadro de problemas de los oídos 165
Infecciones de los oídos 166
Cera en los oídos 168
Zumbido en los oídos o tinnitus 169
Infecciones del canal externo del oído 170

Capítulo 9: Dolores de cabeza 173
Cuadro de posibles causas de los dolores de cabeza 174
Dolores de cabeza en los niños 175
Jaquecas o migrañas 176
Dolores de cabeza debidos a la tensión 178

Capítulo 10: Problemas de los dientes y de la boca 181
Llaguitas o "fuegos" 181
Cuadro de problemas de los dientes y de la boca 182
Llagas de fiebre 182
Problemas de los dientes 183
Síndrome de la coyuntura temporomandibular 187

Capítulo 11: Problemas de la piel **191**
Acné 191
Cuadro de problemas de la piel 192
Eczema 193
Ampollas 194
Nacidos o furúnculos 195
Caspa 197
Piel seca 197
Infecciones por hongos 199
Urticaria 201
Uñas encarnadas o uñeros 202
Piojos y sarna 203
Salpullidos 204
Cáncer de la piel 206
Verrugas 207

Capítulo 12: La salud de los niños **209**
Información general sobre los bebés y niños chiquitos 209
Orinarse en la cama 214
Varicela o viruela loca 215
Cuadro de salpullidos de la niñez 216
Cólicos 217
Seborrea 218
Crup 219
Rozadura de pañal 220
Diarrea y vómitos 221
Fiebre 223
Convulsiones por fiebre 225
Impétigo 226
Oxiuros 227
Salpullido o ronchas por calor 228
Roséola 229

Capítulo 13: Condiciones crónicas **231**
Diabetes 231
Nivel de colesterol alto 234
Presión alta de la sangre 236

Capítulo 14: La salud de la mujer **239**
Hábitos saludables 239
La salud de los senos 240
La salud de los órganos sexuales 243
Embarazo: Cómo tener un bebé sano 245
Sangrado entre reglas 248
Menopausia 249
Tratamiento con hormonas 250
Molestias de la regla 252
Reglas que son irregulares o que no vienen 253
Síndrome premenstrual 254
Infecciones de las vías urinarias 256
Vaginitis 258
Infecciones por hongos 259

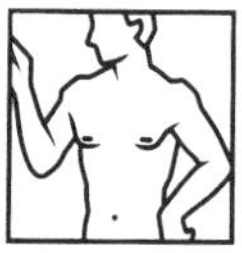

Capítulo 15: La salud del hombre **263**
Hábitos saludables 263
Salud de los genitales 264
Problemas de erección 265
Problemas de la próstata 267

Capítulo 16: La salud sexual **271**
La planificación familiar y los métodos anticonceptivos 271
Cuadro de métodos anticonceptivos 272
Enfermedades de transmisión sexual 274
La infección por VIH y el SIDA 276

Capítulo 17: La buena condición física y la relajación 281

Plan personal para estar en forma 282

La tensión y la angustia 287

Técnicas para calmarse y relajarse 289

Capítulo 18: Nutrición 293

Siete consejos para comer bien 293

Un plan básico para comer bien 293

Guía para la buena alimentación 295

Un peso saludable 304

Nutrición para los niños 305

Capítulo 19: La salud mental 307

El cuidado propio 307

El abuso del alcohol y de las drogas 309

La ira y la hostilidad 312

Angustia, ansiedad o "susto" 313

Depresión 315

Trastornos de la alimentación 317

Problemas para dormir 319

Suicidio 320

La violencia 321

El bienestar mental 322

Cómo reforzar el sistema inmunológico 323

Capítulo 20: Su centro de salud en casa 327

Instrumentos para el cuidado médico en casa 327

Materiales para el cuidado en casa 330

Medicinas y productos que se compran sin receta médica 330

Cuadro de productos para el cuidado en casa que se compran sin receta 331

Medicinas de receta 339

Problemas con las medicinas 341
Cómo ahorrar dinero en la compra de medicamentos 342
Pruebas médicas que se pueden hacer en casa 342
Expedientes médicos caseros 344

Índice (español - inglés) **345**

Índice (inglés - español) **373**

A nuestros lectores

Ningún libro puede substituir la necesidad de acudir al médico. De la misma manera, ningún médico puede substituir la necesidad que tienen las personas de cuidarse a sí mismas. El propósito de este libro es ayudarle a usted y a sus doctores a trabajar juntos en el manejo de sus problemas de salud.

La salud en casa: Guía práctica de Healthwise y Kaiser Permanente contiene guías y recomendaciones básicas para reconocer y tratar más de 180 problemas comunes de salud. Estas guías están basadas en información médica sólida, proveniente de las principales publicaciones de medicina y de consumidores. A su vez, doctores, enfermeras, farmacéuticos, terapeutas físicos y otros profesionales de la salud revisaron esta información y la enriquecieron con sus contribuciones. Nos hemos esmerado para presentarle la información de una manera directa y clara, libre de terminología médica complicada. Esperamos que encuentre este libro fácil de leer y usar.

Aunque este libro no elimina la necesidad de ayuda médica profesional, sí provee una mejor base para que usted trabaje con sus doctores para prevenir y cuidar juntos sus problemas de salud. En caso que usted reciba algún consejo profesional que esté en conflicto con este libro, pregúntele primero a su profesional de salud. Sus recomendaciones pueden resultar ser las mejores, porque su doctor puede tomar en cuenta su historia médica y necesidades específicas. De la misma manera, si alguna recomendación de autocuidado no le brinda resultados positivos o no le alivia dentro de un período razonable, usted debe consultar a un profesional de la salud.

Este libro es tan bueno como podemos hacerlo, pero no podemos garantizarle que le funcionará para cada caso o condición. Tampoco los autores ni los editores aceptarán responsabilidad por ningún problema que pueda desarrollarse por haber seguido las recomendaciones publicadas. Este libro es solamente una guía; se necesitan también su sentido común y buen juicio.

Nosotros estamos añadiendo información a este libro y mejorándolo continuamente. Si usted tiene alguna sugerencia que hará de éste un libro mejor, por favor escríbanos a Healthwise Handbook Suggestions, c/o Healthwise, P.O. Box 1989, Boise, ID 83701.

Le deseamos que tenga muy buena salud.

Sobre Healthwise

Healthwise es una organización sin fines de lucro que trabaja en ayudar a las personas a mantenerse saludables y a tratar sus problemas de salud. Desde su fundación en 1975, Healthwise ha ganado premios de excelencia y de reconocimiento de organizaciones como el Centro de Control de Enfermedades *(Centers for Disease Control)*, el Departamento de Salud y Servicios Humanos de los Estados Unidos *(the U.S. Department of Health and Human Services)*, la Sociedad Norteamericana de la Vejez *(American Society on Aging)* y la Organización Mundial de la Salud *(World Health Organization)*.

Healthwise trabaja con organizaciones que desean mejorar el papel y la responsabilidad del individuo en el cuidado de la salud. Nuestros clientes abarcan desde organizaciones voluntarias y grupos religiosos, hasta compañías grandes (de Fortune 500), grupos sindicales importantes, gobiernos estatales, hospitales, agencias de seguro y organizaciones de mantenimiento de la salud (HMOs).

Healthwise publica varios libros, todos con seminarios o talleres y entrenamiento para darles apoyo:

Programa de Healthwise — Este programa imitado a nivel nacional proporciona a los consumidores los recursos y habilidades necesarios para mejorar la calidad de los cuidados recibidos en casa y les ayuda a decidir cuándo deben llamar a un profesional de la salud. Entre los componentes del programa están el *Healthwise® Handbook* (disponible en inglés y español) y el seminario de atención autoadministrada (en vivo o en video).

Programa Healthwise for Life — Este programa cubre las necesidades de atención autoadministrada y médicas de personas de mayor edad, jubilados y participantes en Medicare. El programa incluye la guía *Healthwise for Life: Medical Self-Care for People Age 50 and Better*, ganadora de galardones, y el seminario Healthwise for Life (en vivo o en video).

Partnership Program — Este programa de capacitación y orientación enseña a los profesionales de la salud cómo ofrecer apoyo a la atención autoadministrada de sus pacientes (Crédito de CME).

Healthwise Knowledgebase® Software — Esta fuente de información sobre temas de salud para instalar en computadora es utilizada por organizaciones de administración de la atención médica, clínicas de salud y centros de asistencia médica por teléfono, así como parte de servicios en línea. El software Knowledgebase contiene información completa, útil, fácil de entender y exacta sobre problemas de salud, pruebas médicas, tratamientos, medicamentos y grupos de apoyo. Visite nuestro sitio Web para que le demos una demostración: www.healthwise.org.

Programas Internacionales — Los programas de Healthwise se han implementado en Sudáfrica, Canadá, el Reino Unido y Suiza.

Para obtener más información sobre nuestros programas y publicaciones, por favor diríjase a Healthwise, P.O. Box 1989, Boise, ID 83701, teléfono 1-800-706-9646, o visite nuestro sitio Web en www.healthwise.org.

Agradecimientos

Esta versión de Kaiser Permanente de la 13era edición del *Healthwise® Handbook* ha sido producida mediante la colaboración de dos organizaciones no lucrativas. Healthwise, Incorporated, fundada en 1975, ha sido pionera en hacer que los consumidores de atención médica tengan mayor poder a través de la educación. Kaiser Permanente ha estado dedicada a mejorar la salud de sus miembros al proporcionarles atención médica de grupo prepagada y de alta calidad desde 1945. Kaiser Permanente incluye una intensa colaboración entre Kaiser Foundation Health Plan and Hospitals y los Permanente Medical Groups, así como también una afiliación con Group Health Cooperative, con base en Seattle, Washington. Kaiser Permanente es hoy la organización integrada líder de atención para la salud en Norte América con más de 8,5 millones de miembros en 17 estados y el Distrito de Columbia, con sus oficinas principales en Oakland, California.

Ambas, Healthwise y Kaiser Permanente están dedicadas a ayudar a los pacientes a convertirse en verdaderos socios de su equipo de profesionales del campo de la salud. Las metas compartidas son mejorar la salud, prevenir las enfermedades y promover el uso inteligente de la atención médica. *La salud en casa* es una parte integral de un esfuerzo mucho mayor para educar a los miembros, pacientes y profesionales por medio de la interacción escrita, de los medios electrónicos y cara a cara.

Healthwise, Incorporated

La primera edición, publicada en 1976, fue escrita y revisada con la notable colaboración de Kathleen McIntosh y Toni Roberts. El financiamiento para el desarrollo del *Healthwise Handbook* original fue otorgado por la fundación W.K. Kellogg de Battle Creek, Michigan. Desde entonces, han sido muchas las personas que han ayudado a mejorar el libro y a ponerlo al día. Los editores de la 13era edición en inglés son Terrance Smith y Jody Bower, con importantes contribuciones en la escritura y edición de parte de Molly Mettler. Jane Woychick y Jo-Ann Kachigian proporcionaron asistencia en la corrección y edición, mientras que el formato y producción fueron proporcionados por Andrea Blum, Terrie Britton, John Kubisiak y Elaine Wencl. Una invaluable asistencia fue provista también por Cindy Hovland, Hollie Flint y Mary Ellen Lemon. La principal revisión médica para esta edición fue hecha por Dr. Steven Schneider.

Kaiser Permanente

La primera edición del *Healthwise® Handbook* de Kaiser Permanente fue publicada en 1994, bajo el liderazgo de Dr. Steven M. Freedman, el cual coordinó las revisiones médicas hechas al libro por más de 300 médicos de Kaiser Permanente y otros profesionales de la salud. Este libreto es la piedra angular del Programa de atención autoadministrada de Kaiser Permanente, con su meta de apoyar la atención autoadministrada de sus miembros e integración dentro de todos los aspectos de la atención médica proporcionada y la educación del paciente. El liderazgo para este proyecto fue provisto por Dr. Freedman, así como también por Pamela Larson, Dr. David Sobel y Dra. Joyce Arango. Muchas otras personas proporcionaron también una asistencia valiosa, en el diseño de la portada, desarrollo de materiales promocionales y los esfuerzos para apoyar la diseminación en los centros médicos y otras regiones de Kaiser Permanente.

Esta edición de *La salud en casa* es la primera edición nacional de Kaiser Permanente. Los revisores médicos principales fueron Dr. David Sobel y Dr. Alan Eliott. El proceso de coordinación de la revisión del libro fue realizado por Dra. Joyce Arango, con el gran apoyo de Ann Banchoff, Frayne Rosenfield, Ron Nakamura, Dr. Joel Hyatt, Jack Hudes y Pamela Larson.

Por la traducción y adaptación de la edición actual en español, damos nuestro profundo agradecimiento a Lynn Gordon (coordinación), Lisa de Avila (traducción), Giovanni Pietanza (revisión) y Lupita Arce (traducción).

Damos nuestro agradecimiento a los siguientes proveedores de Kaiser Permanente, por su valiosa ayuda en la elaboración de esta edición en español:

Dr. Peter Arellano
Ninoska Ayala
Dra. Tita Botello
Dra. Rosemary Delgado
Dr. Maurice Franco
Dr. Rudolph Holguin
Arleen McCarthy
Dra. Ana Mogro
Dr. Ramon Ortiz
Dr. Manuel Pantiga
Dr. Vincent Quintana
Dra. Susan Villa

Deseamos expresar nuestra especial gratitud a los profesionales del campo de la salud de Kaiser Permanente en todo el país, mismos que aportaron su tiempo y experiencia para la revisión médica de esta edición, entre ellos:

Doctores

Dr. Travis Abbott
Dr. Vernon Ansdell
Dr. Mark Binstock
Dr. John Charde
Dr. Mark Clark
Dra. Nancy Cohen
Dr. Jong Davis
Dra. Catherine Dragstedt
Dr. Alan T. Elliott
Dr. Kenneth M. Ellner
Dra. Kitty Evers
Dr. Nathan Fujimoto
Dra. Carole Gardner
Dr. Scott Gee
Dr. Howard Gould
Dra. Bev Green
Dr. Jeffrey Hoffman
Dr. Tim McAfee
Dr. Harry Miller
Dra. Adrienne Mims
Dr. Jeffrey Palmer
Dr. David Preskill
Dra. Willie Rainey
Dr. Paul Reiss
Dr. Jerry Salkowe
Dr. Larry Scherzer

Dr. Robert Schreiner
Dr. David S. Sobel
Dr. Ken Spiegelman
Dr. David Starr
Dr. Thomas Syltebo
Dr. Robert van der Meer
Dr. Winkler Weinberg
Dra. Martha Wilber
Dr. David Zelman

Personal de enfermería
Betty Dennis
Catherine Futch
Lynda Garrett
Judith Griffith
Leanne Johnston
Jennifer Miller
JoAnn Somers
Crystal Stokes

Personal de Educación para la Salud de Kaiser Permanente

Ann Banchoff
Ron Blidar
Sally Butler
Joyce Cusack
Joanne Ferguson
Joy R. Gray
Patricia Greenfield
Lorinda Sheets Hartwell
Mary Hobbs
Jamie Hunter-Mitchell
Susan Kayman
Jean Kumamoto
Pamela Larson
Kecia Leatherwood
Kimmie Y. Lee
Linda Madsen
Lisa A. Morgan
Ron B. Nakamura
Frayne B. Rosenfield
Carol Shenise
Janet Tobacman
Dennis Tolsma
Deborah Zahn

Correctora
Lisa Killen

Dentista
Dr. Don Prasnikar

También ofrecemos nuestra gratitud a aquellos profesionales de la salud y consumidores cuyas revisiones, sugerencias y colaboración en ediciones previas fueron la base del libro actual.

Más que nada, queremos agradecer a los millones de consumidores médicos que usan el *Healthwise® Handbook* (en inglés y en español). Son sus acciones nuestra mayor recompensa y lo que nos inspira a buscar constantemente maneras de mejorar esta guía de atención autoadministrada y otras fuentes de información para nuestros pacientes.

Introducción

La salud en casa: Guía práctica de Healthwise y Kaiser Permanente puede ayudarle a mejorar su salud y a disminuir sus costos de cuidado de la salud. Nosotros esperamos que sea un libro que usted consulte cada vez que se le presenten problemas de salud.

El libro tiene cinco secciones:

> **Lo básico del autocuidado.** Lo que usted necesita saber para ser un consumidor sensato de servicios médicos. Incluye información sobre primeros auxilios y qué hacer en caso de emergencia.
>
> **Problemas de salud.** Prevención, tratamiento en casa y cuándo llamar a un profesional de la salud para más de 180 enfermedades y lesiones comunes.
>
> **La salud del hombre y de la mujer.** Autoexámenes y problemas de la salud del hombre y de la mujer.
>
> **Cómo mantenerse saludable.** Consejos, recomendaciones y técnicas para estar en buena forma física, control del estrés, nutrición y bienestar mental.
>
> **Centro de salud en casa.** Cómo usar medicinas y lo que usted necesita tener a mano en su casa para tratar con problemas de salud.

La mayoría de las personas no leerán este libro de principio a fin en una sola sentada. Éste es más bien un libro que se lee de tema a tema. Consúltelo para lo que necesite saber cuando se le presente un problema de su salud o algún tema de interés. Le sugerimos que use el índice para encontrar la información que necesite o que simplemente hojee el libro para que se familiarice con los valiosos temas que éste incluye.

Nosotros sí le recomendamos que lea en seguida las páginas 1 y 2, además de tres capítulos especiales:

> Página 1, **Lista de control de Healthwise para el cuidado propio**, es un proceso a seguir cada vez que aparece un problema de salud. La página 2, **Lista de preguntas para el doctor**, le ayudará a sacarle el máximo provecho a cada consulta médica.
>
> Capítulo 1, **Compañeros en la salud**, le ofrece información importante que puede usar para mejorar la calidad y reducir los costos del cuidado de la salud que usted necesita.
>
> Capítulo 2, **Cómo mantenerse sano y evitar enfermedades**, describe los pasos importantes que usted puede tomar para proteger su salud y evitar enfermedades.
>
> Capítulo 20, **Su centro de salud en casa**, enumera las medicinas, las provisiones, los instrumentos y los recursos que usted querrá tener a mano.

El resto de la información en este libro está aquí para cuando usted la necesite. Nosotros hemos disfrutado escribiendo y manteniendo al día este libro. Esperamos que le ayude a enfrentar y resolver sus problemas de salud con éxito.

Lista de control de Healthwise para el cuidado propio

Paso 1. Observe el problema.

- ¿Cuándo le empezó? ¿Cuáles son las señas? ____________________

  ____

  ____

  ____
- ¿Dónde le duele? ¿El dolor es sordo o punzante? ____________________

  ____
- Apunte las señas vitales:

  Temperatura: ______ Presión de la sangre: ______ / ______

  Pulso: ______ / minuto Respiración: ______ / minuto
- Haga memoria:

  ¿Ha tenido antes este problema? Sí ______ No ______

  ¿Qué hizo al respecto? ____________________
- ¿Han habido algunos cambios en su vida (estrés, medicinas, comida o alimentos, ejercicio, etc.)? ____________________
- ¿Alguien más en la casa o en el trabajo tiene estos síntomas? __________

Paso 2. Aprenda más.

- *La salud en casa: Guía práctica de Healthwise* (escriba el número de la página): ____________________
- Otros libros o artículos: ____________________
- Consejos de otros (profesionales o laicos): ____________________

Paso 3. Haga un plan de acción.

- Su diagnóstico "tentativo": ____________________
- Plan de tratamiento en casa: ____________________
- Cuándo llamar a su doctor: ____________________

Paso 4. Evalúe su progreso.

- ¿Son efectivas sus acciones? ¿Se está sintiendo mejor? ____________________

Lista de preguntas para el doctor

Antes de la visita:

- Complete la planilla de la "Lista de control de Healthwise para el cuidado propio" en la página 1 y llévela consigo.
- Lleve consigo la lista de medicinas y la prueba de su última visita por problemas similares.

Durante la visita:

- Describa primero cuál es su problema principal.
- Describa sus síntomas (use la página 1).
- Describa experiencias pasadas con el mismo problema.

Anote:

- Temperatura: ____________________
- Presión de la sangre: _______/_______
- Diagnóstico (el problema): ____________________
- Prognóstico (lo que puede pasar): ____________________
- Su plan de tratamiento en casa: ____________________

____

____

____

____

Pregunte sobre las medicinas, pruebas y tratamientos: (Vea las páginas 8 a 10.)

- ¿Cuál es el nombre? ____________________
- ¿Por qué la necesito? ____________________
- ¿Cuánto cuestan y cuáles son los riesgos? ____________________
- ¿Cuáles son las alternativas? ____________________
- ¿Qué pasará si no hago nada ahora? ____________________
- ¿Cómo debo tomar esta medicina? ____________________
- ¿Cómo debo prepararme para esta prueba? ____________________

Al final de la visita, pregunte:

- ¿Debo volver para otra cita? ____________________
- ¿Debo llamar para averiguar los resultados de las pruebas? ____________________
- ¿Cuáles señas peligrosas debo observar? ____________________
- ¿Cuándo debo volver o llamar? ____________________
- ¿Qué más debo saber? ____________________

____

____

____

1

Compañeros en la salud

A lo largo de su vida, usted tendrá que tomar decisiones sobre su salud y la salud de su familia. Las decisiones que usted tome no sólo afectarán su bienestar general, sino también la calidad y el costo de la atención que usted reciba. Usted estará más satisfecho con las selecciones que haga, obtendrá mejor atención y ahorrará dinero si, al tomar sus decisiones, usted cuenta con...

- el **deseo** de jugar un papel activo en el cuidado de su salud.
- las **habilidades** necesarias para atenderse a sí mismo (y a su familia) y para participar en la toma de decisiones.
- la **información** que le ayudará a entender sus opciones.

Éstos son los tres elementos necesarios para tomar decisiones sensatas sobre su salud. Este capítulo le enseñará cómo participar junto con su doctor y otros profesionales médicos en su atención, para así ganar un mayor control sobre la calidad y el costo de la misma.

Juegue un papel activo en el cuidado de su salud

Es un hecho: Las personas que participan junto con su médico en la toma de decisiones acerca de su salud quedan más satisfechas con la atención que reciben y con los resultados que se logran. Si usted está dispuesto a participar activamente en el cuidado de su salud, entonces podrá convertirse en un buen socio de su médico.

Cómo convertirse en un buen socio

Las bases de una buena asociación consisten en tener una meta en común, en esforzarse juntos para alcanzar dicha meta y en tener una buena comunicación. Para lograr que la asociación con su médico sea verdaderamente eficaz, uste debe dar de su parte haciendo lo siguiente:

1. Cuide bien de sí mismo. Tanto usted como su doctor preferirían que, para empezar, usted no se enfermara. Pero si usted sí se enferma, ambos querrán que usted sane lo más rápidamente posible.

2. A la primera señal de un problema, observe y apunte sus síntomas. El registro de sus síntomas les ayudará a usted y a su médico a hacer un diagnóstico correcto. Si usted lleva un buen registro de sus síntomas iniciales, más adelante usted y su médico podrán manejar su problema más fácilmente. Use la "Lista de control de Healthwise para el cuidado propio" en la página 1 para organizar sus observaciones y sus planes.

3. Atiéndase a sí mismo, cuando sea apropiado. Usted puede encargarse de muchos pequeños problemas por sí mismo. Todo lo que necesita es confiar en su sentido común y mantenerse al tanto de su progreso. Use este libro, su propia experiencia y la ayuda de otras personas para hacer un plan para atenderse a sí mismo.

- Aprenda todo lo que pueda acerca de su problema. Por todo este libro, hemos incluido un símbolo que señala los temas sobre los cuales podría ser útil que usted obtuviera más información. Las piezas de información que usted obtenga—ya sea de la biblioteca, de la Internet o de su médico—serán los instrumentos que podrá usar para tomar decisiones sensatas.
- Use la "Lista de control de Healthwise para el cuidado propio" que aparece en la página 1 para llevar apuntes de su plan y de las cosas que haga. Note si el tratamiento en casa parece ayudarle. Si usted termina llamando a su médico o a la enfermera consejera, ellos querrán saber qué ha hecho para tratar de atender el problema y qué resultados ha obtenido.
- Fije la fecha en que llamará a un profesional de la salud si el problema no se le quita. Si el problema parece estar empeorando, no se demore demasiado en llamar para pedir ayuda.

4. Prepárese para las consultas. La mayoría de las citas sólo duran de 10 a 15 minutos. Mientras mejor se organice usted, más podrá aprovechar la consulta.

- Prepare una lista de preguntas para el doctor, como la que aparece en la página 2.
- Ponga al día la lista de sus síntomas y el plan que haya creado para atenderse a sí mismo. Lleve ambas cosas a su cita.
- Apunte su molestia principal y ensaye su descripción. Su médico querrá oír eso primero.
- Apunte lo que piense o tema que sea el problema. Con frecuencia eso ayuda a su doctor.
- Escriba las tres preguntas que más desea que su médico le conteste. Puede que no haya suficiente tiempo para hacer muchas preguntas.
- Lleve a la consulta una lista de las medicinas que esté tomando (sean de receta o no).

5. Juegue un papel activo en las consultas.

- Diga cuál es su molestia principal, describa sus síntomas y diga qué ideas y temores tiene al respecto.
- Sea honesto y directo. No se guarde nada por tener pena. Si no tiene la intención de tomar una medicina que su médico le recete, dígaselo. Si usted está recibiendo otros tipos de tratamiento, como masajes o tratamientos quiroprácticos, avísele a su médico. Para ser un buen socio, su médico necesita saber qué está pasando.

- Si su médico le receta una medicina o pide que se someta a una prueba o a un tratamiento, consiga más información al respecto.
- Tome apuntes. Escriba el diagnóstico, el plan de tratamiento y de verificación, y lo que usted pueda hacer en casa. Luego léale sus apuntes a su médico para asegurarse de que usted haya entendido todo bien. Si piensa que sería útil llevar a un amigo para que éste apunte los hallazgos y las sugerencias de su médico, hágalo.

Cómo encontrar a un médico que esté dispuesto a ser su socio

Un médico (de atención primaria) que lo conoce y que entiende sus necesidades puede ser su socio más valioso. Un gran número de diferentes especialistas podrían encargarse de atender sus problemas médicos individuales. Pero es posible que ninguno de ellos llegara a ver el cuadro entero de su salud ni a entender bien qué es lo que a usted más le importa. Hay muchas preguntas que uno puede hacer al escoger a un médico, pero éstas son las más importantes:

- ¿Ha recibido este médico una buena preparación y tiene él o ella suficiente experiencia?
- ¿Está este doctor disponible cuando se le necesita?
- ¿Trabajará este doctor en asociación con usted?

Preparación y experiencia

A la mayoría de las personas les conviene tener como médico de atención primaria a un internista o a un médico que se encarga de atender

Consultas por teléfono

Con frecuencia, una llamada por teléfono a la enfermera consejera es todo lo que necesita para poder encargarse de un problema en casa o para determinar si usted necesita una cita. He aquí la forma de aprovechar cada llamada al máximo:

Prepárese para su llamada.

Escriba en una frase la descripción de su problema y la razón por la cual está llamando (no apunte más de dos o tres preguntas).

Tenga a la mano la lista de sus síntomas.

Tenga a la mano su calendario y su tarjeta de Kaiser Permanente, por si necesita hacer una cita.

Dé una descripción clara.

Léale su descripción de una frase a la persona que conteste y pida hablar con una enfermera consejera.

Cuando hable con la enfermera consejera, descríbale sus síntomas, lo que sospecha que el problema podría ser y lo que ya ha hecho para atenderse.

Escuche con cuidado y haga las preguntas que necesite para asegurarse de que ha entendido todo.

Siga los consejos que reciba.

Siga las instrucciones que la enfermera le dé para atenderse en casa o para seguir vigilando sus síntomas.

Llame de nuevo si los síntomas no se mejoran o si usted tiene otras inquietudes.

Para mayor información, vea el interior de la portada.

familias. Es importante que el médico esté certificado. Para los niños y los adolescentes son una buena opción los pediatras o los médicos dedicados a atender familias. Todos estos doctores tienen conocimientos muy amplios sobre los problemas de la salud. Vea la página 13 para una descripción breve de diferentes especialistas.

Disponibilidad

Como los problemas médicos raras veces se presentan a horas convenientes, es útil que usted cuente con un doctor o un equipo de profesionales médicos que pueda atenderlo cuando usted lo necesite. Éstas son algunas preguntas que usted debe considerar al escoger a un nuevo médico:

- ¿Cuáles son sus horas de consulta?
- Si usted llamara en este momento para pedir una cita de rutina, ¿para cuándo le darían la cita?
- ¿Está el doctor dispuesto a hablar con usted sobre sus problemas médicos por teléfono?
- ¿Trabaja el médico con enfermeras especializadas o con auxiliares médicos especializados (physician assistants, en inglés)? Estos proveedores de atención primaria cuentan con preparación especial para atender problemas médicos de rutina o enfermedades benignas. En muchos casos, estos profesionales podrán verlo más pronto, podrán pasar más tiempo con usted y podrán atenderlo igual de bien que un médico.

Capacidad del médico de ser un bueno socio

Durante su primera consulta, diga al médico que a usted le gustaría participar en la toma de decisiones sobre cualquier tratamiento.

Fíjese cómo se siente durante la consulta.

- ¿Lo escucha el doctor con atención?
- ¿Piensa que usted y él o ella podrían trabajar bien juntos?

Si usted responde "no" a estas preguntas, búsquese otro médico.

La enfermera consejera

Las enfermeras consejeras son enfermeras tituladas que han recibido preparación especial para ayudarle a decidir cómo tratar diferentes síntomas y cómo atender enfermedades benignas. También pueden responder a sus preguntas sobre diferentes problemas médicos.

Con frecuencia, una llamada a la enfermera consejera podrá ahorrarle una consulta con el médico, o podrá ayudarle a decidir si necesita una cita urgente o de rutina.

Las enfermeras consejeras también podrán ayudarle cuando su médico haga un diagnóstico o recomiende una prueba o un tratamiento que usted no entienda por completo. A veces, la enfermera consejera podrá responder a sus preguntas. En otras ocasiones, tal vez podrá ayudarle a pensar en las preguntas que usted necesite hacerle a su médico la próxima vez que lo vea.

Pero yo quiero un médico que tome las decisiones

No todo el mundo quiere ser socio de su médico. Tal vez a usted no le agrade hacerle preguntas a su doctor o tal vez no quiera tomar parte en la toma de decisiones. ¿Preferiría usted que su médico le dijera qué es lo que más le conviene? De ser así, dígaselo. La mayor parte de los doctores tienen muchos pacientes que prefieren no actuar como socios. Exprese qué es lo que usted espera.

¿Es hora de un cambio?

Si usted no está satisfecho con la forma en que su médico lo trata, quizás sea hora de hacer un cambio. Sin embargo, antes de que empiece a buscar a un nuevo médico, diga a su doctor actual cómo le gustaría que lo tratara. Es probable que su médico estaría más que dispuesto a trabajar con usted como socio, si tan solo usted le dijera que eso es lo que desea. De lo contrario, puede que su médico piense que usted, como muchas otras personas, prefiere que él o ella haga todo el trabajo.

Participe en la toma de decisiones

Excepto en una emergencia, usted no puede ser sometido a una prueba o a un tratamiento, a menos que reciba información completa al respecto y dé su consentimiento. Sin embargo, para que usted participe verdaderamente como el socio de su médico, tal vez no baste con que dé su consentimiento para diferentes procedimientos. La verdadera meta es que usted participe activamente en la toma de cada decisión que afecte su salud.

¿Por qué debe usted ayudar a su doctor a tomar las decisiones? ¿No está usted pagando para que él o ella sepa qué hacer? La realidad es que, en muchas ocasiones, las opciones no son tan claras y muchas veces hay más de una opción. Considere estos ejemplos:

- Usted tiene la presión algo alta (160/95). Su médico le explica que usted quizás podría bajar su presión mediante el ejercicio y la dieta, pero que la mayoría de las personas no tienen éxito con esas medidas. Por lo tanto, él o ella le recomienda que empiece a tomar medicina para controlarse la presión. Usted preferiría probar las técnicas de relajación, el ejercicio y los cambios en la dieta. La mejor decisión dependerá de cuáles sean sus valores.
- Su niño de tres años tiene dolor de cabeza y fiebre (calentura). El doctor le dice que probablemente no es nada de qué preocuparse. Entonces usted le menciona que ha notado otros síntomas en su niño: por ejemplo, él ha tenido dificultades para despertar y se ha rehusado a comer. El doctor sugiere que se le hagan algunas pruebas.
- Durante varios meses, usted ha padecido de dolor y molestias en la muñeca debido a un problema llamado "síndrome del túnel del carpo". Su médico ahora quiere darle una inyección de esteroides y desea que use una férula para la muñeca. Usted prefiere usar la férula y sólo tomar aspirina, por ahora. Si eso no da resultado, usted está dispuesto a pensar en usar otros medicamentos. Su doctor está de acuerdo con que ése es un buen plan.

La buena comunicación es importante

Para tomar decisiones juntos, usted y su doctor necesitan comunicarse bien. Aquí tiene un ejemplo de un buen proceso de comunicación.

1. Usted le describe a su médico sus señas o síntomas, su queja principal y sus presentimientos.

2. Su doctor le hace un diagnóstico y le describe los posibles tratamientos.

3. Usted le explica a su doctor sus preferencias o le pregunta si hay otras opciones.

4. Su doctor le da otras opciones, si es que las hay, y le explica cómo sus opciones se relacionan con sus preferencias.

5. Usted acepta una de las opciones recomendadas o consigue más información sobre lo que debe hacer.

Si usted y su doctor logran comunicarse bien, es más probable que encuentren el tratamiento que más le convenga a usted.

En cada caso, el tratamiento que usted escoja afectará su vida. Por lo tanto, la mejor forma de tomar una decisión es combinando la información médica más confiable con sus propios valores. Éstos consisten, entre otras cosas, de sus creencias, sus temores, sus necesidades, sus hábitos y sus experiencias. Cada una de estas cosas influye en las decisiones que usted toma sobre su salud.

Cómo tomar decisiones sensatas sobre su salud

Los siguientes son unos cuantos pasos sencillos que usted puede seguir cuando necesite tomar una decisión sobre su salud. Dependiendo de la decisión, el proceso podría tomar unos cuantos minutos, varias horas, o incluso varias semanas. Tómese todo el tiempo que necesite para poder llegar a la decisión que sea más adecuada para usted.

1. ¿Qué es lo que está tratando de decidir? Diga a su médico que usted quiere tomar parte en la toma de la decisión. Pídale que le explique con claridad cuál es la decisión que están tratando de tomar y cuáles son las opciones.

2. Obtenga información. Aprenda todo lo que pueda acerca de cada opción usando recursos como la biblioteca, la Internet y los conocimientos y la experiencia de su médico. Asegúrese de que la información que usted obtenga esté basada en investigaciones médicas bien concebidas y que no sea el resultado de un solo estudio o de datos publicados por una compañía que se vaya a beneficiar si usted usa su producto. Por todo este libro, hemos incluido un símbolo junto a ciertos problemas médicos. El símbolo indica que el obtener información adicional acerca de estos problemas podría ayudarle a usted a tomar mejores decisiones sobre su atención.

3. ¿Qué opina usted? Piense en sus propios valores y necesidades. Piense en los posibles resultados y decida cuál es el que usted desearía en su caso. Después, usando la información que haya obtenido, haga una lista de lo que para usted son los pros y los contras de cada opción. Tal vez usted quiera mostrarle su lista a su médico, para asegurarse de que tenga toda la información que necesita.

4. Considere su decisión con cuidado. Apunte lo que usted espera que sucederá si escoge cierta opción. Pregunte a su médico si sus esperanzas son razonables. Vuelva a hacer preguntas sobre los posibles efectos secundarios, el dolor, el tiempo de recuperación y los resultados a largo plazo de esa opción. Luego vea si aún siente que ésa es la mejor opción para usted.

5. Haga un plan de acción. Ahora que su médico y usted han tomado una decisión, averigüe lo que usted puede hacer para asegurarse de obtener el mejor resultado posible. Apunte los siguientes pasos que usted necesita seguir. Piense sobre su decisión de una forma positiva y siga los consejos de su médico. Así usted sabrá que ha hecho todo lo posible por asegurar su éxito. Recuerde que al compartir una decisión también hay que compartir la responsabilidad por el resultado.

Cómo reducir los costos de su atención (pero no la calidad)

Una vez que usted decide convertirse en un socio activo de su médico, hay muchas cosas que puede hacer para reducir los costos de su atención médica. La meta es obtener justo la atención que usted necesita, ni más ni—definitivamente—menos.

Cada año se gastan billones de dólares en medicinas, pruebas y tratamientos que las personas no necesitan. Para controlar mejor los costos de su atención, obtenga los cuidados que necesite cuando los necesite, evite las consultas, las pruebas y los tratamientos innecesarios y use los servicios de emergencia sensatamente. He aquí cómo:

1. Manténgase sano. La mejor forma de controlar los costos de su atención es teniendo hábitos saludables y usando los servicios preventivos con regularidad. Mantenga sus vacunas al día y pregunte a su médico si hay pruebas de detección que deba hacerse. Dichas pruebas ayudan a detectar los problemas graves en sus inicios, cuando es más fácil y más económico tratarlos.

2. No se demore en obtener los servicios que necesite. Si sus síntomas y las recomendaciones en este libro sugieren que usted debería acudir al médico, no espere. Si usted ignora un problema, es posible que termine teniendo complicaciones que serán más caras de tratar.

3. Atiéndase a sí mismo cuando pueda. Algunos problemas médicos no requieren atención profesional. Muchas veces usted podrá atenderse a sí mismo en casa usando la información en este libro y llamando a su médico o a la enfermera cuando necesite ayuda.

4. Gaste menos en pruebas médicas. Está bien que usted haga preguntas acerca de las pruebas que su doctor pida para usted, sobre todo si usted no entiende para qué servirán. A veces se hacen pruebas innecesarias cuando el médico piensa que el paciente no estará satisfecho a menos que le hagan análisis, o de vez en cuando, a causa del temor de una demanda legal. Ponga en claro que usted sólo desea hacerse pruebas cuando éstas sean verdaderamente útiles.

Prepárese para la sala de emergencia

- Si puede, llame a su médico. Quizás él o ella pueda estar en contacto con el equipo que lo atienda en la sala de emergencia y pueda proporcionarle información importante acerca de usted.
- Si piensa que tendrá que esperar a que lo atienda un médico de la sala de emergencia, lleve consigo este libro y sus apuntes. Mientras espera, usted puede...
  - usar la página 1 (la "Lista de control de Healthwise para el cuidado propio") para ayudarle a pensar en su problema y a describirle sus síntomas al médico.
  - usar la página 2 (la "Lista de preguntas para el doctor") para organizar las preguntas que quiera hacerle al médico.
  - usar sus apuntes para discutir sus medicamentos, sus tratamientos o los resultados de pruebas que le hayan hecho. La información sobre sus alergias, sus medicamentos y sus condiciones podría ser vital.
- En cuanto llegue, diga al encargado de admisiones por qué usted piensa que su problema es una emergencia.

5. Gaste menos en medicamentos. Usted puede hacerle preguntas a su doctor sobre cualquier medicina que le recete. Pregunte qué sucedería si usted decidiera no tomar la medicina. No espere recibir una receta para cada enfermedad; a veces el tratamiento en casa u otros remedios son todo lo que se necesita.

6. Evite las operaciones cuando los riesgos para usted sean mayores que los beneficios. Pregunte a su médico por qué piensa que usted necesita la operación. ¿Es la operación el tratamiento de costumbre para su problema? ¿Cuáles son sus opciones? Si usted no está convencido de que los beneficios sean mayores que los riesgos, no se haga la operación.

7. Use los servicios de emergencia sensatamente. En las situaciones de vida o muerte, los servicios de emergencia modernos son vitales. Sin embargo, las salas de emergencia no están diseñadas para atender problemas de rutina, y no atienden a los pacientes según quién llega primero. Durante los períodos ocupados, las personas con problemas leves pueden esperar por horas.

Use su juicio al decidir cuándo usar los servicios médicos de emergencia. Siempre que usted sienta que puede atenderse en casa sin ningún peligro y que puede esperar a ver a su médico de costumbre, hágalo. Sin embargo, si usted piensa que su situación podría amenazarle la vida, por supuesto llame al 911 o vaya a la sala de emergencia.

8. Use un hospital sólo cuando lo necesite. En este país, más de la mitad del dinero que se usa para los servicios médicos se gasta en estancias en los hospitales. Una estancia en un hospital moderno cuesta mucho más que unas vacaciones en la mayoría de los hoteles de lujo. (Y los hospitales son mucho menos divertidos.)

Uso sensato de los servicios de ambulancia

Llame al 911 o al departamento de emergencia de su centro médico local para pedir una ambulancia si:

Alguien tiene síntomas que podrían deberse a un ataque al corazón: dolor fuerte en el pecho, sudores, dificultades para respirar. Vea la página 138.

Hay sangrado fuerte o una gran pérdida de sangre del estómago, del recto o de la vagina. Vea la página 37.

Alguien está inconsciente o está teniendo muchas dificultades para respirar.

Alguien tiene convulsiones por más de cinco minutos.

Alguien se lastima e inmediatamente después siente dolor fuerte en el cuello.

Usted siente que la situación podría ser de vida o muerte.

Si usted no está seguro de que se requiera una ambulancia, llame a su centro médico de Kaiser Permanente.

No maneje usted mismo al hospital si tiene mareos, se ha desmayado, tiene una nueva debilidad de un lado del cuerpo, o si tiene dolor en el pecho junto con una sensación de presión o con dificultades para respirar.

Si tiene que internarse en un hospital, trate de darse de alta lo antes posible. Eso reducirá los costos y la posibilidad de que usted contraiga una infección durante su estancia en el hospital.

No se interne en el hospital tan solo para hacerse pruebas. En la actualidad, la mayoría de los análisis no requieren que la persona esté internada. Pregunte si usted puede evitar quedarse en el hospital. Su médico generalmente no requerirá que se interne si usted promete controlar su dieta y sus actividades.

Para evitar quedarse días adicionales en el hospital, trate de conseguir a alguien que le ayude en casa.

Pregunte si podría recibir servicios de enfermería en casa mientras se recupera. Si cuentan con ayuda, muchos pacientes pueden pasar menos días en el hospital. Además, los hospitales no son la única opción para las personas que tienen enfermedades terminales. Muchos pacientes eligen pasar sus últimos días en casa, rodeados de las personas que los conocen y los quieren. Se pueden hacer arreglos especiales para la atención que sea necesaria por medio de los programas de hospicio de Kaiser Permanente. Pida a su médico que le recomiende uno de dichos programas u obtenga más información llamando a la oficina de los servicios de hospicio (hospice office, en inglés) de su centro médico local.

9. Sólo consulte a un especialista cuando tenga un problema especial. Los especialistas son personas que tienen mucha preparación y experiencia en un área particular de la medicina. Por ejemplo, un cardiólogo ha recibido años de capacitación especial para tratar los problemas del corazón. Una consulta con un especialista con frecuencia cuesta más que una consulta con su médico de costumbre. Además, es posible que las pruebas y los tratamientos que se le hagan sean más caros. Claro que un especialista muchas veces podrá darle la información que necesite para decidir qué hacer cuando tenga que enfrentar un problema grave.

Cuando su médico de atención primaria lo envíe a un especialista, usted podrá aprovechar mejor la consulta con éste último si se prepara para la cita. Antes de acudir a un especialista:

- Sepa cuál es el diagnóstico o lo que se cree que será el diagnóstico.
- Infórmese acerca de las opciones básicas para su tratamiento.
- Entienda qué es lo que su médico de atención primaria espera del especialista (que se encargue de su caso, que confirme el diagnóstico, que le haga pruebas, etc.).
- Asegúrese de que el especialista reciba su expediente, incluyendo los resultados de cualesquiera pruebas que se haya hecho.

Pida a su médico de atención primaria que no deje de participar en su cuidado. Pida al especialista que envíe los resultados de las nuevas pruebas y cualquier nueva recomendación tanto a usted como a su médico de costumbre.

Cómo mejorar su estancia en el hospital

Cuando usted tenga que estar internado en el hospital, hay cosas que podrá hacer para mejorar la calidad de la atención que reciba. Si usted está muy enfermo, pida a su pareja o a un amigo que vele por sus intereses.

- Pregunte "por qué". No acepte nada a menos que tenga una buena razón para hacerlo. Acepte sólo aquellos procedimientos que tengan sentido para usted.
- Verifique que las medicinas, las pruebas, las inyecciones y otros tratamientos sean los correctos. Sus esfuerzos pueden mejorar la calidad de la atención que reciba.
- Sea amigable con las enfermeras y las otras personas que lo atiendan. Así ellas prestarán mayor atención a sus necesidades.
- Conozca sus derechos. La mayoría de los hospitales han adoptado el "Código de los Derechos del Paciente" (*Patient's Bill of Rights,* en inglés), creado por la Asociación Americana de Hospitales. Pida una copia en su hospital.
- Si recibe una cuenta detallada, revísela y haga preguntas sobre los cargos que no entienda.

Evite el fraude, los engaños y la charlatanería

Cada año, millones de personas son víctimas de engaños y de productos que no tienen ningún valor medicinal.

Muchas veces se anuncian remedios falsos para problemas crónicos. Estas promociones van dirigidas a personas con problemas como la artritis, el cáncer, la calvicie y la impotencia, que están dispuestas a probar cualquier cosa. Desafortunadamente, estas curas son caras, casi nunca ayudan y con frecuencia causan efectos secundarios dañinos.

Sospeche de productos que:

- Se anuncian con testimonios personales.
- Afirman tener un ingrediente secreto.
- No han sido evaluados en revistas médicas bien conocidas.
- Prometen beneficios que parecen imposibles.
- Se pueden conseguir únicamente por correo.

Sospeche de cualquier doctor que:

- Recete medicinas o dé inyecciones en cada consulta.
- Prometa una cura sin riesgo.
- Sugiera algo inmoral o ilegal.

La mejor forma de protegerse a sí mismo contra estos engaños es haciendo preguntas y siendo observador. Si a usted no le gusta lo que ve, búsquese otro doctor.

¿Quién se especializa en qué?

Cardiólogo: el corazón

Dermatólogo: la piel

Doctor de familia: la atención primaria

Endocrinólogo: la diabetes y los problemas hormonales

Fisiatra: la medicina física

Gastroenterólogo: el sistema digestivo

Geriatra: las personas de edad avanzada

Ginecólogo: el sistema reproductivo femenino

Internista: la atención primaria

Neurólogo: el cerebro y los problemas del sistema nervioso

Obstetra: el embarazo y el parto

Oftalmólogo: los ojos

Oncólogo: el cáncer

Optometrista: los ojos, cuando no hay una enfermedad

Ortopedista: la cirugía de los huesos, las coyunturas (articulaciones) y los músculos

Otorrinolaringólogo o cirujano de la cabeza y del cuello: los oídos, la nariz y la garganta

Pediatra: los bebés, niños y adolescentes

Podiatra: el cuidado de los pies

Pulmonólogo: los pulmones

Reumatólogo: la artritis y el reumatismo

Sicólogo: los problemas mentales y emocionales

Siquiatra: los problemas mentales y emocionales

Urólogo: los riñones y el sistema reproductivo del hombre

A menos que se indique otra cosa, los especialistas pueden ser doctores en medicina (*MDs*, en inglés) o doctores en osteopatía (*DOs*).

Obtenga información por su cuenta

La información es el instrumento más importante que usted necesita para tomar decisiones sensatas sobre su salud.

Si usted tiene un problema complicado o si desea saber más acerca de sus opciones...

- empiece por preguntar a su médico si él o ella tiene información adicional acerca de su problema, que usted pueda llevarse a casa. Algunos doctores ofrecen videos, folletos impresos o copias de artículos tomados de revistas médicas.
- llame a la línea telefónica de consejos de Kaiser Permanente, y pregunte si alguien puede ayudarle a obtener más información.

Este símbolo aparece en diferentes partes del libro. Sirve para indicarle que usted estará mejor preparado para tomar decisiones sensatas acerca de su salud si obtiene más información sobre el tema en cuestión.

En el interior de la portada de este libro aparecen sugerencias para ayudarle a obtener mayor información acerca de los problemas médicos y de sus opciones en cuanto a pruebas y tratamientos. Obtenga la información de fuentes confiables, que proporcionen datos bien fundamentados. Si usted tiene preguntas o inquietudes acerca de la información que obtenga, discútalas con su médico.

Por favor consulte también la guía de servicios para miembros de Kaiser Permanente. Allí encontrará más información acerca de las instalaciones de Kaiser que están a su disposición y acerca de las formas más eficaces de usar los servicios.

Sus derechos y sus responsabilidades como miembro de Kaiser Permanente

Usted tiene derecho a...

- participar en la atención médica que reciba.
- expresar sus deseos en cuanto a su atención en el futuro.
- recibir información y/o su expediente médico personal para que pueda participar en el cuidado de su salud.
- recibir información acerca de las personas que le proporcionen atención médica.
- recibir atención con dignidad y respeto.
- tener acceso imparcial al tratamiento.
- recibir una garantía de que no se violará el carácter confidencial y privado de su atención.
- recibir atención médica en un ambiente seguro, limpio y accesible.
- participar en la selección de su médico.
- conocer y usar los recursos que existen para asegurar la satisfacción de los miembros.

Usted tiene la responsabilidad de...

- proporcionar información precisa y completa.
- seguir el plan de tratamiento que usted y su profesional de la salud hayan elegido.
- acudir a sus citas.
- estar consciente de la forma en que sus hábitos afectan su salud.
- tenerles consideración a los demás.
- entender lo que cubre y no cubre su plan de salud.
- pagar todas sus cuentas.

2

Cómo mantenerse sano y evitar enfermedades

¡La prevención sí sirve! Usted y su familia pueden ahorrarse mucho dolor, preocupación y dinero si, para empezar, evitan todos los problemas de salud que puedan. Si no es posible evitar un problema por completo, lo siguiente que pueden hacer es descubrirlo lo antes posible, cuando aún sea fácil de tratar. Este capítulo les ayudará a hacer ambas cosas.

Diez formas de mantenerse sano

1. Vacúnese y vacune a su familia. Las vacunas son importantes a cualquier edad. Cuando usted y su familia se vacunan, evitan muchas enfermedades y ayudan a prevenir epidemias en su comunidad. Consulte el programa de vacunación recomendado por Kaiser Permanente y asegúrese de que su hijo reciba todas sus vacunas a tiempo.

2. Manténgase activo. El ejercicio es muy importante para la salud. Incluso el ejercicio moderado tiene un gran efecto sobre cómo se siente y qué enfermedades contrae. Para información sobre cómo mantenerse en forma, vea la página 282.

3. Coma una dieta balanceada. El comer una buena variedad de comidas nutritivas y bajas en grasas le dará energía y le ayudará a evitar muchas enfermedades (vea el Capítulo 18). La leche materna puede ayudar a evitar que su bebé se enferme (vea la página 210).

4. Controle el estrés. Aunque tenga una vida complicada y siempre vaya con prisa, usted puede evitar que la tensión nerviosa dañe su salud. En la página 288 describimos varias técnicas para relajarse.

5. No fume. Si una persona deja de fumar, su salud se beneficia mucho. Lo mismo es cierto para una persona que evita respirar el humo de otros fumadores. Vea la página 155.

6. No use drogas ni tome demasiado alcohol. Así evitará accidentes, enfermedades y otros problemas que podrían afectar a usted y a su familia. Para mayor información, vea la página 309.

7. Piense en la seguridad antes que nada. La seguridad en casa, en el trabajo, en los juegos, manejando su auto, con las armas de fuego y en las relaciones sexuales le ayudará a mantenerse saludable.

8. Haga cosas agradables. Tome siestas, relájese durante las comidas, juegue con sus niños, cuide a sus animales. Todas estas cosas pueden hacer de usted una persona más sana.

9. Apréciese a sí mismo. Ésa es la base de la buena salud. Vea las páginas 322 a 325.

10. Promueva la paz. La violencia amenaza la salud de todos. Encuentre maneras pacíficas de resolver los conflictos en casa, en la escuela, en el trabajo y en su comunidad. Vea la página 321.

Vacunas

Las vacunas ayudan a su cuerpo a reconocer y atacar rápidamente las enfermedades antes de que puedan causarle problemas. Hay algunas vacunas que se dan una sola vez, y otras que hay que recibir varias veces durante un período de tiempo determinado.

Las vacunas infantiles protegen a los niños contra la tos ferina (pertusis), la polio, el sarampión, las paperas (coquetas), la rubéola (peluza), la *Haemophilus influenzae,* la varicela y la hepatitis B. También hay vacunas para el tétano y la difteria, aunque hay que recibir refuerzos cada 10 años para mantenerse protegido.

Si sus niños están vacunados, no tendrán problemas con ninguna de estas enfermedades graves. Programe las vacunas para su niño de acuerdo a las normas de prevención recomendadas por Kaiser Permanente. No hay necesidad de retrasar las vacunas a causa de resfriados u otras enfermedades leves.

Apunte todas las vacunas de su hijo en una cartilla y guárdela. Con frecuencia, los niños necesitan mostrar sus cartillas de vacunación en la escuela.

Difteria, tos ferina (pertusis) y tétano (DPT/DTaP)

Las enfermedades infecciosas como la difteria y la tos ferina causaban muchas muertes antes de que existiera la vacuna DPT. Esta vacuna también protege contra el tétano (trismo), una infección por bacterias que puede resultar cuando una herida se ensucia. Las bacterias entran al cuerpo a través de las cortadas y se reproducen sólo si no hay oxígeno. Por eso, mientras más profunda y angosta sea la herida, mayor será la posibilidad de tétano. Con las vacunas apropiadas, estas enfermedades son raras.

Las vacunas infantiles para estas enfermedades se dan juntas, mediante una serie de inyecciones que comienzan a la edad de los dos meses. La vacuna DTaP es una versión nueva de la DPT que puede causar una reacción menos fuerte en la persona que la reciba. Siga las recomendaciones de Kaiser Permanente para la aplicación de la vacuna DPT / DTaP.

El primer refuerzo de Td (tétano y difteria) se da entre los 11 y 16 años de edad. De ahí en adelante, obtenga un refuerzo cada 10 años.

Es importante mantener al día sus refuerzos de Td, porque el tétano puede causar la muerte. Si han pasado al menos cinco años desde su última inyección y usted tiene una herida (sobre todo una herida profunda y angosta) que está muy sucia o que puede estar contaminada, vaya a que le den una dosis de refuerzo de Td.

De otra forma, no hay necesidad de vacunarse más seguido porque eso aumenta el riesgo de sufrir una reacción molesta.

Polio (parálisis infantil, poliomielitis)

La polio es una enfermedad, causada por un virus, que produce pérdida de movimiento o parálisis. Es rara hoy en día, gracias a las vacunas. Los niños deben recibir cuatro dosis de la vacuna antes de cumplir seis años. La serie completa de vacunas da protección de por vida.

La vacuna contra la polio viene en dos formas: la OPV, que se toma por la boca, y la IPV, que se inyecta. A veces la vacuna IPV se usa para las primeras dos dosis que reciben los bebés. También se recomienda para cualquier persona que ha tenido una enfermedad que debilite el sistema de defensas del cuerpo (sistema inmunológico) o que tome medicinas que causen el mismo problema. Los adultos que no están vacunados sólo necesitan inmunizarse si corren un alto riesgo de entrar en contacto con la polio.

Sarampión, paperas y rubéola (*MMR*, en inglés)

La vacuna conocida en inglés por sus iniciales MMR da protección contra el sarampión, las paperas y la rubéola o peluza (vea la página 229). Se recomiendan dos dosis. Si se dan ambas inyecciones, no se necesitan más después.

Si da un brote de sarampión en su área y su bebé todavía no ha sido vacunado, quizás sea buena idea vacunar a su bebé luego. Llame a su doctor o departamento de salud para pedir más información. Los bebés que reciben temprano la vacuna MMR, deben recibir otra a los 15 meses de edad para que estén completamente protegidos.

Si usted no tiene registros que demuestren que ha recibido dos dosis de la vacuna MMR y no tuvo las enfermedades de niño, hable con su doctor sobre la posible necesidad de vacunarse.

Varicela (*Varivax*, en inglés)

Hay una nueva vacuna contra la varicela llamada Varivax, que se puede dar a los niños mayores de 12 meses y a los adolescentes y adultos que no hayan tenido la enfermedad. La inmunidad dura al menos 10 años y todavía no se sabe si se necesitarán dosis de refuerzo.

La varicela es más grave cuando afecta a los adolescentes y a los adultos. Por lo tanto, la vacunación puede ser más importante para un niño que ha llegado a los 11 años sin haber contraído la enfermedad. Los adolescentes y los adultos que no están seguros de haber tenido varicela deben hablar con su médico sobre la posibilidad de hacerse una prueba y de vacunarse. Para los adultos se requiere una serie de dos inyecciones.

Virus de la hepatitis B (*HBV*, en inglés)

El virus de la hepatitis B causa una enfermedad del hígado muy grave, y a veces la muerte. La vacuna HBV previene la infección y sus complicaciones. Vea la página 275.

Reacciones a las vacunas infantiles

Con frecuencia, las vacunas causan reacciones leves que pronto desaparecen. Es común que a un bebé le de fiebre después de recibir la vacuna DPT y que el lugar de la inyección se ponga duro. De 10 a 14 días después de recibir la inyección MMR puede dar un poco de salpullido o fiebre. El salpullido desaparecerá sin tratamiento. En algunos adultos, las vacunas de la hepatitis B han causado náusea, fiebre baja, salpullido y dolor en las coyunturas (articulaciones).

- Las gotas de acetaminofeno pueden aliviar las molestias y bajar la fiebre. Vea la página 224. Algunos doctores recomiendan dar el acetaminofeno justo antes de la inyección.
- Tome apuntes de cualquier reacción que usted observe.
- Avísele a su profesional de la salud si piensa que las reacciones son demasiado fuertes.

Una serie de tres inyecciones da protección a largo plazo. Actualmente se recomienda esta serie para todos los bebés. También se recomienda que se vacunen:

- Los adolescentes que no hayan sido vacunados antes, sobre todo si corren un alto riesgo de infección.
- Los trabajadores de la salud.
- Las personas que están planeando pasar algo de tiempo viajando en China, en el sudeste de Asia o en otros lugares donde el riesgo de contraer la hepatitis B sea alto.

Haemophilus influenzae tipo b (Hib)

La *Haemophilus influenzae* tipo b no causa la gripe (influenza). Es una enfermedad grave producida por una bacteria que causa meningitis y puede dañar el cerebro y causar la muerte. Esta enfermedad afecta más gravemente a los niños entre los seis meses y un año de edad. Todos los niños entre dos meses y cinco años de edad deberían recibir la vacuna contra la Hib. Los niños mayores de cinco años y los adultos sólo necesitan vacunarse si tienen anemia drepanocítica (de células en forma de hoz) o problemas del bazo.

Otras vacunas

Se recomienda que todas las personas que tengan enfermedades crónicas o que son mayores de 65 años de edad se vacunen contra **la gripe (influenza)** una vez al año. Puede que también deseen vacunarse cada año las personas que trabajan con enfermos, y que por lo tanto corren un mayor riesgo de contraer la gripe. La vacuna se puede dar a cualquier persona mayor de seis meses. La vacuna ofrece mayor protección si se recibe en el otoño. Si usted es menor de 65 años y vive con una persona que es mayor o que padece de una enfermedad crónica, tal vez usted también quiera vacunarse contra la gripe cada año.

Se recomienda la **vacuna neumocócica** para las personas mayores de 65 años de edad. Las personas menores de 65 años que tengan enfermedades crónicas, sobre todo enfermedades respiratorias (excepto el asma), también deben pensar en ponerse la vacuna neumocócica. Si usted recibió esta vacuna antes de los 65 años de edad, y han pasado más de cinco años

Sea sensato, use vacunas

Es sensato vacunarse porque las vacunas...

- evitan enfermedades.
- cuestan mucho menos que el tratamiento de las enfermedades que ellas evitan.
- son seguras y eficaces.
- reducen el riesgo de epidemias.
- se requieren por la ley. Para poder inscribirse en una escuela pública, los niños necesitan estar vacunados (o los padres necesitan firmar un certificado de exención).

desde que la recibió, pregunte a su médico si necesita una vacuna de refuerzo.

Si usted regularmente está en contacto con personas que tienen una enfermedad infecciosa, o está planeando viajar a áreas donde son comunes las enfermedades como la malaria (paludismo), la fiebre tifoidea y la fiebre amarilla, hable con su departamento de salud para preguntar si necesita otras vacunas.

Prueba de la tuberculina

La prueba de la tuberculina no es una vacuna, sino una prueba en la piel para la tuberculosis (vea la página 157). Un resultado positivo (una reacción en la piel) no significa necesariamente que usted tenga tuberculosis. Sólo indica que la bacteria probablemente ha entrado a su cuerpo. El que usted deba someterse a pruebas o no, dependerá de qué tan común sea la tuberculosis en su área y de su riesgo de entrar en contacto con ella. Una vez que la persona tenga una reacción en la piel, no se debe repetir la prueba. Las pruebas siguientes siempre serán positivas y podrían causar reacciones más serias.

Pruebas y detección temprana

Otra forma de proteger su salud es encontrando cualquier enfermedad cuando apenas esté comenzando y todavía sea fácil de tratar. Hay dos formas de lograr esto: visitando regularmente a un profesional de la salud para hacerse exámenes, y siendo muy observador de su propio cuerpo y salud.

Exámenes médicos regulares

Muchos doctores solían recomendar un examen físico completo cada año. Ahora, la mayoría de los doctores recomiendan exámenes médicos específicos según la edad, el sexo y los riesgos que corra cada paciente de tener diferentes males. Estos exámenes son más eficaces para detectar enfermedades curables que los exámenes físicos anuales.

Consulte el programa de exámenes preventivos recomendado por Kaiser Permanente. Puede obtener una copia del programa en su centro médico local. El programa más apropiado para usted es aquel que usted y su doctor escojan, en base a su salud, valores y riesgos.

Las recomendaciones son para las personas sanas en cada grupo. Usted puede correr un mayor riesgo de sufrir ciertas enfermedades. Hay muchos factores que pueden aumentar su riesgo, como sus antecedentes familiares (si sus parientes tienen o han tenido la enfermedad), otros problemas de salud o hábitos como el fumar. Hable con su doctor para decidir si usted necesita exámenes más frecuentes.

Para mantenerse sano, también es importante que usted mismo se haga ciertos exámenes con regularidad. Lea la información sobre el autoexamen de los senos en la página 240 y el autoexamen de los testículos en la página 265. Si usted tiene la presión alta, vea la página 236.

Para mayor información sobre las pruebas del colesterol, vea la página 235.

Sigmoidoscopia flexible (examen del intestino grueso)

La sigmoidoscopia flexible es una prueba para detectar crecimientos precancerosos y cánceres en el intestino grueso y el recto. El sigmoidoscopio es un instrumento flexible que se usa para examinar la parte inferior del intestino grueso y el recto. El examen dura de 10 a 15 minutos, no es muy molesto y es una prueba muy segura.

Las personas que reciban un examen de este tipo regularmente, corren un menor riesgo de morir a causa de cáncer del intestino grueso o del recto. La mayoría de los expertos recomiendan comenzar a hacerse esta prueba alrededor de la edad de 50 años. Además de usar este examen para detectar los inicios de un cáncer, los doctores lo pueden usar para verificar la causa de un caso de sangrado en el recto, diarrea o estreñimiento.

Otras pruebas y exámenes recomendados

Bebés

Averigüe con qué frecuencia necesita exámenes de rutina su bebé. Hable con el profesional médico encargado de él o consulte las recomendaciones que aparecen en la guía de atención preventiva de su centro médico de Kaiser Permanente.

Niños de 2 a 5 años de edad

Hable con su profesional de la salud sobre cuándo debe de llevar a su niño a consultas. Se recomienda una prueba de la vista a los 3 ó 4 años de edad. Algunas vacunas infantiles también se dan a esta edad. Vea la página 16.

Los chequeos regulares de la presión de la sangre se recomiendan para niños mayores de 3 años. Los chequeos pueden hacerse durante cualquier consulta.

Jóvenes de 6 a 18 años de edad

Hable con su profesional de la salud sobre cuándo debe llevar a su hijo a consultas. Se recomienda una vacuna de refuerzo contra el tétano entre los 11 y 16 años de edad. También se recomiendan chequeos regulares de la presión de la sangre, que pueden hacerse durante cualquier consulta.

Las pruebas de Papanicolaou se recomiendan para las jóvenes que están teniendo relaciones sexuales. Vea las páginas 243 a 245.

Mujeres embarazadas

Decida con su médico con qué frecuencia ir a consultas y cuándo hacerse pruebas. Para la primera visita prenatal, se recomiendan pruebas de sangre y orina, chequeo de la presión de la sangre y la prueba de la hepatitis B. También se necesitan otras pruebas durante el embarazo.

Los signos vitales

Con unos pocos instrumentos y un buen ojo para la observación, usted puede ayudar a detectar y a seguir problemas de la salud en su familia. Todos necesitamos saber cómo tomar la temperatura y contar el pulso y el ritmo de la respiración. También es buena idea que sepamos cómo tomarnos la presión de la sangre. Inclusive puede ser útil aprender a hacer exámenes sencillos de los oídos. Los instrumentos que se necesitan son baratos y generalmente vienen con instrucciones.

La temperatura

Una temperatura normal varía de 97,6 a 99,6 grados Fahrenheit y para la mayoría de las personas es 98,6 grados Fahrenheit (ó 36,9 centígrados). Muchas cosas afectan la temperatura, como por ejemplo la hora del día, así que no se preocupe si hay algún pequeño cambio.

Siempre que una persona se sienta caliente o fría al tocarla, es buena idea tomarle la temperatura y anotarla. Si usted tiene que llamar a su doctor cuando alguien esté enfermo, ayudará mucho que sepa la temperatura exacta de la persona.

Temperaturas equivalentes en grados Fahrenheit y Centígrados

°F		°C
98,5	=	36,9
99,0	=	37,2
99,5	=	37,5
100,0	=	37,8
100,5	=	38,1
101,0	=	38,3
101,5	=	38,6
102,0	=	38,9
102,5	=	39,2
103,0	=	39,4
103,5	=	39,7

Hay cuatro formas de tomar la temperatura:

- En la boca (temperatura oral)
- En el ano (rectal)
- En la axila o arca (axilar)
- Con un termómetro electrónico para la boca o los oídos, o con una tirita de plástico o papel para temperatura.

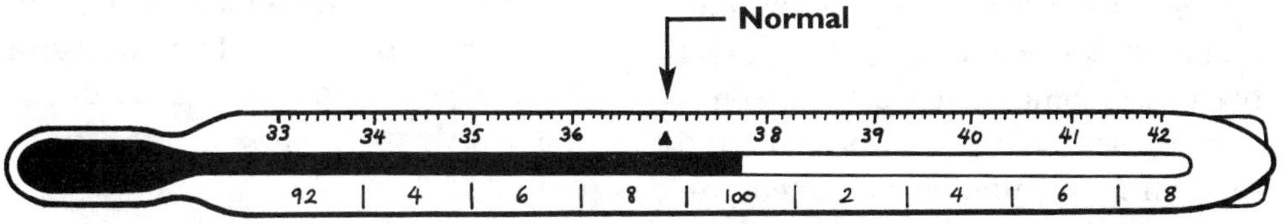

Antes de tomar la temperatura, sacuda el termómetro hasta que el mercurio baje hasta 95 grados Fahrenheit (35 centígrados) o menos. Este termómetro marca 100 grados (37,8 centígrados).

A menos que se indique otra cosa, **todas las temperaturas en este libro son lecturas orales en grados Fahrenheit**. (En la página 21 aparece una tabla que da los equivalentes en centígrados de varias temperaturas Fahrenheit.) Si usted toma una temperatura en el ano o la axila, ajuste la diferencia. (Como se explica más adelante, las temperaturas rectales son un poco más altas que las orales, y las axilares son un poco más bajas.) Las temperaturas rectales son las más exactas.

Las temperaturas orales se recomiendan para adultos y niños mayores de seis años.

- Limpie el termómetro con agua y jabón o con alcohol.
- Deténgalo bien del lado que no tiene la ampolleta y sacúdalo para que el mercurio baje hasta 95 grados o menos.
- Asegúrese de que la persona no haya bebido nada caliente o frío muy recientemente.
- Métale el termómetro en la boca, de modo que la ampolleta quede debajo de la lengua. Pídale a la persona que cierre la boca. No debe morder el termómetro con los dientes. Pídale que respire por la nariz y que no hable.
- Espere de tres a cinco minutos.

Las temperaturas tomadas en el ano se recomiendan para niños menores de seis años o cualquier persona que no pueda sostener el termómetro en la boca. Para tomar la temperatura en el ano no use ningún otro tipo de termómetro más que uno rectal. La temperatura en el ano es entre medio grado a un grado más alta que la temperatura en la boca.

- Limpie el termómetro y sacúdalo como explicamos antes.
- Unte la ampolleta con vaselina u otro lubricante.
- Sostenga al niño boca abajo sobre sus piernas.
- Sostenga el termómetro como una pulgada por encima de la ampolleta y métalo con cuidado en el ano, no más de una pulgada. No lo suelte. Deténgalo justo al borde del ano para que no vaya a deslizarse más para adentro.
- Espere tres minutos.

Las temperaturas de la axila son menos exactas y como un grado más bajas que la temperatura oral. Estas temperaturas son más seguras para niños pequeños que no se quedan quietos cuando usted trata de usar un termómetro rectal.

- Use un termómetro para la boca o el ano. Sacúdalo hasta que el mercurio baje hasta 95 grados o menos.
- Ponga el termómetro en la axila y pídale al niño que cruce su brazo frente a su pecho y se agarre el codo del otro brazo.
- Espere cinco minutos.

Cómo leer un termómetro

- Dele vuelta al termómetro hasta que pueda ver la línea de mercurio. Note que el termómetro está marcado de 92 a 108 grados.
- Cada marca larga indica un grado de temperatura. Cada marca corta indica 0,2 grados (o sea, la quinta parte de un grado).

Pulso normal en descanso		Respiración normal en descanso	
Primer año de vida	100 - 160 latidos por minuto	Primer año de vida	40 - 60 respiraciones por minuto
1 - 6 años	65 - 140 latidos por minuto	1 - 6 años	18 - 26 respiraciones por minuto
7 - 10 años	60 - 110 latidos por minuto	7 - adulto	12 - 24 respiraciones por minuto
11 - adulto	50 - 100 latidos por minuto		

Los termómetros electrónicos son convenientes y fáciles de usar. Son muy exactos, pero algunos son caros. Las tiritas para temperatura sólo deben usarse para tomar la temperatura en la axila. Las tiritas no son exactas cuando se ponen en la frente.

Cómo tomar el pulso

El pulso es el ritmo de los latidos del corazón. Cada vez que el corazón empuja la sangre por el cuerpo, uno puede sentir una pulsación en las arterias que están cerca de la piel. El pulso se puede tomar en una muñeca, en el cuello o en la parte de arriba de un brazo.

Algunas enfermedades pueden acelerar el pulso. Por eso es útil saber cuál es su pulso en descanso, cuando usted está sano. El ritmo del pulso aumenta unos 10 latidos por minuto, por cada grado (Fahrenheit) de fiebre.

- Tome el pulso cuando la persona haya estado sentada o reposando calladamente de 5 a 10 minutos.
- Ponga dos dedos suavemente contra la muñeca como muestra el dibujo (no use el pulgar).
- Si es difícil sentir el pulso en la muñeca, busque la arteria gruesa que se halla en el cuello, a ambos lados de la tráquea (gaznate). Empuje suavemente.
- Cuente los latidos por 30 segundos. Luego doble el resultado para obtener el número de latidos por minuto.

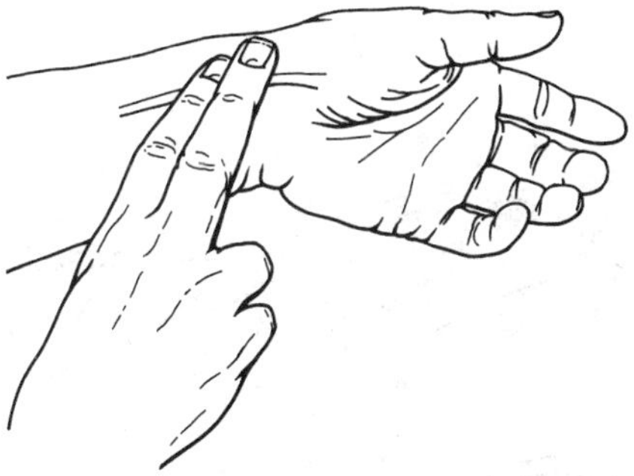

Para tomar el pulso, ponga dos dedos contra la muñeca.

Cómo contar el ritmo de la respiración

El ritmo de su respiración es el número de inhalaciones que usted toma en un minuto. El ritmo de la respiración aumenta con la fiebre y con algunas enfermedades. El mejor momento de medir las respiraciones es cuando la persona está en reposo, quizás después de tomarle el pulso mientras sus dedos todavía están en la muñeca. Es probable que la respiración cambie si la persona sabe que usted la está contando.

- Cuente cuántas veces sube y baja el pecho en un minuto completo.
- Fíjese si la piel se hunde entre las costillas, si la persona tiene dificultades para respirar o si le silba la respiración.

Cómo medir la presión de la sangre

La presión de la sangre es la fuerza con que la sangre empuja contra las paredes de las arterias. La presión cuando el corazón late se llama presión sistólica (el primer número en las lecturas de la presión de la sangre). La presión entre los latidos, cuando el corazón descansa, se llama presión diastólica. Cualquier presión de sangre menor de 140/90 se considera normal para un adulto mayor de 18 años. Para mayor información sobre la presión alta, vea la página 236.

La mayoría de las personas que oyen bien pueden aprender a tomar la presión, usando un estetoscopio y un manguito especial (esfigmomanómetro). También hay manguitos electrónicos para tomar la presión de la sangre. Para éstos no se necesita oír bien ni tener un estetoscopio.

- Pídale a su farmacéutico o boticario que le recomiende un juego de piezas para tomar la presión y que le muestre cómo usarlo.
- Se recomienda que cualquier persona que padece de una enfermedad del corazón o de presión alta se tome la presión en casa regularmente.

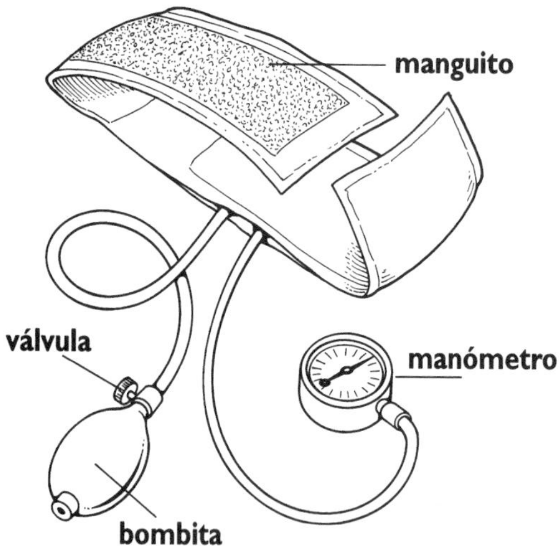

Puede medir la presión de la sangre en casa con un manguito para tomar la presión.

Señales de advertencia

Algunos síntomas pueden servir como señales de advertencia de que un problema grave se podría estar desarrollando. Si usted sabe cuáles son estas señales y les presta atención, usted podría detectar el problema antes de que llegue a amenazarle la vida. Algunas enfermedades, como el cáncer, con frecuencia son curables si se detectan a tiempo. Otros problemas, como la diabetes, no son curables. Sin embargo, si se detectan y se tratan pronto, es posible disminuir el daño que puedan causar.

A continuación presentamos las señales de advertencia de cuatro enfermedades que muchas veces pueden ser detenidas o controladas si se detectan a tiempo.

El cáncer

La Sociedad Americana del Cáncer (*American Cancer Society*) ha identificado las siguientes siete señales de advertencia para el cáncer. Hable con su médico de inmediato si usted tiene cualquiera de estos síntomas.

- Cambios en su forma habitual de obrar o de orinar. La mayoría de las personas de vez en cuando tienen temporadas breves de estreñimiento, de diarrea o de cambios en la frecuencia con que orinan u obran. Estas cosas no necesariamente son indicaciones de cáncer, sino que pueden deberse a la gripe, a cambios en la alimentación, a la tensión, etc. Avise a su médico si tiene cualquiera de los cambios mencionados por más de dos semanas.
- Una llaga que no sana. Vea "Cáncer de la piel" en la página 206.
- Sangrado o desecho fuera de lo usual. Usted debe avisarle a su médico si le sale sangre del cuerpo al toser, vomitar u orinar, o si hay una cantidad considerable de sangre en sus excrementos. Las cantidades pequeñas de sangre en los excrementos pueden deberse a las hemorroides (almorranas). Sin embargo, si las pequeñas cantidades de sangre no desaparecen en unos cuantos días, usted debe hablar con su médico.
- Un bulto o una bolita en un pecho (seno) o cualquier otra parte del cuerpo. La mayoría de las bolitas, incluso en los pechos, no se deben al cáncer. Sin embargo, no hay que ignorarlas. Vea "La salud de los senos", página 240, y "Cómo examinarse los testículos", página 265.
- Dificultades para tragar o indigestión que dura por más de un mes y que produce más que molestias leves de vez en cuando.
- Cambios en el aspecto o en el tamaño de una verruga o de un lunar. Vea "Cáncer de la piel", página 206.
- Tos o ronquera molestas. La tos y la ronquera muchas veces dan con un resfriado. Sin embargo, si usted tiene una o ambas molestias por más de unas cuantas semanas, dígaselo a su médico.

La diabetes

Las señales de advertencia de la diabetes con frecuencia no son muy concretas y quizás no le hagan pensar que necesita ver al médico. Sin embargo, si usted tiene cualquiera de los siguientes síntomas sin que haya una causa obvia (por ejemplo, cansancio por trabajar mucho o la necesidad de orinar con frecuencia por tomar muchos líquidos), discuta sus síntomas con su médico. Para mayor información sobre la diabetes, vea la página 231.

- Aumento en la sed
- Ganas frecuentes de orinar (sobre todo por la noche)
- Aumento en el apetito (hambre)
- Pérdida de peso que no se puede explicar
- Cansancio
- Infecciones de la piel frecuentes, sin explicación
- Heridas que se tardan en sanar
- Infecciones frecuentes de la vagina
- Dificultades para tener erecciones

- Visión borrosa persistente
- Entumecimiento u hormigueo persistentes en las manos o en los pies

Ataque al corazón

Llame al 911 o a otros servicios de emergencia de inmediato si usted u otra persona tiene las señales de advertencia de un ataque al corazón. El tratamiento inmediato podría salvarle la vida.

- La seña principal de un ataque al corazón es el dolor en el pecho que es oprimente o estrujante, que aumenta en intensidad o que da junto con otros síntomas de un ataque al corazón.

Otros síntomas de un ataque al corazón incluyen:

- Sudores
- Respiración corta
- Dolor de pecho que se extiende al brazo, al cuello o a la quijada
- Náusea o vómito
- Mareo
- Pulso rápido o irregular—o ambas cosas

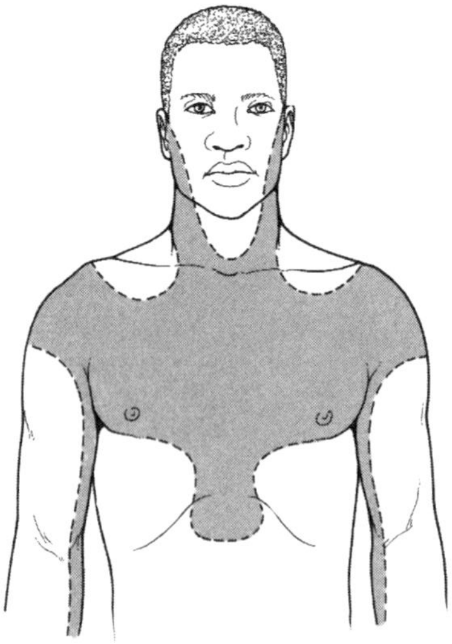

Áreas oscuras muestran dónde puede sentir dolor durante un ataque cardíaco.

Derrame cerebral ('embolia')

La Asociación Nacional del Derrame Cerebral (*National Stroke Association*) ha identificado cinco señales de advertencia de un derrame cerebral. Ciertos tratamientos para este problema sólo son eficaces si se dan menos de tres horas después de que comiencen los síntomas. Si una persona que está con usted o usted mismo tiene cualquiera de estos síntomas, **llame de inmediato al 911 o a otro servicio de emergencia**.

- Debilidad, entumecimiento o parálisis de la cara, de un brazo o de una pierna, que no se quita en unos cuantos minutos, sobre todo si el problema sólo afecta un lado del cuerpo.
- Problemas de la vista que afectan a uno o ambos ojos: la persona ve borroso o ve menos que antes, y el problema no se quita al parpadear.
- Dificultades recientes para hablar o para entender declaraciones sencillas.
- Dolor de cabeza muy fuerte y repentino, sin ninguna razón.
- Pérdida considerable de la coordinación o del equilibrio, o mareo muy fuerte, sobre todo si la persona también tiene alguna otra de las señales de advertencia.

Llame a su médico de inmediato, si usted u otra persona definitivamente tuvo uno de los síntomas y luego éste desapareció en unos cuantos minutos. Los síntomas que se quitan en unos cuantos minutos pueden deberse a un ataque isquémico transitorio (AIT). Los AIT son una fuerte indicación de que un derrame cerebral grave podría ocurrir en poco tiempo.

3

Primeros auxilios y emergencias

Este capítulo habla sobre las emergencias médicas graves y las situaciones menos urgentes que requieren de primeros auxilios. Le recomendamos que lea este capítulo antes de que lo necesite. Así, cuando haya una emergencia o alguien esté herido, usted sabrá dónde buscar información. Si usted puede actuar con confianza en cualquier tipo de emergencia, la persona herida se tranquilizará.

Éstas son algunas de las emergencias médicas que cubre este capítulo:

- Hemorragias, página 37.
- Golpes y heridas en la cabeza, página 42.
- Envenenamiento, página 53.
- Respiración de boca a boca y Resucitación cardiopulmonar (RCP), página 55.
- Choque, página 60.
- Pérdida del conocimiento, página 65.

Qué hacer en una emergencia

Respire profundamente. Cuente hasta 10. Dígase a sí mismo que usted puede hacerse cargo de la situación.

Evalúe el peligro. Protéjase a sí mismo y proteja al herido contra incendios, explosiones u otros peligros. No mueva a la persona si sospecha que ella se ha lastimado la espina, a menos que el peligro sea muy grande.

Si la persona está inconsciente o no reacciona, revise lo básico: las vías respiratorias, la respiración y el pulso. Si la persona no está respirando, vea "Respiración de boca a boca y resucitación cardiopulmonar" en la página 55.

Encuentre todos los problemas del herido y decida cuáles son más importantes. Antes que nada, trate las condiciones de vida o muerte (como hemorragias o choque). Luego revise si la persona tiene huesos rotos u otras heridas. Si necesita ayuda de emergencia, llame al 911 o a los servicios de emergencia.

Protección legal

Si lo necesitan a usted en una situación de emergencia, haga lo que pueda. La mayoría de los estados de este país tienen una ley del "buen samaritano" para proteger a las personas que ayudan en una emergencia. A usted no lo pueden demandar por dar primeros auxilios, a menos que se pruebe que usted haya sido culpable de un gran descuido.

Pérdida accidental de un diente

Si se le cae un diente permanente por accidente, quizás un dentista se lo pueda volver a poner. Como los dientes de leche se tienen que caer de cualquier forma, por lo general no hay que preocuparse si uno se cae por un golpe u otro accidente.

Tratamiento en casa

- Llame de inmediato a su dentista para hacer una cita de emergencia. Un reinjerto es más eficaz si se hace durante los primeros 30 minutos después del accidente. En cambio, si se dejan pasar dos horas o más, no es muy probable que el reinjerto tenga éxito.
- Limpie el diente y vuelva a colocarlo en su lugar (en el hueco de la encía), o entre la encía y la mejilla. Tenga cuidado de no tragárselo. También puede poner el diente en un pequeño envase con leche, pero no lo ponga en agua de la llave.

Cuándo llamar al dentista

- Si se le cae un diente permanente.
- Si a su niño se le cae un diente de leche, haga una cita antes de que pasen dos semanas. Quizás sea necesario ponerle un aparatito que mantenga el espacio vacío, hasta que salga el diente permanente.

Mordidas de animales y de gente

Si lo muerde un animal, es probable que quiera saber si necesita vacunarse contra la rabia. Los animales salvajes que más transmiten la rabia son los mapaches, los zorrillos, los zorros y los murciélagos. Los perros y los gatos que han sido vacunados raramente tienen rabia. Pero muchos perros y gatos callejeros no están vacunados. La rabia es muy poco común, pero si no se trata, puede causar la muerte. El tratamiento no causa mucho dolor; es como cualquier otra inyección. Si a usted lo muerde un animal salvaje, avísele a su doctor o al departamento de salud.

Las mordidas que rompen la piel, pueden causar infecciones bacterianas. Las mordidas de gatos y de gente tienen más probabilidad de infectarse. A la persona le puede dar tétano si sus vacunas no están al día. Vea la página 16.

Prevención

- Vacune a todas sus mascotas contra la rabia. No tenga animales salvajes de mascotas.
- No moleste a un animal cuando esté comiendo, aunque sea suyo.

- Enseñe a los niños a no acercarse a los perros y gatos callejeros, ni a jugar con ellos.
- No toque a los animales salvajes ni los provoque para que no lo ataquen. No toque a animales enfermos o heridos.

Tratamiento en casa

- Lave la mordida de inmediato con agua y jabón. Cúresela como si fuera una estacada o un pinchazo fuerte. Vea la página 54.
- Si lo muerde la mascota de alguien, averigüe si el animal ha sido vacunado contra la rabia.
- Si un animal sano muerde a alguien, hay que encerrarlo y vigilarlo durante 10 días para ver si le dan señas de rabia. Si usted no puede encontrar al dueño o no puede confiar en que observe al animal, llame a su departamento de salud local.
- Si lo muerde un animal salvaje, llame a su departamento de salud. Ellos le podrán informar si ese animal transmite la rabia en su área y si usted necesita tratamiento.

Cuándo llamar a Kaiser Permanente

- Si lo muerde un animal salvaje.
- Si lo muerde un perro o un gato que se está portando raro, está echando espuma por la boca o que lo atacó sin razón.
- Si lo muerde un animal cuyo dueño no puede asegurarle que el animal haya sido vacunado contra la rabia.
- Si la mordida es grave y quizás haya que coserla, o si la mordida fue en la cara, la mano o el pie. Si es necesario que usted reciba puntos, generalmente es mejor si se ponen antes de que pasen ocho horas.
- Si le dan señas de infección:
  - Dolor, enrojecimiento, hinchazón o sensibilidad que van aumentando
  - Sensación de calor o rayitas rojas que se extienden de la mordida
  - Sale pus de la mordida
  - Fiebre de 100 grados o más, sin que haya otra causa

Sangre bajo una uña

Es común que uno se golpee o se machuque una uña. Por lo general estas heridas no son muy serias, pero si hay sangre bajo la uña, la presión puede causar mucho dolor.

El dolor sólo se puede aliviar haciendo un hoyito en la uña para que salga la sangre. Usted puede hacer esto en casa. Quizás le dé asco o nervios intentarlo, pero es lo mismo que haría un profesional.

Este remedio sólo funciona si el dolor es muy fuerte y palpitante (la persona puede sentir el pulso latiéndole bajo la uña), tanto así que no deja dormir a la persona.

Tratamiento en casa

- Ponga hielo en la herida y levante el dedo tan pronto como pueda, para bajar la hinchazón y calmar el dolor. También puede tomar acetaminofeno para aliviar las molestias.

- Para hacer un hoyito en la uña y aliviar la presión, siga estos pasos:
  - Enderece un clip o sujetapapeles y ponga la punta en la lumbre hasta que esté bien caliente y roja.
  - Ponga la punta del clip sobre la uña y deje que la derrita. No necesita empujar el clip. La persona no sentirá dolor porque la uña no tiene nervios. Si la uña es gruesa, puede requerir varios intentos.
  - En cuanto se abra el hoyito, la sangre saldrá por allí y se quitará el dolor.
- Remoje el dedo tres veces al día, en una mezcla de mitad de agua oxigenada y mitad de agua caliente.
- Si a los pocos días siente presión otra vez, vuelva a abrir el hoyito en el mismo lugar.

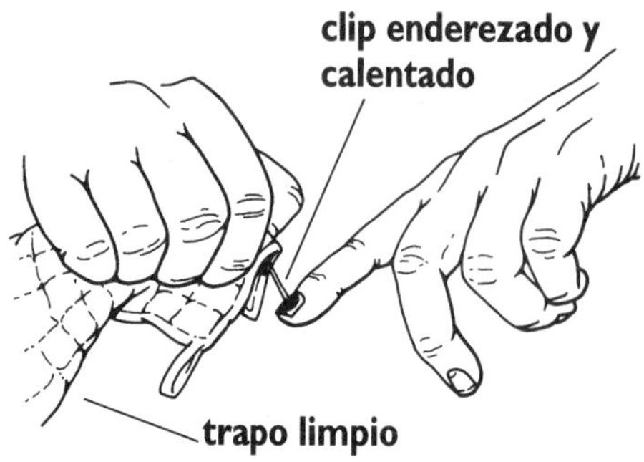

Use un clip caliente para aliviar el dolor causado por la sangre debajo de la uña.

Cuándo llamar a Kaiser Permanente

- Si la persona no deja que le agujere la uña.
- Si aparecen señas de infección:
  - Dolor, hinchazón, enrojecimiento o sensibilidad que van aumentando
  - Sensación de calor y rayitas rojas que se extienden del área
  - Pus
  - Fiebre de 100 grados o más, sin que haya otra causa
- Si tiene señas de una lesión más grave, vea la página 120.

Contusiones abdominales

Las contusiones causadas por un golpe en el estómago pueden lastimar mucho la pared del abdomen y hacer que sangren los órganos internos. Con frecuencia, estas contusiones se deben a puñetazos, a accidentes en automóviles, bicicletas, o toboganes, o a accidentes que suceden esquiando. En este tipo de accidentes, la persona se golpea contra un objeto o cae contra el suelo.

Las señas de este tipo de lesiones son parecidas a las del choque o conmoción: pulso rápido, presión baja de la sangre y piel fría y húmeda. El abdomen se puede poner tieso o sensible. El herido puede estar confundido y no poder recordar o explicar lo que le pasó.

Tratamiento en casa

- Observe el pulso, la presión de la sangre y la respiración del herido. Un pulso rápido y débil, una presión sanguínea que va bajando o una respiración muy rápida o muy lenta puede ser seña de una hemorragia interna. Si aparecen estas señas, llame al 911 o lleve al herido a la sala de emergencia.
- Acueste al herido con los pies más altos que el corazón. Aflójele la ropa y tápelo con una cobija para que no le dé frío. No le dé nada de comer ni de beber aunque tenga sed.

- Esté pendiente de las señas de choque: desmayo, debilidad, sueño o confusión; sudores y piel fría y húmeda.

Cuándo llamar a Kaiser Permanente

- Si aparecen señas de choque, hasta 48 horas después de una contusión en la barriga (vea el principio de esta sección y la página 60).
- Si después de un golpe en el abdomen hay una hemorragia del recto, la uretra (el tubo de la orina) o la vagina.
- Si el golpe causa náusea, vómito, acidez (agruras) o pérdida del apetito.
- Si la barriga se pone hinchada y dura, o si la persona siente mucho dolor si le empujan la barriga.
- Si le preocupa cualquiera de los síntomas que observe.

Moretones

Los moretones por lo general se deben a golpes o caídas que rompen pequeños vasos sanguíneos bajo la piel. La sangre llega a los tejidos que rodean el área del golpe. Esto es lo que hace que el área se ponga morada.

A las personas que toman aspirinas o medicinas que evitan que se formen coágulos en la sangre, se les pueden hacer moretones fácilmente. A veces, los moretones también salen después de sacarle sangre a una persona.

Un ojo moro es un tipo de moretón. Use el tratamiento en casa para moretones y revise el ojo.

Tratamiento en casa

- Durante las primeras 48 horas, póngase hielo o una compresa fría cada una a dos horas, por 15 minutos a la vez, para ayudar a que los vasos sanguíneos se encojan y la hinchazón baje. Mientras más pronto ponga el hielo, menos sangrado habrá.
- Si puede, ponga en alto el área golpeada. Así la sangre se irá de esa área y habrá menos hinchazón.
- Descanse la parte que se haya lastimado para no dañarla aún más.
- Si el moretón todavía le duele después de 48 horas, póngase toallas calientes, un cojín eléctrico o algo parecido.

Cuándo llamar a Kaiser Permanente

- Si aparecen señas de infección:
  - Dolor, hinchazón, enrojecimiento o sensibilidad que van aumentando (después de que salga el moretón)
  - Sensación de calor y rayitas rojas que se extienden del área
  - Pus
  - Fiebre de 100 grados o más, sin que haya otra causa
- Si un golpe en el ojo causa:
  - Sangre en la parte blanca del ojo, o sangre en la parte de color del ojo (iris). Vea la página 163.
  - Problemas de la vista o vista doble.
  - Incapacidad de mover el ojo normalmente en todas direcciones.
  - Dolor agudo en el ojo mismo en vez de en la cavidad o cuenca del ojo.

- Si de repente le empiezan a salir moretones fácilmente, o si le salen bastantes moretones o tiene moretones que le vuelven, sin que usted sepa por qué.

Quemaduras

Las quemaduras pueden ser de primer, segundo o tercer grado, dependiendo de qué tan hondas sean, no de cuánto dolor causen ni de qué tan extensas sean. Una quemadura de primer grado sólo afecta la capa de afuera de la piel. La piel se pone seca, adolorida y sensible. Un ejemplo es una quemadura de sol leve.

Una quemadura de segundo grado afecta varias capas de la piel. La piel se hincha, lagrimea o se ampolla.

Una quemadura de tercer grado afecta todas las capas de la piel y a veces también los tejidos y órganos que se encuentren debajo de allí. La piel se pone seca, de color blanco pálido o negra como carbón, se hincha y a veces se abre. Los nervios quedan dañados o mueren. Por eso, puede que la persona tenga poco dolor, excepto en los bordes donde la quemadura sea de segundo grado.

Quemadura de segundo grado

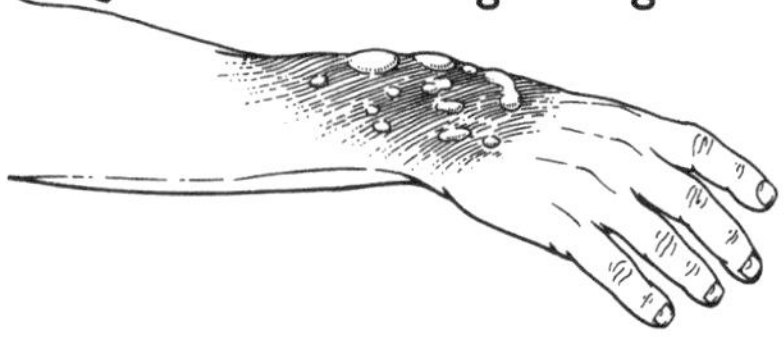

Quemadura de tercer grado

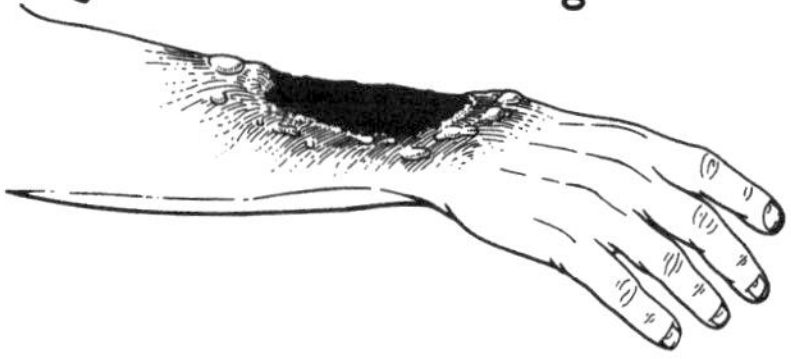

Prevención

- Instale detectores de humo en cada piso de su hogar. Revise y cambie regularmente las pilas (baterías).
- Tenga un extinguidor de incendios cerca de la cocina. Revíselo una vez al año.
- Ajuste la temperatura del calentador de agua a 120 grados Fahrenheit o menos, para evitar quemaduras.
- No fume en la cama.

Si sus ropas se empiezan a quemar:

- No corra porque avivará las llamas. Tírese en el suelo y ruede para apagar las llamas.
- Apague las llamas con una cobija, una alfombra o un abrigo.
- Use agua para apagar el fuego y enfriar la piel.

Para evitar quemaduras en la cocina:

- Tenga cuidado al preparar comidas calientes.
- Cuando ponga ollas y sartenes sobre la estufa, voltéeles los mangos hacia atrás.
- Si se enciende la grasa o lo que esté cocinando, tápelo con una tapa o una olla para ahogar el fuego.
- Vigile cuidadosamente a los niños.

Tratamiento en casa

- Para el tratamiento en casa de quemaduras de sol, vea la página 63.
- Deje que caiga agua fría de la llave sobre la quemadura, por 10 ó 15 minutos. El agua fría es el mejor tratamiento inmediato para las quemaduras leves. El frío baja la temperatura de la piel y hace que la

quemadura sea menos grave. No use hielo porque puede dañar la piel lesionada aún más.

- Quite de la parte quemada cosas como anillos, pulseras, relojes o zapatos. Si la parte quemada se hincha, será más difícil quitar estas cosas después.

Para las quemaduras de primer grado y de segundo grado con ampollas que no han reventado:

- No toque la quemadura por 24 horas. No la cubra a menos que le roce la ropa. De ser así, cubra la quemadura con una gasa. Pegue la tela adhesiva para detener la gasa lejos de la quemadura. No rodee una mano, un brazo o una pierna con tela adhesiva. Cambie la gasa en 24 horas y luego cada dos días.
- No le ponga pomada, mantequilla, grasa, aceite o ungüento a una quemadura. Estas cosas aumentan el riesgo de infección y no ayudan a que la quemadura sane.
- Después de que una quemadura leve sane por dos o tres días, le puede poner jugo de zábila (áloe) para ayudar a que se alivie.
- En las quemaduras de segundo grado, no reviente las ampollas. Si las ampollas se revientan, limpie el área dejando que le caiga agua de la llave. Póngale a la quemadura una pomada antibiótica, como Polysporin o Bacitracin y cúbrala con una gasa estéril. No toque la herida con las manos ni con objetos que no estén esterilizados. Cambie la gasa y limpie la quemadura todos los días.
- La aspirina o el ibuprofen pueden ayudar a calmar el dolor de las quemaduras leves.

Las quemaduras de tercer grado necesitan atención médica de inmediato. Llame a un profesional de la salud y haga en casa lo siguiente:

- Asegúrese de que el fuego que haya causado la quemadura ya esté apagado.
- Acueste a la persona para que no le dé choque.
- Cubra el área quemada con una sábana limpia, remojada en agua fresca.
- No le ponga ninguna pomada o medicamento a la quemadura.

Cuándo llamar a Kaiser Permanente

- Para todas las quemaduras de tercer grado.
- Si tiene cualquier duda acerca del alcance de la quemadura, o si no está seguro si es una quemadura de segundo o tercer grado.
- Si una quemadura de segundo grado afecta la cara, las manos, los pies, los órganos sexuales o una coyuntura, y mide más de una pulgada (dos centímetros) de ancho.
- Si una quemadura rodea un brazo o una pierna, o si cubre más de un cuarto de la parte afectada del cuerpo.
- Si es una quemadura eléctrica, ya que éstas muchas veces son más extensas de lo que parecen.
- Si el dolor dura más de 48 horas.
- Si aparecen señas de infección:
    - Dolor, hinchazón, enrojecimiento o sensibilidad que van aumentando
    - Sensación de calor y rayitas rojas que se extienden del área

  - Pus
  - Fiebre de 100 grados o más, sin que haya otra causa
- Si se quema un bebé, una persona mayor o una persona que tiene diabetes.

Quemaduras por productos químicos

Esta clase de quemaduras ocurren cuando le entra al ojo o le cae en la piel un ácido u otra sustancia química, como un producto de limpieza, gasolina o aguarrás (trementina). Los vapores de los productos químicos fuertes también pueden quemar o irritar los ojos.

El ojo se pone rojo, lagrimea y puede estar sensible a la luz. Si hay mucho daño, el ojo se ve blancuzco. La piel puede ponerse roja o negra o le pueden salir ampollas, dependiendo de la potencia del producto químico.

Tratamiento en casa

- Enjuáguese inmediatamente el ojo o la piel con agua. Si la parte afectada es un ojo, llene un lavamanos o una olla grande con agua, meta la cara en el agua y abra y cierre los ojos para hacer que el agua llegue a todas las partes del ojo. Quizás sea necesario mover los párpados con los dedos. Otro método es poner la cara bajo una llave de agua o una regadera prendida.
- Enjuague el ojo durante 15 a 20 minutos. Si todavía le duele el ojo, siga enjuagándolo hasta que se le quite el dolor.
- Después cúbrase el ojo o la piel con un vendaje o una tela limpia.

Cuándo llamar a Kaiser Permanente

- Llame al 911 o vaya de inmediato a la sala de emergencia si le ha entrado al ojo un producto químico fuerte, como ácido o lejía.
- Si entra en contacto con un ácido fuerte, como el ácido de batería, o una sustancia corrosiva, como lejía o Drano (limpiador de tuberías), y la quemadura es extensa (cubre más de un cuarto de la parte del cuerpo afectada) o está en la cara.
- Si el ojo todavía le duele después de 20 minutos de tratamiento en casa.
- Si el ojo parece estar dañado. Algunas de las señas son:
  - Enrojecimiento que no se quita
  - Desecho o lagrimeo
  - Cualquier problema de la vista, como vista doble o borrosa, o sensibilidad a la luz
  - La parte de color del ojo (iris) se ve blancuzca
- Si aparecen señas de quemadura en la piel, vea la página 32.

Atragantamiento

Generalmente una persona se atraganta cuando se le atora un pedazo de comida u otra cosa en las vías respiratorias. Una persona que se está atragantando no puede toser, hablar ni respirar, y puede ponerse azul o negruzca. La técnica descrita más adelante (llamada maniobra de Heimlich), puede ayudarle a botar lo que la persona tenga atorado.

Prevención

- No tome mucho alcohol antes de comer. Una persona con los sentidos entorpecidos tal vez no mastique bien o trate de tragarse pedazos muy grandes de comida.
- Tome bocados pequeños. Corte la carne en trozos pequeños. Mastique bien la comida.
- No les dé a los niños menores de tres años palomitas de maíz, cacahuates (maní) o caramelos duros. Vigile a los niños más grandes cuando coman estos alimentos.
- No deje que los niños menores de tres años jueguen con juguetes que tengan partes muy pequeñas, que ellos puedan tragarse (más chicas que una fresa).
- No deje jugar con globos a un niño que pudiera metérselos en la boca.

Cuándo llamar a Kaiser Permanente

- Llame al 911 o a los servicios de emergencia si no logra sacar el objeto atorado o si la persona pierde el conocimiento. Trate de darle respiración de boca a boca hasta que llegue alguien a ayudarle. Vea la página 55.
- Llame aunque saque lo que la persona haya tenido atorado. Puede que el objeto atorado haya dañado la garganta o que la técnica de rescate haya lastimado la barriga.

Técnica para rescatar a una persona que se está atragantando (Maniobra de Heimlich)

ADVERTENCIA: **No use esta técnica de rescate a menos que la persona no pueda respirar o se esté poniendo azul, no pueda hablar y usted esté seguro de que la persona se está atragantando.**

Adultos y niños mayores de un año

Si la persona está parada o sentada:

- Párese detrás de la persona y abrácela por la cintura. Coloque un pie entre las piernas de la persona para poder sostener su cuerpo si pierde el conocimiento.
- Haga un puño con una mano. Ponga el lado del pulgar de su puño contra la barriga de la persona, arribita del ombligo, pero bastante abajo del esternón. Vea el dibujo A a continuación.

A. Dé empujones repentinos y hacia arriba para sacar el objeto.

- Agarre su puño con la otra mano. Entonces, dé un empujón repentino y hacia arriba en la barriga. Esto puede hacer que salga el objeto o que la persona lo trague. Use menos fuerza con los niños pequeños.
- Repita esto hasta que el objeto salga o hasta que la persona pierda el conocimiento.
- Si usted se atraganta cuando esté solo, dese los empujones en la barriga usted mismo, o agáchese con fuerza sobre el respaldo de una silla para botar lo que traiga atorado.

Si la persona pierde el conocimiento, suavemente baje su cuerpo al suelo. Llame al 911 o a los servicios de emergencia.

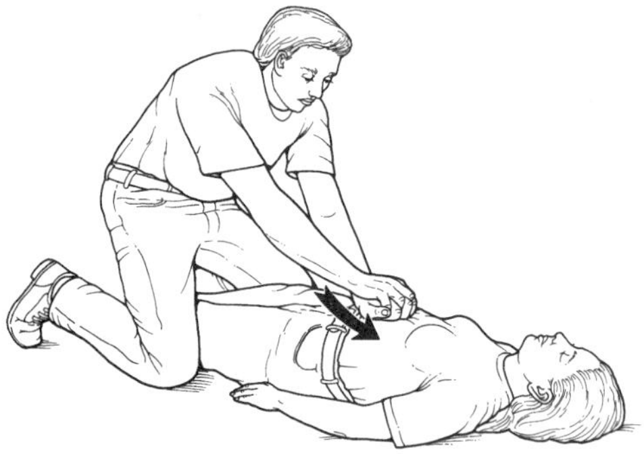

B. Postura correcta para rescatar a una persona inconsciente que se está atragantando.

- Arrodíllese encima de la persona con sus rodillas a cada lado de las caderas de ella.
- Coloque la base de la palma de una mano contra la barriga de la persona, justo arriba del ombligo, pero bastante abajo del esternón. Ponga su otra mano directamente sobre la primera. Vea el dibujo B.
- Dele a la persona cinco empujones repentinos y hacia arriba en la barriga. Use menos fuerza con los niños pequeños.
- Si usted ha recibido capacitación para dar respiración de boca a boca, sáquele a la persona cualquier cosa extraña que tenga en la boca y comience a darle respiración de boca a boca. También siga dándole empujones en la barriga. Siga usando todos estos métodos hasta que el objeto haya salido y usted pueda respirar hacia adentro de la persona, o hasta que llegue una ambulancia.

Bebés menores de un año

- Sostenga al bebé como se muestra en el dibujo C.
- Con la base de la palma de una mano dele un golpe no demasiado fuerte al bebé entre las escápulas de los hombros. Repita cuatro veces.

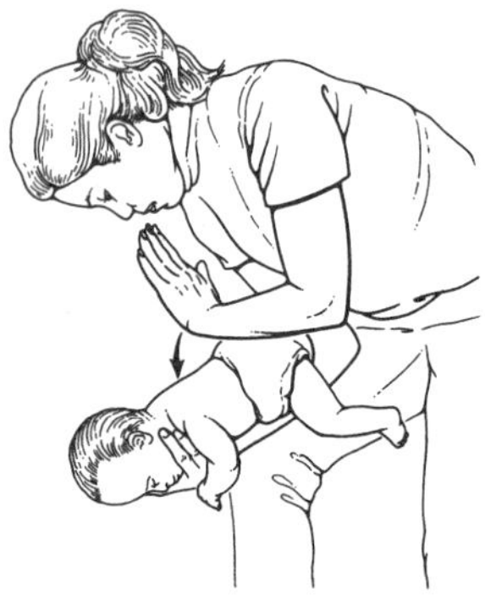

C. Para ayudar a un bebé que se está atragantando, colóquelo boca abajo sobre su antebrazo, de modo que la cabecita quede en una posición más baja que el pechito. Sosténgale la cabecita en la palma de su mano, apoyando ésta sobre su muslo. No le tape la boca al niño ni le tuerza el cuello. Con la base de la palma de su otra mano, dele golpecitos en la espalda entre los hombros.

- Si los golpecitos en la espalda no dan resultado, voltee al bebé, sosteniéndole la cabecita, y póngalo sobre una de sus piernas. El bebé debe estar boca arriba y su cabeza debe estar más baja que su cuerpo.
- Ponga dos o tres dedos abajito del nivel de los pezones y dele al bebé hasta cuatro empujones hacia arriba, hasta que el objeto salga.

Cortadas

Cuando hay una cortada, lo primero que hay que hacer es parar la hemorragia y determinar si la herida va a necesitar puntos.

Si la cortada está sangrando mucho o está botando sangre a chorros, vea "Cómo controlar una hemorragia fuerte" a continuación.

Cómo controlar una hemorragia fuerte

- Acueste a la persona y levántele la parte que le esté sangrando.
- Quite cualquier objeto que se vea en la herida. No trate de limpiar la herida.
- Presione firmemente la herida con un trapo limpio o con el material más limpio que tenga. Si los bordes de la herida están muy abiertos, júntelos. Si hay un objeto en la herida, ponga presión alrededor de la herida y no directamente sobre ella.
- Haga presión constante por 15 minutos. Si la sangre empapa el trapo, ponga otro encima sin levantar el primero. Siga haciendo presión.
- Si la presión directa no disminuye o para el sangrado en 15 minutos, apriete firmemente un punto de presión entre la herida y el corazón (vea el dibujo). La presión constante de este tipo puede parar la hemorragia con menos riesgo que un torniquete. Los torniquetes sólo se deben usar como un último recurso.
- Esté pendiente de señas de choque o conmoción. Vea la página 60.
- Llame al 911 o vaya a la sala de emergencia si no ha logrado controlar la hemorragia después de 15 minutos de intentarlo.

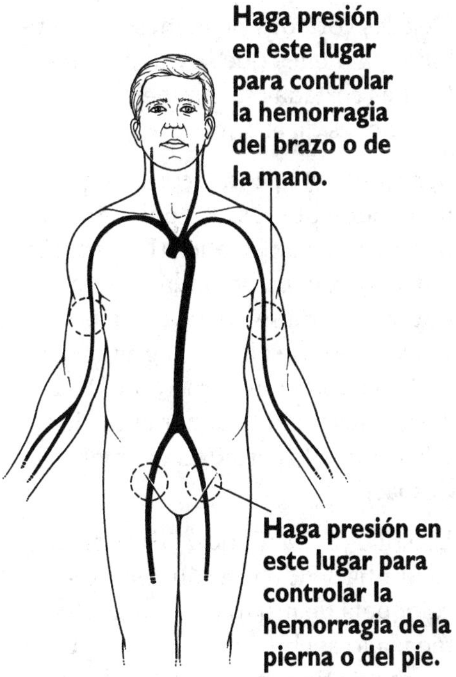

Haga presión en este lugar para controlar la hemorragia del brazo o de la mano.
Haga presión en este lugar para controlar la hemorragia de la pierna o del pie.

Puntos de presión

El sangrado de las cortadas pequeñas generalmente se detiene solo o poniéndole un poco de presión a la herida. Para determinar si se necesita coser la herida, vea "¿Se necesitan puntos?" en la página 39. Si es necesario coser la cortada, siga los pasos del tratamiento en casa y luego consiga atención médica lo más pronto posible (no deje pasar más de ocho horas).

Si no es necesario coser la cortada, usted la puede limpiar y cubrir con una gasa o un parche en casa.

Tratamiento en casa

- Lave bien la cortada con agua y jabón. Cure una mordida de animal como si fuera una estacada o un pinchazo fuerte. Vea la página 54.
- Si hay sangrado, contrólelo poniendo presión directa sobre la herida, durante 10 ó 15 minutos.
- Deje las cortadas pequeñas al descubierto, a menos que se puedan irritar. Las cortadas sanan mejor cuando les da el aire.
- Si necesita cubrir una cortada, pero no ponerle puntos, póngale primero una pomada antibiótica (Polysporin o Bacitracin). La pomada evitará que la cortada se pegue a la gasa o parche. No use alcohol, agua oxigenada, yodo ni mercurocromo. Estas sustancias pueden dañar el tejido y hacer que la cortada sane más despacio.
- Use una curita (Band-Aid) para seguir haciendo presión. Siempre colóquela de modo que cruce la cortada, a lo ancho y no a lo largo. Un parche de tipo mariposa (hecho en casa o comprado) puede ayudarle a mantener cerrada una cortada:
    - Corte una tira de tela adhesiva de una pulgada de ancho. Dóblela con la parte engomada hacia afuera. Córtela como se muestra en el dibujo.
    - Desdoble la tela. Luego doble las partes cortadas con el engomado hacia adentro. El centro de la tela adhesiva no estará pegajoso. Mantenga limpia la parte que quedará sobre la cortada.
    - Pegue una punta de la tela en la piel y luego jale la otra punta para cerrar bien la herida.
    - Use más de un parche de mariposa si la cortada es larga.

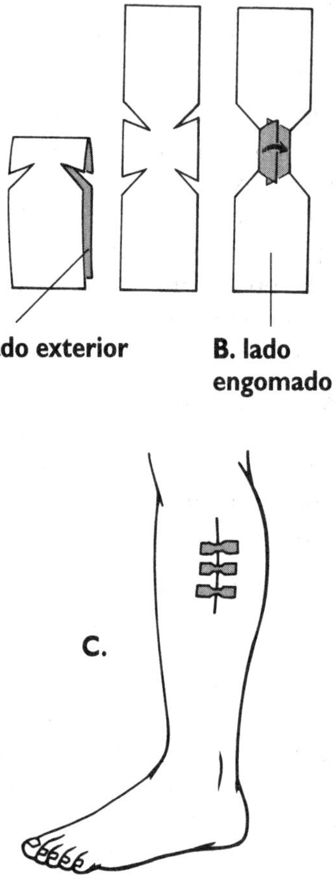

Los parches de tipo mariposa son útiles para cerrar las cortadas largas.

¿Se necesitan puntos?

Los puntos dan mejor resultado si se ponen en menos de ocho horas después de que suceda la herida. Primero hay que lavar bien la cortada y detener el sangrado. Luego se puede decidir si se necesitan puntos. Junte los lados de la cortada. Si ésta se ve mejor, quizás convenga coserla. De ser así, no le ponga pomada antibiótica a la herida hasta que la revise un profesional de la salud.

Los puntos se pueden necesitar para:

- Cortadas profundas (más de $\frac{1}{4}$ de pulgada o $\frac{1}{2}$ cm de hondo) que tienen bordes rasgados o que no cierran bien.
- Cortadas profundas en una coyuntura: un codo, un nudillo o una rodilla.
- Cortadas profundas de la mano o de los dedos, del lado de la palma.
- Cortadas en la cara, los párpados o los labios.
- Cortadas en áreas en que no quiera tener cicatrices, sobre todo en la cara.
- Cortadas que llegan hasta un músculo o un hueso.
- Cortadas que siguen sangrando después de ponerles 15 minutos de presión directa.

Estas clases de cortadas generalmente hacen menos cicatrices si se les ponen puntos.

Los puntos quizás no se necesiten para:

- Cortadas con bordes lisos que casi no se abran cuando la persona mueva la parte afectada del cuerpo.
- Cortadas de menos de $\frac{1}{4}$ de pulgada ($\frac{1}{2}$ cm) de profundidad y de menos de una pulgada (como 2 cm) de largo.

- Cambie un parche por lo menos una vez al día, o cuando se moje. Siempre que sea posible, deje la cortada destapada.

Cuándo llamar a Kaiser Permanente

- Si la persona entra en estado de choque, aunque ya haya parado la hemorragia. Vea Choque en la página 60.
- Si una cortada sigue sangrando a través del parche después de ponerle 15 minutos de presión directa.
- Si sale sangre o un líquido claro de los oídos o la nariz después de un golpe en la cabeza (no como resultado de una cortada o un golpe directo en la nariz).
- Si la piel de la persona se pone azul, blanca o fría, si la persona tiene entumecimiento, hormigueo o pérdida de sensación, o si no puede mover la parte afectada más allá de la herida (por ejemplo, una mano o un pie).
- Si hay o pudiera haber en la herida un objeto, como un pedacito de madera o una piedrita.
- Si la cortada necesita coserse. Hay que poner los puntos antes de que pasen ocho horas.
- Si sus vacunas contra el tétano no están al día. Vea la página 16. Si necesita una dosis de refuerzo contra el tétano, debe obtenerla antes de que pasen dos días del accidente.
- Si aparecen señas de infección:
  - Dolor, hinchazón o sensibilidad que van aumentando

- ◦ Enrojecimiento y sensación de calor, o rayitas rojas que se extienden de la cortada
- ◦ Pus que sale de la herida
- ◦ Fiebre de 100 grados o más, sin que haya otra causa

Cómo quitar un anzuelo

En la pesca, como en cualquier otro deporte, puede haber accidentes. A veces, los pescadores se clavan los anzuelos en los dedos. Es útil saber cómo sacarse un anzuelo (o sacárselo a otra persona), especialmente si uno está lejos de un centro médico.

Tratamiento en el campo

Saque el anzuelo siguiendo estos pasos:

- Para entumir el área por un rato, póngale hielo, agua muy fría o mucha presión.
- Amarre un pedazo de hilo de pescar al anzuelo, cerca de la piel.
- Agarre el ojo del anzuelo con una mano y empújelo hacia abajo, como $\frac{1}{8}$ de pulgada ($\frac{1}{3}$ cm) para que se suelte el gancho (o lengüeta).
- Sin dejar de empujar el anzuelo (para que el gancho siga suelto), tire del hilo de pescar como se muestra en el dibujo.
- Si el anzuelo está muy metido, otra opción es empujar completamente el anzuelo hasta que el gancho salga a través de la piel. Entonces corte el gancho y saque el resto del anzuelo.
- Lave bien la herida. Use jabón, si lo tiene. Cure la herida como si fuera una estacada. Vea la página 54.

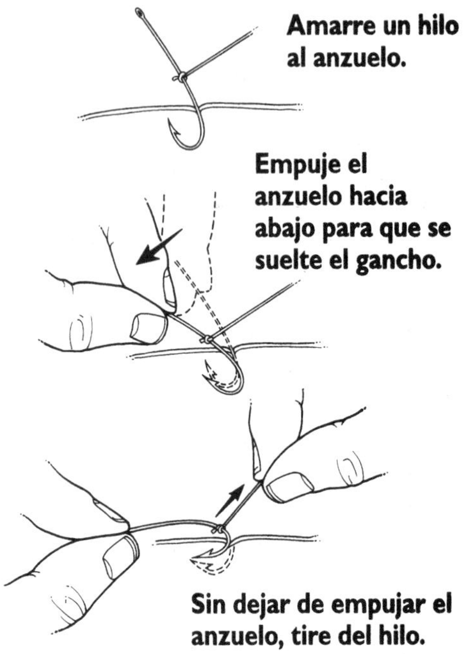

Amarre un hilo al anzuelo.
Empuje el anzuelo hacia abajo para que se suelte el gancho.
Sin dejar de empujar el anzuelo, tire del hilo.

- No trate de sacar un anzuelo del ojo de una persona. Busque atención médica de inmediato.

Cuándo llamar a Kaiser Permanente

- Si el anzuelo está en el ojo de la persona.
- Si no puede sacar el anzuelo.
- Si sus vacunas de tétano no están al día. Vea la página 16. Si necesita una dosis de refuerzo contra el tétano, debe obtenerla antes de que pasen dos días del accidente.
- Si aparecen señas de infección:
  - ◦ Dolor, hinchazón, enrojecimiento o sensibilidad que van aumentando
  - ◦ Sensación de calor o rayitas rojas que se extienden del área
  - ◦ Pus
  - ◦ Fiebre de 100 grados o más, sin que haya otra causa

Qué hacer si una parte del cuerpo se le atora en algo

A veces, los dedos, los brazos o las piernas se pueden atorar en algún objeto como una botella, un frasco o un tubo. Mantenga la calma; el pánico sólo empeorará la situación.

Tratamiento en casa

- No trate de sacar la parte atorada a la fuerza. Sólo hará que se hinche y así será más difícil sacarla.
- Trate de relajar la parte atorada. A veces esto es todo lo que se necesita para desatorarla.
- Si puede, ponga la parte en alto.
- Ponga hielo en el área que pueda alcanzar. Si hay hinchazón, puede que el hielo la baje y quizás así sea posible sacar la parte que tenga atorada.
- Si el hielo no da resultado, use agua jabonosa o aceite de cocinar. Voltee la parte atorada (o el objeto en que esté atorada) como para "desatornillarla" en vez de jalarla directamente.

Cuándo llamar a Kaiser Permanente

Llame si no logra sacar la parte atorada.

Congelación

Cuando una persona pasa demasiado tiempo en el frío sin protegerse bien, la piel o la carne bajo la piel se le pueden congelar.

La piel congelada se ve pálida o azulosa, se pone tiesa o como hule, y se siente fría y entumida. Hay tres grados de congelación:

Primer grado: La piel se pone blanca y entumida. Si se vuelve a calentar pronto, es poco probable que le salgan ampollas.

Segundo grado: Por afuera, la piel se siente dura y congelada, pero el tejido bajo la piel todavía está blando, como siempre. Es probable que se formen ampollas.

Tercer grado: La piel se ve blanca o manchada y azulosa. Tanto la piel como el tejido bajo la piel se ponen duros y muy fríos.

Prevención

Cuando haga muchísimo frío, cuídese de no mojarse y quítese del viento. Cúbrase cualquier parte de la piel que tenga destapada. No deje que le baje la temperatura interior del cuerpo:

- Póngase varias capas de ropa. La lana y el polipropileno son buenos para aislar el frío. Por afuera, póngase ropas que no dejen pasar el viento ni el agua. También use calcetines de lana y botas impermeables que le queden bien.
- Póngase un sombrero o un gorro para que no pierda calor por la cabeza. Póngase mitones (guantes sin separaciones para los dedos, excepto para el pulgar) en vez de guantes normales.

- Guarde ropa protectora y cobijas en su automóvil, en caso de que tenga una avería o un accidente en una región aislada.
- No tome alcohol ni fume cuando esté afuera en un clima muy frío.

Tratamiento en casa

- Pase adentro o resguárdese del viento.
- Revise si la persona tiene señas de hipotermia (vea la página 46) y trátela antes de atender la piel congelada.
- No caliente la parte congelada si es posible que se vuelva a congelar. Espere hasta que esté en un lugar seguro.
- Caliente áreas pequeñas (como las orejas, la cara, la nariz y los dedos) con el aliento o meta las manos o los pies bajo ropa caliente, junto a la piel.
- No frote ni sobe el área congelada, porque podría dañar aún más los tejidos lesionados. Si es posible, evite caminar con los pies congelados.
- Mantenga caliente y en alto la parte congelada. Envuélvala en cobijas o una tela suave para evitar que se magulle. Si es posible, ponga la parte congelada en agua caliente (de 104 a 108 grados) durante 15 a 30 minutos.
- A medida que la piel se caliente, tal vez le salgan ampollas. No las reviente. Puede que la piel se ponga roja, arda, cosquillee o esté muy adolorida. La aspirina o el acetaminofeno le pueden ayudar.

Cuándo llamar a Kaiser Permanente

- Si la piel se pone blanca o azul, dura y fría (congelación de tercer grado). Hay que recalentar las áreas congeladas con cuidado y dar antibióticos para evitar infecciones y daño permanente de los tejidos.
- Si aparecen ampollas cuando la piel se vuelve a calentar (congelación de segundo o tercer grado). No reviente las ampollas ya que habrá un gran riesgo de infección en esa área.
- Si aparecen señas de infección:
  - Dolor, hinchazón, enrojecimiento o sensibilidad que van aumentando
  - Sensación de calor o rayitas rojas que se extienden del área
  - Pus
  - Fiebre de 100 grados o más, sin que haya otra causa

Golpes o heridas en la cabeza

La mayoría de los golpes en la cabeza son leves y sanan tan fácilmente como los golpes en otras partes del cuerpo. Muchas veces, las cortadas en la cabeza sangran mucho porque los vasos sanguíneos del cuero cabelludo están cerca de la superficie. Este sangrado puede ser alarmante, pero no siempre indica que la herida sea grave.

Sin embargo, los golpes o heridas en la cabeza que no causan sangrado por fuera, pueden haber causado hemorragias e hinchazón por dentro. Este

Cinturones y asientos de seguridad en automóviles

Los cinturones de seguridad salvan vidas y evitan lesiones. Nadie tiene suficiente fuerza para detenerse en un choque repentino, ni siquiera a velocidades muy bajas. Los cinturones de seguridad reducen el riesgo de lastimarse gravemente y de morir.

- Póngase su cinturón de seguridad cada vez que esté en un auto. Mantenga el cinturón bien ajustado. Siempre use tanto el cinturón del regazo como el de los hombros.
- Hay que usar cinturones de seguridad aunque un auto tenga también bolsas de aire de seguridad. Estas bolsas salen del volante o del tablero del auto y se inflan en caso de un choque repentino. Protegen muy bien a los pasajeros que van adelante, pero de cualquier modo hay que usar los cinturones de seguridad.
- Los niños menores de 12 años deben viajar en el asiento trasero. Los bebés y los niños menores de cuatro años y los que pesan menos de 40 libras (18 kilos) deben usar asientos de seguridad. Vea la página 210.

tipo de heridas pueden causar la muerte. Cualquier persona que se haya golpeado la cabeza debe ser vigilada cuidadosamente por 24 horas para ver si muestra señas de una lesión grave.

Prevención

- Use su cinturón de seguridad cuando viaje en auto u otro vehículo. Para los niños, use asientos de seguridad.
- Use un casco cuando ande en bicicleta o motocicleta y cuando patine.
- No se eche clavados en aguas poco profundas o aguas que no conozca.

Tratamiento en casa

- Si el herido está inconsciente, asegúrese de que no se haya dañado la espina o columna antes de moverlo (vea la página 62). Revise si tiene otras lesiones.
- Si está sangrando, ponga presión firme directamente sobre la herida con una venda o un trapo limpio, durante 15 minutos. Si la sangre empapa el trapo o vendaje, coloque otros encima del primero. Vea la página 37.
- Ponga hielo o compresas frías para bajar la hinchazón. Puede que salga un chichón de todas maneras, pero el hielo ayudará a calmar el dolor.
- Esté pendiente de estas señas de una lesión grave en la cabeza, inmediatamente después de que la persona se golpee y cada dos horas en las próximas 24 horas:
  - Confusión. Pregúntele a la persona su nombre, dirección, edad, la fecha, etc.
  - Incapacidad para mover el brazo y la pierna de un lado del cuerpo, o movimiento más lento de un lado del cuerpo que del otro.
  - Desgano, sueño más profundo de lo normal o dificultades para despertar.

- ○ Vómitos que no se quitan después de las primeras dos horas.
- ○ Ataques o convulsiones.

- Siga observando a la persona cada dos horas durante la noche. Despiértela y revise si tiene algún síntoma inusual. Llame al 911 o vaya a la sala de emergencia inmediatamente si no la puede despertar o si la persona tiene cualquiera de las señas que acabamos de describir.
- Revise si la persona se lastimó cualquier otra parte del cuerpo, sobre todo si ella se cayó. La preocupación por el golpe en la cabeza puede hacer que no se fije en otras lesiones que quizás también necesiten atención.

Cuándo llamar a Kaiser Permanente

- Si la persona pierde el conocimiento en cualquier momento después de la lesión.
- Si después del primer minuto, la persona tiene vista doble o dificultades para hablar.
- Si un lado del cuerpo se pone débil o entumecido.
- Si después del golpe en la cabeza, sale sangre o un líquido claro de los oídos o de la nariz (no como resultado de una herida o un golpe directo en la nariz).
- Si, después de los primeros minutos, la persona está confundida o tiene cualquier pérdida de la memoria.
- Si le da un dolor de cabeza muy fuerte: "El peor dolor de cabeza que he tenido en mi vida".
- Si tiene vómitos después de las primeras dos horas, o vómitos fuertes después de los primeros 15 minutos. Generalmente no hay de qué preocuparse si al principio tiene un poco de náusea o vómitos.
- Si le dan ataques o convulsiones.
- Si no puede parar el sangrado (vea la página 37) o si la herida necesita coserse (vea la página 39).

Agotamiento por calor e insolación

El **agotamiento por calor** (golpe de calor) da cuando el cuerpo no puede sudar lo suficiente para refrescarse. Generalmente ocurre al trabajar o hacer ejercicio cuando hace mucho calor. Las señas incluyen:

- Cansancio, debilidad, mareos o náusea
- Piel fresca, húmeda, pálida, roja o sonrojada

A veces el agotamiento por calor se convierte en **insolación**. Ésta requiere de tratamiento de emergencia. La insolación sucede cuando el cuerpo deja de sudar, pero la temperatura del cuerpo sigue subiendo, con frecuencia hasta 105 grados o más. Las señas incluyen:

- Confusión, delirio o desvarío, o pérdida del conocimiento
- Piel caliente, seca, enrojecida o sonrojada, hasta en las axilas (arcas)

Prevención

- No haga ejercicio o trabajo pesado al aire libre durante las horas más calurosas del día.

- Use ropa suelta y de colores claros para reflejar el sol.
- Evite cambios repentinos de temperatura. Si un automóvil está muy caliente, airéelo antes de entrar en él.
- Si usted toma una medicina para no retener agua (un diurético), pregúntele a su doctor si puede tomar una dosis menor durante la temporada de calor.
- Tome de 8 a 10 vasos de agua al día. Tome aún más agua si trabaja o hace ejercicio en el calor.
- Si hace ejercicio pesado cuando hace mucho calor, tome más líquido del que necesite para quitarse la sed. Por ejemplo, los corredores deben de tomar un vaso de agua de 10 a 15 minutos antes de correr y otro vaso de agua más o menos cada dos millas.

Tratamiento en casa

- Quítese del sol y váyase a un lugar fresco. Tome mucha agua fresca, a traguitos. Si tiene náusea o mareos, recuéstese.
- Báñese el cuerpo con una esponja mojada en agua fresca.
- Si la temperatura del cuerpo llega a 105 grados, es preciso bajarla de inmediato. Ponga trapos fríos y mojados por todo el cuerpo o báñese en agua fresca.
- Si logra bajar la temperatura a 102 grados, tenga cuidado de no enfriarse demasiado.

Cuándo llamar a Kaiser Permanente

Llame al 911 o vaya a la sala de emergencia si aparecen señas de insolación. Tome pasos para bajar la temperatura del cuerpo y busque ayuda inmediata si:

- La piel está seca (hasta en las axilas) y está muy roja o sonrojada.
- La temperatura del cuerpo llega a 104 grados y sigue subiendo.
- La persona está delirante (desvaría), confundida o inconsciente.

Hiperventilación ("susto" con resuello fuerte)

La hiperventilación sucede cuando uno respira rápida y profundamente. Los síntomas que pueden dar con la hiperventilación incluyen:

- Entumecimiento u hormigueo en las manos, los pies o alrededor de la boca
- Latidos del corazón fuertes y rápidos y ansiedad
- Sensación de no poder tomar suficiente aire
- Mareos
- Dolor en el pecho

En casos fuertes, la persona puede perder el conocimiento.

Prevención

Si usted alguna vez ha hiperventilado:

- Pídale a las personas a su alrededor que le avisen si usted empieza a respirar muy rápido.

- Tan pronto como sienta que está respirando muy rápido o note otras señas de hiperventilación, empiece a respirar más despacio. Tome aire como cada cinco segundos, o lo suficiente para que se le quiten las molestias.

Tratamiento en casa

- Siéntese y haga todo lo posible por respirar más despacio.
- Use una técnica de relajación. Vea la página 289.
- Póngase una bolsa de papel sobre la nariz y la boca, y respire así por ratos cortos durante 5 a 15 minutos.

Cuándo llamar a Kaiser Permanente

- Si la hiperventilación le da a una persona que no se ve tensa o angustiada. Para ayudar a determinar si la persona está tensa, vea la página 313.
- Si la angustia e hiperventilación son frecuentes e interfieren con sus actividades diarias.

Hipotermia (temperatura demasiado baja)

La hipotermia sucede cuando la temperatura del cuerpo cae más abajo de lo normal. Esto ocurre cuando el cuerpo pierde calor más rápido de lo que puede producirlo, ya sea encogiendo los músculos o temblando.

Éstas son algunas de las primeras señas:

- Temblores
- Piel fría y pálida
- Desgano
- Juicio deteriorado

Éstas son señas más avanzadas:

- Barriga fría
- Pulso y respiración lentos
- Debilidad o sueño
- Confusión

La persona puede dejar de temblar si la temperatura le baja a menos de 96 grados.

La hipotermia es una emergencia. Si no se trata, puede causar rápidamente la pérdida del conocimiento e incluso la muerte. La hipotermia puede suceder a temperaturas de 45 grados (7 centígrados) y hasta más altas si hay lluvia y viento. A las personas enfermizas y no muy activas les puede dar hipotermia bajo techo si no se ponen ropa bastante abrigada.

Para tratar la hipotermia, es muy importante reconocerla pronto. Muchas veces, un caminante o un esquiador se enfriará a un nivel peligroso, antes de que otras personas se den cuenta de que le está pasando algo malo. Si alguien comienza a temblar mucho, a tropezarse o a responder a preguntas de una manera que no tiene sentido, sospeche que tiene hipotermia. Caliéntelo pronto.

Prevención

Siempre que piense estar afuera por varias horas en tiempo de frío, tome las siguientes precauciones:

- Póngase ropa abrigada y también ropa que no deje pasar el agua ni el viento. Use telas que retengan el calor aunque se mojen, como la lana o el polipropileno.

- Use un sombrero o gorro caliente. Mucho del calor del cuerpo se puede perder por la cabeza si uno no se la tapa.
- Si se moja o le da frío, busque dónde resguardarse bajo techo.
- Coma bien antes de salir y lleve consigo comida extra.
- No beba alcohol cuando esté en el frío. El alcohol hace que el cuerpo pierda calor más rápidamente.
- Las personas de edad avanzada o menos activas pueden evitar que les dé hipotermia bajo techo, si se visten con ropa abrigada y mantienen la temperatura del lugar donde estén a más de 65 grados.

Tratamiento en casa

La meta del tratamiento para la hipotermia es evitar que el cuerpo pierda más calor y recalentar a la persona lentamente. Lo mejor es subir la temperatura un grado (como medio centígrado) por hora.

- Si la hipotermia es leve, resguarde a la persona del frío y del viento, y dele ropa seca o de lana y bebidas calientes.
- En un caso moderado, quítele primero las ropas frías y mojadas. Luego caliente a la persona con el calor del cuerpo suyo, envolviéndose juntos en una cobija o en un saco de dormir.
- Dele bebidas calientes y alimentos que dan energía, como dulces. No le dé bebidas o alimentos a la persona si está confundida o inconsciente. No le dé bebidas alcohólicas.
- El recalentar a la víctima en agua caliente puede causarle un choque o un ataque al corazón. Pero, en una situación de emergencia, en que no haya ayuda y otros tratamientos caseros no den resultado, puede recalentar a la persona en agua caliente (de 100 a 105 grados) como un último recurso.

Cuándo llamar a Kaiser Permanente

- Llame al 911 o a los servicios de emergencia si la persona pierde el conocimiento y permanece inconsciente o parece estar confundida.
- Si la víctima es un niño o una persona mayor. Es buena idea llamar aunque los síntomas sean leves.
- Si la temperatura del cuerpo no sube a lo normal después de cuatro horas de calentamiento.

Piquetes de insectos y de arañas

Los piquetes o picaduras de insectos, arañas, abejas y avispas generalmente causan una reacción local (es decir, en el área del piquete) con hinchazón, enrojecimiento y comezón. En algunas personas, especialmente en los niños, el enrojecimiento y la hinchazón pueden ser peores y la reacción local puede durar hasta unos cuantos días. En la mayoría de los casos, los piquetes no causan reacciones en todo el cuerpo. (En algunas regiones, los mosquitos pueden transmitir enfermedades, incluyendo la encefalitis y el paludismo o malaria).

Algunas personas tienen reacciones severas de la piel a los piquetes de insectos o de arañas y unas cuantas tienen una reacción alérgica que afecta todo el cuerpo (llamada choque alérgico o anafiláctico). Algunas de las señas del choque alérgico son ronchas por todo el cuerpo, respiración corta y pecho apretado, mareos, silbidos al respirar o hinchazón de la lengua y la cara. Si aparecen estas señas, consiga ayuda médica *de inmediato.*

Hay pocas arañas que causan piquetes graves, aunque cualquier piquete puede ser grave si la persona tiene una reacción alérgica.

Las **arañas viudas negras o ubares** pueden medir hasta 5 centímetros de ancho (aunque generalmente son mucho más pequeñas). Son de color negro brillante y tienen una marca roja en forma de reloj de arena en la barriga. Los piquetes de estas arañas pueden causar escalofríos, fiebre, náusea y dolor agudo en el estómago. Si la reacción es fuerte, la víctima puede tener problemas al respirar. Las personas con más probabilidades de tener una reacción fuerte son las que tienen la presión alta, las de edad avanzada y los niños.

Las arañas llamadas ***brown recluse*** en inglés son pequeñas arañas de color café, con patas largas y con una marca blanca en forma de violín en la espalda. Sus piquetes duelen mucho (aunque no duela cuando le esté picando) y pueden convertirse en ampollas que se vuelven llagas más grandes después. También pueden causar náuseas, vómitos, dolores de cabeza y escalofríos.

Vea también Piquetes de garrapata en la página 64.

Prevención

- Para evitar los piquetes de abeja, use ropa blanca o de colores claros. A las abejas las atraen las telas de colores oscuros y de diseños de flores.
- No use perfumes ni colonias cuando esté afuera.
- Póngase un repelente contra insectos que contenga DEET (sigla en inglés) cada dos o tres horas cuando esté en áreas donde haya muchos insectos y arañas. Los niños pequeños y las mujeres embarazadas deben usar productos con menos DEET. Quítese el DEET con agua y jabón cuando vaya a estar adentro. Los aceites de baño Alpha-Keri y Skin-So-Soft también parecen ser buenos repelentes.
- Use guantes y arremánguese los pantalones en los calcetines cuando esté trabajando en montones de leña, cobertizos y sótanos donde puedan haber arañas.

Tratamiento en casa

- Para sacar un aguijón de abeja, ráspelo o dele un golpecito (si no ve un aguijón, probablemente es porque no hay ninguno). No pellizque el aguijón, pues esto puede inyectar más veneno en la piel.
- Si el piquete es de viuda negra, o de la araña *brown recluse*, ponga hielo sobre el piquete y llame a su doctor.
- Ponga una compresa fría o un cubito de hielo sobre el piquete. Algunas personas también encuentran que una pasta de bicarbonato de sodio, de suavizante de carne o de carbón activado con un poquito de agua ayuda a calmar el dolor y a disminuir la reacción.

- Las pastillas y los jarabes antihistamínicos (Benadryl, Chlor-Trimeton) pueden ayudar a aliviar el dolor y la hinchazón, y también calman la comezón si hay muchos piquetes. La loción de calamina o una crema con hidrocortisona también puede ayudar.
- Cualquier persona que haya tenido un choque alérgico a causa de un piquete de insecto siempre debe tener consigo un botiquín de emergencia que contenga adrenalina (epinefrina) y una jeringa. Pregúntele a su doctor o a su farmacéutico cómo inyectarse.
- Córtese las uñas de las manos para no rascarse, y así evitar una infección.

Cuándo llamar a Kaiser Permanente

- Llame al 911 o a los servicios de emergencia si poco después de que lo haya picado un insecto, le dan señas de choque alérgico:
  - Si no puede respirar bien o si la respiración le silba.
  - Hinchazón alrededor de los labios, la lengua o la cara, o mucha hinchazón alrededor del piquete (por ejemplo, todo el brazo o toda la pierna se hincha).
  - Salpullido, ronchas, comezón o sensación de calor en la piel que se va extendiendo.
- Si ya le picó antes un insecto o una araña del mismo tipo y causó una reacción grave.
- Si se forma una ampolla donde lo picó una araña o si cambia de color la piel alrededor del piquete.
- Si las molestias no mejoran después de dos o tres días, o si aparecen señas de infección.
- Si usted ha tenido una reacción alérgica grave, para hablar con su doctor sobre los botiquines de adrenalina o sobre las inyecciones antialérgicas (inmunoterapia) para venenos de insectos.

Piquetes de aguamala o medusa

Los piquetes de aguamala o medusa producen dolor y una inflamación parecida a la urticaria. Si alguien tiene muchos piquetes de medusa o una le inyecta mucho veneno, puede sentir náusea y dolor de estómago y tener la respiración corta. En los casos más graves, la persona puede padecer de calambres en los músculos, desmayo, vómito y dificultades para respirar.

Tratamiento en el campo

- Enjuague el área de inmediato con agua de mar. No use agua dulce y no se talle la piel; eso puede soltar más veneno.
- Póngase vinagre, alcohol o suavizante de carne disuelto en agua salada para contrarrestar el veneno.
- Quite cuidadosamente cualquier tentáculo que haya quedado pegado a la piel. Protéjase la mano con una toalla y ponga sobre el área afectada una pasta de arena o de bicarbonato de sodio y agua salada. Raspe los tentáculos con la toalla o con el borde de una tarjeta de crédito.

- Use loción de calamina para calmar el dolor y la comezón.
- Hay un tipo peligroso de aguamala llamado "carabela portuguesa" (*Portuguese man-of-war*, en inglés). Si lo pica este tipo de aguamala, quítese los tentáculos de la piel con arena y consiga ayuda médica de inmediato.

Cuándo llamar a Kaiser Permanente

- Llame al 911 o a los servicios de emergencia si aparecen señas de una reacción alérgica grave poco después de que lo haya picado una aguamala.
  - Si no puede respirar bien o si la respiración le silba.
  - Hinchazón alrededor de los labios, la lengua o la cara, o mucha hinchazón alrededor del piquete (por ejemplo, todo el brazo o toda la pierna se hincha).
- Si hay hinchazón alrededor del piquete.
- Si la piel alrededor del piquete cambia de color.
- Si el dolor no mejora tomando una medicina sin receta para el dolor.
- Si usted ha tenido una reacción alérgica grave, para hablar con su doctor sobre los botiquines de adrenalina o sobre las inyecciones antialérgicas (inmunoterapia) para venenos de aguamala.

Sangrado de la nariz

El sangrado (o hemorragia) de la nariz puede ser molesto, pero generalmente se puede controlar en casa. Hay diferentes cosas que pueden hacer que a uno le sangre la nariz: el aire reseco, el catarro y las alergias, golpes en la nariz, ciertas medicinas (especialmente la aspirina), grandes alturas y el soplarse o meterse los dedos en la nariz.

Prevención

- El aire seco es una causa común del sangrado de la nariz. Humidifique su hogar, sobre todo las recámaras y no suba mucho la calefacción en las áreas donde duerma (60 a 64 grados).
- Si la nariz se le pone muy seca, respire aire húmedo por un rato (por ejemplo, de una regadera) y luego póngase un poquito de vaselina en la nariz para evitar que le sangre. Quizás también le sirvan las gotas de solución salina para la nariz.
- La aspirina puede provocar el sangrado de la nariz, así que limite su uso.

Tratamiento en casa

- Siéntese derecho y baje la cabeza un poco hacia adelante. Si echa la cabeza hacia atrás puede que la sangre se le vaya por la garganta.
- Suénese la nariz para sacarse todos los coágulos de sangre. Apriétese la nariz con los dedos o ponga presión firme durante 10 minutos completos contra el lado de la nariz que esté sangrando. Aguántese las ganas de ver si ya dejó de sangrar después de unos cuantos minutos.

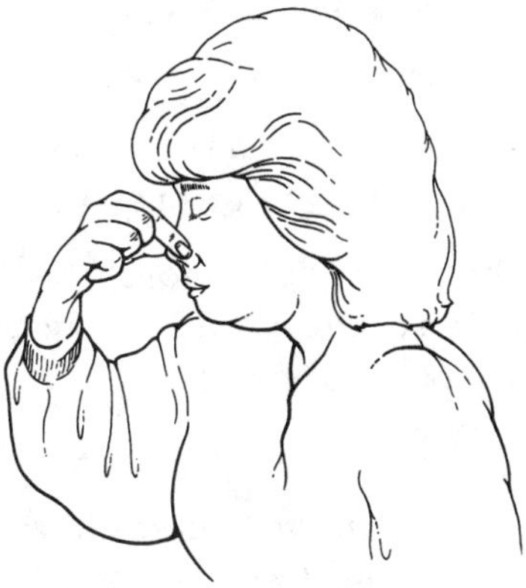

Para parar el sangrado de la nariz, baje la cabeza un poco hacia adelante y apriétese la nariz con los dedos por al menos 10 minutos.

- Deje de apretar la nariz después de 10 minutos. Si todavía le está sangrando, apriételа otra vez por otros 10 minutos. La mayoría de los sangrados de la nariz paran después de 10 a 30 minutos de hacer presión directa.
- Permanezca tranquilo por varias horas y no se suene la nariz por cuando menos 12 horas después de que le deje de sangrar.

Cuándo llamar a Kaiser Permanente

- Si la nariz no deja de sangrar después de 30 minutos de hacerle presión directa.
- Si la sangre le pasa por la garganta, aún con la nariz apretada.
- Si la nariz se ve deformada después de un golpe. Podría estar quebrada.
- Si la nariz le sangra con frecuencia.

Objetos en el oído

Los niños a veces se meten pequeños objetos en los oídos, o puede que un insecto les entre al oído. Puede ser difícil saber si un insecto está en el oído. Quizás su niño le diga algo así como: "El oído me está saltando".

Tratamiento en casa

Si un insecto está en el oído:

- No trate de matarlo. Jale la oreja para arriba y para atrás y apúntela hacia la luz del sol o una luz fuerte. A los insectos los atrae la luz, así que puede que el insecto se salga solo.
- Si el insecto no sale solo, llene el oído con aceite mineral, aceite de oliva o aceite de bebé. Puede que el insecto salga flotando.

Para otros objetos en el oído:

- Doble la cabeza hacia el lado afectado y sacúdala. El jalar suavemente la oreja para arriba y para atrás puede enderezar el canal y así echar fuera el objeto.
- Si el objeto es blando y lo puede ver bien, trate de sacarlo con unas pinzas con mucho cuidado. No intente esto si la persona no se queda quieta o si el objeto está tan adentro que usted no puede ver las puntas de las pinzas. Tenga cuidado de no empujar el objeto más para adentro.

Cuándo llamar a Kaiser Permanente

Llame si no puede sacar el insecto o el objeto.

Objetos en el ojo

Una basurita o un pequeño objeto que entra al ojo muchas veces sale con las lágrimas. Si el objeto queda en el ojo, puede rasguñar la cobertura del ojo (córnea). La mayoría de los rasguños en la córnea son leves y sanan solos en uno o dos días.

Si un objeto (por ejemplo, algo lanzado por una máquina) le entra en el ojo con mucha fuerza, vaya a la sala de emergencia—sobre todo si el objeto ha perforado el ojo.

Tratamiento en casa

- No se talle el ojo, porque podría rasguñar la córnea. A un niño chiquito quizás tenga que detenerle las manos para que no toque.
- No trate de quitar un objeto que esté en la pupila, o que se haya pegado en lo blanco del ojo. Cubra ambos ojos y llame a un profesional de la salud.
- Lávese las manos antes de tocar el ojo.
- Si el objeto está de un lado del ojo o en el párpado de abajo, intente esto: Humedezca un isopo (Q-tip) o la punta torcida de un pañuelo desechable (Kleenex) y toque con esto el objeto. El objeto debe de pegarse al isopo o al pañuelo. Es común que el ojo esté un poco irritado después de sacarle una basurita.
- Enjuague el ojo suavemente con agua fresca. Ayuda hacerlo con un gotero.
- Nunca use pinzas, palillos u otros objetos duros para sacar algo del ojo porque podría lastimarlo.

Cuándo llamar a Kaiser Permanente

- Llame al 911 o vaya a la sala de emergencia si algo punza el ojo.
- Si el objeto está en la pupila o si está clavado en el ojo. No jale un objeto que esté pegado en el ojo.
- Si no puede sacar el objeto.
- Si el dolor es fuerte o no se quita, si siente como que todavía tuviera algo en el ojo, o si tiene la visión borrosa después de sacar el objeto. Puede que se haya rasguñado la córnea. Mantenga el ojo cerrado.

Objetos en la nariz

Los niños a veces se meten objetos pequeños en la nariz, como cuentas o palomitas de maíz. Quizás usted se dé cuenta por primera vez cuando al niño le salga de un solo lado de la nariz un moco verde o amarillo y apestoso. Quizás la nariz también esté sensible e hinchada.

Tratamiento en casa

- Ponga spray descongestionante (vea la página 333) en el lado afectado de la nariz para reducir la hinchazón.
- Pídale al niño que se apriete el otro lado de la nariz y que sople para tratar de echar fuera el objeto.
- Si puede ver el objeto, trate de sacarlo con unas pinzas de puntas redondeadas. Detenga la cabeza del niño para que no se mueva y tenga cuidado de no empujar el objeto más para adentro. Si sale un poco de sangre por la nariz, no se preocupe. Si el niño se resiste, no trate de usar las pinzas.

Cuándo llamar a Kaiser Permanente

Llame si no puede sacar el objeto después de hacer varios intentos.

Envenenamiento

PARA CUALQUIER ENVENENAMIENTO: llame inmediatamente al 911 o al centro de control de envenenamiento de su área.

Los niños son capaces de tragarse casi cualquier cosa, incluyendo venenos. Aunque no esté seguro de qué o cuánto se haya tragado el niño, sospeche lo peor. Siempre créale a un niño que le diga que se ha tragado algo de veneno, sin importar qué tan desagradable sea la sustancia. Usted no le hará daño a nadie que no haya tragado veneno si sigue los pasos que aparecen más adelante.

Si sospecha que el envenenamiento se debe a alguna comida, vea la página 82.

Prevención

Tome medidas para evitar los envenenamientos antes de que nazca su niño y definitivamente antes de que comience a gatear. Más o menos el 80 por ciento de los envenenamientos ocurren en niños de uno a cuatro años de edad. Los bebés crecen tan rápido, que a veces gatean y caminan antes de que uno pueda tomar medidas para protegerlos.

- Nunca deje desatendida una sustancia venenosa, ni por un instante.
- Guarde todas las medicinas y vitaminas fuera del alcance de los niños. La cosa con que los niños se

Envenenamiento con plomo

Los bebés y los niños que entran en contacto con plomo corren un mayor riesgo de tener problemas de aprendizaje y de crecimiento.

Su niño corre el riesgo de envenenarse con plomo si:

- Vive o pasa bastante tiempo en una casa que fue construida antes de 1960, y tiene contacto con pintura que se está descascarando o él está allí durante una obra de remodelación.
- Alguien de su familia usa pintura hecha con plomo para proyectos que hace en casa.
- Tiene contacto con alguien que ha recibido tratamiento para el envenenamiento con plomo.
- Come tierra o barro a propósito.

Si existe la posibilidad de que su niño se haya envenenado con plomo, pida que le revisen el nivel de plomo en la sangre cuando cumpla un año.

Para reducir el riesgo de que su niño se envenene con plomo:

- Asegúrese de que en su casa no haya pintura que se esté pelando o descascarando.
- Asegúrese de que su niño no tenga contacto con pintura ni materiales para obras de remodelación que contengan plomo.
- Si su casa tiene tuberías hechas de plomo o soldadas con plomo, siempre deje que el agua de la llave corra unos cuantos minutos antes de usarla.

envenenan más comunmente es la aspirina, especialmente la aspirina de bebé de sabores. Después de usar una medicina, guárdela bajo llave de inmediato.

- No guarde bajo el fregadero (ni en cualquier estante bajo) sustancias venenosas como el destapador de cañerías, detergente de lavaplatos, limpiador de horno o alimento para plantas. Guarde esos productos fuera del alcance de los niños. El detergente para lavaplatos, en particular, es muy peligroso.
- Guarde los productos en su empaque original. Nunca ponga sustancias venenosas en envases de comida.
- Ponga cerrojos "a prueba de niños" en los estantes y cajones que no quiera que abran.
- Coloque calcomanías en los objetos que no quiere que su niño toque y enséñele a reconocerlas.
- Compre jarabe de ipecacuana que se pueda usar para provocar vómitos (vea la página 338) y tenga el número telefónico del centro de control de envenenamientos cerca del teléfono.

Tratamiento en casa

- Llame de inmediato al centro de control de envenenamientos, al hospital o a un profesional de la salud. Tenga a la mano el recipiente del veneno para que les pueda decir lo que es. Ellos le podrán indicar si debe o no debe hacer que la persona vomite.
- No haga que la persona vomite si:
  - Está teniendo ataques o convulsiones.
  - Está inconsciente.
  - Siente ardor en la boca o en la garganta.
  - Se ha tragado una sustancia corrosiva o un producto de petróleo (detergente de lavaplatos, lejía, cloro, desinfectante, destapador de cañerías, cera para el piso, queroseno, quitagrasas).
- Si el centro de control de envenenamientos se lo recomienda, haga que la persona vomite:
  - Dándole jarabe de ipecacuana, si lo tiene. Vea la página 338.
  - O metiéndole una cucharita o el dedo en la garganta.
- Cuando la persona comience a vomitar, póngale la cabeza más abajo que el pecho para evitar que le entre vómito a los pulmones.

Estacadas o pinchazos fuertes

Uno se puede pinchar con cualquier objeto puntiagudo o afilado que perfore la piel, como un clavo, una tachuela, un picahielo, una navaja, una aguja o los dientes de un animal. Las estacadas o pinchazos fuertes se pueden infectar fácilmente, porque son difíciles de limpiar y proveen un lugar cálido y húmedo donde pueden crecer las bacterias.

Tratamiento en casa

- Asegúrese de que no quede nada en la herida, como por ejemplo la punta de una aguja. Fíjese si el objeto está en una sola pieza.
- Permita que la herida sangre bastante para que se limpie por sí misma, a menos que ya haya

habido una gran pérdida de sangre o la sangre salga a chorros. Si hay hemorragia fuerte, vea la página 37.

- Lave bien la herida con agua y jabón.
- Si una herida se tapa o se cierra, puede que una infección bajo la piel no se note por varios días. Por eso conviene que usted remoje la herida varias veces al día, durante cuatro o cinco días después de pincharse. Esto limpiará la herida de adentro hacia afuera y ayudará a evitar infecciones.

Cuándo llamar a Kaiser Permanente

- Si la herida está en la cabeza, el cuello, el pecho o la barriga (a menos que sea una herida leve).
- Si la piel de la persona se pone azul, blanca o fría, si la persona tiene entumecimiento, hormigueo o pérdida de sensación, o si no puede mover la parte afectada más allá de la herida (por ejemplo, una mano o un pie).
- Si lo muerde un animal y la herida es tan grave que pueda ser necesario coserla, o si la mordida fue en la cara o la mano. Si se necesitan puntos, generalmente es mejor si se ponen en menos de ocho horas después de que suceda la herida.
- Si hay un objeto en la herida y no lo puede sacar.
- Si sus vacunas contra el tétano no están al día (vea la página 16), sobre todo si se pinchó con un objeto sucio, como un clavo oxidado o una herramienta.
- Si se pinchó en el pie a través de un zapato.
- Si aparecen señas de infección:
  - Dolor, hinchazón, enrojecimiento o sensibilidad que van aumentando
  - Sensación de calor o rayitas rojas que se extienden de la herida
  - Pus
  - Fiebre de 100 grados o más, sin que haya otra causa

Respiración de boca a boca y resucitación cardiopulmonar

***ADVERTENCIA:* la resucitación cardiopulmonar (RCP) puede hacer mucho daño si se da incorrectamente o cuando el corazón de la persona no ha dejado de latir. *Nunca* dé RCP a menos que:**

1. La persona haya dejado de respirar.
2. El corazón le haya dejado de latir.
3. No haya nadie más que sepa cómo dar RCP mejor que usted.

Esté preparado: tome un curso de RCP de la Cruz Roja Americana (*American Red Cross*) o de la Asociación Americana del Corazón (*American Heart Association*).

Cuando tenga que mantener viva a una persona recuerde que hay tres cosas básicas que tiene que hacer, en este orden: Primero debe abrir un conducto de aire para poder comenzar la respiración. Luego debe dar respiración de boca a boca. Así finalmente podrá comenzar las compresiones del pecho que se necesitan si el corazón de la víctima ha dejado de latir.

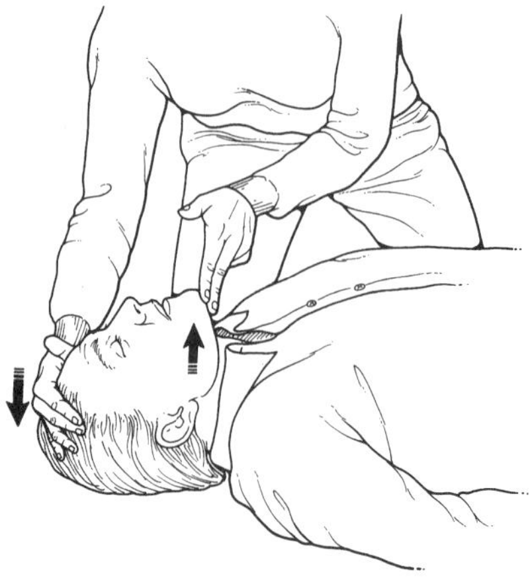

A. Incline la cabeza y suba la barbilla.

Paso 1: Revise si la persona está consciente.

Toque a la víctima o sacúdala ligeramente y grítele: "¿Está bien?" Si la persona no responde, voltéela de espaldas a menos que sea posible que se haya lastimado la espina. De ser así, dele vuelta suavemente a la cabeza, al cuello y a los hombros al *mismo tiempo*, como si fueran una sola unidad, hasta que la persona quede acostada boca arriba.

Si la víctima no reacciona, haga lo siguiente:

- **Adultos y niños mayores de 9 años de edad:** llame al 911 o a los servicios de emergencia inmediatamente. Luego dé respiración de boca a boca (y RCP si no hay pulso).
- **Niños menores de 9 años de edad:** dé un minuto completo de respiración de boca a boca (y RCP si no hay pulso), y luego llame al 911 o a los servicios de emergencia.

Paso 2: Abra la vía del aire.

- Arrodíllese junto a la víctima. Sáquele con los dedos cualquier cosa extraña que tenga en la boca.
- Ponga una mano en la frente de la víctima y dóblele la cabeza suavemente hacia atrás.
- Ponga los dedos de su otra mano bajo la barbilla de la víctima y levántele la barbilla hacia adelante. Vea el dibujo A. **En un bebé:** tenga mucho cuidado de no doblarle la cabecita demasiado hacia atrás.
- Fíjese si el pecho de la víctima se está moviendo. Escuche y sienta si está saliendo aire de la boca.
- A veces, la persona logra respirar tan solo con que le abran la vía del aire. Si la persona no comienza a respirar, empiece inmediatamente a darle respiración de boca a boca.

Paso 3: Comience a dar respiración de boca a boca.

- Apriétele la nariz a la víctima con el dedo pulgar y el índice. Con su otra mano, siga levantándole la barbilla hacia adelante para mantener abierta la vía del aire.
- Respire profundamente y ponga su boca sobre la boca de la víctima, de modo que la tape por completo. Vea el dibujo B.

En un bebé: tape la boquita y la naricita con su boca.

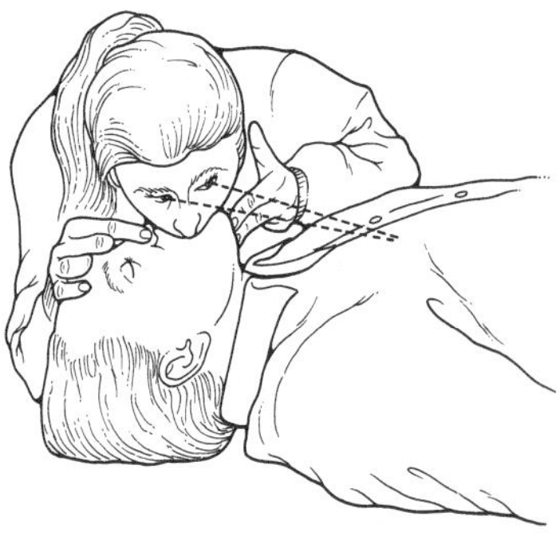

B. Sople despacio en la boca. Fíjese si el pecho se levanta.

Guía rápida para la RCP

	Adultos	Niños	Bebés
Si la persona tiene pulso, dele un respiro de rescate cada:	5 segundos	3 segundos	3 segundos
Si la persona no tiene pulso encuentre el lugar donde se hacen las compresiones del pecho:	Coloque 2 dedos sobre el esternón, donde se juntan las costillas	Como en un adulto	A un dedo ancho bajo del nivel de los pezones
Haga las compresiones del pecho con:	2 manos, una encima de la otra; la base de la palma de una mano sobre el esternón	La base de la palma de una mano sobre el esternón	2 ó 3 dedos sobre el esternón
Número de compresiones por minuto:	de 80 a 100	100	100
Profundidad de la compresión:	$1\frac{1}{2}$ a 2″ (3 a 5 cm)	1 a $1\frac{1}{2}$″ (2 a 3 cm)	$\frac{1}{2}$ a 1″ (1 a 2 cm)
Proporción de compresiones por respiros:			
1 rescatador	15:2	5:1	5:1
2 rescatadores	5:1	5:1	N/A

Recomendaciones de la Asociación Americana del Corazón

- Sóplele despacio en la boca hasta que el pecho se le levante. Dé aire como de $1\frac{1}{2}$ a 2 segundos cada vez. Quite su boca de la boca de la víctima y respire profundamente entre cada soplido de boca a boca. Deje que el pecho de la víctima baje y sienta cómo sale el aire.
- Dele dos respiros completos y luego sienta si tiene pulso.

Paso 4: Revise si tiene pulso.

Encuentre en el cuello la arteria carótida:

- Encuentre primero la manzana o nuez de la garganta. Deslice el dedo medio y el índice a la ranura que queda junto a la manzana.
- Sienta si hay un pulso por 5 ó 10 segundos.

Si no hay pulso: comience las compresiones del pecho. Vea el paso 5.

Si hay pulso: siga dando respiración de boca a boca hasta que llegue la ayuda o la persona comience a respirar sola. Aunque la persona empiece a respirar otra vez, tendrá que ir a que la examine un profesional de la salud.

Dé la respiración de boca a boca así:

- Adultos y niños mayores de 9 años de edad: 1 respiro cada 5 segundos
- Niños de 1 a 8 años de edad: 1 respiro cada 3 segundos
- Bebés menores de 1 año: 1 respiro cada 3 segundos

Paso 5: Comience las compresiones del pecho.

Para bebés y niños: vea la página 59.

- **Para adultos:** arrodíllese junto a la víctima. Con los dedos halle la punta del esternón, donde se juntan las costillas. Ponga dos dedos en la punta del esternón, y ponga la base de la palma de la otra mano arribita de esos dedos. Vea el dibujo C.
- Coloque su otra mano encima de la que acaba de acomodar. No deje que sus dedos toquen el pecho de la persona ya que podrían dañarle las costillas.
- Enderece sus brazos, trabe los codos y mantenga sus hombros directamente sobre sus manos. Vea el dibujo D.
- Empuje hacia abajo a un ritmo regular. Use el peso de su cuerpo y mantenga los brazos derechos. La fuerza de cada compresión debe caer directamente sobre el esternón, haciendo que se hunda de $1\frac{1}{2}$ a 2 pulgadas (3 a 5 cm). Puede ayudarle el contar "uno y dos y tres y cuatro...", hasta empujar 15 veces. Empuje hacia abajo cada vez que diga un número. Entre cada compresión, quite el peso de su cuerpo, pero no mueva las manos del pecho de la víctima.
- Después de 15 compresiones, incline la cabeza de la persona, levántele la barbilla y dele 2 respiros lentos y completos. Entre cada respiro, deténgase y respire usted profundamente.

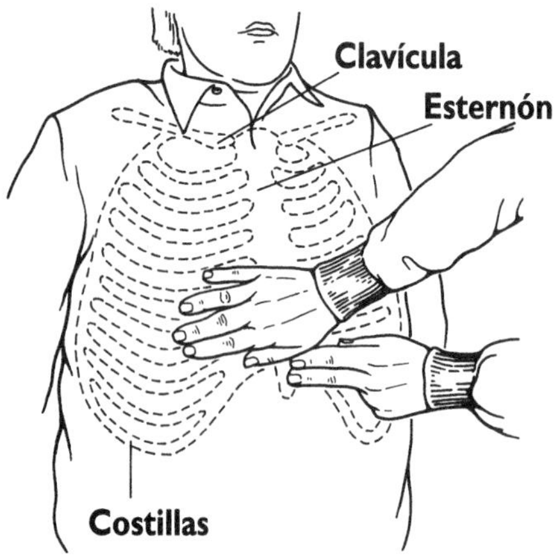

C. Ponga dos dedos en la punta del esternón, y ponga la otra mano justo arriba de esos dedos.

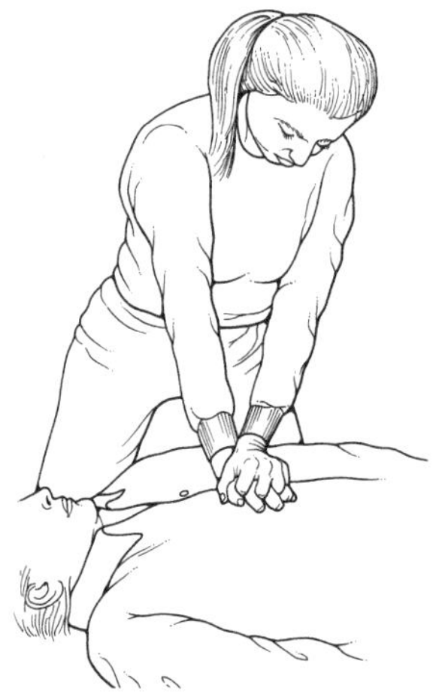

D. Trabe sus codos y mantenga sus hombros directamente sobre sus manos al dar compresiones.

- Repita 4 veces el ciclo de las 15 compresiones y 2 respiros. Búsquele el pulso de nuevo a la persona. Si todavía no tiene pulso, siga dándole respiración de boca a boca y haciéndole las compresiones del pecho hasta que llegue ayuda, o hasta que le regresen el pulso y la respiración.
- **Para un bebé:** ponga 2 dedos sobre el esternón, como a un dedo de ancho por debajo del nivel de los pezones. Empuje suavemente, de modo que el esternón sólo se hunda más o menos media pulgada (1 cm).
- **Para un niño:** use la base de la palma de una sola mano y empuje con sólo la fuerza suficiente para hundir el esternón de 1 a $1\frac{1}{2}$ pulgadas (2 a 3 cm).
- **A los bebés y los niños:** hágales 5 compresiones del pecho y luego deles 1 respiración. Repita 20 veces (un minuto) y busque el pulso de nuevo. Si todavía no hay pulso, siga dando respiración de boca a boca y haciendo las compresiones del pecho hasta que llegue ayuda, o le regrese el pulso y la respiración al niño.

Raspones

Los raspones son tan comunes que casi no les hacemos caso. Sin embargo, un buen tratamiento en casa reduce las cicatrices y ayuda a evitar las infecciones.

Tratamiento en casa

- Generalmente, los raspones están muy sucios. Use unas pinzas para quitar las basuras grandes y luego limpie bien el raspón con una toallita, agua y jabón. Es probable que la persona herida se queje mucho, pero es necesario limpiar bien el raspón para evitar infecciones y cicatrices. Si tiene un rociador de agua en el fregadero de la cocina, úselo para lavar el raspón, pero también límpielo con una toallita y jabón.
- Haga presión constante con una venda o tela limpia para parar el sangrado.
- El hielo puede ayudar a que el área no se hinche ni se magulle mucho.
- Si el raspón es grande o está donde lo puede rozar la ropa, póngale una pomada antibiótica y cúbralo con un parche que no se pegue (*Telfa,* en inglés). La persona sentirá menos dolor si pone la pomada en el parche primero.

Cuándo llamar a Kaiser Permanente

- Si sus vacunas contra el tétano no están al día. Vea la página 16.
- Si el raspón es muy grande y está muy sucio.
- Si no puede quitar la mugre y las basuras que están metidas bajo la piel. Si quedan allí, pueden dejar marcas y causar infecciones.
- Si aparecen señas de infección:
  - Dolor, hinchazón, enrojecimiento o sensibilidad que van aumentando
  - Sensación de calor o rayitas rojas que se extienden del raspón
  - Pus que sale del raspón
  - Fiebre de 100 grados o más, sin que haya otra causa

Cómo sacar las astillas

Si puede agarrar la punta de una astilla con unas pincitas, jálela suavemente hasta que salga. Si la astilla está enterrada en la piel, limpie una aguja con alcohol y agujere la piel donde esté la astilla. Levante la astilla con la punta de la aguja hasta que pueda agarrarla con las pincitas y jalarla.

Después de que haya sacado la astilla, lave el área con agua y jabón. Si es necesario, cubra la herida con un parche o una gasa para mantenerla limpia; si no, déjela destapada. Esté pendiente de las señas de infección. (Vea la página 59.)

Llame a un profesional de la salud si la astilla es muy grande o está muy metida y no se puede sacar fácilmente, o si la astilla está en el ojo.

Choque (conmoción)

El choque puede dar como resultado de una lesión o de una enfermedad repentina. Cuando la sangre no alcanza a llegar a los órganos vitales, el cuerpo entra en estado de choque. A veces, hasta una herida leve puede causar un choque.

Éstas son algunas señas del choque:

- Piel fría, pálida y húmeda
- Pulso débil y rápido
- Respiración corta y rápida
- Baja presión de la sangre
- Sed, náusea o vómito
- Confusión o angustias
- Desmayo, debilidad, mareos o pérdida del conocimiento

El choque puede causar la muerte. Si se da a tiempo, el tratamiento en casa puede salvar vidas.

Tratamiento en casa

- Acueste a la persona y súbale las piernas 12 pulgadas (30 cm) o más. Pero si la lesión está en la cabeza, el cuello o el pecho, mantenga planas las piernas. Si la persona vomita, voltéela de lado para que el vómito salga de la boca. Tenga cuidado al hacer esto si es posible que la persona se haya dañado la médula espinal (vea la página 62).
- Controle cualquier sangrado (vea la página 37) y entablille cualquier quebradura (vea la página 120).
- Cuide que la persona esté calientita, pero no demasiado caliente. Coloque una cobija bajo la persona y cúbrala con una sábana u otra cobija, según el clima. Si la persona está en un lugar caluroso, trate de mantenerla fresca.
- Tómele el pulso a la persona cada cinco minutos y anótelo.
- Consuele y calme a la persona para que no esté angustiada.

Cuándo llamar a Kaiser Permanente

Llame al 911 o a los servicios de emergencia si aparecen señas de choque.

Mordeduras de serpiente

Cada año en los Estados Unidos miles de personas sufren mordeduras de serpiente, pero de ellas sólo mueren unas diez. La mayoría de las mordeduras venenosas son de víboras de cascabel. Otras clases de serpientes venenosas que viven en Norte América son las "copperheads", las serpientes mocasín y los coralillos.

Aunque una serpiente venenosa le muerda a usted, es posible que no le llegue a inyectar su veneno. Sin embargo, si la mordedura le ha perforado la piel, debe suponer que la serpiente logró inyectarle el veneno.

Si lo acompaña alguna otra persona que pueda matar sin peligro a la serpiente que lo mordió, pídale que lo haga y lleve a la serpiente con usted cuando acuda a obtener atención médica. Tenga mucho cuidado con la serpiente muerta, ya que el reflejo de morder continúa hasta por 60 minutos después de haber muerto. Al saber qué clase de serpiente lo mordió, el profesional de la salud podrá escoger rápidamente el tratamiento correcto en su caso.

Obtenga atención médica lo más pronto posible. El tratamiento antiveneno funciona mejor si se empieza antes de que pasen cuatro horas, y no sirve de mucho cuando han pasado más de 12 horas.

Prevención

- Debe estar enterado de si hay serpientes venenosas en el área donde usted se encuentra.
- Use botas de cuero altas y pantalones largos cuando esté en áreas donde haya serpientes.
- No meta las manos en lugares donde pueda haber serpientes a menos que esté seguro que no hay ninguna. No pase por encima de troncos o piedras si no puede ver lo que se encuentra al otro lado.
- Evite caminar por la noche en lugares donde pueda haber serpientes.
- No toque ninguna serpiente, aunque esté muerta, a menos que usted pueda identificarla y tenga conocimientos acerca de los hábitos de las serpientes.

Tratamiento en casa

Si puede que le haya mordido una serpiente venenosa:

- Mantenga la calma. Los movimientos rápidos pueden hacer que el veneno se extienda más rápidamente.
- Si es posible, acuéstese y mantenga la parte mordida a un nivel más bajo que el corazón.
- Ate una tira de tela alrededor de la pierna o el brazo afectado, en una zona que se encuentre entre la mordedura y el corazón. Esta tira deberá estar atada lo suficientemente apretada para crear una marca en la piel, como una tira elástica, pero no tan apretada que corte la circulación de la sangre.
- No coma ni beba nada, sobre todo las bebidas alcohólicas.
- Obtenga atención médica cuanto antes.
- Los botiquines contra las mordeduras de serpiente no son de gran ayuda. Use uno sólo si un experto le ha enseñado cómo hacerlo.

Cuándo llamar a Kaiser Permanente

- Llame al 911 o a los servicios de emergencia si una serpiente venenosa lo muerde a usted o a alguien que está con usted, o si se siente raro (no sólo por el susto) o tiene síntomas extraños después de que lo haya mordido una serpiente.
- Si no está seguro si la serpiente es venenosa o no, aunque se sienta bien.

Lesiones de la médula espinal

Con cualquier accidente que afecte el cuello o la espalda hay que considerar que puede haberse dañado la médula espinal. La parálisis permanente se puede evitar si se apoya y mueve a la persona de la manera correcta.

Algunas de las señas de una lesión de la médula espinal son:

- Dolor agudo en el cuello o la espalda
- Moretones en la cabeza, el cuello, los hombros o la espalda
- Debilidad, hormigueo o entumecimiento en los brazos o en las piernas
- Pérdida de control para orinar u obrar
- Sangrado o desecho claro que sale de los oídos o la nariz (que no sea por la lesión)
- Pérdida del conocimiento

Tratamiento en casa

- Si sospecha que la persona se ha lastimado la médula espinal, no la mueva a menos que su vida esté en peligro (como si hay un incendio). En un accidente de automóvil no hay que arrastrar a las víctimas fuera del auto ni a ningún otro lado.
- Si la persona está en peligro, manténgale la cabeza y el cuello apoyados y derechos mientras que la mueve a un lugar seguro.
- Si la persona se lastimó al echarse un clavado, no la saque del agua porque podría causarle daño permanente. Mantenga a la persona flotando boca arriba hasta que llegue ayuda. El agua evitará que la médula espinal se mueva.

Cuándo llamar a Kaiser Permanente

Llame al 911 o a los servicios de emergencia para que transporten a la víctima si usted piensa que puede tener una lesión de la médula espinal.

Quemaduras de sol

Una quemadura de sol generalmente es una quemadura de primer grado (es leve) y afecta sólo la superficie de la piel. Las quemaduras de sol son molestas, pero por lo general no son peligrosas, a menos que sean extensas. Sin embargo, las quemaduras de sol severas pueden ser graves en los bebés y los niños pequeños.

El tomar mucho el sol y quemarse la piel repetidamente aumentan el riesgo de contraer cáncer de la piel.

Prevención

Si va a pasar más de 15 minutos en el sol, tome las siguientes precauciones:

- Use una loción protectora con un factor de protección solar de 15 o más. (Busque en el envase las letras SPF, que se refieren a *Sun Protection Factor*, en inglés.)
- Póngase la loción 15 minutos antes de salir al sol. Vuelva a ponérsela cada dos horas o según lo indicado en el envase.
- Si usted es alérgico al PABA, el ingrediente activo en muchas lociones que protegen contra el sol, tenga cuidado de usar productos que no contengan PABA. Consulte a su farmacéutico.
- Use ropa suelta de colores claros y mangas largas. También póngase un sombrero que le dé sombra en la cara.
- Beba mucha agua. El sudor ayuda a refrescar la piel.
- No salga al sol entre las 10 de la mañana y las 2 de la tarde, cuando los rayos que queman son más fuertes.
- No se olvide de los niños. El sol puede ser muy dañino para su piel tierna. Enséñele a sus niños desde pequeños a protegerse contra el sol (con lociones y sombreros). Además, siga usted también estas reglas para darles un buen ejemplo.

Tratamiento en casa

- Esté pendiente de cualquier seña de deshidratación en un bebé o niño que tenga quemaduras de sol. Vea la página 73. También fíjese si hay señas de agotamiento por el calor. Vea la página 44. El niño debe beber mucha agua.
- Los baños o las compresas frescas pueden ayudar a calmar las molestias. Tome acetaminofeno o aspirina para el dolor. No les dé aspirina a los niños y los jóvenes menores de 20 años de edad.
- Con una quemadura de sol, también puede dar un poco de fiebre (calentura) y dolor de cabeza. Acuéstese en un cuarto fresco y callado para que se le pase el dolor de cabeza.
- No se puede hacer nada para evitar que la piel quemada se pele; es parte de la recuperación. Una loción puede ayudar a calmar la comezón.

Cuándo llamar a Kaiser Permanente

- Si aparecen señas de golpe de calor o insolación (piel seca y enrojecida, confusión). Vea la página 44.
- Si las ampollas cubren más de la mitad de la parte del cuerpo afectada y además le da fiebre o se siente muy mal.
- Si tiene fiebre de 102 grados o más.
- Si sigue teniendo mareos o problemas de la visión después de que se ha refrescado.

Piquetes de garrapata

Una garrapata es un parásito pequeño que se prende a la piel de una persona y se alimenta de la sangre de su víctima. Hay que quitar una garrapata al momento de encontrarla.

La enfermedad de Lyme es una infección bacteriana transmitida por las garrapatas de los venados. La mayoría de los casos de esta enfermedad ocurren en las zonas del Noreste, del "Midwest" y la costa oeste de los Estados Unidos, sobre todo la costa norte de California. Es muy poco común en otros lugares. Las garrapatas de los venados son pequeñísimas, como del tamaño del punto al final de esta oración. Si la garrapata es tan grande que se ve fácilmente, lo más probable es que no sea una garrapata de venado.

Una de las primeras señas de la enfermedad de Lyme es un salpullido rojo, que tiene el centro blanco, alrededor del piquete. El salpullido aparece de cuatro días a tres semanas después del piquete. También puede haber señas como de gripe: fiebre, cansancio, dolor de cabeza y dolores de los músculos y las coyunturas. La enfermedad de Lyme se puede tratar con antibióticos para evitar problemas después, como artritis y problemas del corazón.

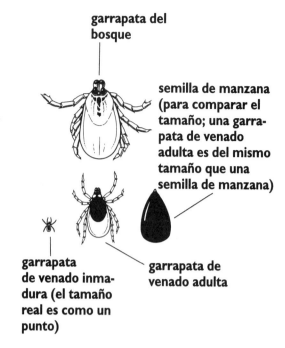

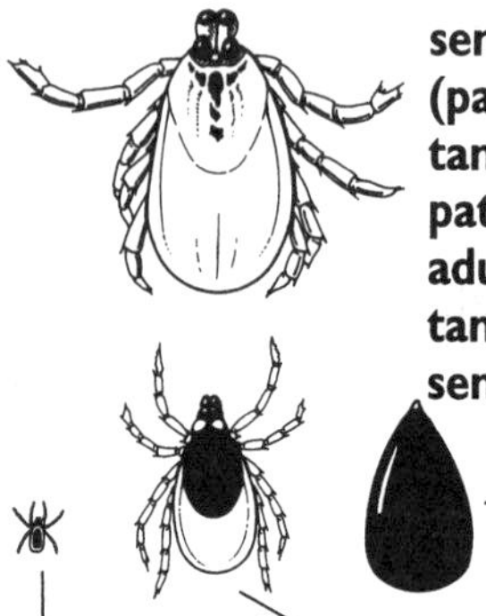

La enfermedad de Lyme se transmite por las garrapatas de venado inmaduras, que son demasiado pequeñas para verse.

Prevención

- Use ropa de colores claros y métase los pantalones en los calcetines.
- Cuando esté en lugares donde haya muchas garrapatas, póngase un repelente contra insectos con DEET en la piel que tenga destapada o en la ropa. Tenga cuidado de que el repelente no le entre en los ojos ni en la boca.
  - Los niños y las mujeres embarazadas deben usar repelentes con menos DEET.
  - No les ponga repelente en las manos a los niños pequeños, porque a menudo se meten las manos en la boca.
  - Cuando regrese a casa, lávese con agua y jabón para quitarse el repelente.

Tratamiento en casa

- Cuando ande en el monte, revise a menudo si tiene garrapatas. Cuando regrese a casa, examínese cuidadosamente la piel y el cuero cabelludo. También revise a sus animales. Entre más pronto se quite las garrapatas, menor será la posibilidad de que le pasen bacterias.
- Para quitarse una garrapata, jálela suavemente con unas pinzas, lo más cerca de la piel que pueda. Jale derecho hacia afuera y trate de no aplastar el cuerpo de la garrapata. Guarde la garrapata en un frasco para analizarla en un laboratorio, en caso de que le den señas de la enfermedad de Lyme.
- Lávese el área del piquete y póngase un antiséptico.

Cuándo llamar a Kaiser Permanente

- Si no logra quitarse la garrapata entera.
- En las regiones donde es común la enfermedad de Lyme, vaya con un doctor si la garrapata ha estado prendida de su cuerpo por más de 24 horas.
- Si le da un salpullido rojo, fiebre o calentura, cansancio o molestias como de gripe, hasta tres semanas después de que le pique una garrapata.

Pérdida del conocimiento

Una persona **inconsciente** no se da cuenta de lo que ocurre a su alrededor y no puede hacer ningún movimiento a propósito. Los desmayos son pérdidas breves del conocimiento. Una pérdida del conocimiento prolongada y profunda recibe el nombre de coma.

Una persona puede perder el conocimiento por diferentes causas, incluyendo un derrame cerebral, epilepsia, agotamiento por calor, coma diabético, choque de insulina, lesión en la cabeza o en la médula espinal, ahogo, sobredosis del alcohol y de las drogas, choque, hemorragia y ataque al corazón.

Un **desmayo** es una pérdida del conocimiento breve, que generalmente ocurre cuando no llega suficiente sangre al cerebro. Cuando usted se cae o se acuesta, la sangre le puede llegar mejor a la cabeza y usted recobra el conocimiento. Los desmayos son una forma leve de choque o conmoción y generalmente no son serios. Pero si dan con frecuencia, puede haber un problema más grave.

Los mareos y los desmayos también se pueden deber a un susto o a una angustia repentina, o a una lesión. Vea la página 164.

Tratamiento en casa

- Asegúrese de que la persona desmayada pueda respirar. Revise si está respirando, y si es necesario, ábrale las vías del aire y comience a darle respiración de boca a boca. Vea la página 55.

- Revísele el pulso. Si no tiene pulso, llame para pedir ayuda y comience la resucitación cardiopulmonar (RCP). Vea la página 55.
- Mantenga a la persona acostada.
- Busque alguna identificación médica, como por ejemplo un brazalete, un collar o una tarjeta, que indique si la persona tiene un problema médico como epilepsia, diabetes o alergia a alguna medicina.
- Atienda cualquier lesión que tenga.
- No le dé nada de comer ni de beber a la persona.

Cuándo llamar a Kaiser Permanente

- Llame al 911 o a los servicios de emergencia si la persona no recobra el conocimiento.
- Si alguien ha perdido el conocimiento por completo, aunque ya esté despierto.
- Si la pérdida del sentido sucede después de un golpe en la cabeza. Una persona que se haya lastimado la cabeza necesita ser observada cuidadosamente. Vea la página 42.
- Si una persona con diabetes pierde el conocimiento, aunque ya esté despierta. Es posible que la persona tenga un **choque de insulina** (falta de azúcar en la sangre) o esté en **coma diabético** (demasiada azúcar en la sangre).

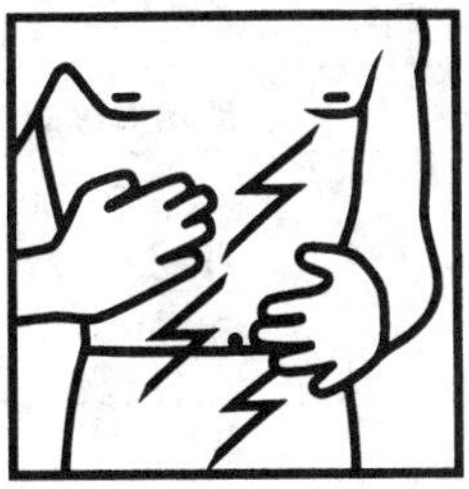

4

Problemas del abdomen o barriga

Puede ser difícil encontrar la causa de un problema del abdomen. A veces un problema serio puede parecer menos grave que un problema leve. Por ejemplo, los calambres del estómago causados por dolores de gas (un problema leve) pueden causar mucho más dolor que los comienzos de la apendicitis (un problema mucho más grave). Por suerte, la mayoría de los problemas del abdomen no son peligrosos y se pueden atender en casa.

Cuando usted tenga dolor de estómago, conviene que se fije en dónde le duele, si el dolor es fuerte y si tiene otros síntomas, como fiebre (calentura). Lea la página 68 y escriba sus observaciones. Éstas pueden ayudarle a usted o a su doctor a descubrir las causas del problema.

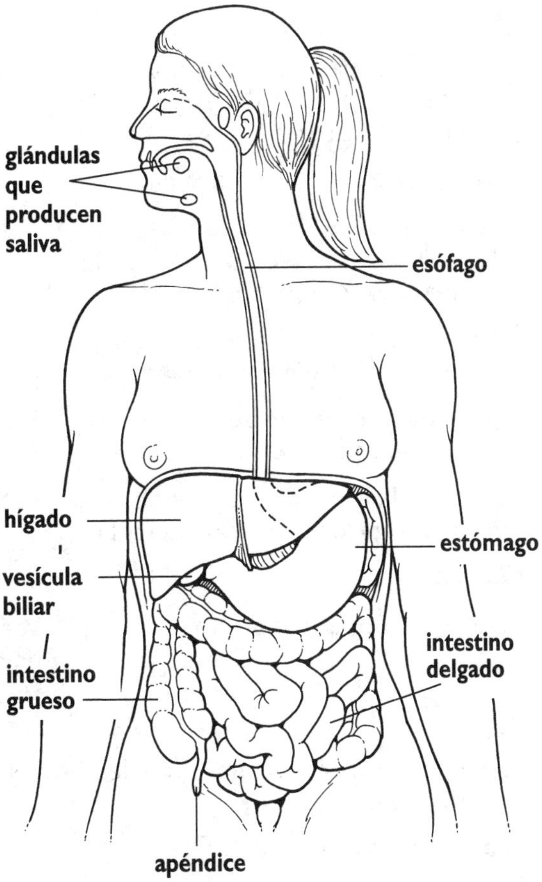

Sistema digestivo

Problemas del abdomen (barriga)

Señas	Posibles causas
Náusea o vómito	Vea Náusea y vómito, pág. 80. Cuídese de la deshidratación, pág. 72. Reacción a medicina. Llame a su doctor o farmacéutico. Vea Reacciones negativas a las medicinas, pág. 342.
Excrementos	
Excrementos frecuentes y aguados	Vea Diarrea, pág. 74; Infecciones intestinales y envenenamiento con alimentos, pág. 82. Cuídese de la deshidratación, pág. 72. Vea Antibióticos, pág. 339.
Excrementos duros y difíciles de pasar	Vea Estreñimiento, pág. 70.
Excrementos como alquitrán, negros o con sangre	Vea Úlceras, pág. 84; Diarrea, pág. 74.
Dolor al obrar; sangre de color rojo vivo en la superficie del excremento o en el papel de baño	Vea Hemorroides, pág. 76.
Dolor de abdomen (barriga)	
Dolor y sensibilidad en la parte de abajo y de la derecha de la barriga, con náusea, vómito y fiebre (calentura)	Vea Apendicitis, pág. 69; Infecciones de las vías urinarias, pág. 256.
Sensación de estar hinchado o inflado con diarrea, estreñimiento o ambos	Vea Síndrome del intestino delicado, pág. 78.
Molestia o sensación de ardor justo debajo del esternón	Vea Acidez o agruras, pág. 75; Úlceras, pág. 84; Dolor de pecho, pág. 138.
Dolor en la cintura y en la parte baja de la barriga justo antes de la regla	Vea Molestias de la regla, pág. 252.
Orina	
Dolor o ardor al orinar	Vea Infecciones de las vías urinarias, pág. 256; Problemas de la próstata, pág. 267; Enfermedades de transmisión sexual, pág. 274.
Dificultades para orinar o flujo débil de orina (hombres)	Vea Problemas de la próstata, pág. 256.
Sangre en la orina	Vea la pág. 257.
Hinchazón o bultos en el abdomen	
Bulto o hinchazón en la ingle que va y viene, sin dolor	Vea Hernia, pág. 77.
Golpe en el estómago; barriga muy tiesa o inflada	Vea Contusiones abdominales, pág. 30. Cuídese del choque, pág. 60.

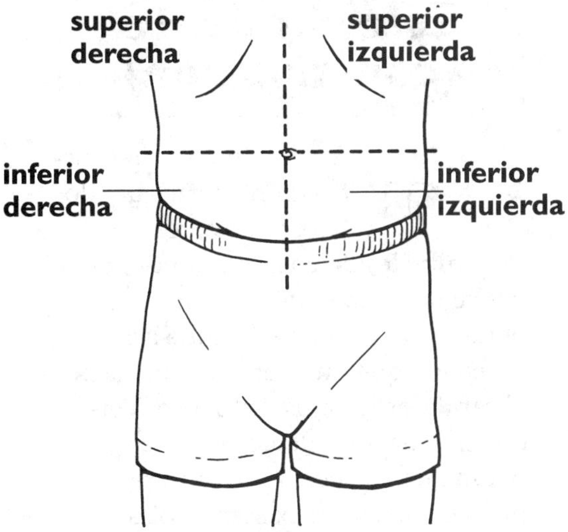

Cuando tiene dolor en el abdomen, es útil poder decirle al doctor dónde le duele.

Sin embargo, recuerde que aún para un doctor es difícil evaluar el dolor en la barriga. Además de seguir las recomendaciones de las secciones "Cuándo llamar a Kaiser Permanente" de este capítulo, llame a su médico siempre que el dolor de estómago...

- sea fuerte o dure mucho tiempo.
- vaya aumentando durante varias horas.
- se mueva hasta fijarse en un lugar particular en el abdomen (por ejemplo, parte superior derecha).

Apendicitis

El apéndice es un saco pequeño que se extiende del intestino grueso. Normalmente se limpia a sí mismo y no causa problemas. Sin embargo, si su abertura se tapa (usualmente con excremento), las bacterias pueden crecer allí y el apéndice se puede inflamar (hinchar) e infectar. A esto se le llama apendicitis.

La apendicitis es más común en personas jóvenes entre 10 y 30 años de edad, aunque sí ocurre en niños más pequeños y en adultos mayores. Es poco común antes de los dos años de edad. Como los niños pequeños muchas veces no pueden describir bien el dolor, se pueden poner bastante graves antes de que alguien se dé cuenta de que tienen apendicitis.

Una vez que la apendicitis comienza, generalmente empeora hasta que el apéndice se rompe. Si el apéndice se revienta, la infección se extiende a los otros órganos en el abdomen.

Sin embargo, el apéndice raramente se revienta durante las primeras 24 horas. Por lo general no es peligroso observar los síntomas durante 8 a 12 horas y con frecuencia esto es necesario para estar seguro del diagnóstico. Casi siempre es necesario operar a una persona con apendicitis.

Los síntomas o señas de la apendicitis pueden incluir:

- Un dolor que empieza alrededor del ombligo o la parte de arriba del estómago y que pasa al lado inferior derecho del abdomen en un período de 2 a 12 horas.
- Náusea (basca), vómito, pérdida del apetito y estreñimiento. Puede haber diarrea, pero usualmente esto indica que el dolor se debe a otra causa.
- Una fiebre o calentura baja (de 100 a 101 grados).

Tratamiento en casa

- Revise los signos vitales. Vea la página 21.
- Tome apuntes cuidadosos de los siguientes síntomas:
  - Dolor y sensibilidad en el abdomen
  - Náusea, vómito, estreñimiento o diarrea
  - Fiebre
- Mantenga al paciente tranquilo y cómodo.
- Trate de encontrar o eliminar otras causas del dolor en la barriga, como las infecciones intestinales (vea la página 82) o el haber comido demasiado.
- No dé laxantes. Éstos pueden estimular el intestino y hacer que el apéndice se reviente más rápido.
- No dé medicinas fuertes para el dolor. Como el lugar y la gravedad del dolor son claves para el diagnóstico, las medicinas fuertes para el dolor pueden ocultar información importante.

Cuándo llamar a Kaiser Permanente

- Si usted sospecha que tiene apendicitis. Repase sus apuntes de los síntomas con su doctor.
- Si aumenta el dolor fuerte y continuo en la parte inferior derecha del abdomen por más de cuatro horas.
- Si cualquier dolor de estómago se fija en un lugar particular en el abdomen.

Estreñimiento (constipación)

El estreñimiento o constipación ocurre cuando los excrementos son muy difíciles de pasar. Algunas personas se preocupan demasiado si no obran con frecuencia, porque les han enseñado que una persona sana debe obrar todos los días. Esto no es verdad. La mayoría de las personas obran de tres veces al día a tres veces por semana. Si su excremento es suave y pasa fácilmente, usted no está estreñido.

Junto con el estreñimiento puede haber dolores y calambres en el recto, por el esfuerzo de pasar excrementos duros y secos. La persona puede sentirse hinchada y tener náusea. También puede haber un poco de sangre en el excremento si el ano se desgarra un poco cuando la persona puja para sacar el excremento. Esto ya no debe suceder cuando se controle el estreñimiento.

En raras ocasiones, el excremento se queda atorado en el recto (impacción). Si esto sucede, algunos mocos y líquidos pueden salir alrededor del excremento. A veces también se produce incontinencia fecal (condición en que usted no siempre puede controlar cuándo obrar).

El estreñimiento puede tener muchas causas. Por ejemplo, es común que falten fibra y agua en la dieta. Otras causas son los viajes, la falta de ejercicio, aguantarse cuando se necesita obrar, ciertas medicinas, dolor debido a las hemorroides y el uso excesivo de laxantes. También puede causar constipación el síndrome del intestino delicado (vea la página 78).

En niños pequeños, la tensión al aprender a usar el excusado (retrete, inodoro) puede contribuir al estreñimiento. Los niños también pueden olvidarse de obrar por estar muy entretenidos jugando o haciendo otras actividades, y así estreñirse. Los niños y los adultos pueden estreñirse por no querer usar un excusado fuera de la casa.

Prevención

- Coma alimentos con mucha fibra, como frutas, verduras y granos integrales (también vea la página 296). Otras formas de añadir fibra a la dieta incluyen:
    - Comer un tazón de cereal de salvado (con 10 gramos de salvado por porción).
    - Añadir dos cucharadas de salvado de trigo al cereal o sopa.
    - Tomar dos cucharadas de hierba pulguera o zaragatona (*psyllium*, en inglés). Esta sustancia se encuentra en Metamucil y otros productos que ayudan a aumentar el volumen del excremento. Empiece con una cucharada o menos y vaya aumentando la dosis poco a poco para evitar la sensación de hinchazón.
- Evite comidas que tengan mucha grasa y azúcar.
- Tome de $1\frac{1}{2}$ a 2 litros de agua y otros líquidos cada día. (Sin embargo, tome en cuenta que a algunas personas las estriñe la leche.)
- Haga más ejercicio. Puede empezar con un programa de caminatas. Vea la página 282.
- Vaya al baño cuando sienta la necesidad. Sus intestinos (tripas) mandan señales cuando hay necesidad de obrar. Si usted no hace caso, la necesidad desaparecerá y con el tiempo el excremento se pondrá seco y será difícil de pasar.

Tratamiento en casa

- Fíjese a qué horas obra generalmente y trate de estar relajado a esas horas. Muchas veces dan ganas de obrar después de las comidas. Puede que le ayude a usted establecer una rutina diaria, como por ejemplo después del desayuno.
- Tome de dos a cuatro vasos extras de agua al día, sobre todo por la mañana.
- Coma más frutas, verduras y comidas con mucha fibra, como cereal de salvado, frijoles de olla o ciruelas pasas.
- Si es necesario, tome medicina para ablandar el excremento o un laxante muy suave como la leche de magnesia. No use aceite mineral ni cualquier otro laxante por más de dos semanas sin consultar a su doctor. Vea la página 336.

Para bebés y niños de hasta dos años:

- Asegúrese de que le está poniendo la cantidad correcta de agua a la leche en polvo de su bebé.
- Dele una a dos onzas de agua antes de alimentarlo.
- Después de los seis meses de edad, dele de $\frac{1}{2}$ cucharadita hasta 2 onzas de jugo de ciruela pasa (aumente la cantidad poco a poco). A la edad de nueve meses, añádale a lo que come de $1\frac{1}{2}$ a 3 cucharadas de ciruelas pasas coladas al día.

Cuándo llamar a Kaiser Permanente

- Si todavía tiene estreñimiento agudo después de seguir el tratamiento señalado durante una semana (si se trata de un adulto) o tres días (si es un niño).
- Si hay mucha sangre (más de unas cuantas rayas de color rojo vivo), si la sangre es de color rojo oscuro o café (marrón), o si la sangre sale mezclada con los excrementos.
- Si sangra más de una vez o si sigue sangrando más de dos o tres días después de que el estreñimiento haya mejorado.
- Si hay dolor agudo o fuerte en el abdomen.
- Si hay estreñimiento y cambia su rutina de obrar por más de dos semanas, sin una razón específica.
- Si pierde el control para obrar (incontinencia fecal).
- Si no puede obrar sin usar laxantes.

Deshidratación

La deshidratación ocurre cuando el cuerpo pierde demasiada agua. Cuando usted deja de tomar agua o pierde mucho líquido porque tiene diarrea, vómitos o suda mucho, las células de su cuerpo reabsorben los líquidos de la sangre y otros fluidos del cuerpo. Cuando se pierde mucha agua, los vasos sanguíneos pueden sufrir un colapso. Sin atención médica, usted puede morir.

Bebidas de rehidratación

Cuando usted tiene diarrea o vómitos, su cuerpo puede perder mucha agua y minerales esenciales llamados electrolitos. Si usted no puede comer por unos días, también estará perdiendo sustancias nutritivas. Esto ocurre más rápido y es más grave en bebés, niños pequeños y personas mayores.

Una bebida de rehidratación (Pedialyte, Lytren, Rehydralyte) repone los líquidos y los electrolitos en las cantidades que el cuerpo aprovecha mejor. Las bebidas de deportistas (Gatorade, PowerAde, All Sport) y otras bebidas azucaradas reponen los líquidos, pero muchas contienen demasiada azúcar (lo cual puede empeorar la diarrea) y no contienen suficientes de los otros elementos. El agua sola no provee ninguna de las sustancias nutritivas ni electrolitos.

Las bebidas de rehidratación no harán que la diarrea y el vómito desaparezcan más rápido, pero evitarán que dé una deshidratación grave.

Usted puede hacer en casa una bebida de rehidratación barata. Sin embargo, no les dé esta bebida casera a los niños menores de 12 años de edad.

Mida los ingredientes con precisión ya que aún una pequeña variación puede hacer que la bebida no tenga el efecto deseado o incluso que cause daño.

Combine:

- 1 litro de agua
- $\frac{1}{2}$ cucharadita de bicarbonato de sodio
- $\frac{1}{2}$ cucharadita de sal
- 3 ó 4 cucharadas de azúcar
- Si tiene substituto de sal (llamado *"lite" salt,* en ingles), añada $\frac{1}{4}$ de cucharadita.

La deshidratación es muy peligrosa para los bebés, los niños pequeños y las personas mayores de edad. Fíjese muy bien por si aparecen las primeras señales de deshidratación con cualquier enfermedad que cause fiebre alta, vómitos o diarrea. Las primeras señas son:

- Boca seca y saliva pegajosa
- La persona orina menos y su orina es de color amarillo oscuro

Prevención

- El tratamiento inmediato en casa de las siguientes enfermedades que causan diarrea, vómitos o fiebre le ayudará a evitar la deshidratación.
    - Diarrea, página 74
    - Vómito, página 80
    - Diarrea y vómito en niños, página 221
    - Fiebre o calentura, página 144
    - Fiebre o calentura en niños, página 223
- Beba de 8 a 10 vasos de líquido (agua, bebida de rehidratación o ambas) al día, para prevenir la deshidratación en climas muy calurosos y al hacer ejercicio. Tome agua extra antes de hacer ejercicio y cada media hora durante la actividad.

Tratamiento en casa

El tratamiento para la deshidratación leve consiste en evitar que se pierdan más líquidos y en reponer poco a poco los líquidos que ya se perdieron.

- Para parar el vómito, no coma durante varias horas o hasta que se sienta mejor. Tome con frecuencia traguitos de agua o de una bebida de rehidratación.
- Para evitar la deshidratación, empiece a tomar traguitos de agua o de una bebida de rehidratación aunque todavía tenga diarrea o esté vomitando.
- Si el vómito o la diarrea dura más de 24 horas, beba sólo bebidas de rehidratación para reponer las sales y sustancias nutritivas que ha perdido. En la página 72 explicamos cómo hacer una de estas bebidas en casa. No le dé esta bebida casera de rehidratación a niños menores de 12 años de edad.
- Fíjese si hay señales más serias de deshidratación. (Éstas aparecen más adelante.)

Para bebés y niños menores de cuatro años:

- Deles traguitos de una bebida de rehidratación (por ejemplo Pedialyte o Lytren) en cuanto empiecen a vomitar o a tener diarrea. El tratamiento en casa para el vómito y la diarrea en los niños aparece en la página 221.

Cuándo llamar a Kaiser Permanente

- Si, después de 12 horas sin comer ni beber, la persona no puede aguantar en el estómago ni siquiera pequeños tragos de líquidos.
- Si aparecen las siguientes señales de deshidratación grave:
    - Ojos hundidos, sin lágrimas; boca y lengua secas
    - Hundimiento en la mollera (fontanela) del bebé
    - Poca o ninguna orina por ocho horas
    - Piel pastosa que no rebota a su lugar cuando se pellizca

  - Respiración y pulso rápidos
  - Mucho sueño, dificultades para despertar, desgano o apatía y mal humor
- Si el vómito dura más de 24 horas en un adulto.
- Si una diarrea fuerte (excrementos grandes y sueltos cada una o dos horas) dura más de dos días en un adulto.

Diarrea

Una persona tiene diarrea cuando tiene que obrar más seguido y su excremento está suelto y aguado. La persona con diarrea también puede tener calambres en la barriga y náuseas.

La diarrea ocurre cuando los intestinos (tripas) pasan los excrementos muy rápido sin darle al cuerpo la oportunidad de reabsorber el agua que llevan. Ésta es la manera en que el cuerpo se deshace rápidamente de cualquier virus o bacteria.

La mayoría de las diarreas se deben a las infecciones intestinales causadas por virus (gastroenteritis). Algunas medicinas, sobre todo los antibióticos, también pueden causar diarrea. A algunas personas les causan diarrea la ansiedad y los "nervios" o las comidas que no les caen bien. El síndrome del intestino delicado (vea la página 78) también puede producir diarrea.

Otra causa de la diarrea es el parásito *Giardia lamblia*. Este parásito puede hallarse en agua no purificada que usted tome. La diarrea aparece de una a cuatro semanas después de tomar agua contaminada.

Como la mayoría de las diarreas son causadas por un virus, se curan en unos cuantos días con buen tratamiento en casa.

Tratamiento en casa

El siguiente tratamiento es para los adultos y los niños mayores de cuatro años. Para el tratamiento en casa de la diarrea en bebés y niños menores de cuatro años, vea la página 221.

- Coma cantidades pequeñas de comida blanda varias veces al día. Tome traguitos de agua o de una bebida de rehidratación con frecuencia.
- Como la diarrea puede ayudar al cuerpo a deshacerse de la infección más rápido, no tome medicinas contra la diarrea durante las primeras seis horas. Después de eso, úselas sólo si no hay otras señas de enfermedad, como fiebre, y si sigue teniendo molestias o calambres. Vea medicinas para la diarrea en la página 333.
- Al día siguiente—o antes, dependiendo de cómo se sienta—empiece a comer alimentos ligeros como arroz, galletas o pan tostado seco, plátanos y puré de manzana. No coma cosas picantes ni frutas y no beba alcohol ni café sino hasta 48 horas después de que hayan desaparecido las señas de diarrea. Evite los productos de leche durante tres días.
- Tenga cuidado de no deshidratarse. Vea la página 72.

Cuándo llamar a Kaiser Permanente

- Si los excrementos son negros o tienen sangre. Sin embargo, recuerde que el Pepto-Bismol y otras medicinas que contienen bismuto pueden hacer que el excremento se vea negro.
- Si además de la diarrea tiene dolor en la barriga o molestias muy fuertes que no se le quitan cuando obra o pasa gas.
- Si además de la diarrea tiene fiebre de 101 grados o más, escalofríos, vómito o desmayos.
- Si aparecen señas de deshidratación grave. Vea las páginas 73 y 74.
- Si una diarrea fuerte (excrementos grandes y aguados cada una o dos horas) dura más de dos días en un adulto.
- Si una diarrea leve continúa por una o dos semanas sin que tenga una causa obvia.
- Si la diarrea aparece después de tomar agua sin purificar.

Acidez o agruras

La acidez (agruras, indigestión) ocurre cuando los ácidos del estómago llegan hasta la parte de abajo del esófago, que es el tubo que va desde la boca hasta el estómago. Los ácidos producen un ardor y malestar entre las costillas, justo abajo del esternón. Otra señal de la enfermedad es un líquido agrio o amargo que llega a la boca o a la garganta. La acidez puede ocurrir después de comer demasiado o a veces es una reacción a ciertas medicinas.

No se preocupe si le da acidez de vez en cuando; eso es común para la mayoría de la gente (al 25 por ciento de las mujeres embarazadas les da a diario). Por otro lado, una acidez que dure meses puede dañar los tejidos del esófago.

La mayoría de los casos de acidez se pueden evitar siguiendo los consejos de nuestro tratamiento en casa.

Tratamiento en casa

- Coma en menores cantidades y no coma botanas (refrigerios) por la noche, cuando ya sea tarde.
- Evite las comidas que le causen acidez. La cafeína, el chocolate, el jugo de naranja y de tomate, las comidas con sabor a menta y yerbabuena, las comidas grasosas o fritas y los refrescos (gaseosas) pueden empeorar la acidez.
- Evite el alcohol, pues irrita el estómago y el esófago y puede hacer que sus molestias empeoren.
- Deje de fumar. Esto es de especial importancia porque el tabaco produce acidez. Muchas veces la acidez desaparece por completo cuando uno deja de fumar.
- Si pesa de más, baje de peso, aunque sea sólo unas cuantas libras. El pesar de más puede empeorar la acidez.
- No se ponga ropa ni cinturones apretados.
- Eleve la cabeza de su cama seis pulgadas (15 centímetros). Para hacerlo puede poner una cuña de hule espuma o directorios de teléfono gruesos debajo del colchón. O puede poner los directorios debajo de las patas de la cabecera.

- No se acueste muy pronto después de comer. Trate de estar erguido por lo menos dos o tres horas después de cada comida. No coma mucho ni coma botanas antes de acostarse.
- Tome acetaminofeno en vez de aspirina, ibuprofen, naproxen u otra medicina antiinflamatoria, ya que éstas últimas pueden provocar acidez.
- Use los productos para la acidez que se compran sin receta médica. Los antiácidos como Maalox, Mylanta, Tums y Gelusil combaten el ácido del estómago.

Los reguladores de ácido (Pepcid AC, Tagamet HB, etc.) reducen la producción de ácido en el estómago. Pídale a su farmacéutico que le ayude a escoger uno de estos medicamentos y úselo según las direcciones de fábrica y los consejos de su médico.

Cuándo llamar a Kaiser Permanente

- Si tiene dolor junto con respiración corta o cualquier otras señas que pudieran indicar un problema del corazón. Vea Dolor en el pecho en la página 138.
- Si su excremento es de color rojo oscuro, negro o si aparece alquitrán. Si hay un poquito de sangre color rojo vivo en el excremento o en el papel de baño, vea Hemorroides o almorranas en esta página.
- Si sospecha que la acidez se debe a una medicina que le han recetado. Los antihistamínicos, el Valium, las píldoras anticonceptivas y las medicinas antiinflamatorias como la aspirina, el ibuprofen y el naproxen a veces causan acidez.
- Si tiene dificultades para tragar la comida, sobre todo el pan y la carne.
- Si sigue teniendo acidez después de tratar de curarla en casa durante una o dos semanas. Llame antes si tiene señas muy fuertes o si los antiácidos y los productos que reducen la producción de ácido no le hacen ningún efecto. Vea Úlceras en la página 84.

Hemorroides o almorranas

Una persona tiene hemorroides cuando se hinchan e inflaman las venas alrededor del ano. Las hemorroides pueden dar dentro o fuera del ano. Una manera en que suceden es cuando uno trata de pasar excrementos muy duros y apretados.

Las señas de las hemorroides son dolor o molestia, comezón y, a veces, sangrado. Puede haber una pequeña bolita en la abertura del ano. Por lo general, las hemorroides duran varios días y muchas veces regresan.

La comezón en el ano generalmente se debe a otras causas. La piel puede irritarse si escurre un poco de excremento o si se toman alimentos o bebidas irritantes, como comida picante o café. También puede dar comezón si no se mantiene limpio. Por otro lado, el problema más común es tratar de mantener el área demasiado limpia, frotándola con papel de baño seco o usando demasiado jabón, lo que hace daño a la piel. La piel alrededor del ano es delicada y es importante tratarla con cuidado.

Prevención

- Para que su excremento siempre esté blando, beba bastante agua y coma frutas y verduras frescas y granos integrales. Además añada hasta dos cucharadas de salvado de trigo o de Metamucil a su dieta cada día. Vea también Estreñimiento en la página 70.
- Trate de no esforzarse al obrar. Tómese su tiempo y nunca aguante la respiración.
- Evite estar sentado mucho tiempo ya que esto dificulta la circulación de la sangre alrededor del ano.
- Mantenga limpia el área alrededor del ano, pero más importante aún es limpiarse con delicadeza.

Tratamiento en casa

- Los baños tibios limpian y calman el área, sobre todo después de obrar. Los baños de asiento, que son baños calientes apenas con suficiente agua para cubrir el área del ano, también pueden ayudar, pero a veces aumentan la comezón. Trate de usar toallitas húmedas (de bebé) en vez de papel de baño.
- Use ropa interior de algodón y póngase ropas sueltas.
- Para calmarse la comezón, póngase compresas frías en el ano, cuatro veces al día, por 10 minutos cada vez.
- Para aliviar la comezón y las molestias úntese óxido de zinc, vaselina, una crema con 0,5% de hidrocortisona o una crema medicada o supositorio que consiga sin receta (Anusol, Tucks, Preparation H, etc.). No use ungüentos para el ano que tengan un anestésico local, ya que pueden causar reacciones alérgicas. Los nombres de estos ungüentos o de sus ingredientes terminan en "-caína" ("*-caine*", en inglés).

Cuándo llamar a Kaiser Permanente

- Si tiene un bulto en el ano que aumenta de tamaño o le duele más cada día.
- Si el dolor es fuerte o dura más de una semana.
- Si hay sangrado sin una causa aparente, y el sangrado no es por haberse esforzado al obrar.
- Si sangra mucho (más de unas pocas rayas de sangre color rojo vivo), si la sangre es de color rojo oscuro o café (marrón) o si la sangre sale mezclada con los excrementos.
- Si el sangrado dura más de una semana u ocurre más de una vez, a pesar del tratamiento en casa.

Hernias (desaldillados)

Cuando hay un área débil en los músculos del abdomen, puede que parte del tejido dentro del abdomen se salga por allí. A esto se le llama una hernia. Las hernias son más comunes en los hombres que en las mujeres. Muchas veces las hernias ocurren en la ingle y, en los hombres, pueden salirse al escroto.

Las hernias muchas veces resultan por hacer mucha fuerza con los músculos del abdomen, como por ejemplo al levantar cosas pesadas, al toser, o al hacer esfuerzo para obrar. Algunas veces los niños nacen con un área débil en los músculos del abdomen.

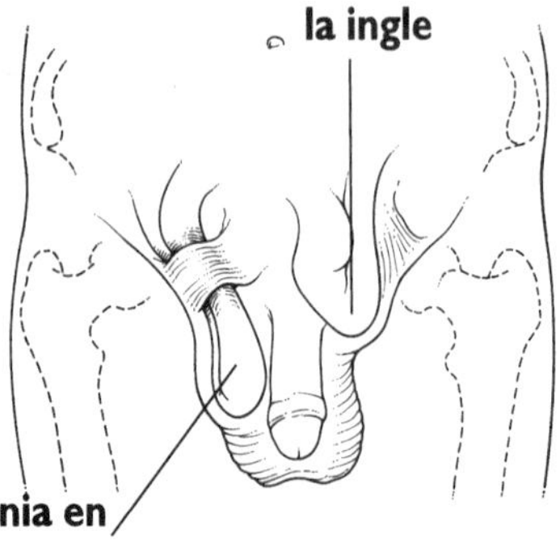

Una hernia puede causar un bulto en la ingle o en el escroto.

Las señas de una hernia pueden aparecer poco a poco o de repente. La persona puede sentir como que algo ha cedido y tener poco o mucho dolor.

Éstas pueden ser algunas de las señas:

- Debilidad, presión, ardor, o dolor en la ingle o en el escroto.
- Un bulto o una bolita en la ingle o en el escroto. Puede que sea más fácil ver el bulto cuando la persona tose y éste puede desaparecer cuando la persona se acuesta.
- Dolor en la ingle al hacer esfuerzo, al levantar cosas pesadas o al toser.

Hay hernias que uno puede volver a empujar a su lugar y hernias que no.

A veces una hernia puede quedar atrapada fuera del abdomen. Si esto sucede, puede que le deje de llegar sangre (hernia estrangulada). Esto es peligroso, porque sin sangre, el tejido se hincha y muere. El tejido muerto se infecta rápidamente y necesita atención médica de inmediato. Un dolor en la ingle o en el escroto que aumenta rápidamente es seña de que una hernia se ha estrangulado.

Prevención

- Siga las recomendaciones de la página 91 para levantar objetos sin lastimarse. No levante cosas que sean muy pesadas para usted.
- Tenga cuidado de no estreñirse y evite hacer esfuerzo al obrar y al orinar.
- Deje de fumar, sobre todo si tiene una tos crónica.

Cuándo llamar a Kaiser Permanente

- Si sospecha que tiene una hernia. Haga una cita para confirmar el diagnóstico y para hablar sobre su tratamiento.
- Si tiene un dolor leve o un bulto en la ingle sin que sepa por qué, y si no se le quita en una semana.

Una vez que le hayan diagnosticado la hernia, llame a un profesional de la salud:

- Si le da un dolor fuerte y repentino en el área de la hernia, el escroto o la ingle.
- Si no puede volver a poner la hernia en su lugar recostándose y presionándola suavemente.

Síndrome del intestino delicado

El síndrome o mal del intestino delicado es uno de los problemas más comunes del sistema digestivo. Las señas de este síndrome aumentan muchas veces con la tensión o después de las comidas. Algunas de las señas son:

- Hinchazón, dolor y gases en el abdomen (barriga)
- Mocos en el excremento
- Sensación de no haber terminado de obrar
- Hábitos irregulares para obrar, con estreñimiento, diarrea o ambos

Este síndrome es un trastorno de las funciones del intestino. Esto quiere decir que las funciones del sistema digestivo se dañan. Pero no hay señas físicas de esta enfermedad, ni existen pruebas para su diagnóstico.

Este mal puede persistir por muchos años. Un ataque puede ser más leve o más fuerte que el anterior, pero el mal en sí no empeora con el tiempo. Este síndrome tampoco lleva a enfermedades más graves como el cáncer.

Prevención

No hay forma de prevenir el síndrome del intestino delicado. Pero como las señas muchas veces mejoran o empeoran con la dieta, tensión, medicinas, ejercicio o por razones desconocidas, usted puede aprender a evitar o disminuir los episodios hallando y controlando sus causas.

Tratamiento en casa

Si el estreñimiento es el problema principal:

- Pruebe un suplemento de fibra o una sustancia para abultar el excremento que contenga semillas molidas de hierba pulguera o zaragatona (*psyllium*, en inglés) o metilcelulosa. Algunos ejemplos son: Metamucil, Fiberall y Citrucel. Todos éstos se consiguen sin receta.
- Coma más alimentos ricos en fibra. (Hágalo poco a poco para que así no empeoren los gases o los calambres.) Vea la página 296.
- Sólo use laxantes (como por ejemplo Feen-a-Mint, Correctol) si se los recomienda un médico.

Si la diarrea es el problema principal:

- La fibra también puede ayudar a aliviar la diarrea porque ayuda a absorber el líquido en el intestino grueso. (Lea los consejos que ya damos para el estreñimiento.)
- Evite comidas que empeoren la diarrea. Vaya eliminando una a la vez y luego vuelva a añadirla poco a poco a su dieta. Si un alimento no parece afectar el problema, no hay necesidad de evitarlo. Muchas personas descubren que las siguientes comidas y bebidas empeoran el problema:
    - Las bebidas alcohólicas, la cafeína, la nicotina
    - Los frijoles, el bróculi (brécol), las manzanas
    - Las comidas picantes
    - Alimentos con mucho ácido, como las frutas cítricas (limones, naranjas, etc.)
    - Alimentos grasosos, incluyendo la manteca de cerdo, el tocino, las salchichas, la mantequilla, los aceites y cualquier comida frita, como frijoles refritos, las papas fritas y el chorizo
- Evite los productos de leche que contengan lactosa (azúcar de leche) si parece que éstos empeoran el problema. Pero asegúrese de tomar otros alimentos con calcio. El yogur puede ser una buena opción porque

parte de la lactosa ya ha sido digerida por los cultivos activos del yogur. Las tortillas de maíz hechas con cal también son ricas en calcio.

- Evite el sorbitol, una sustancia artificial que se usa para endulzar algunos dulces y gomas de mascar sin azúcar.
- Coma más alimentos con almidones (pan, arroz, tortillas, papas o patatas, fideos o tallarines).
- Si la diarrea no se le quita, puede ayudarle la loperamida (Imodium), una medicina que se compra sin receta. Hable con su doctor si la está usando dos veces o más al mes.

Para reducir la tensión (estrés):

- Escriba en un diario todas las señas de su problema, al igual que los eventos en su vida que ocurren con las señas. Esto puede ayudarle a descubrir una conexión entre las señas y las situaciones tensas o de estrés.
- Para reducir la tensión nerviosa, haga ejercicio fuerte regularmente. Por ejemplo, usted podría nadar, correr o trotar, o caminar rápido.
- Para más consejos de cómo controlar la tensión, vea la página 288.

Cuándo llamar a Kaiser Permanente

- Si tiene un dolor continuo, de regular a agudo, que se fije o concentre en cualquier parte de la barriga, sobre todo si también tiene fiebre de 100,5 grados o más.
- Si el dolor es tan fuerte que se necesita tratamiento, o si las señas empeoran poco a poco o de repente.
- Si tiene sangre en el excremento y no le ha dicho un doctor que padezca de hemorroides.
- Si su médico le ha dicho que tiene el síndrome del intestino delicado y sus señas cambian mucho.

Si usted no tiene ninguna de las señas más serias, trate de descartar otras de las causas de los problemas del estómago (por ejemplo, haber probado una comida nueva, "nervios", infección intestinal). Pruebe el tratamiento en casa por una o dos semanas. Si no se mejora, o si sus señas empeoran, llame para hacer una cita.

Náusea y vómito

La náusea (basca) es una sensación muy desagradable en la boca del estómago. Una persona que tiene náusea puede sentirse débil y sudorosa y producir mucha saliva. La náusea fuerte muchas veces produce vómito, lo que obliga a lo que esté en el estómago a subir por el esófago y salir por la boca. El tratamiento casero le ayudará a que se le pasen las molestias. La náusea y el vómito pueden deberse a:

- Infecciones intestinales por virus o envenenamiento con comida (intoxicación); vea la página 82.
- Tensión o "nervios"
- Algunas medicinas, sobre todo antibióticos y medicinas antiinflamatorias (aspirina, ibuprofen, naproxen, etc.)
- Embarazo (vea la página 246)
- Diabetes
- Jaqueca o migraña (vea la página 176)
- Golpe en la cabeza (vea la página 42)

La náusea y el vómito también pueden ser señas de otras enfermedades graves.

Tratamiento en casa

El siguiente tratamiento se aplica a los adultos y a niños mayores de cuatro años de edad. Para tratar en casa el vómito en niños menores de cuatro años, vea la página 221.

- Si el vómito es fuerte y no se quita, no coma nada durante varias horas o hasta que se sienta mejor. Tome con frecuencia traguitos de agua o una bebida de rehidratación (vea la página 72).
- Durante 12 a 24 horas, beba solamente líquidos claros sin gas como agua, té aguado, jugo mezclado con agua o consomé. Comience con unos cuantos traguitos y auméntelos poco a poco.
- Si el vómito dura más de 24 horas, beba a traguitos una bebida de rehidratación para devolverle al cuerpo los líquidos y sustancias nutritivas que haya perdido. Vea la página 72.
- Descanse en la cama hasta que se sienta mejor.
- Fíjese si aparecen las primeras señales de la deshidratación (vea la página 73) y trátelas. Los bebés, los niños y las personas mayores pueden deshidratarse rápidamente con el vómito.
- Coma sólo sopas claras, comidas ligeras y líquidos cuando empiece a sentirse mejor, hasta que todas las señas hayan desaparecido por 12 a 48 horas, según cómo se sienta. Le recomendamos la gelatina (Jell-O), el pan tostado, las galletas saladas y la avena u otro cereal caliente.

Cuándo llamar a Kaiser Permanente

- Si el vómito sale con fuerza o en grandes cantidades.
- Si hay sangre en el vómito. Puede verse como asientos de café rojos o negros.
- Si el vómito da con fiebre y dolor que aumenta en la parte de abajo y de la derecha del abdomen. Vea Apendicitis en la página 69.
- Si tiene dolor que se fija en un área del abdomen en vez de calambres por toda la barriga.
- Si el vómito ocurre con dolor de cabeza muy fuerte, sueño, mucho cansancio, o si tiene también la nuca tiesa.
- Si el vómito dura más de 24 horas en un adulto.
- Si aparecen señas de deshidratación grave. Vea las páginas 73 y 74.
- Si la náusea y el vómito siguen por más de dos horas después de lastimarse la cabeza, o si el vómito violento dura más de 15 minutos. Un poco de náusea o vómito al principio generalmente no es serio. Vea Golpes en la cabeza en la página 42.
- Si usted sospecha que alguna medicina le está causando el problema. Los antibióticos y las medicinas antiinflamatorias (la aspirina, el ibuprofen, el naproxen, etc.) pueden causar náusea o vómitos. Sepa cuáles de sus medicinas pueden causar estos problemas.

Infecciones intestinales y envenenamiento con alimentos

Las infecciones intestinales y el envenenamiento (intoxicación) con alimentos son trastornos diferentes con diferentes causas. Sin embargo, mucha gente confunde estos dos problemas porque tienen señas muy parecidas. La mayoría de las personas que se intoxican con alimentos piensan que la náusea, vómito, diarrea y dolor de estómago que sufren se deben a una infección intestinal repentina, y al revés.

Las infecciones intestinales usualmente son causadas por un virus que ataca el sistema digestivo. Para prevenir una infección intestinal, usted debe evitar el contacto con el virus, lo cual no siempre es fácil de hacer.

La intoxicación con alimentos generalmente es causada por bacterias que crecen en alimentos que no se manejan o guardan apropiadamente. Las bacterias pueden crecer rápidamente cuando ciertos alimentos, sobre todo las carnes y los productos de leche, no se preparan cuidadosamente o se dejan a temperaturas de entre 40 y 140 grados. Las bacterias producen un veneno (toxina) que causa una inflamación aguda de los intestinos (tripas).

Sospeche que tiene intoxicación cuando las señas sean iguales a las de otras personas que comieron los mismos alimentos, o después de haber comido alimentos que no estaban refrigerados. Las señas de envenenamiento con comida pueden tardarse de una a 48 horas en empezar, después de comer. La náusea, el vómito y la diarrea pueden durar de 12 a 48 horas en un caso común y corriente de intoxicación.

El botulismo es un tipo de envenenamiento con alimentos que es raro, pero que con frecuencia causa la muerte. Por lo general, el botulismo ocurre cuando la gente envasa o enlata mal en casa ciertos alimentos bajos en ácido como el elote y los ejotes. Las bacterias que sobreviven este proceso pueden crecer y producir venenos en los frascos. Las señas del botulismo incluyen visión borrosa o doble, debilidad de los músculos y dolor de cabeza.

Prevención

Para prevenir la intoxicación con alimentos:

- Siga la regla del 2-40-140. No coma carnes, relleno de pavo, ensaladas u otras comidas que hayan estado por más de dos horas a una temperatura de entre 40 y 140 grados.
- Sea cuidadoso sobre todo con las carnes cocidas muy grandes, como el pavo navideño, que toma mucho tiempo en enfriarse. Algunas partes gruesas de la carne pueden estar a más de 40 grados el tiempo suficiente para permitir que las bacterias crezcan.
- Use un termómetro para revisar su refrigerador. Debe estar entre 34 y 40 grados.
- Descongele las carnes en el refrigerador o rápidamente en el horno de microondas, no sobre el mostrador de la cocina.
- Lávese las manos a menudo. También lave seguido las tablas de cortar y los mostradores. Después de tocar carne cruda, sobre todo de

pollo, lávese las manos y lave los utensilios antes de preparar otras comidas.

- El Departamento de Agricultura de los Estados Unidos recomienda que cuando recaliente algo de carne que haya cocido antes, asegúrese de que la temperatura suba a más de 165 grados para matar cualquier bacteria. Aún así, es posible que quede el veneno producido por las bacterias.
- No coma hamburguesas que no estén bien cocidas por dentro, y cocine el pollo hasta que al pincharlo salga un jugo claro.
- Cuando cocine carne o pollo en el horno de microondas, tápelo para que se caliente su superficie (la parte de afuera).
- No coma huevos crudos o salsas hechas con huevos crudos.
- En las fiestas, ponga la comida sobre hielo para que se mantenga fría.
- Cuando salga a comer, no coma carne cruda ni poco cocida. Cómase pronto las carnes frías y cualquier cosa que tome de la barra de ensaladas (antes de que se empiecen a calentar).
- Tire a la basura cualquier lata o frasco que tenga la tapa hinchada o que esté escurriendo por cualquier lado.
- Siga cuidadosamente las instrucciones para envasar y congelar alimentos en casa. Puede llamar a la Oficina de Agricultura de su condado (*County Agricultural Extension Office*) para pedir información. (Si usted no habla inglés necesitará ayuda para hacer la llamada.)

Tratamiento en casa

- Las infecciones intestinales causadas por virus usualmente tardan de 24 a 48 horas en desaparecer. Un buen tratamiento en casa puede ayudarle a recuperarse pronto. Para adultos y niños mayores de cuatro años, vea Náusea y vómito en la página 80 y Diarrea en la página 74. Para niños menores de cuatro años, vea la página 221.
- Fíjese si aparecen las primeras señas de deshidratación (vea la página 73) y trátelas pronto. Los bebés, los niños y las personas mayores pueden deshidratarse rápidamente a causa de la diarrea y el vómito.

Cuándo llamar a Kaiser Permanente

- Si el vómito dura más de un día en un adulto.
- Si una diarrea fuerte (excrementos grandes y aguados cada una o dos horas) dura más de dos días en un adulto.
- Si aparecen señas de deshidratación grave. Vea las páginas 73 y 74.
- Si usted sospecha que se ha envenenado con una comida enlatada, o si tiene señas de botulismo (visión borrosa o doble, dificultad para tragar o respirar). Si usted todavía tiene un poco de la comida, traiga una muestra consigo para que la analicen.

Úlceras

Una úlcera (úlcera péptica) es una llaga en la capa que cubre la parte de adentro del intestino delgado o del estómago. Cuando las úlceras dan en el estómago se llaman úlceras gástricas. Cuando dan en la parte de arriba del intestino delgado se llaman úlceras duodenales. Las úlceras se forman cuando algo daña la capa protectora y permite que el ácido y las enzimas del estómago la vayan deshaciendo. Hay ciertas cosas que aumentan el riesgo de tener una úlcera, incluyendo:

- El uso regular de aspirina, ibuprofen y otras medicinas antiinflamatorias sin esteroides, como indometacina, naproxen, clinoril, etc.
- El fumar tabaco
- Una infección por la bacteria llamada *Helicobacter pylori*

Una de las señas de una úlcera es un dolor ardiente o agudo, que da en la barriga entre el ombligo y la punta del esternón. El dolor muchas veces da entre comidas y puede despertar a la persona de noche. El dolor usualmente se alivia comiendo algo o tomando un antiácido. Las úlceras pueden causar acidez, náusea o vómito y una sensación de estar lleno o hinchado durante o después de las comidas.

Las úlceras pueden hacer que sangre el estómago, lo cual a su vez puede causar excrementos de color rojo oscuro, negro o como alquitrán. Sin tratamiento, las úlceras a veces pueden hacer que el intestino se tape o pueden perforar (agujerear) las membranas del estómago. El sangrado y la perforación son condiciones graves que requieren tratamiento de inmediato.

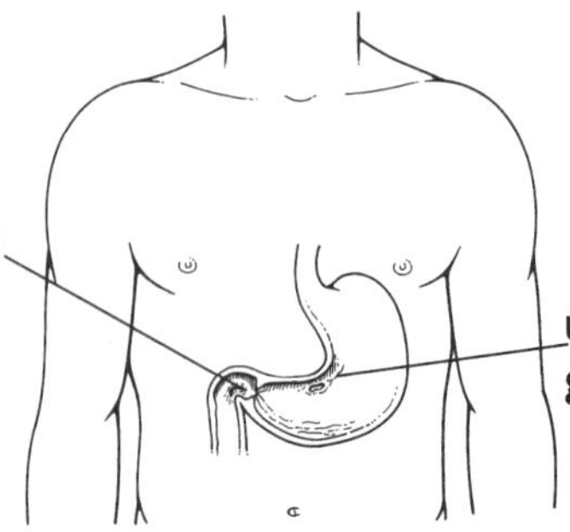

La mayoría de las úlceras dan en el estómago (úlceras gástricas) o en la parte de arriba del intestino delgado (úlceras duodenales).

Tratamiento en casa

- Evite las comidas o bebidas que parezcan provocar los síntomas de la úlcera, especialmente el alcohol, la cafeína y las comidas picantes. No es necesario dejar de comer algún alimento en particular si éste no le causa problemas. No necesita evitar la leche y sus productos, a menos que impidan el efecto de alguna medicina, o si su cuerpo no los tolera (vea la página 302).
- Trate de comer comidas más pequeñas, pero más seguido. Si esto no le ayuda, regrese a su dieta normal.
- Deje de fumar. Las personas que fuman tienen el doble de probabilidad de tener una úlcera que las personas que no fuman. El fumar también hace que las úlceras se tarden más en sanar.
- En vez de aspirina, ibuprofen o naproxen, tome acetaminofeno.
- Los antiácidos usualmente se necesitan para combatir el ácido en el estómago y permitir que la úlcera sane. Hable con su doctor sobre la mejor dosis. Es posible que necesite dosis grandes y frecuentes. Muchas

veces los antiácidos que mejor sirven son los que no se absorben, como el Maalox, Mylanta y Gelusil. Si su médico le ha recomendado que evite comer mucha sal, hable con su doctor o con un farmacéutico antes de escoger un antiácido. Algunos antiácidos tienen mucho sodio (sal).

- Una úlcera se puede tardar más en sanar si usted regularmente está muy tenso o nervioso. Practique las técnicas de relajación de la página 289.

Cuándo llamar a Kaiser Permanente

- Si además del dolor, usted tiene respiración corta u otras señas que podrían indicar un problema del corazón. Vea Dolor del pecho en la página 138.
- Si el dolor se fija en un área del abdomen (barriga).
- Si el dolor va aumentando en la parte de abajo y de la derecha del abdomen y ocurre con vómito y fiebre.
- Si su excremento es rojo oscuro, negro o como alquitrán. Esto generalmente indica que hay sangre en el excremento. Las úlceras son una de las muchas causas de esta condición, que necesita ser evaluada.
- Si usted tiene una úlcera y le da de repente un dolor fuerte en la barriga que no se le quita con su tratamiento usual en casa.
- Si usted sospecha que tiene una úlcera, y no se mejora después de dos semanas de tratamiento en casa. Su doctor puede evaluar las señas de su problema y recetarle un plan de tratamiento que podría incluir antiácidos u otras medicinas.
- Si quiere hablar con su doctor sobre el uso de medicinas antiinflamatorias que le hayan sido recetadas.

Pérdida del control para orinar

Muchas personas tienen problemas para controlar cuándo orinan. A esta condición se le llama incontinencia urinaria.

Muchos casos de incontinencia se pueden controlar, y algunos se pueden curar completamente. Los diuréticos y otras medicinas comunes pueden causar incontinencia temporalmente. Otras causas de la incontinencia son el estreñimiento, las infecciones urinarias, los cálculos o piedras en las vías urinarias y el reposo en cama por mucho tiempo. La incontinencia se puede curar si se trata el problema que la esté causando.

Hay tres tipos de pérdida crónica o duradera del control de la vejiga:

Con la "incontinencia por presión", salen chorritos de orina cuando la persona hace ejercicio, tose, se ríe o estornuda. Este problema afecta con más frecuencia a las mujeres, aunque los hombres lo pueden tener después de una operación de la próstata. Los ejercicios Kegel muchas veces ayudan a corregir este tipo de incontinencia.

La "incontinencia por impulso" sucede cuando la persona siente ganas de orinar tan rápido que no tiene tiempo de llegar al excusado.

La "incontinencia por exceso" ocurre cuando la vejiga no puede vaciarse completamente.

Tratamiento en casa

- No deje que la incontinencia le cause pena o vergüenza. Trabaje junto con su médico para encontrar y tratar las causas del problema.
- No deje que la incontinencia le impida hacer las cosas que le agradan. Puede comprar calzoncillos o toallas higiénicas absorbentes (como Attends y Depend) en las farmacias o en los supermercados.
- No tome café, té ni otras bebidas que contienen cafeína, porque la cafeína estimula la vejiga demasiado. Pero no deje de tomar suficientes líquidos de otros tipos; usted necesita beber como dos litros al día para mantenerse sana en general.
- Cada vez que orine, vacíe la vejiga dos veces. Primero, vacíe la vejiga lo más que pueda y relájese un momento. Luego intente vaciarla otra vez.
- Orine a un horario determinado, quizás cada tres o cuatro horas durante el día, ya sea que tenga o no tenga ganas de hacerlo. Tal vez esto le ayude a controlar su vejiga de nuevo.
- Manténgase seca la piel de la ingle para que no le salgan ronchas. Quizás le ayude ponerse vaselina o pomada Desitin.
- Fíjese bien qué medicinas toma, incluyendo medicinas que compre sin receta, ya que algunas afectan el control de la vejiga.
- La incontinencia a veces se debe a una infección de las vías urinarias. Si siente dolor o ardor al orinar, vea la página 256.

Cuándo llamar a Kaiser Permanente

- Si pierde el control para orinar en más de una ocasión, aunque sólo se trate de una pequeña cantidad de orina.
- Si siente que no puede vaciar completamente la vejiga.
- Si el problema dura varios meses o si interfiere con su vida normal.

Ejercicios Kegel

Los ejercicios Kegel pueden ayudar a curar o mejorar la incontinencia por presión. Estos ejercicios fortalecen los músculos que controlan la corriente de orina.

- Para encontrar los músculos en cuestión, detenga la orina a medio chorro y luego empiece a orinar de nuevo. Repita esto varias veces. Los músculos que usted siente que se aprietan alrededor del ano y la uretra (el tubo de la orina) son los que hay que fortalecer.
- Apriete estos músculos mientras no está orinando. Si se le mueven las nalgas o el estómago, no está usando los músculos correctos. Practique hasta que pueda hacer bien el ejercicio.
- Aguante la contracción por tres segundos, y luego relájese por tres segundos.
- Repita el ejercicio de 10 a 15 veces por tanda. Haga por lo menos tres tandas de ejercicios Kegel al día.

Los ejercicios Kegel son sencillos y eficaces. Los puede hacer en cualquier lugar y a cualquier hora. Nadie sabrá que los está haciendo, excepto usted.

5

Problemas de la espalda y del cuello

A pesar de que los problemas de la espalda y del cuello por lo general se pueden evitar, la mayoría de nosotros sufrirán de uno o ambos tipos de problemas en alguna ocasión. Por suerte, 9 de 10 problemas agudos de la espalda se mejorarán solos en menos de cuatro a seis semanas.

Usted podrá recuperarse de la mayoría de los problemas de la espalda y del cuello, y quizás evitar que le den de nuevo, siguiendo las guías de prevención y tratamiento en casa de este capítulo.

Guía para consulta rápida

- Primeros auxilios para los problemas de la espalda, página 88.
- Problemas de la espalda debido a la artritis, página 89.
- Problemas del cuello, página 98.

Problemas de la espalda

Éstas son las partes que forman su espalda:

- Los huesos de la columna vertebral o espina (vértebras que apoyan el peso del cuerpo)
- Las coyunturas o articulaciones de las vértebras (que guían el movimiento de la espina)
- Los discos (que separan las vértebras y absorben los choques o las sacudidas de sus movimientos)
- Los músculos y los ligamentos que detienen todo junto

Usted se puede lastimar o irritar una o más de estas partes:

- Se puede jalar o torcer un ligamento o un músculo al usarlo demasiado, al hacer un movimiento repentino o al ponerlo en una mala posición.

Primeros auxilios para los problemas de la espalda

Al primer instante en que sienta que se ha lastimado la espalda, siga estas recomendaciones para evitar o aminorar los problemas que pudiera tener. Estos son los principales tratamientos que se deben usar en casa durante los primeros días de un problema de la espalda. También vea "Tratamiento en casa" en la página 95.

Recomendación #1: Estar activo

Continúe con su rutina diaria lo más posible. Dé una caminata corta de unos cuantos minutos por terreno plano, cada una o dos horas. Trate de ir alargando sus caminatas hasta que duren 20 minutos. Si el dolor se extiende a una de sus piernas, empiece con caminatas más cortas y menos frecuentes. Limite sus caminatas a distancias que no le empeoren el dolor en la espalda o en la pierna. La natación también es provechosa cuando uno tiene problemas de la espalda.

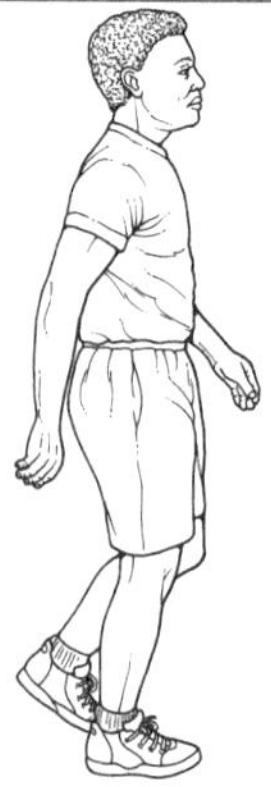

Camine.

Recomendación #2: Usar hielo y/o calor

Si su problema está en el cuello, los hombros o la parte de arriba de la espalda, póngase el hielo o el calor húmedo en la nuca. Si no, colóqueselo en medio de la espalda, a la altura de la cintura. Después, cuando se sienta más cómodo, salga a caminar.

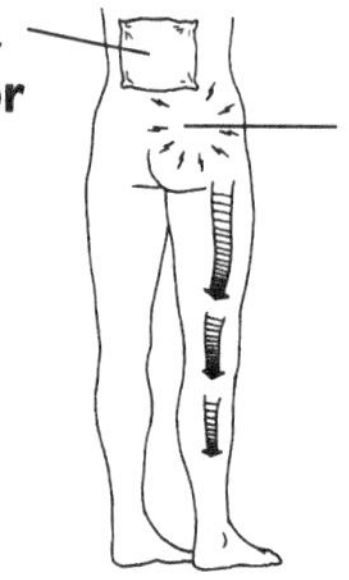

El hielo o el calor húmedo en medio de la espalda, a la altura de la cintura.

Recomendación #3: Tomar medicina

Los medicamentos pueden aliviarle el dolor y ayudarle a moverse más fácilmente. En la página 96 indicamos cuáles medicinas se recomiendan.

Recomendación #4: Tener buena postura

Mantenga su espalda arqueada correctamente todo el tiempo. Vea las páginas 90 a 92 y 99 a 101. No pase demasiado tiempo sentado.

Levante un pie cuando tenga que estar parado mucho tiempo.

- Se puede dañar los discos de la misma forma, haciendo que se hinchen o que se desgarren. Si un desgarro es bastante grande, puede hacer presión contra un nervio. El nervio también se puede irritar debido a la hinchazón o inflamación de otras partes de la espalda.

Cualquiera de estas lesiones puede causar dolor agudo e hinchazón por dos o tres días. Después, la parte lesionada sanará lentamente, y el dolor se irá quitando poco a poco. Quizás usted sienta el problema en la parte inferior de la espalda, en las nalgas, o por la pierna. Las metas del cuidado propio son aliviarse de la inflamación, recuperarse y no volver a lastimarse.

Los problemas de la espalda también se pueden deber a condiciones que afectan los huesos y las coyunturas de la columna. Un ejemplo es el dolor de la artritis, que puede ser un dolor constante, a diferencia del dolor agudo y punzante de las lesiones de los músculos, ligamentos y discos. Si piensa que la artritis es la causa de su problema de la espalda, siga las recomendaciones para tratar los problemas de la espalda en casa, junto con las recomendaciones para la artritis que aparecen en la página 104. Otro ejemplo es la osteoporosis, que debilita los huesos de la columna. Esto a su vez puede causar que se compriman los huesos y puede producir dolor de leve a agudo. Vea la página 115.

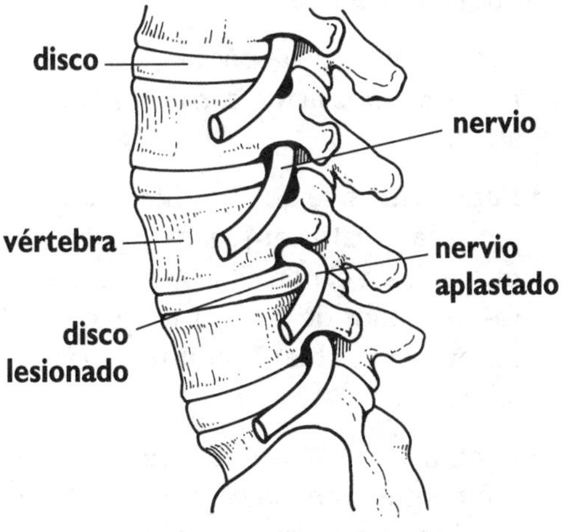

Un disco lesionado en la columna vertebral puede hacer presión contra un nervio, causando dolor.

Ciática

La ciática es una irritación del nervio ciático, el cual se extiende desde la parte baja de la espalda, por las nalgas, hasta los pies. La ciática a veces resulta de la presión que un disco lesionado pone sobre un nervio. La seña principal de la ciática es un entumecimiento, un hormigueo, un dolor difundido, o una debilidad que generalmente es peor en la pierna que en la espalda. Además del "Tratamiento en casa" para los problemas de la espalda que aparece en la página 95, las siguientes recomendaciones pueden ayudarle:

- Evite estar sentado si es posible, a menos que le sea más cómodo que estar parado.
- Túrnese entre estar parado o acostado y dando caminatas cortas. Aumente la distancia según vaya podiendo sin que le empeore el dolor.
- El hielo o el calor húmedo probablemente le harán mayor provecho si se los pone en medio de la espalda, a la altura de la cintura. Vea la página 123.

La parte superior de la espalda

La tensión, la tirantez o los dolores que dan en la parte de arriba de la espalda generalmente están relacionados con un problema del cuello.

Prevención

Los problemas de la espalda se han vuelto mucho más comunes en todos los países industriales. Mientras más tiempo pasemos sentados frente a escritorios, en automóviles, o frente al televisor, más tendremos que hacer para evitar los problemas de la espalda. El mover el cuerpo correctamente y el tener buena postura reducen la tensión en la espalda.

Tanto para los hombres como para las mujeres, el peso extra en el área de la barriga puede hacer que sea más difícil mantener la curva natural de la espalda. Por lo tanto, es importante mantener siempre una buena postura y, si es necesario, bajar de peso. Además, es buena idea no fumar, ya que las personas que fuman generalmente tienen más problemas de la espalda y se recuperan más lentamente.

El ejercicio de todo tipo nos ayuda a mantenernos flexibles, a fortalecer los músculos que sostienen nuestra columna y a mantenernos en buen estado en general.

Postura de la espalda

Una postura incorrecta causa mucha tensión en la espalda y puede producir incomodidad o inclusive una lesión. La clave de la buena postura es arquear la parte inferior de la espalda justo lo necesario. Si usted la arquea demasiado o muy poco, puede tener problemas.

Cómo pararse y cómo caminar correctamente

Para lograr una buena postura al pararse y caminar, su oreja, hombro, cadera y tobillo deben estar en línea recta. No trabe las rodillas. Arquee la parte inferior de la espalda correctamente.

Cómo sentarse

Cuando se siente, mantenga los hombros hacia atrás y hacia abajo, la barbilla hacia atrás, la barriga metida y la parte inferior de la espalda apoyada de modo que conserve su curvatura natural. El sentarse agachado puede causar tensión en los ligamentos y los músculos de la columna.

- Evite estar sentado en una misma posición por más de una hora a la vez. Levántese o cambie de posición con frecuencia.
- Si tiene que estar sentado por mucho tiempo, los ejercicios números 3 y 4 en las páginas 93 a 94 son de especial importancia para usted.
- Si su silla no le da suficiente apoyo, use un cojincito o una toalla enrollada para apoyarse la cintura.
- Vea el dibujo de la página 100 que muestra la posición correcta para sentarse.
- Para levantarse de una silla, mantenga la espalda arqueada y acérquese hasta el borde de la silla. Use los músculos de las piernas para pararse sin doblar la cintura hacia adelante.
- Para manejar, ajuste su asiento de modo que los pedales y el volante le queden a una distancia cómoda. Haga paradas frecuentes para estirarse y caminar un poco. Vea si le ayuda usar un cojincito para apoyarse la cintura.

Cómo dormir correctamente

Una cama firme es mejor que un colchón blando o un colchón de agua. Acuéstese de modo que su espalda conserve sus curvas naturales.

- Si duerme boca arriba, quizás quiera usar una toalla enrollada para apoyarse la parte inferior de la espalda o una almohada bajo las rodillas.
- Si duerme de lado, puede colocarse una almohada entre las rodillas.
- Para levantarse de la cama, acuéstese de lado, doble ambas rodillas y deje caer los pies de la cama al mismo tiempo que se empuja con los brazos para sentarse. Acérquese hasta el borde de la cama y acomode los pies en el suelo, en línea con sus nalgas. Párese, manteniendo su espalda arqueada correctamente.

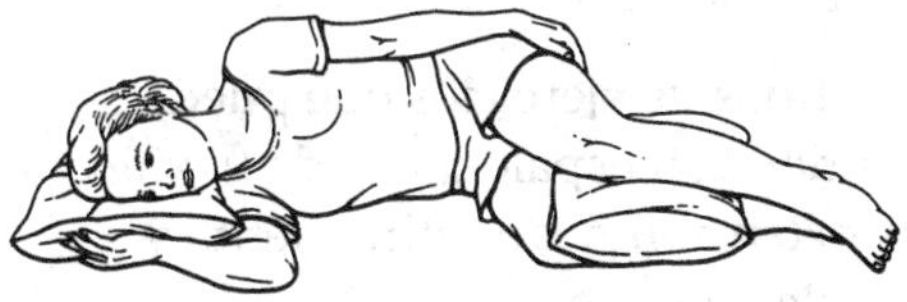

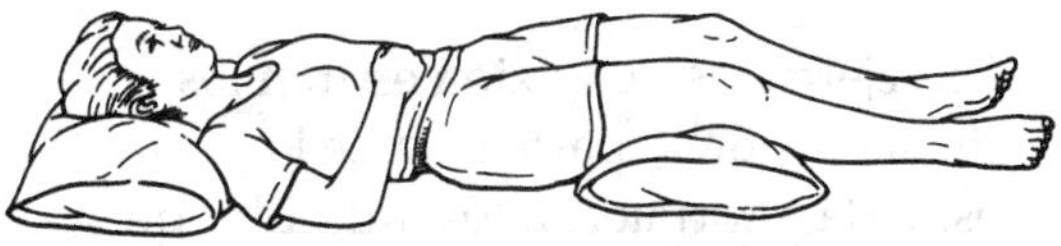

Use almohadas cuando duerma para evitar los problemas de la espalda y del cuello.

Movimiento o mecánica del cuerpo

Para lograr una buena mecánica del cuerpo, hay que aprender a tener buena postura durante todas las actividades diarias. Usted debe mover su cuerpo correctamente todo el tiempo, no sólo cuando tenga un problema de la espalda.

- Mantenga la espalda arqueada de su forma natural.
- Cuando haga actividades que requieran que usted esté en una misma posición por mucho tiempo, tome descansos regularmente para caminar y estirarse.
- Si tiene que estar parado por mucho tiempo, ponga un pie sobre un banquito o una caja.

Cómo levantar objetos

- Doble las rodillas y deje que los brazos y las piernas hagan el esfuerzo. Apriete las nalgas y la barriga para darle aún más apoyo a la espalda.
- Mantenga la parte superior de la espalda recta y la parte inferior arqueada correctamente. No doble la cintura hacia adelante para levantar objetos.
- Mantenga el objeto tan cerca de su cuerpo como pueda, aunque el objeto no pese mucho.
- No voltee ni tuerza el cuerpo mientras sostiene un objeto pesado. Mueva los pies, no la espalda.
- Nunca levante un objeto pesado más arriba de sus hombros.

Evite lastimarse la espalda al levantar objetos pesados. Mantenga la espalda derecha, doble las rodillas y mantenga el objeto cerca de su cuerpo.

- Acérquese a los objetos que quiera alcanzar. Use un banco o una escalera para las cosas que estén por arriba de su cabeza. Mantenga la escalera o el banco cerca de lo que está haciendo.
- Use una carretilla pequeña para mover objetos pesados o difíciles de sostener; o pídale a alguien que le ayude.

Ejercicios para evitar los problemas de la espalda

El fortalecer todo su cuerpo le ayudará a evitar los problemas de la espalda en el futuro y le servirá para mejorar su salud en general. Muchos ejercicios y deportes fortalecen los brazos y las piernas. También es buena idea hacer ejercicios especiales para fortalecer los músculos de la barriga. Vea Ejercicios de flexión en las páginas 92 a 93.

El conservar la flexibilidad de su cuerpo le ayudará a moverlo correctamente y por lo tanto a protegerse la espalda.

No es recomendable que haga los ejercicios cuando tenga un problema agudo o un espasmo en la espalda. En vez de eso, vea "Primeros auxilios para los problemas de la espalda" en la página 88.

- Si cualquiera de los ejercicios hace que su dolor de espalda siga o aumente, deje de hacerlo y pruebe otra cosa. Deje de hacer cualquier ejercicio que cause que el dolor se extienda de la columna hacia las nalgas o las piernas, ya sea durante o después de los ejercicios.
- No necesita hacer cada uno de los ejercicios. Haga los que le ayuden más.
- Comience con cinco repeticiones, de tres a cuatro veces al día. Aumente las repeticiones poco a poco hasta llegar a 10. Haga todos los ejercicios lentamente.

Los tipos de ejercicios que pueden ayudar a su espalda son: de flexión, de extensión, y de estiramiento y fortalecimiento.

Ejercicios de flexión

Los ejercicios de flexión estiran los músculos de la parte baja de la espalda y fortalecen los músculos de la barriga.

1. Ejercicio para estirar la parte baja de la espalda

Este ejercicio mueve la columna suavemente y estira la parte de abajo de la espalda.

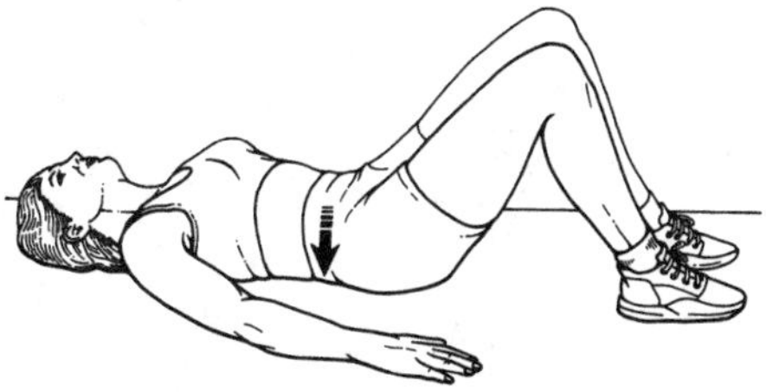

1. Ejercicio para estirar la parte baja de la espalda

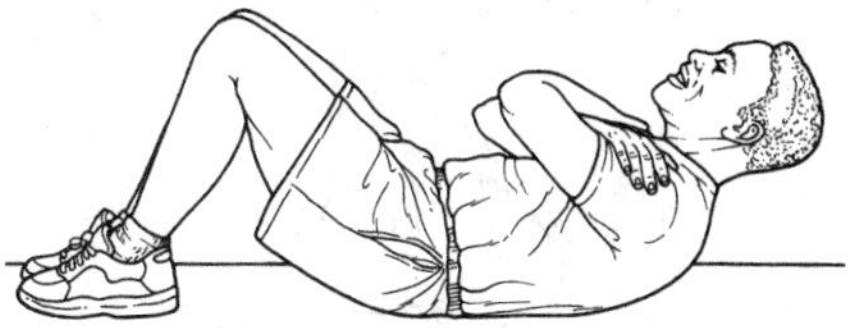

2. Ejercicio para fortalecer la barriga

- Acuéstese boca arriba con las rodillas dobladas y los pies planos sobre el piso.
- Apriete lentamente los músculos de la barriga y empuje la cintura contra el piso. Mantenga esta posición por 10 segundos (no aguante la respiración). Relájese lentamente.

2. Ejercicio para fortalecer la barriga

Este ejercicio fortalece los músculos de la barriga que, junto con los músculos de la espalda, apoyan la columna vertebral.

- Acuéstese boca arriba con las rodillas dobladas (a un ángulo de 60 grados), los pies planos sobre el piso y los brazos cruzados sobre el pecho. No enganche los pies en nada.
- Lentamente levante la cabeza y los hombros unas cuantas pulgadas hasta que sus escápulas apenas dejen de tocar el piso. Mantenga la cintura contra el piso. Para evitar problemas del cuello, acuérdese de levantar los hombros y no fuerce la cabeza hacia arriba o hacia adelante. Mantenga esta posición de 5 a 10 segundos (no aguante la respiración). Luego baje los hombros y la cabeza muy lentamente.

Ejercicios de extensión

3. Ejercicio para estirar la espalda

- Acuéstese boca abajo con los codos junto a los hombros y las palmas de las manos planas contra el piso.
- Levante un poco el pecho, apoyándose en los codos. Mantenga relajada la parte inferior del cuerpo. Empuje el pecho hacia adelante, si lo puede hacer cómodamente.
- Mantenga las caderas contra el suelo. Sienta cómo se estira la parte baja de su espalda.
- Baje el pecho al piso. Repita el ejercicio lentamente de 3 a 10 veces.

3. Ejercicio para estirar la espalda

4. Arcos hacia atrás (mantenga el cuello recto y la barbilla hacia abajo).

4. Arcos hacia atrás

Haga este ejercicio por lo menos una vez al día, y con frecuencia cuando trabaje agachado hacia adelante.

- Párese derecho con los pies un poco separados. Recárguese de espaldas contra un mostrador para tener mayor apoyo y no caerse hacia atrás.
- Apóyese la cintura por atrás con las manos y dóblese hacia atrás con cuidado. Mantenga las rodillas derechas (pero no las trabe) y doble sólo la cintura. Vea el dibujo.
- Mantenga esta posición de uno a dos segundos.

Ejercicios de fortalecimiento y estiramiento

5. Ejercicio para fortalecer las nalgas

Es importante fortalecer los músculos de las nalgas porque éstos apoyan la espalda y ayudan a las piernas cuando usted las usa para levantar algo.

6. Estiramiento de la parte trasera del muslo.

- Acuéstese boca abajo con los brazos junto al cuerpo.
- Apriete lentamente los músculos de las nalgas. Manténgase así de 5 a 10 segundos (no aguante la respiración). Relájese lentamente.
- Quizás necesite ponerse una almohadita bajo el estómago para estar más cómodo.

6. Estiramiento de la parte trasera del muslo

Este ejercicio estira los músculos de la parte trasera del muslo que le permiten doblar la pierna, mientras mantiene la espalda arqueada correctamente.

- Acuéstese boca arriba cerca de un portal. Coloque una pierna sobre el piso, a través del portal. Enderece y suba la otra pierna de modo que el talón quede recargado contra la pared junto al portal.
- Sin doblar la pierna, suba poco a poco el talón contra la pared hasta que sienta un pequeño jalón en la parte trasera del muslo. No estire el muslo demasiado.
- Relájese en esa posición por 30 segundos y luego doble la rodilla para aflojar el muslo. Repita con la otra pierna.

7. Estiramiento de los músculos que doblan la cadera

7. Estiramiento de los músculos que doblan la cadera

Este ejercicio estira los músculos del frente de la cadera. Esto es importante porque cuando estos músculos están muy apretados pueden causar un problema de la espalda en que la cintura se hunde demasiado (lordosis).

- Ponga una rodilla en el suelo. Doble la pierna del otro lado y plante el pie de ese mismo lado frente a usted. Mantenga la espalda arqueada correctamente.
- Pase su peso poco a poco hacia el pie de enfrente, sin dejar de arquear bien la espalda. Manténgase así por 10 segundos. Usted debe sentir un estiramiento en la ingle del lado en que esté arrodillado. Repita con la otra pierna.

Ejercicios que deben evitarse

Muchos ejercicios aumentan el riesgo de tener problemas en la parte baja de la espalda. Evite los siguientes:

- Sentadillas con las piernas estiradas
- Levantamiento de ambas piernas (levantar las dos piernas mientras está acostado boca arriba)

¿Cuáles ejercicios le convienen a usted?

- Si no tiene un problema de la espalda actualmente, pruebe algunos de los ejercicios de prevención en las páginas 92 a 95. *No haga* los ejercicios de prevención si usted acaba de lastimarse la espalda hace poco.
- Si se lastimó la espalda en las últimas dos semanas o si tiene más dolor en la pierna que en la espalda o nalgas, vea "Tratamiento en casa" y "Cuándo llamar a Kaiser Permanente" en las páginas 95 a 98.
- Deje de hacer cualquier ejercicio que le empeore el dolor.
- Poco a poco vaya haciendo más cualquier ejercicio que lo haga sentirse mejor.

- Levantamiento de pesas grandes por arriba de la cintura
- Estiramiento de cualquier tipo al estar sentado con las piernas en forma de V
- Estando parado, el tocarse los dedos de los pies sin doblar las piernas

Tratamiento en casa

Es importante que usted se mantenga tan activo como pueda. Quizás las siguientes sugerencias también le ayuden a recuperarse:

- Póngase una compresa de hielo o calor húmedo en el área lesionada. Vea las recomendaciones para el uso de hielo en la página 123. Póngase la compresa de hielo en el área lesionada hasta que la sienta entumida.

No use la compresa por más de 15 ó 20 minutos, cada dos horas. No olvide siempre envolver la compresa fría en una toalla húmeda para no lastimarse la piel. El frío disminuye la inflamación, la hinchazón y el dolor.

- A muchas personas les ayuda usar el calor húmedo. Vea si a usted le sirve ponerse una toalla calientita. (Puede calentar la toalla mojada en el horno de microondas.) También puede tomar una ducha tibia. Sin embargo, no se siente en una bañera o tina, ya que eso pondría su espalda en una posición equivocada. No use el calor por más de 20 minutos, cada dos horas, y tenga cuidado de no irritarse la piel. Tenga especial cuidado si usa un cojín eléctrico. Hay personas que se han quemado por haberse quedado dormidas sobre el cojín eléctrico.
- Evite posiciones o actividades que empeoren su problema. Por ejemplo, evite sentarse en una misma posición por mucho rato. Siga las recomendaciones ya descritas para la buena postura y el movimiento correcto del cuerpo.
- Sea optimista. La mayoría de los problemas de la espalda son temporales y llegan a curarse. Usted se aliviará más pronto si se mantiene activo. Concéntrese más en las cosas que *sí puede hacer* en vez de sólo pensar en lo que *no puede hacer*.
- Para seguir mejorándose, manténgase activo y hágale caso a su cuerpo. A veces el movimiento causa dolor, pero el dolor no necesariamente indica que usted se esté lastimando más. Incluso durante los primeros dos o tres días, cuando el dolor generalmente es peor, es importante que usted permanezca tan activo como pueda. Trate de ir haciendo sus actividades de siempre, poco a poco. Pronto podrá hacer todas las actividades que hacía antes.
- Durante los primeros días, quizás necesite tomar descansos breves. Si usted se acuesta para descansar, hágalo sobre una superficie firme.
- Los medicamentos pueden aliviar el dolor y ayudar a que usted se mueva más fácilmente. Nosotros recomendamos el acetaminofeno (Tylenol) porque causa menos efectos secundarios. Si el Tylenol no le da resultado, vea si le ayuda la aspirina con capa entérica (Ecotrin), el ibuprofen (Advil, Motrin, Nuprin), el naproxen (Aleve) o el ketoprofen (Orudis KT). Al usar cualquiera de estas drogas, es importante seguir las instrucciones de la etiqueta.
- Dé caminatas de unos cuantos minutos, cada una o dos horas. Vaya alargando las caminatas poco a poco, hasta que duren 20 minutos.
- Relaje los músculos con frecuencia. Vea las instrucciones para la relajación muscular progresiva en la página 290.

Después de dos o tres días de tratamiento en casa:

- Su meta deberá ser regresar a su trabajo o a sus actividades de rutina tan pronto como pueda, ya que eso ayuda a la mayoría de la gente a recuperarse más rápidamente. Quizás usted pueda volver a hacer sus tareas de costumbre de inmediato y sin problemas. Por otro lado, tal vez sea necesario que modifique sus tareas durante los primeros días o semanas que esté de regreso. Hable con la persona indicada en su trabajo.

- Siga dando caminatas frecuentes (alárguelas según pueda). También siga haciendo los ejercicios descritos anteriormente.
- Si puede, nade, ya que es provechoso para la espalda. Si usted se lastimó recientemente, puede que sienta dolor al nadar vueltas en una piscina, caminar en el agua o patalear con aletas. Pero recuerde que esas actividades muchas veces evitan que regrese un problema de la espalda. También puede ayudarle el uso de un tubo de respiración o snorkel y de una mascarilla, ya que de esa manera no tendrá que levantar la cabeza para respirar.
- Cuando su espalda haya mejorado, comience a hacer ejercicios sencillos que no le empeoren el problema que haya tenido. Quizás le sirvan uno o dos de los ejercicios de la sección de Prevención (páginas 92 a 95). Comience con 5 repeticiones, dos veces al día, y vaya aumentando hasta llegar a 10 repeticiones, según le sea posible.

Cirugía de la espalda

La cirugía de la espalda sólo es eficaz en muy pocos casos. Sin embargo, si usted tiene debilidad grave o ha perdido el control para orinar u obrar, puede que una operación le ayude. De ser así, quizás usted deba consultar a un especialista en cirugía de la espalda.

Cuándo llamar a Kaiser Permanente

- Si usted pierde el control para orinar u obrar. El estreñimiento y la necesidad de orinar seguido o con urgencia frecuentemente afectan a las personas que tienen dolor en la parte baja de la espalda. Pero si usted tiene cualquier nuevo problema con el control para orinar u obrar, debe discutirlo con su doctor.
- Si tiene algún nuevo entumecimiento en el área de los genitales o del recto.
- Si tiene debilidad en una pierna que no sólo se deba a dolor. Muchas personas con dolor en la parte baja de la espalda dicen que sienten las piernas débiles. Pero una debilidad notable en una pierna debe ser evaluada, sobre todo si usted no puede doblar el pie hacia arriba, levantarse de una silla o subir escaleras.
- Si usted tiene un nuevo dolor o un dolor más fuerte en la espalda, junto con una fiebre que no puede explicarse, dolor al orinar, u otras señas de infección de las vías urinarias. Vea la página 256.
- Si le aumenta mucho su dolor crónico de espalda, sobre todo si esto no tiene nada que ver con una nueva actividad o un cambio en sus actividades.
- Si ha padecido de cáncer o tiene el virus del SIDA (VIH), y le da un nuevo problema de la espalda o empeora un problema que ya tenía.
- Si tiene un dolor de espalda nuevo que no se mejora con unos cuantos días de tratamiento en casa, llame a su médico para pedirle consejo.

- Si le da un nuevo dolor muy fuerte en la parte baja de la espalda, que no cambia cuando usted se mueve y no se debe a ansiedad ni a tensión muscular.
- Si no puede pararse o no puede caminar.
- Si no se ha mejorado para nada después de dos semanas de tratamiento en casa.

Médicos y enfermeras especializadas

Además de diagnosticar las causas del dolor de espalda y examinar las lesiones de la espalda, los médicos y las enfermeras especializadas pueden:

- Ayudarle a crear su propio plan de ejercicios y tratamiento en casa, y también recomendarle cambios en su trabajo, si los necesita.
- Recetarle medicinas para relajar los músculos, calmar la hinchazón y quitar el dolor. Precaución: Si le recetan una medicina fuerte para el dolor o la tensión muscular, evite las posturas y actividades que puedan volver a lastimarle la espalda.
- Enviarlo a un fisioterapeuta.
- Recomendar que le operen de la espalda.

Los médicos especialistas en osteopatía pueden también practicar la manipulación de la columna vertebral.

Fisioterapeutas

Después de haber completado el tratamiento de primeros auxilios, un fisioterapeuta con experiencia en tratamiento ortopédico podrá ayudarlo, ya sea individualmente o en un grupo:

- Encontrando problemas específicos de los músculos o los discos.
- Proporcionándole otros tipos de terapia, por ejemplo, la terapia manual, si usted no está mejorando.
- Ayudándole a mejorar su postura y creando un programa de ejercicio para su recuperación y para una protección a largo plazo.

Otros profesionales de la salud

Los quiroprácticos pueden ofrecerle alivio con algunos tipos de dolor de espalda mediante la manipulación de la columna vertebral. Los acupunturistas, masajistas y otros profesionales también pueden aliviarle las molestias a corto plazo.

Problemas del cuello

El dolor y la rigidez del cuello generalmente se deben a una lesión o a un espasmo en los músculos del cuello, o a inflamación de las coyunturas del cuello. A veces también se pueden deber a la artritis o a un daño de los discos entre las vértebras del cuello. A la persona le puede ser difícil voltear la cabeza—por lo general más de un lado que del otro. Muchas veces, los problemas del cuello producen dolores de cabeza o dolor en el hombro, en la parte de arriba de la espalda o en el brazo.

Al sentarse, moverse o pararse de modos que maltratan su cuello, puede que usted sienta dolor o molestias en la nuca, los hombros, la cabeza, los oídos, los senos de la cara, la quijada, el pecho, los brazos o la parte superior de la espalda. Tal vez sienta hormigueo, entumecimiento o debilidad en los brazos o las manos, y quizás también mareos.

Los dolores del cuello y de la cabeza algunas veces están relacionados con la tensión en los músculos trapecios, que se extienden desde la parte trasera de la cabeza hasta la parte trasera de los hombros. Cuando usted tenga dolor de cuello, quizás también note que siente esos músculos tiesos y adoloridos.

Los músculos del cuello se pueden lastimar por cualquiera de estas causas:

- Postura con la cabeza echada hacia adelante
- Dormir sobre una almohada demasiado gruesa, demasiado plana, o que no le apoya bien la cabeza
- Dormir boca abajo o con el cuello torcido o doblado
- Pasar mucho tiempo en una posición como ésta: el codo recargado sobre una mesa, el antebrazo erguido y la barbilla recargada en el puño o en la mano
- Ver televisión o leer acostado, con el cuello en mala posición
- Tensión o angustias
- Tener que trabajar con el cuello en una posición molesta (por ejemplo, debido a la forma en que están acomodados los muebles y el equipo en una oficina)
- Otras presiones en los músculos del cuello
- Lesión causada por un movimiento repentino de la cabeza y del cuello o por un golpe en el cuello
- Actividad pesada con el torso y los brazos

La **meningitis** es una enfermedad grave que hace que la nuca se ponga muy tiesa y causa dolor de cabeza y fiebre (vea la página 146).

Prevención

Para evitar los problemas del cuello, es importante tener una buena postura, moverse correctamente y hacer ejercicio. La mayoría de los problemas del cuello se pueden evitar completamente, a excepción de los que se deben a la artritis o a una lesión.

Si el dolor es peor **al final del día,** fíjese cómo acomoda y mueve su cuerpo durante el día.

- Siéntese derecho en la silla con la cintura bien apoyada. No se siente por mucho rato sin levantarse o cambiar de posición. Para que no se le entiesen los músculos del cuello, estírelos varias veces cada hora.
- Si usted trabaja con una computadora, ajuste la pantalla de modo que la parte de arriba quede al nivel de sus ojos. Use un sostén que sujete sus papeles al mismo nivel que la pantalla.
- Si habla mucho por teléfono, quizás le convendría usar audífonos o un teléfono con portavoz.
- Si trabaja en una fábrica (por ejemplo, ensamblando, soldando, etc.), asegúrese de tener los objetos con que trabaje al nivel de los ojos y de no estar con el cuello doblado por mucho tiempo.
- Ajuste el asiento de su auto de modo que le apoye bien la cabeza y la cintura.

Mire directamente hacia enfrente.
Tenga la barbilla metida.
Use una silla que le proporcione apoyo y le ayude a mantener la espalda en posición recta.
Mantenga las muñecas en línea recta y apoyadas.
Mantenga las rodillas dobladas a un ángulo de 90 grados.
Tenga los pies planos sobre el piso.

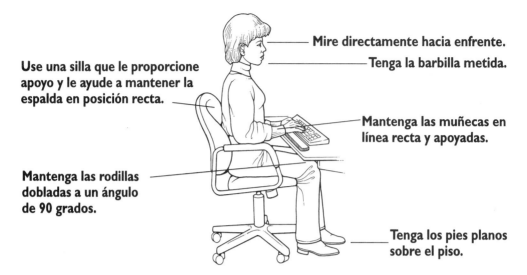

Si mantiene una postura correcta y el cuerpo apoyado cuando está sentado, podrá hacer cualquier tarea más cómodamente y podrá reducir la tensión en los ojos, el cuello, los hombros, los brazos, las muñecas y la espalda.

Si las molestias del cuello son peores **por la mañana**, fíjese en qué posición duerme (y piense en sus actividades del día anterior).

- Busque maneras de apoyar mejor su cuerpo al dormir. Quizás le ayude un colchón duro o un cojincito especial para apoyar el cuello (pruebe estas cosas antes de comprarlas). O puede hacerse una almohadita doblando una toalla a lo largo hasta que quede de un ancho de cuatro pulgadas (10 centímetros). Enróllesela alrededor del cuello y préndala con un seguro para que le dé buen apoyo.
- No use almohadas que le doblen la cabeza hacia adelante, cuando esté acostado boca arriba.
- Cuando duerma de lado, asegúrese de que su nariz esté en línea con el centro de su cuerpo.
- Si la tensión es una causa de su problema del cuello, practique los ejercicios de relajación de los músculos, que aparecen en la página 290.
- Fortalezca y proteja su cuello haciendo ejercicios una vez al día. Vea la página 102.

Tratamiento en casa

Una gran parte del tratamiento para los problemas de la espalda también es útil para los problemas del cuello, incluyendo las recomendaciones para la buena postura, el buen movimiento del cuerpo, y el uso de hielo y de calor húmedo. También vea la página 95.

- Si recientemente ha sufrido un accidente en el que se lastimó el cuello, vea la página 62.
- Póngase una compresa fría o calor húmedo en los músculos adoloridos, hasta por 20 minutos a la vez. Repita esto hasta una vez cada dos horas. El proceso ayudará a disminuir cualquier dolor, espasmo muscular o hinchazón. Si el problema está cerca del hombro o de la parte de arriba de la espalda, usualmente será más útil ponerse el hielo o el calor en la nuca.
- Mantenga la cabeza y el cuello bien centrados. No se desaliñe ni eche la cabeza hacia adelante.
- La aspirina, el ibuprofen o el acetaminofeno puede ayudar a calmarle el dolor.
- Caminar también es bueno para aliviar y evitar los problemas del cuello. El suave meneo de los brazos a menudo alivia el dolor. Comience con caminatas cortas de 5 a 10 minutos, tres a cuatro veces al día.
- Si los problemas del cuello le dan con dolor de cabeza, vea "Dolores de cabeza debidos a la tensión" en la página 178.
- Una vez que el dolor se calme, haga los ejercicios de prevención de la página 102. Comience con cinco repeticiones, dos veces al día. Aumente poco a poco hasta llegar a 10 repeticiones. Deje de hacer cualquier ejercicio que le cause dolor.

Cuándo llamar a Kaiser Permanente

Llame a su doctor **de inmediato**:

- Si se le pone tiesa la nuca y además le da dolor de cabeza y fiebre. También vea "Encefalitis y meningitis" en la página 146.
- Si el dolor se extiende a un brazo, o si las manos se le entumecen o le hormiguean.
- Si le da una nueva debilidad en los brazos o las piernas.
- Si un golpe o lesión en el cuello le causa un nuevo dolor.
- Si no puede controlar el problema con tratamiento en casa.
- Si el problema le ha durado dos semanas o más, sin mejorar para nada, a pesar del tratamiento en casa.

Ejercicios para el cuello

No necesita hacer cada uno de los ejercicios, sólo los que le ayuden más. Deje de hacer cualquier ejercicio que le cause más dolor. Comience con cinco repeticiones, dos veces al día. Haga cada ejercicio lentamente.

1. Ejercicio para estirar la nuca: siéntese o párese bien derecho, con la mirada hacia enfrente. Meta la barbilla (mentón) lentamente, al mismo tiempo que mueve la cabeza hacia atrás, sin mover el cuerpo. Cuente hasta 5 en esta posición y luego relájese. Repita de 6 a 10 veces. Este ejercicio estira la nuca. Si siente dolor, no mueva la cabeza tanto hacia atrás. Quizás le resulte más fácil hacer el ejercicio acostado boca arriba, con una compresa de hielo en el cuello.

2. Ejercicio para estirar el pecho y los hombros: siéntese o párese derecho y mueva la cabeza hacia atrás como en el primer ejercicio. Levante ambos brazos hasta que las manos le queden junto a las orejas. Relaje los hombros y, a medida que suelte el aire, baje los codos hacia atrás. Sienta cómo las escápulas bajan y se acercan. Mantenga esta posición por unos cuantos segundos. Relájese y repita el ejercicio.

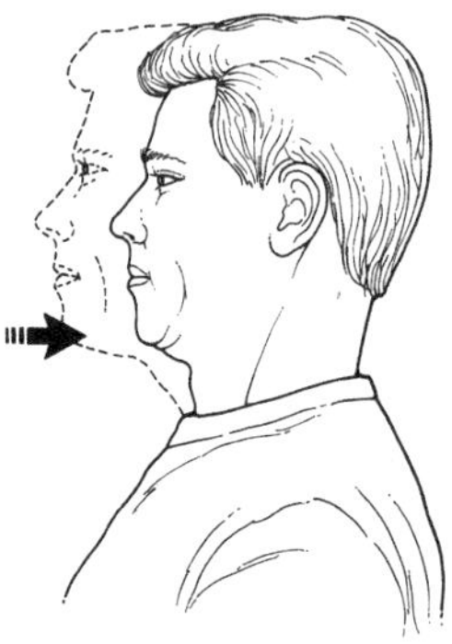

Ejercicio para estirar la nuca.

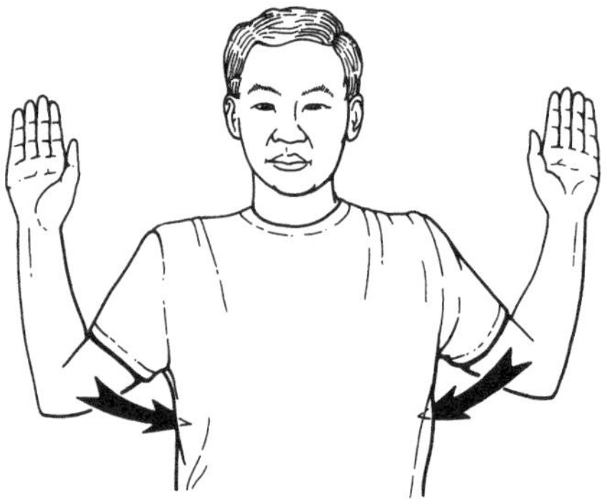

Ejercicio para estirar el pecho y los hombros: baje los codos hacia atrás.

6

Problemas de los huesos, músculos y coyunturas

En este capítulo hablamos sobre toda clase de dolores, desde la artritis hasta las torceduras de tobillo. Hacemos menos hincapié en cómo reducir el dolor y más en cómo limitar su influencia sobre nuestras vidas. Esperamos que estos consejos le ayuden a llevar una vida más agradable.

Artritis o reumas

Se le da el nombre de artritis a una variedad de problemas de las coyunturas (articulaciones) que causan dolor, hinchazón y rigidez. En pocas palabras, artritis quiere decir inflamación de una coyuntura. La artritis puede dar a cualquier edad, pero afecta sobre todo a las personas de edad avanzada.

Hay más de 100 tipos diferentes de artritis, y cada tipo tiene síntomas específicos. Se sabe muy poco sobre las causas de la mayoría de los tipos de artritis. Algunos tipos parecen ser de familia. Otros parecen estar relacionados con desequilibrios de las sustancias químicas del cuerpo o con problemas del sistema inmunitario (el sistema de defensas del cuerpo).

En el cuadro de la página siguiente se describen los tres tipos más comunes de artritis. La osteoartritis es el tipo más común y generalmente se puede tratar con éxito en casa. La artritis reumatoide y la gota mejorarán con una combinación de tratamiento en casa y atención médica profesional.

Prevención

Aunque la artritis no se pueda prevenir, usted puede evitarse muchos dolores cuidándose bien las coyunturas. Esto es especialmente importante si ya tiene artritis.

- Modifique las actividades que le causen choques y sacudidas repetidas a su cuerpo, si le causan dolor. Por ejemplo, haga ejercicios aeróbicos de bajo impacto en lugar de hacer los de alto impacto.
- Haga ejercicio regularmente.

- Si tiene problemas de la espalda, las caderas, las rodillas o los pies, puede ser buena idea controlar su peso.

Mientras que las actividades que causan choques y sacudidas repetidas pueden aumentar el dolor en las coyunturas, el ejercicio regular puede aliviarlo o prevenirlo. El ejercicio es importante porque les trae a los cartílagos de las coyunturas las sustancias que necesitan para estar fuertes y sanos, y ayuda a remover los productos de desecho. También fortalece los músculos que rodean las coyunturas. Los músculos fuertes sostienen las coyunturas y ayudan a evitar las lesiones debidas al cansancio. Los ejercicios de estiramiento le ayudarán a seguir doblando y moviendo diferentes partes del cuerpo a todo su alcance normal, sin que tenga dolor.

Tratamiento en casa

- Un baño caliente en la tina o la regadera puede ayudar a aflojarle las coyunturas por la mañana. Trate de no estar quieto después de un baño caliente.
- Si la coyuntura no está hinchada, póngale calor húmedo de 20 a 30 minutos, dos o tres veces al día. No le aplique calor a una coyuntura que esté hinchada o inflamada.

Tipos comunes de artritis

Tipo	Causa	Síntomas	Comentarios
Osteoartritis	Desgaste del cartílago de las coyunturas	Dolor, rigidez e hinchazón; frecuentemente en los dedos de las manos, las caderas y las rodillas.	Tipo más frecuente entre hombres y mujeres de 45 a 90 años de edad.
Artritis reumatoide	Inflamación de la membrana (un tipo de capa) que recubre las coyunturas	Dolor, rigidez e hinchazón en varias coyunturas, las cuales pueden estar rojas y "calientes"; más frecuente en las manos, las muñecas y los pies.	Más frecuente entre los 30 y 40 años de edad; más común en las mujeres.
Gota	Acumulación de cristales de ácido úrico en el fluido de las coyunturas	Ardor repentino, rigidez e hinchazón; más frecuente en el dedo gordo del pie, los tobillos, las rodillas, las muñecas y los codos.	Más común entre los hombres mayores de 40 años; puede empeorar si la persona toma bebidas alcohólicas.

- Para que la coyuntura no se le ponga tiesa, muévala varias veces al día a todo el alcance que tenga— sin causarse dolor.
- Si le duele una coyuntura, déjela descansar. Durante unos días no haga ninguna actividad que ponga peso sobre ella o que la tuerza. Tómese descansos cortos varias veces al día.
- Póngase compresas frías en las coyunturas que tenga inflamadas o hinchadas, de 10 a 15 minutos, una vez por hora. El frío ayudará a calmar el dolor y a reducir la inflamación (aunque quizás sea molesto durante los primeros minutos).
- Es importante hacer ejercicio regularmente para mantener la fuerza y flexibilidad de los músculos y las coyunturas. Los ejercicios de fortalecimiento evitan que los músculos se deterioren de tal forma que con el tiempo dejen de funcionar. Pruebe actividades que no le causen al cuerpo muchos choques ni sacudidas, como nadar, andar en bicicleta, caminar o hacer ejercicios aeróbicos en el agua.
- El acetaminofeno puede calmar el dolor de la osteoartritis, sin peligro. La aspirina, el ibuprofen, el naproxen y el ketoprofen también pueden calmar el dolor, pero pueden causarle molestias del estómago. No use más de una medicina antiinflamatoria a la vez (ya sea aspirina, ibuprofen, naproxen, etc.). En la página 337 se describen las señas de una sobredosis de aspirina.
- Inscríbase en un programa de automanejo para la artritis. Desafortunadamente, la mayoría de estos programas son en inglés, pero quizás encuentre uno en español en su área. Por lo general, los participantes de estos programas tienen menos dolor y pueden hacer más actividades.
- Para obtener diferentes materiales en español sobre el automanejo de la artritis, incluyendo un manual muy completo, llame gratis al 1-800-725-9424.

Cuándo llamar a Kaiser Permanente

- Si le salen ronchas (salpullido) o le da fiebre y además tiene un dolor agudo en las coyunturas.
- Si el dolor es tan fuerte que no puede usar la coyuntura.
- Si una coyuntura de repente se le pone hinchada, roja o adolorida sin que usted sepa por qué.
- Si tiene varias coyunturas muy adoloridas e hinchadas.
- Si de repente le da un dolor de espalda y al mismo tiempo nota debilidad en las piernas o pierde el control para obrar u orinar.
- Si después de seis semanas sigue teniendo el problema y el tratamiento en casa no ayuda.
- Si la aspirina u otra medicina para la artritis le causan efectos secundarios (dolor de estómago, náusea, acidez o agruras que no se quitan, o excrementos oscuros que parecen alquitrán). No tome más de la dosis recomendada de una medicina que compre sin receta, a menos que su médico se lo haya aconsejado.

Juanetes y dedos engarrotados

Un **juanete** es una hinchazón de la coyuntura en la base del dedo gordo del pie. El dedo gordo del pie puede desviarse hacia los otros dedos y montarlos. Un **dedo engarrotado** (dedo en martillo) es un dedo del pie que tiene la coyuntura de en medio permanentemente doblada. Ambas condiciones generalmente empeoran si la persona usa zapatos demasiado pequeños o angostos. Estos problemas algunas veces son de familia.

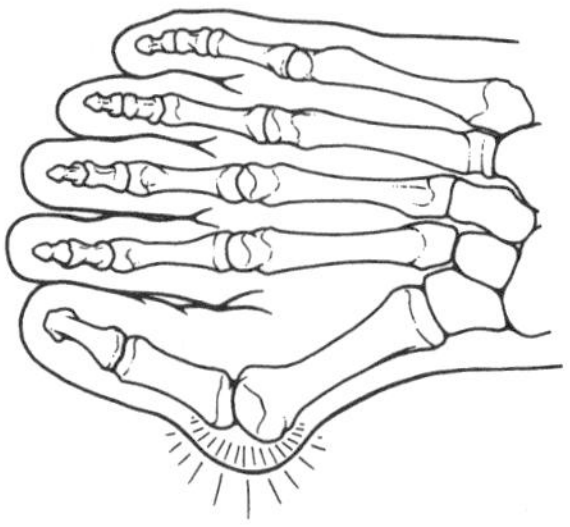

Un juanete es una hinchazón causada por una coyuntura deforme en el dedo gordo del pie.

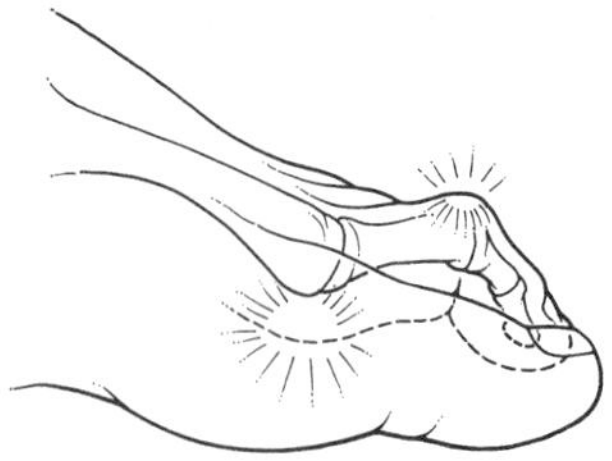

Un dedo engarrotado es un dedo permanentemente doblado en la coyuntura del medio.

Prevención

Los zapatos apretados o de tacón alto aumentan el riesgo de que tenga juanetes o dedos engarrotados y empeoran el problema si ya lo tiene.

Use zapatos sin tacón (o con tacón bajo) y con suficiente espacio para los dedos. Con frecuencia, los mejores zapatos son los de tenis o baloncesto. Asegúrese de que los zapatos le queden bien.

Tratamiento en casa

Una vez que usted tenga un juanete o un dedo engarrotado, será muy difícil que corrija el dedo completamente. El tratamiento en casa ayudará a que el problema no empeore.

- Use zapatos de tacón bajo, con suficiente espacio para los dedos y buen apoyo para el arco del pie.
- Acolchone el juanete o el dedo engarrotado con una tela adhesiva especial (llamada *moleskin* en inglés) o un cojincito en forma de anillo, para que el calzado no lo talle ni lo irrite.
- A un par de zapatos viejos, córteles la parte que quede sobre el juanete o el dedo engarrotado, y úselos en casa. O use chanclas cómodas que no le aplasten el área molesta.
- Tome aspirina, ibuprofen o acetaminofeno para calmar el dolor. El hielo y las compresas frías también pueden ayudar.

Cuándo llamar a Kaiser Permanente

- Si le viene de repente un dolor agudo en el dedo gordo del pie y a usted no le han dicho que tenga gota.
- Si el dolor fuerte le dificulta o impide caminar o hacer sus actividades diarias.
- Si el dedo gordo del pie empieza a montarse sobre el segundo dedo.

- Si padece de diabetes o de cualquier problema de la circulación. La piel sobre un juanete o un dedo engarrotado puede infectarse fácilmente en las personas que padecen de estos males.
- Si el dolor no se mejora con el tratamiento en casa en dos o tres semanas.

Bursitis y tendinitis

Una bolsa sinovial es un pequeño saco con líquido que ayuda a los músculos a deslizarse fácilmente sobre otros músculos o huesos. Cuando una persona se lastima o usa demasiado una coyuntura o un tendón, la bolsa sinovial se puede poner adolorida, roja, caliente e inflamada. A esto se le llama bursitis. A menudo, la bursitis se desarrolla rápidamente—en unos pocos días—por lo general después de lastimarse o usar mucho cierta parte del cuerpo.

Los tendones son fibras duras, como cuerdas, que conectan los músculos a los huesos. Si una persona usa mucho o se lastima una parte del cuerpo, los tendones de esa área o los tejidos a su alrededor se pueden poner sensibles, adoloridos e inflamados. A esto se le llama tendinitis.

Tanto la bursitis como la tendinitis pueden deberse a trabajos, deportes o actividades caseras que requieran que la persona tuerza una coyuntura repetidamente o que mueva una coyuntura rápidamente, una y otra vez.

La bursitis y la tendinitis pueden dar en diferentes partes del cuerpo y también pueden dar juntas en una misma área. Se recomienda el mismo tratamiento en casa para ambos problemas.

Prevención

Hechos regularmente, los ejercicios de calentamiento y estiramiento pueden ayudar a prevenir la bursitis y la tendinitis. Haga suficientes ejercicios de calentamiento antes de comenzar el ejercicio de otro tipo. Aumente poco a poco la intensidad de la actividad y estírese al terminar. Más adelante, damos consejos para evitar problemas con ciertas coyunturas específicas.

Tratamiento en casa

La bursitis y la tendinitis generalmente se quitan, o por lo menos se calman, en unos cuantos días o semanas, si se evita la actividad que las causó.

El error más común en la recuperación es pensar que el problema ha desaparecido cuando se quita el dolor. Lo más seguro es que la bursitis o la tendinitis le vuelva a dar si usted no toma las medidas necesarias para fortalecer y estirar los músculos alrededor de las coyunturas y si no cambia la manera en que hace ciertas actividades.

- Cuando una actividad le produce dolor en un tendón o una coyuntura, cambie la forma en que la lleva a cabo para evitar que le cause el dolor. Vea más adelante las recomendaciones para ciertas coyunturas específicas. Para mantenerse en buena forma, haga otras actividades que no molesten el área inflamada.

- Tan pronto como sienta dolor, póngase hielo o compresas frías por períodos de 10 minutos, una vez por hora, durante 72 horas. Después de eso, siga poniéndose hielo (de 15 a 20 minutos, tres veces al día) mientras que le siga calmando el dolor. Vea la página 123. Aunque se sienta muy bien darse baños calientes o usar un cojín eléctrico, es mejor usar hielo o compresas frías porque le bajarán la hinchazón y le ayudarán a recuperarse más pronto.
- La aspirina, el ibuprofen o el naproxen pueden ayudar a calmarle el dolor y la hinchazón, pero no tome medicina para aliviar el dolor al mismo tiempo que sigue usando demasiado una coyuntura. Para las dosis de las medicinas vea la página 336.
- Para que una coyuntura no se le ponga tiesa, muévala varias veces al día a todo el alcance que tenga—sin causarse dolor. A medida que el dolor desaparezca, siga haciendo ejercicios de estiramiento y añada ejercicios para fortalecer los músculos afectados.
- Haga ejercicios de calentamiento antes de una actividad y de estiramiento después de la actividad. Después de hacer ejercicio, póngase hielo en el área lesionada para evitar el dolor y la hinchazón.
- Cuando vaya a comenzar una actividad de nuevo, empiece con mucha calma. Aumente la actividad poco a poco y sólo si no le vuelve a causar dolor.

Además de la información general sobre la prevención y el tratamiento en casa para la bursitis y la tendinitis que ya le hemos dado, los siguientes consejos le serán útiles si usted tiene un problema con una coyuntura en particular:

El **dolor de muñeca** se puede deber a una tendinitis en la muñeca. Aunque este problema es diferente del síndrome del túnel del carpo, se puede usar el mismo tratamiento en casa (vea la página 111).

El **dolor de codo** se puede deber a una tendinitis del antebrazo.

- Fortalezca los músculos de la muñeca, el brazo, el hombro y la espalda para ayudar a proteger el codo.
- Una tablilla, férula o codera puede ayudar a calmarle el dolor.
- Use herramientas con mangos más grandes.
- Evite actividades que le produzcan tensión en el codo.
- Use las dos manos cuando mezcle o combine grandes cantidades de ingredientes en la cocina.

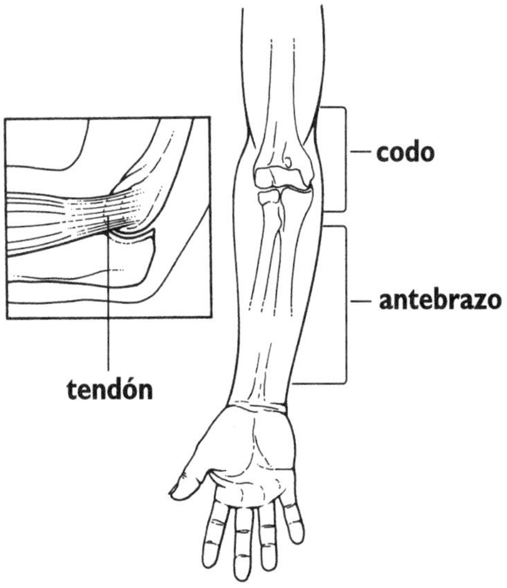

El dolor de codo muchas veces es causado por inflamación de un tendón del antebrazo.

- Evite golpear raíces muy fuertes en labores de jardinería. Trate de escarbar primero alrededor de las raíces para poder sacarlas de la tierra.
- No haga tiros de pelota que requieran que tuerza el codo (como los tiros de lado o las curvas en el béisbol).

El **dolor de hombro** en la parte de afuera del brazo con frecuencia se debe a una tendinitis o bursitis en la coyuntura del hombro. El dolor de hombro cerca de la base de la nuca, a menudo se debe a tensión en los músculos trapecios. Estos músculos se extienden desde la parte trasera de la cabeza hasta la punta de los hombros. Vea Problemas del cuello en la página 98.

Los síntomas comunes de la tendinitis o bursitis en la coyuntura son dolor, pellizco y rigidez en el hombro al levantar el brazo. Con frecuencia la lesión es causada por la repetición de movimientos a una altura por encima

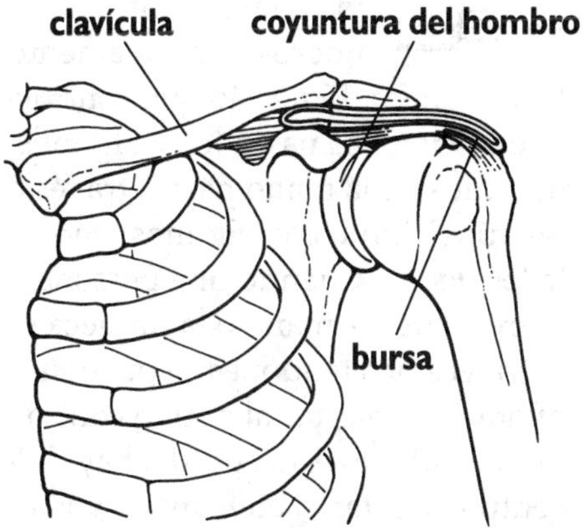

Causas comunes del dolor de hombro son la bursitis, la tendinitis y la tensión muscular.

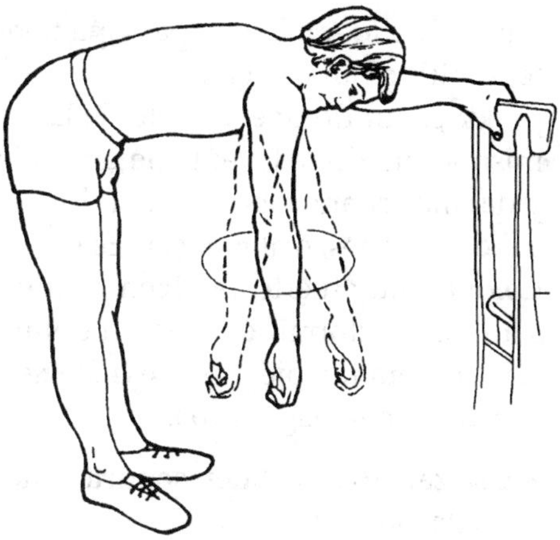

Ejercicio del péndulo: Deje que el brazo "cuelgue" con soltura. Hágalo girar en círculos cada vez más amplios en ambas direcciones. Mueva el brazo hacia adelante, hacia atrás y de un lado a otro.

de la cabeza. Los problemas aparecen cuando se sigue usando el hombro sin darle tiempo para descansar, lo cual produce mayor dolor e hinchazón.

Para el tratamiento en casa del dolor de hombro, vea la información en la página 107. Además, tome en cuenta los siguientes consejos:

- Siga usando el hombro, pero evite usarlo en actividades que estén a una altura por encima de la cabeza.
- Practique el ejercicio del péndulo que se describe arriba, para evitar la rigidez.
- Use las técnicas apropiadas para lanzar una pelota en deportes como el béisbol y el fútbol americano.
- Use una brazada diferente al nadar: de pecho o de lado en vez de mariposa o crol.

Dolor de cadera: Si una persona tiene tendinitis o bursitis en la cadera, puede sentir dolor a un lado de la misma cuando se levanta de una silla y da unos cuantos pasos, cuando sube escalones, o al manejar. Si el dolor es muy fuerte, también puede ser molesto dormir de lado. El dolor en la cadera también puede deberse a artritis. Vea la página 103.

- Use zapatos con buen soporte y no use tacones altos.
- Cuando suba y baje escaleras, hágalo de escalón en escalón, colocando primero la pierna fuerte, hasta que el dolor se le quite.
- Evite las actividades que le obliguen a tener un lado de la pelvis más alto que el otro. Ejemplos de actividades como éstas pueden ser trabajar inclinado en una ladera, o cargar en una cadera a un niño por ratos largos. Mantenga la pelvis nivelada.
- Duerma del lado que no esté lastimado, con una almohada entre las rodillas, o boca arriba con una almohada bajo las rodillas.
- Vea los ejercicios de estiramiento para la cadera en las páginas 95 y 284. Estírese después de estar activo, antes de que se le enfríen los músculos.

El **dolor en la rodilla** se puede deber a bursitis o tendinitis. Vea Problemas de la rodilla en la página 112.

El **dolor en el talón o el pie** puede deberse a una fascitis en la planta del pie o a una inflamación del tendón de Aquiles. Vea la página 117. Para información sobre el dolor en la espinilla, vea la página 114.

Cuándo llamar a Kaiser Permanente

- Si le da fiebre o si una coyuntura se le pone roja o se le hincha rápidamente, o si no puede usar una coyuntura.
- Si sigue teniendo dolor muy fuerte, a pesar de ponerse hielo en la coyuntura y de tenerla en reposo.
- Si el problema es grave y usted no puede pensar en ninguna lesión o actividad que lo haya podido causar.
- Si el dolor sigue por dos semanas o más, a pesar del tratamiento en casa. Su doctor o terapeuta físico puede ayudarle a diseñar su propio plan de ejercicio y tratamiento casero.

Síndrome del túnel del carpo

El túnel del carpo es una vía angosta entre los huesos y los ligamentos de la muñeca. El nervio que controla la sensación en sus dedos y algunos músculos de la mano pasa a través de este túnel, junto con algunos tendones de los dedos. Cuando una persona mueve o usa la mano o la muñeca una y otra vez, los tendones se pueden inflamar y aplastar al nervio contra el hueso. Cuando esto sucede, hay dolor y entumecimiento en la mano y los dedos. A este problema se le llama síndrome del túnel del carpo.

Los síntomas de este síndrome incluyen:

- Entumecimiento o cosquilleo en todos los dedos, excepto el meñique, en una o ambas manos.
- Dolor de muñeca que también puede afectarle los dedos y extenderse hasta el brazo. El dolor con frecuencia es peor en la noche y en la madrugada.

El síndrome del túnel del carpo puede ser causado por cualquier cosa que presione el nervio; por ejemplo, el sobrepeso, la inflamación debida al movimiento repetido de la mano y la muñeca, un quiste en el tendón, la artritis reumatoide y otras condiciones. El embarazo, la diabetes, una tiroides que funciona menos de lo normal y las píldoras anticonceptivas también pueden aumentar el riesgo de padecer de este síndrome.

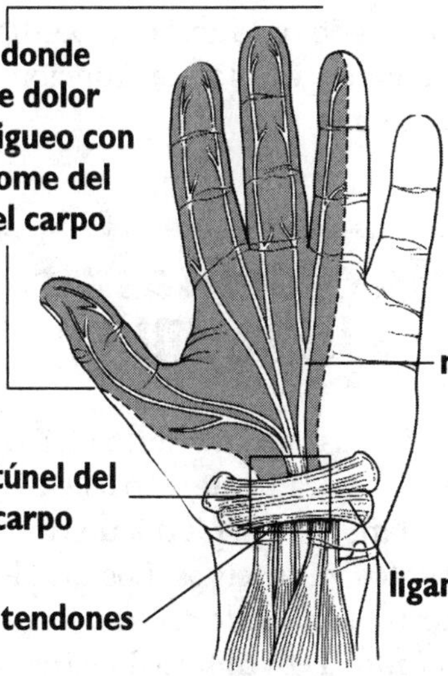

Dolor y hormigueo en la mano pueden deberse a presión sobre un nervio en la muñeca.

Prevención

- Cuando haga actividades que requieren de movimientos repetitivos de las manos, tome descansos frecuentes (cinco minutos cada hora). Estire todos los dedos y cámbielos de posición con frecuencia.
- Evite movimientos repetitivos con la muñeca doblada. Mantenga la muñeca recta al:
  - Dibujar o escribir a mano o a máquina
  - Manejar
  - Usar herramientas eléctricas, pinzas o tijeras
  - Tocar el piano u otros instrumentos musicales
  - Tejer, bordar, coser o pintar
- Aprenda a escribir a máquina, o a tejer, suavemente.
- Mantenga una buena postura. No se jorobe ni se desaliñe (vea las páginas 90 y 99).

Tratamiento en casa

- Si siente dolor o entumecimiento en la muñeca o la mano, hágale caso. Si puede, deje de hacer la actividad que le causó el problema. Si no puede dejar de hacer la actividad, trate de hacerla de otra manera para no agravar más el problema. Si las molestias disminuyen, empiece a hacer la actividad otra vez, poco a poco, tratando aún más de mantener la muñeca recta.
- Si puede, a ratos haga tareas diferentes para que así no pase más de una o dos horas haciendo una actividad con las manos.

- Antes de comenzar a trabajar, prepárese las manos. Haga movimientos circulares con la muñeca y estírese los dedos y las muñecas. Repita esto cada hora.
- Si usa un teclado, colóquelo a la altura correcta. Use un cojín largo y angosto para apoyarse las muñecas cuando use el teclado de su computadora. El cojín le ayudará a mantener la muñeca en línea recta. Sin embargo, no use el apoyo del cojín constantemente. También puede usar un cojincillo si realiza labores en una línea de ensamblaje con piezas pequeñas, como de computadora.
- Tome aspirina, ibuprofen, o acetaminofeno para calmar el dolor.
- Póngase hielo o compresas frías sobre la muñeca del lado de la palma. Vea "Hielo y compresas frías" en la página 123.
- Una tablilla que mantenga la muñeca recta puede ayudar a calmarle el dolor. Aunque use la tablilla, haga también un verdadero esfuerzo por cambiar las actividades que le causen el dolor. Use la tablilla por la noche y al levantar cosas pesadas o al llevar a cabo actividades que le causen malestar cuando no tiene apoyo en la muñeca. Las tablillas se consiguen en algunas farmacias y en tiendas que venden artículos para hospitales.
- A algunas personas se les calma el dolor si toman 50 mg de vitamina B_6, dos veces al día. (Hable con su médico antes de tomar vitamina B_6.) Aunque no existe prueba científica que lo demuestre, este tratamiento puede ayudar.
- El comer menos sodio y sal (vea la página 303), puede ayudarle a retener menos agua en el cuerpo. Esto a su vez puede hacer que baje la hinchazón en la muñeca.
- No duerma con las muñecas dobladas o con el cuerpo sobre las manos.

Cuándo llamar a Kaiser Permanente

- Si el dolor o entumecimiento es agudo y no se alivia con reposo, cambios de posición, hielo o una dosis normal de aspirina, ibuprofen o acetaminofeno.
- Si la mano se le pone débil y no puede agarrar objetos con fuerza.
- Si tiene molestias leves que no mejoran después de un mes de prevención y tratamiento en casa.
- Si queda cualquier entumecimiento después de un mes de tratamiento en casa. El entumecimiento prolongado puede producir una pérdida permanente en algunas funciones de la mano.

Problemas de la rodilla

La rodilla es una coyuntura fácil de lastimar. Básicamente, consiste de dos huesos largos de la pierna unidos con ligamentos y músculos. Los problemas resultan cuando esforzamos demasiado la coyuntura. Los tres problemas más comunes de la rodilla son:

- Lastimaduras de los ligamentos y músculos causadas por un golpe en la rodilla, que la hace doblarse de un modo anormal. Vea Músculos jalados, torceduras y huesos rotos en la página 120.

- Dolor de la rótula. Este problema causa dolor cuando la persona corre de bajada, cuando sube o baja escaleras, o después de estar sentada por un buen rato.
- Tendinitis patelar. Ésta es una inflamación del tendón que conecta la rótula (o patela) con la tibia. Este problema es común en los jugadores de baloncesto y de vóleibol.

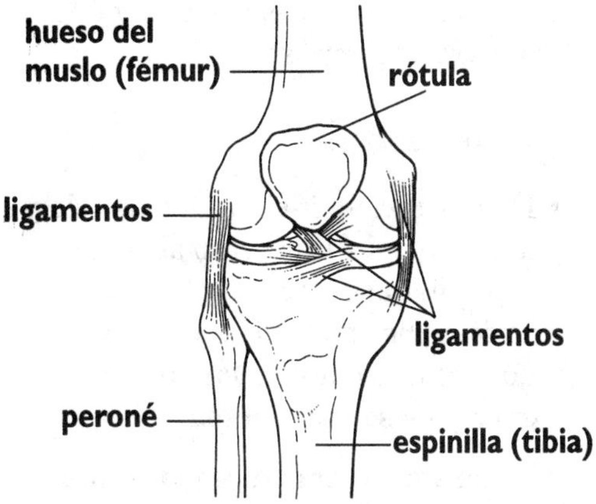

Los problemas de la rodilla pueden resultar cuando se pone demasiada presión en la coyuntura.

Prevención

- La mejor manera de evitar los problemas de la rodilla es manteniéndose activo y estirando y fortaleciendo los músculos de la pierna. Los ejercicios que fortalecen y estiran los músculos de la parte delantera y trasera del muslo son especialmente útiles. Vea la página 284.
- No haga sentadillas hasta el suelo.
- No corra de bajada, a menos que esté en plena forma física.
- No use zapatos de taco cuando haga deportes toscos como el fútbol americano.
- Use zapatos que le apoyen bien el arco del pie. Use un nuevo par de zapatos de correr cada 300 a 500 millas (500 a 800 kilómetros).
- No use zapatos de tacón alto.
- También vea Bursitis y tendinitis en la página 107.

Tratamiento en casa

- Póngase hielo en la rodilla. Vea "Hielo y compresas frías" en la página 123.
- Reduzca por lo menos a la mitad las actividades que le causen dolor.
- Una rodillera o venda elástica, con una abertura para la rótula, que ayude a mantenerla en su lugar, puede calmarle el dolor durante la actividad. Usted puede comprar una en cualquier farmacia o en una tienda de artículos deportivos.
- Haga ejercicios de calentamiento antes de hacer ejercicios pesados.
- Estire los músculos de la parte delantera y trasera del muslo justo después de hacer ejercicio (antes de que los músculos se enfríen). Vea las páginas 94 y 284.
- También vea Torceduras en la página 120 y Bursitis y tendinitis en la página 107.
- Si el dolor de la rodilla no se debe a una lesión reciente o pasada ni está relacionado con el ejercicio, vea Artritis en la página 103.

Cuándo llamar a Kaiser Permanente

- Si la rodilla se bambolea de lado a lado o le falla.
- Si cuando se lastimó la rodilla, usted oyó o sintió un tronido, e inmediatamente después de la lesión la rodilla se le hinchó.
- Si no puede enderezar la rodilla o si la coyuntura se le "traba".
- Si la rodilla está roja, caliente, hinchada o le duele al tocársela.
- Si el dolor es tan fuerte que le hace cojear, o si no mejora bastante dentro de dos a cinco días.

Calambres musculares y dolor de pierna

Los calambres en la pierna y en los músculos (como el "dolor de caballo") son bastante comunes. Con frecuencia dan de noche o al hacer ejercicio, sobre todo cuando hace mucho calor. Los calambres se pueden deber a la deshidratación o a una baja en los niveles de potasio del cuerpo. Otra causa es usar un músculo sin estirarlo bien.

También puede dar dolor en la espinilla, sobre todo cuando una persona acaba de aumentar el ejercicio que hace.

La artritis también puede causar dolor en la pierna (vea la página 103). El dolor que baja por la parte trasera de la pierna desde las nalgas hasta el pie, se puede deber a la ciática. Vea la página 89.

La flebitis, que es una inflamación de una vena, también puede causar dolor en la pantorrilla de una pierna (generalmente no en ambas). Esta condición puede ser grave si los coágulos que se forman en la vena se desprenden y se alojan en los pulmones. Es más común después de una operación o de estar en cama mucho tiempo. El endurecimiento de las arterias (arteriosclerosis) en la pierna también puede causar dolor que es peor cuando la persona está activa y que se mejora con reposo.

Prevención

- Haga suficientes ejercicios de calentamiento y estiramiento antes de cualquier actividad. Estírese después de hacer ejercicio para evitar que los músculos calentados se encojan y se acalambren.
- Tome agua extra antes y durante el ejercicio, sobre todo cuando haga calor o el aire esté muy húmedo.
- Coma suficientes alimentos ricos en potasio, como plátanos, jugo de naranja y papas.

Dolores de crecimiento

A los niños de 6 a 12 años de edad muchas veces les dan "dolores de crecimiento" en las piernas por las noches. No se conoce la causa de estos dolores, pero no son dañinos. Un cojín eléctrico, el acetaminofeno o los masajes suaves en las piernas pueden aliviar las molestias.

- Para que no le den calambres en el estómago al hacer ejercicio, estire bien los costados antes de empezar su rutina y aprenda a respirar profundo. Vea la página 289.
- Si los calambres lo despiertan por la noche, dese un baño caliente y haga algunos ejercicios de estiramiento antes de acostarse. Tápese bien las piernas cuando duerma para que no se le enfríen.

Tratamiento en casa

Si sólo tiene dolor, hinchazón o pesadez en una pantorrilla, u otras señas que le hagan pensar que tiene flebitis (vea "Cuándo llamar a Kaiser Permanente", más adelante), llame a su doctor antes de intentar tratarse en casa.

- Siga las guías de prevención.
- Estire el músculo acalambrado cuidadosamente. Sóbese el área del calambre.
- Enderece la pierna, agárrese el pie y jálelo hacia usted para estirar la pantorrilla.
- Tome más agua. La deshidratación muchas veces causa calambres.
- Si tiene dolor en la espinilla, lo mejor que puede hacer es ponerse hielo, tomar aspirina, ibuprofen o acetaminofeno y descansar una o dos semanas. Luego empiece a hacer ejercicio otra vez, poco a poco. Trate de encontrar la causa del daño (los zapatos, la superficie donde se hace el ejercicio) y corríjala.

Cuándo llamar a Kaiser Permanente

- Si usted tiene los siguientes síntomas:
  - Dolor en lo profundo de la pierna o la pantorrilla
  - Sensación de calor, enrojecimiento, o dolor a lo largo de una vena de la pierna
  - Hinchazón de una pierna
  - Una pierna está blanca o azul y fría
  - Respiración corta o dolor en el pecho
- Si los calambres de las piernas empeoran o siguen a pesar de darse tratamiento en casa y tomar medidas de prevención.
- Si los calambres o los dolores en la pierna ocurren una y otra vez cuando hace ejercicio, aunque sea algo ligero como caminar, y aunque se le quiten cuando descansa.

Osteoporosis

La osteoporosis o "huesos quebradizos" es una condición que afecta al 25 por ciento de las mujeres mayores de 60 años. Es mucho menos común y menos grave en los hombres. Es más frecuente durante la menopausia, cuando el cuerpo tiene menos estrógeno (hormona femenina). La osteoporosis se debe a la pérdida del material y la fuerza de los huesos. Los huesos debilitados por la osteoporosis se rompen o se fracturan fácilmente. Las personas que corren un mayor riesgo de padecer de osteoporosis incluyen las que...

- son fumadores
- son delgadas, de huesos angostos
- tienen historia familiar de osteoporosis (especialmente de fracturas de la cadera)
- han sufrido fracturas (con excepción de fracturas de la columna vertebral) después de la edad de 50 años

La osteoporosis es una enfermedad silenciosa; puede que no haya ningún síntoma hasta que la persona se rompa un hueso y las radiografías muestren que tiene la enfermedad. La primera seña puede ser un dolor en la espalda, o una fractura de la muñeca después de una caída.

Prevención

Es mejor comenzar a fortalecer los huesos desde la niñez, pero los consejos que le damos a continuación pueden servir en cualquier momento. Los huesos alcanzan su mejor condición entre los veinte y cuarenta años de edad. Estos consejos pueden ayudarle a crecer con huesos fuertes y a mantenerlos así durante toda su vida.

- Haga el tipo de ejercicio que hace que su cuerpo aguante su propio peso, como por ejemplo caminar. Hecho regularmente, el ejercicio ayuda a mantener los huesos fuertes. Vea el Capítulo 17.
- Coma bastantes alimentos ricos en calcio. En promedio, los norteamericanos consumen más o menos 500 mg de calcio al día, pero se recomiendan 1.300 mg para los adolescentes y 1.000 mg para los adultos menores de 50 años. Tanto los hombres como las mujeres mayores de 50 años deben tomar 1.200 mg al día. Las mujeres embarazadas o las madres que están dando pecho deben tomar unos 1.200 mg al día. La mejor fuente de calcio son los productos hechos con leche descremada (como el yogur, queso y requesón). Vea la página 302.
- Si usted no puede conseguir suficiente calcio en lo que come, tome a diario dos o tres tabletas de carbonato de calcio (por ejemplo, tabletas TUMS) con sus comidas o con leche. No tome más de cuatro a seis tabletas al día y beba mucha agua, ya que le pueden causar estreñimiento. El tomar demasiado calcio también aumenta el riesgo de que se formen piedras en el riñón.
- No fume, y si toma bebidas alcohólicas, hágalo sólo en pequeñas cantidades (no más de una copa al día).
- Es también importante consumir suficiente vitamina D. Los niños y los adultos necesitan 200 UI al día. Se recomienda tomar 400 UI al día después de los 50 años de edad, y los adultos mayores de 65 años necesitan de 600 a 800 UI al día.
- La mayor parte de la vitamina D que necesitamos se obtiene de los rayos del sol que nuestro cuerpo absorbe y de beber leche fortificada con vitamina D. Sin embargo, la gente mayor a veces necesita añadir más vitamina D tomando cada día una multivitamina que la contenga.

Cuándo llamar a Kaiser Permanente

- Si usted corre riesgo de que le dé osteoporosis y se está acercando a la menopausia, hable con un doctor sobre la posibilidad de que le recete estrógeno u otras hormonas (terapia de reemplazo hormonal). Esta es la forma más eficaz de evitar la osteoporosis. Vea la página 250.
- Si una caída le causa dolor en la cadera o si no se puede levantar después de una caída.
- Si tiene un dolor de espalda repentino y sin explicación, que no mejora después de dos o tres días de tratamiento en casa.

Fascitis plantar

La planta del pie está cubierta de una capa gruesa y fibrosa de tejido, llamada fascia. Cuando esta capa se inflama y se pone adolorida, se dice que la persona tiene fascitis plantar. Este problema es más común entre los atletas (sobre todo los corredores), las personas gordas y las que tienen entre 40 y 60 años de edad. Ciertos ejercicios repetitivos, como por ejemplo los deportes en que hay que correr y saltar mucho, pueden causar dolor en el talón y fascitis plantar.

El ladear el pie hacia adentro demasiado al caminar, también puede causar dolor en el talón y fascitis plantar. Esta forma incorrecta de caminar puede ser causada por usar zapatos que están gastados o que no apoyan bien el arco del pie, por tener los músculos de la pantorrilla tiesos o por correr de bajada o sobre terreno disparejo.

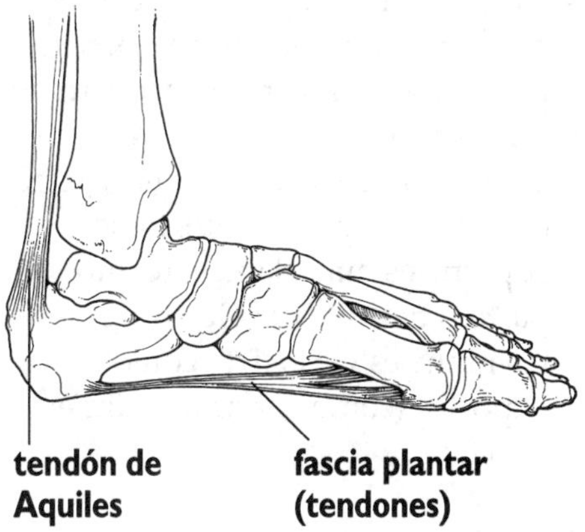

El dolor del pie o del talón muchas veces se debe a una inflamación del tendón de Aquiles o de la fascia plantar.

La inflamación del tendón de Aquiles puede causar dolor en la parte trasera del talón.

Cuando se forma un depósito de calcio donde el tejido de la planta del pie se une al talón, se dice que la persona tiene una "espuela" en el talón. El tratamiento para la fascitis plantar es el mismo con dicho problema o sin él.

Prevención

- Estire el tendón de Aquiles y los músculos de la pantorrilla varias veces al día (vea la página 284). Estirarse es importante tanto para los atletas como para las personas que no lo son.
- Mantenga un peso razonable de acuerdo a su estatura.
- Use buenos zapatos con suelas bien acolchonadas y buen soporte para el arco. Cómprese nuevos zapatos de deporte varias veces al año, porque después de unos meses se gastan y ya no protegen bien los pies.

- Acostúmbrese a seguir ciertos buenos hábitos cuando haga ejercicio. Aumente lentamente el número de millas que corre, no entrene ni corra demasiado en subidas, y en vez de correr por el pavimento, busque superficies más blandas (como pasto o tierra). No sólo corra. Combine este ejercicio con otros deportes (como nadar o andar en bicicleta).

Tratamiento en casa

Trate el dolor del talón en cuanto aparezca para evitar que la fascitis plantar y otros problemas se vuelvan crónicos.

- Haga actividades de pie, como correr o caminar, sólo mientras no le causen dolor.
- Póngase hielo en el talón. Vea "Hielo y compresas frías" en la página 123.
- Si quiere, pruebe uno de los soportes para el arco del pie que se compran sin receta médica.
- No camine descalzo hasta que el dolor se le quite por completo. Apóyese los arcos de los pies para cualquier actividad que haga de pie, inclusive para caminar al baño en la noche. Use zapatos o chanclas con soportes para el arco.
- Para calmarse el dolor, tome aspirina, ibuprofen, naproxen o ketoprofen.
- Estire los músculos de la pantorrilla. Vea la página 284.
- Si tiene inflamación del tendón de Aquiles, vea si le ayuda ponerse cuñas en ambos zapatos para alzarse los talones. Use las cuñas sólo hasta que el dolor se le quite (siga con otros cuidados).
- No siga corriendo si siente dolor. Haga su actividad sólo de tal forma que no le cause dolor. Para curarse más pronto pruebe actividades como nadar o andar en bicicleta.
- No vuelva a hacer actividades que le causen choques y sacudidas al cuerpo (como correr) hasta que haya pasado una semana sin dolor. Cuando comience de nuevo, hágalo poco a poco y póngase hielo en el talón cuando termine. Siga todo este proceso cada vez que el dolor le vuelva a dar.

Cuándo llamar a Kaiser Permanente

- Si el dolor en el talón le da con fiebre, o si el talón también se pone rojo o caliente, o si tiene entumecimiento o cosquilleo en el talón.
- Si el dolor sigue aún cuando usted no está parado o poniéndole peso al talón.
- Si el dolor en el talón no se le quita en una o dos semanas, a pesar del tratamiento en casa.

Lesiones deportivas

Las lesiones son comunes entre las personas que hacen mucho ejercicio. La mayoría de las lesiones deportivas se deben a cosas como golpes y torceduras (lesiones traumáticas) o al uso excesivo de una parte del cuerpo. Se pueden evitar con acondicionamiento, entrenamiento y el equipo apropiado.

Prevención

- Haga ejercicios de calentamiento antes de comenzar su rutina de ejercicios. Es más fácil que los músculos y los ligamentos se lastimen cuando están fríos y tiesos. Termine su rutina poco a poco y vaya haciendo menos esfuerzo hacia el final. Después de terminar, haga ejercicios de estiramiento. Vea la página 284.
- Aumente poco a poco la intensidad y duración de las actividades y del ejercicio. A medida que su condición física vaya mejorando, usted podrá hacer ejercicios más pesados sin lastimarse.
- Use las técnicas y el equipo deportivo apropiado. Por ejemplo, para correr o caminar use zapatos bien acolchonados con buen soporte; cuando vaya a patinar use rodilleras y coderas; si le gusta andar en bicicleta, asegúrese de que el asiento y el manubrio estén a un buen ángulo y altura para usted.
- Varíe sus sesiones largas y pesadas de ejercicio con sesiones más cortas y calmadas para dejar que su cuerpo descanse. Por ejemplo, si usted corre, combine carreras largas y pesadas con unas más fáciles y cortas. Si levanta pesas, no ejercite los mismos músculos dos días seguidos.
- Haga diferentes tipos de actividades regularmente para que sus músculos puedan descansar. Por ejemplo, si un día corre, otro día nade o ande en bicicleta.
- Hágales caso a sus dolores y aflicciones. Si al sentir las primeras señales de dolor, usted descansa o hace menos actividad por unos cuantos días, quizás pueda evitar problemas más serios.

Tratamiento en casa

El mayor reto del tratamiento en casa para las lesiones deportivas es el de descansar lo suficiente para poder recuperarse, sin perder uno su buena condición física. Aquí tiene algunas sugerencias para lograrlo:

- Mantenga el resto de su cuerpo en buena condición haciendo actividades que no le fuercen el área lesionada. Por ejemplo, nade o ande en bicicleta si tiene dolor en los tobillos o en los pies; camine o ande en bicicleta si se lastimó los hombros o los codos. No se apure por volver a hacer la actividad que le causó la lesión. Las otras actividades pueden ayudarle a mantenerse en buena condición física.
- Regrese a su rutina normal poco a poco. Comience a un paso lento y tranquilo y auméntelo sólo si no tiene dolor.
- Separe su deporte en partes. Por ejemplo, si puede tirar una pelota a una distancia corta sin dolor, trate de tirarla más lejos. Si puede caminar sin problemas, vea cómo se siente si trota. Si esto tampoco le causa problemas, empiece a correr otra vez, poco a poco.

Cuándo llamar a Kaiser Permanente

Para información sobre cuándo llamar a Kaiser Permanente con respecto a una lesión específica (por ejemplo, un problema de la rodilla), busque su problema en el índice y vaya a la página indicada. Luego encuentre la sección llamada "Cuándo llamar a Kaiser Permanente".

Músculos jalados, torceduras y huesos rotos (fracturas)

Uno se puede lastimar un músculo si hace una actividad que lo jala o estira demasiado.

Una **torcedura** es otro tipo de lesión que afecta a un músculo y a los ligamentos, tendones o tejidos alrededor de una coyuntura.

Una **fractura** es un hueso roto.

Estos tres tipos de lesiones causan dolor e hinchazón. Muchas veces es difícil saber si uno tiene un músculo jalado, una torcedura o un hueso roto. Con frecuencia, uno se lastima de las tres formas a la vez. Por lo general, una lesión es peor cuando hay hinchazón rápida. Si un hueso ha roto la piel, o si la parte lastimada tiene color pálido, está fría o se siente entumecida más allá de la lesión, hay que obtener tratamiento médico de inmediato.

La mayoría de los músculos jalados y torceduras leves pueden tratarse en casa. Pero para las torceduras severas y las fracturas hay que recibir cuidado profesional. Dese tratamiento en casa mientras espera ver a su doctor.

Puede que usted tenga una torcedura grave o un hueso roto si:

- Se nota que el área lesionada está hinchada.
- El área lesionada está torcida o doblada de un modo que no es normal, o un hueso ha roto la piel.
- El área lesionada está morada.
- El dolor de la lesión no le permite mover la parte herida como de costumbre (por ejemplo, quizás no pueda caminar).

Una **fractura por estrés** (sobrecargo) es una pequeña rajadura en un hueso causada por uso constante y excesivo. Este tipo de rotura da comúnmente en los huesitos del pie de las personas que entrenan mucho para correr o jugar baloncesto u otros

Cómo entablillar

Las tablillas sirven para mantener fijo un hueso que pueda estar roto—para así evitar que se dañe más. Hay dos formas de entablillar: sujetando la parte lesionada a un objeto rígido, o sujetándola a otra parte del cuerpo. No la apriete demasiado al atarla.

Para el primer método, use una cuerda, un cinturón o algo parecido para atar la parte lesionada a un periódico o revista enrollada, a una tablilla, un palo, o cualquier cosa rígida.

Coloque la tablilla de modo que la parte lesionada no se pueda doblar. Una regla general es entablillar desde la coyuntura que queda arriba de la fractura hasta la siguiente coyuntura que queda más abajo de la fractura. Por ejemplo, entablille el antebrazo desde más arriba del codo hasta más abajo de la muñeca.

Para el segundo método, vende un dedo roto del pie junto con el dedo sano que esté a su lado; si una persona tiene el brazo roto, crúceselo sobre el pecho y áteselo allí.

deportes. Las señas principales son el dolor y la sensibilidad persistentes que aumentan cuando se usa el pie. Puede que no se note ninguna hinchazón.

Un "dedo trabado" es un tipo de torcedura que sucede cuando un dedo del pie o de la mano se dobla mal o se golpea.

Prevención

- Asegúrese de que siempre pueda ver por dónde va caminando. Para evitar caerse, no suba escaleras con las dos manos llenas.
- Use un banco o una escalera para alcanzar algo. No se pare en sillas u otros objetos.
- Pida ayuda al cargar un objeto pesado o difícil de sujetar.
- Vea los consejos para la prevención de lesiones deportivas en la página 119.

Tratamiento en casa

Por lo general, el tratamiento básico para las lesiones de los músculos, ligamentos, tendones o huesos es el mismo. El tratamiento tiene dos etapas. El propósito de la primera etapa es tratar el dolor agudo o la lesión con descanso, hielo, compresión y alzamiento. El propósito de la segunda etapa es ayudar a la lesión a sanar completamente y evitar problemas en el futuro. Eso se logra por medio de movimiento, fortalecimiento y actividades que no fuerzan la parte lesionada. Para la mayoría de las lesiones hay que comenzar de inmediato la primera etapa. Si usted cree que se ha roto el hueso, entablille la parte afectada para evitar que se lastime más (vea la página 120).

Cómo quitarse un anillo

Si usted no se quitó un anillo antes de que un dedo torcido se le hinchara, pruebe el siguiente método para quitárselo:

- Pase por debajo del anillo, hacia la mano, la punta de un pedazo de hilo resbaloso, como por ejemplo seda dental.
- Enrolle el hilo de forma ajustada alrededor del dedo, empezando en el lado del nudillo y yendo hacia la punta del dedo, hasta cubrir el nudillo. Cada vuelta del hilo debe estar justo junto a la anterior.
- Tome la punta del hilo que sobresale por debajo del anillo y empiece a desenrollarlo. Vaya empujando el anillo por encima del hilo enrollado hasta que pase el nudillo.

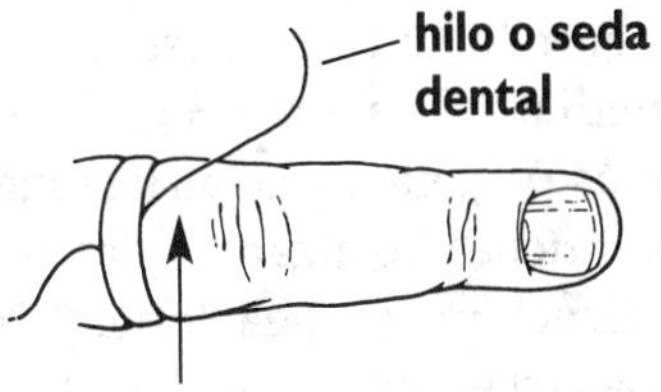

Empiece a enrollar aquí.

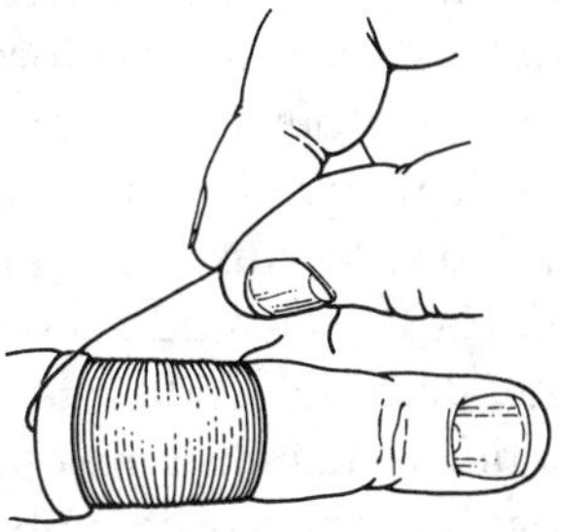
Vaya empujando el anillo hasta que pase el nudillo.

Si se ha torcido un dedo o parte de la mano, quítese todos los anillos de inmediato. Vea la página 121.

Descanso. No ponga peso en la coyuntura lesionada, por lo menos durante 24 a 48 horas.

- Use muletas si tiene una torcedura grave de la rodilla o del tobillo.
- Si se ha torcido un dedo de la mano o del pie, sujételo al dedo sano que se encuentra a su lado, con tela adhesiva. Así el dedo lastimado podrá descansar.

Para sanar, un músculo, ligamento o tendón lesionado necesita tiempo y descanso. Las fracturas causadas por estrés necesitan de dos a cuatro meses de descanso.

Hielo. El frío calma el dolor, baja la hinchazón y estimula la recuperación. El calor es agradable, pero puede hacer más daño que provecho ya que puede agravar la hinchazón.

- Póngase hielo o compresas frías de inmediato para evitar la hinchazón lo más posible. Para las lesiones que son difíciles de alcanzar, las compresas sirven mejor. Vea "Hielo y compresas frías" en la página 123.

Compresión. Vende la parte lesionada con una venda elástica (de marca Ace, por ejemplo) para apretar la torcedura y evitar que se mueva. Es importante que la venda no quede muy apretada, porque eso puede causar aún más hinchazón. Afloje la venda si se pone muy apretada. Si la venda está muy apretada quizás usted sienta que puede seguir usando la coyuntura. Pero con o sin la venda, la coyuntura necesita un descanso total por uno o dos días.

Alzamiento. Ponga en alto (sobre almohadas) la parte lastimada mientras le aplica hielo o siempre que esté sentado o acostado. Trate de mantener la lesión al nivel del corazón o más arriba para ayudar a limitar la hinchazón.

- La aspirina, el ibuprofen, el naproxen o el ketoprofen puede ayudar a calmar la hinchazón y el dolor. No use medicinas para ocultar el dolor mientras usted sigue usando la coyuntura lastimada. No les dé aspirina a los niños o jóvenes menores de 20 años. Vea las guías para dar aspirina en las páginas 336 a 337.
- Algunos expertos recomiendan el uso de calor (compresas o lienzos calientes, cojín eléctrico) después de usar hielo o compresas frías durante 48 horas. Pero otros expertos piensan que el calor puede aumentar la hinchazón y no lo recomiendan. Si usted decide usar calor, no se ponga nada que sea tan caliente que lo sienta incómodo.

Comience la segunda etapa del tratamiento tan pronto como se le pasen el dolor y la hinchazón. Esto puede ser en dos días o hasta en una semana o más, dependiendo del lugar y la gravedad de la lesión. Vuelva a hacer deportes y actividades poco a poco. Cualquier aumento de dolor querrá decir que usted necesita descansar un poco más tiempo.

Movimiento. Después de uno o dos días de descanso, comience a mover la coyuntura. Muévala con cuidado a todo su alcance. Si una actividad le causa dolor, deje que la coyuntura descanse más. Si usted estira con cuidado la parte lastimada mientras se recupera, no perderá nada del movimiento a largo plazo.

Hielo y compresas frías

El hielo puede calmar el dolor, la hinchazón y la inflamación producidas por lesiones o por enfermedades como la artritis. Use el hielo de un modo consistente siempre que tenga síntomas. Use una compresa fría comercial o haga una en casa así:

- Toalla helada: moje una toalla con agua fría y escúrrala hasta que quede apenas húmeda. Doble la toalla, métala en una bolsa de plástico y congélela por 15 minutos. Saque la toalla de la bolsa y póngala en el área afectada.
- Paquete de hielo: ponga una libra (medio kilo) de hielo en una bolsa de plástico. Añádale agua hasta que apenas cubra el hielo. Sáquele el aire a la bolsa y ciérrela bien. Envuelva la bolsa en una toalla mojada y póngala en el área afectada.
- Compresa fría casera: siga las instrucciones de la página 327.

Use compresas frías por lo menos tres veces al día. Durante las primeras 72 horas, ponga las compresas 10 minutos cada hora. Después úselas de 15 a 20 minutos, tres veces al día: en la mañana, en la tarde después de la escuela o del trabajo, y media hora antes de acostarse. También póngase hielo o compresas frías después de hacer una actividad muy larga o ejercicio pesado.

Siempre ponga una toalla húmeda entre la piel y la compresa, y apriete con firmeza para que el frío llegue a todas las curvas de la zona afectada. No use hielo por más de 15 ó 20 minutos a la vez y no se quede dormido con el hielo sobre la piel.

Fortalecimiento. Una vez que la parte lesionada no esté hinchada y haya recuperado todo su movimiento, empiece poco a poco a fortalecerla de nuevo.

Otras actividades. Después de los primeros días, pero mientras la parte lesionada aún esté sanando, comience a hacer ejercicio regularmente otra vez. Pero escoja actividades o deportes que no fuercen la parte lesionada. Vea la página 119.

Cuándo llamar a Kaiser Permanente

- Si un hueso ha roto la piel, o si la parte lastimada tiene color pálido, está fría o se siente entumecida más allá de la lesión.
- Si usted cree que tiene una torcedura grave o una fractura (vea la página 120). Si usted deja de poner peso en la parte lesionada, entablilla la lesión y le pone hielo, una pequeña demora en ver a un profesional médico no afectará el resultado.
- Si una coyuntura torcida está muy inestable, no soporta el peso de su cuerpo o se mueve de lado a lado.

- Si no puede poner peso en el tobillo 24 horas después de habérselo torcido, o si todavía le duele después de tres días.
- Si el dolor sigue siendo muy fuerte, después de dos días de tratamiento en casa.
- Si una torcedura no mejora después de cuatro días de tratamiento en casa.

Debilidad y fatiga

Tener una **debilidad** quiere decir no tener suficiente fuerza para mover como de costumbre un brazo, una pierna u otros músculos.

La **fatiga** es una sensación de cansancio, de estar exhausto o de no tener energía.

Una debilidad de los músculos, sin una causa conocida, usualmente es algo más serio. Se puede deber a un problema del metabolismo, como la diabetes (vea la página 231), a problemas de la tiroides o de los riñones o a una embolia o derrame cerebral. Llame a su doctor de inmediato.

En cambio, la fatiga con frecuencia se puede tratar eficazmente en casa. En la mayoría de los casos, la fatiga se debe a falta de ejercicio, mucha tensión o demasiado trabajo, desvelo, depresión, preocupaciones o aburrimiento. La gripe y el catarro a veces pueden causar fatiga y debilidad, pero éstas se quitan a medida que la enfermedad va pasando.

Prevención

- La mejor manera de evitar la fatiga es haciendo ejercicio regularmente. Si siente que está demasiado cansado para hacer ejercicio pesado, trate de caminar un poco.
- Coma una dieta bien balanceada. Vea el Capítulo 18.
- Mejore sus hábitos de dormir. Vea la página 319.
- Resuelva las causas de su depresión y angustias. Vea la página 315.

Tratamiento en casa

- Siga las guías de prevención y tenga paciencia. Puede tardarse en recuperar su energía.
- Hágale caso a su cuerpo. Alterne el descanso con el ejercicio.
- Limite las medicinas que puedan ser parte de la causa. Los tranquilizantes y las medicinas para la gripe y las alergias son de los medicamentos que con más frecuencia causan fatiga.
- Tome menos bebidas alcohólicas y cafeína (café, té negro y algunos refrescos). No fume.
- Vea menos televisión. Mejor use su tiempo para estar con amigos, hacer nuevas actividades o ir de paseo o de viaje.

Síndrome de fatiga crónica

El síndrome de fatiga crónica es una enfermedad parecida a la gripe que causa una fatiga grave durante más de seis meses. Otras señas son fiebre leve, dolor de garganta, dolor de los nodos linfáticos, debilidad y dolor muscular, dolores de cabeza y problemas para dormir.

Este síndrome es difícil de diagnosticar. No hay una prueba de laboratorio definitiva que apunte el problema. Además, muchas otras enfermedades como la depresión, los problemas de la tiroides y la mononucleosis causan síntomas parecidos. Un diagnóstico de este síndrome sólo se puede hacer después de que la fatiga y otros síntomas hayan durado por lo menos seis meses y otras posibles causas hayan sido descartadas.

La fatiga y los otros síntomas generalmente le dan de repente a una persona, que hasta entonces se había sentido bien. Las bases del tratamiento son un descanso adecuado, una dieta balanceada y el ejercicio ligero. No hay medicinas que curen el síndrome de fatiga crónica. Pero se pueden tratar diferentes síntomas específicos y esto puede ser de ayuda. Para el tratamiento de la depresión, la cual afecta más o menos la mitad de las personas con este síndrome, vea la página 316.

Llame a su médico si le da una fatiga fuerte sin razón, que no le permite hacer sus actividades durante más de dos semanas, a pesar del tratamiento en casa.

Cuándo llamar a Kaiser Permanente

- Si tiene una debilidad de los músculos en algún área del cuerpo, sin una causa conocida.
- Si está tan fatigado que tiene que limitar sus actividades normales por un período de más de dos semanas, a pesar del tratamiento en casa.
- Si de repente pierde peso, sin saber por qué.
- Si no tiene más energía después de seis semanas de tratamiento en casa.

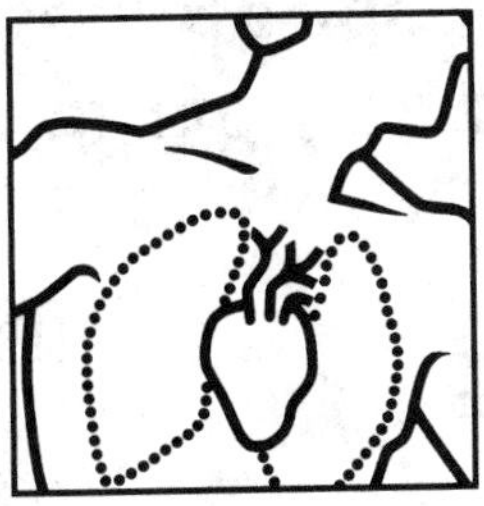

7

Problemas del pecho y de la respiración

Los problemas del pecho y de la respiración pueden ser tan leves como un catarro o tan serios como un ataque al corazón. Este capítulo le ayudará a decidir qué hacer en casa y cuándo llamar al doctor para la mayoría de los problemas de la respiración, incluyendo las alergias, el catarro (resfriado), el dolor de garganta, la sinusitis y la amigdalitis.

Para empezar, le recomendamos que vea el cuadro de la página siguiente. Éste le indicará dónde encontrar la información que necesita para tratar problemas tan variados como el asma y la pulmonía, o los ataques al corazón y la acidez (agruras). Si usted no encuentra lo que busca, por favor vea el índice (la lista de temas al final del libro).

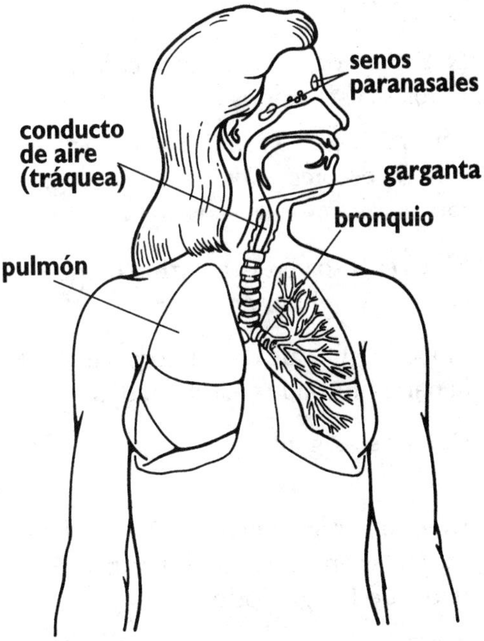

Los problemas de la respiración pueden dar en la nariz, los senos paranasales, la tráquea, los bronquios o los pulmones.

Alergias

Hay muchas clases de alergias. Cuando a una persona le da una alergia, puede causar que los ojos le lloren y le piquen, la nariz le escurra o se le tape, o le dé comezón; tal vez la

Problemas respiratorios y del pecho, nariz y garganta

Síntomas respiratorios y del pecho	Posibles causas
Dificultades o silbidos al respirar	Vea Alergias, pág. 127; Asma, pág. 132; Bronquitis, pág. 136.
Tos, fiebre, flema de color verde amarillento o rojizo, y dificultades al respirar (quizás con dolor del pecho)	Vea Bronquitis, pág. 136; Pulmonía, pág. 147.
Dolor del pecho con sudores o pulso rápido	Vea Dolor de pecho, pág. 138.
Molestia, dolor o ardor detrás del esternón	Vea Acidez, pág. 75; Dolor de pecho, pág. 138.
Tos	Vea Tos, pág. 142.

Síntomas de la nariz y de la garganta	Posibles causas
Nariz tapada o que escurre con ojos llorosos, estornudos	Vea Alergias, pág. 127; Catarros, pág. 140.
Señas de catarro con fiebre, dolor de cabeza, dolores graves en el cuerpo, fatiga	Vea Gripe, pág. 145.
Moco espeso verde, amarillo o gris con fiebre y dolor en la cara	Vea Sinusitis, pág. 148.
Mal olor que sale de la nariz; tejidos de la nariz hinchados e inflamados	Vea Objeto en la nariz, pág. 52; Sinusitis, pág. 148.
Dolor de garganta	Vea Dolor de garganta, pág. 150; Amigdalitis, pág. 153.
Dolor de garganta con manchas blancas en las anginas, nodos hinchados, fiebre de 101 grados o más	Vea Infección por estreptococos en la garganta (*strep throat*, en inglés), pág. 150.
Anginas o amígdalas hinchadas, dolor de garganta, fiebre	Vea Amigdalitis, pág. 153.
Hinchazón de los nodos linfáticos en el cuello	Vea Nodos linfáticos hinchados, pág. 152; Amigdalitis, pág. 153.
Ronquera, pérdida de la voz	Vea Laringitis, pág. 146.

persona estornude, no pueda oler o tenga dolor de cabeza o cansancio. Si tiene fiebre del heno o "catarro alérgico", quizás también le salgan ojeras y sienta un goteo por la parte de atrás de la garganta. Un niño con alergias puede roncar, despertarse con dolor de garganta, respirar por la boca y tallarse frecuentemente la nariz. Muchas veces, los síntomas de las alergias son como los del catarro, pero por lo general duran más tiempo.

Las causas más comunes de las alergias son diferentes cosas pequeñísimas que flotan en el aire, como el polen, un tipo de ácaros chiquititos que viven en el polvo de la casa, el moho y la caspa de los animales.

Las alergias parecen ser una condición de familia, siendo la fiebre del heno la más común. Cuando los padres tienen fiebre del heno, muchas veces sus niños también padecen de alergias. Por lo general, la fiebre del heno aparece durante la niñez, pero puede comenzar a cualquier edad.

A menudo uno puede descubrir la causa de una alergia, fijándose cuándo dan las molestias. Las molestias que siempre dan en la misma temporada del año (sobre todo en la primavera, a principios del verano o a principios del otoño) generalmente se deben al polen de ciertas hierbas, zacates o árboles. Las alergias que parecen durar todo el año pueden deberse a los ácaros que viven en el polvo, al moho o a la caspa de los animales. Las alergias a los animales con frecuencia son fáciles de detectar; los síntomas desaparecen cuando la persona se mantiene alejada de los animales.

Reacciones alérgicas que pueden causar la muerte

Algunas personas son muy alérgicas a las picaduras de algunos insectos, a ciertas medicinas (sobre todo la penicilina) y a algunos alimentos. Estas personas tienen reacciones alérgicas muy fuertes y repentinas; les pueden causar dificultades para respirar y una baja de la presión de la sangre (choque alérgico o anafiláctico).

El choque alérgico es una emergencia médica que requiere de atención inmediata. Si usted ha tenido una reacción de este tipo, los doctores recomiendan que lleve siempre consigo una de las jeringas de adrenalina (como las de marca EpiPen o Ana-Kit) que están diseñadas para que usted mismo se dé una inyección para disminuir la gravedad de la reacción. Si usted ha tenido una reacción alérgica a una medicina, use una pulsera especial que les advierta a los profesionales de la salud que usted tiene esa alergia, en caso de que usted mismo no pueda hacerlo.

Prevención

- Trate de evitar la sustancia que le causa las reacciones alérgicas. Para mayor información sobre las alergias a alimentos, vea la página 306.
- Si usted o su pareja padecen de alergias, piense en amamantar a sus bebés. Hay evidencia de que el alimentar a un bebé con pura leche de pecho durante los primeros seis meses de vida puede reducir el riesgo de que el bebé tenga alergias a los alimentos.

Tratamiento en casa

Si usted puede descubrir las causas de sus alergias, el mejor tratamiento será evitar lo que las provoca. Tome apuntes de sus síntomas y de las cosas que parecen causarlos, como por ejemplo, diferentes plantas, animales, alimentos o productos químicos.

Si sus molestias le dan en ciertas temporadas del año y parecen deberse al polen:

- Siempre tenga cerradas las ventanas de su casa y automóvil. No abra las ventanas de su recámara por la noche.
- No esté afuera mucho tiempo cuando haya mucho polen en el aire. Tome en cuenta que los perros y otros animales domésticos pueden traer mucho polen a la casa.

Si usted tiene molestias todo el año, que parecen deberse al polvo:

- Mantenga los cuartos donde más está (como por ejemplo la recámara donde duerme) lo más limpios que pueda (es decir, sin polvo).
- No use alfombras, muebles tapizados ni cortinas pesadas porque acumulan polvo. Las aspiradoras no se deshacen de los ácaros.
- Cubra los colchones de su cama con un forro de plástico y límpielo una vez a la semana. No use cobertores de lana o plumón ni almohadas de plumas. Lave toda la ropa de cama con agua caliente cada semana.
- Piense en usar un aparato de aire acondicionado o un purificador de aire con un filtro especial de alta eficiencia (*HEPA* o *high efficiency particulate air filter*, en inglés). Alquile uno antes de comprarlo para ver si le ayuda.

¿Y la inmunoterapia?

La inmunoterapia consiste en una serie de inyecciones que hacen que el cuerpo reaccione menos a un alérgeno (la sustancia que produce la alergia). Los tratamientos regulares de inmunoterapia pueden necesitarse de hasta tres a cinco años. Dado el tiempo y dinero que esto implica, usted debe entender bien los beneficios de la inmunoterapia antes de consentir al tratamiento.

La inmunoterapia sólo da resultado cuando el alérgeno ha sido identificado a través de una prueba de sensibilidad. El tratamiento es eficaz en un 98 por ciento de los casos, para las alergias a piquetes de abeja o a los venenos de otros insectos. Para la mayoría de las personas, la inmunoterapia también es eficaz contra el polen de los zacates, de árboles y de maleza. También es eficaz contra el polvo, un tipo de ácaro muy pequeño que vive en el polvo, y la caspa de perros y gatos.

Es más probable que la inmunoterapia sea eficaz para usted bajo las siguientes condiciones:

1. Sus síntomas le han molestado mucho, por lo menos durante dos años.
2. Ha usado tratamientos en casa sin éxito.
3. Ha probado medicinas sin y con receta, y no le han dado resultado.
4. La inmunoterapia es eficaz contra los alérgenos identificados por sus pruebas de la piel.

Si usted tiene molestias todo el año, pero le empeoran durante la época de lluvias, su alergia se puede deber al moho:

- Tenga la casa bien ventilada y seca. Mantenga una humedad de menos del 50 por ciento. Use un aparato para secar el aire (deshumidificador de ambiente) cuando sea necesario.
- Use un aparato de aire acondicionado, ya que eliminará las esporas de moho del aire. Cambie o limpie con frecuencia los filtros de sus aparatos de calefacción y enfriamiento.
- Limpie a menudo el baño y la cocina con cloro, para quitar el moho.

Si usted es alérgico a un perro, gato u otro animal:

- Mantenga al animal afuera, o por lo menos, fuera del cuarto donde usted duerme.
- Si tiene molestias muy fuertes, quizás la mejor solución sea regalar el animal.

Sugerencias para evitar sustancias irritantes:

- No haga trabajos en el jardín que levanten el polen y el moho (rastrillar hojas, cortar el pasto o césped). Si tiene que hacerlo, use una mascarilla y tome un antihistamínico antes de empezar.
- No fume y evite el humo de otros fumadores.
- No use aerosoles, perfumes, desodorantes de ambiente, productos de limpieza u otras sustancias que puedan agravar el problema.
- Los antihistamínicos y los descongestionantes pueden aliviar algunos síntomas de la alergia. Use estas medicinas con cuidado. Vea las páginas 334 y 335.
- Para mayor información sobre las alergias, incluyendo la inmunoterapia, llame a su profesional de la salud.

Cuándo llamar a Kaiser Permanente

- Llame al 911 o a otro servicio de emergencia si tiene una reacción alérgica muy fuerte, sobre todo poco después de tomar una medicina, comer algún alimento o ser picado por un insecto. Las siguientes son señas de una reacción fuerte:
  - La respiración le silba o tiene dificultad para respirar
  - Hinchazón alrededor de los labios, la lengua o la cara, o bastante hinchazón alrededor del área donde el insecto le picó (por ejemplo, todo el brazo o toda la pierna está hinchada)
  - Salpullido o ronchas que se extienden con rapidez
- Llame a Kaiser Permanente si tiene síntomas que empeoran con el tiempo y el tratamiento en casa no le ayuda. Su doctor le puede recomendar una medicina más fuerte o inyecciones "antialérgicas". Estas inyecciones pueden ayudarle a volverse menos sensible, o sea menos alérgico, a ciertas sustancias. Vea la página 130.

Asma

Asma en griego quiere decir jadeo. Una persona que tiene un episodio (ataque) de asma de verdad tiene que jadear para alcanzar cada suspiro de aire. El asma es un problema que hace que las vías del aire se hinchen y se tapen. Los músculos que rodean los tubos de aire de los pulmones (tubos bronquiales o bronquiolos) se aprietan, la membrana que cubre el interior de los tubos se hincha y se empiezan a acumular mocos. Se vuelve muy difícil respirar.

El asma no produce molestias todo el tiempo, sino que lo normal es tener ataques o episodios de asma. Durante un episodio de asma, a la persona le puede silbar la respiración, y le puede dar mucha tos, a veces con moco. Una tos seca crónica puede ser el único síntoma de un asma leve.

Muchas de las cosas que causan alergias, como el polvo, el polen, el moho y la caspa de los animales, también pueden provocar un ataque de asma. Sin embargo, las infecciones son la causa más común de los episodios. Otras causas son el ejercicio; el aire frío; el humo de cigarro o de leña; cambios en el clima; catarros o gripes; vapores de productos químicos que se usan en el hogar (como los limpiadores) o en el trabajo; medicinas para el dolor (sobre todo la aspirina); preservativos y colorantes de alimentos; y los "nervios" o las angustias.

El asma usualmente da en la niñez, pero también puede empezar años más tarde. Con frecuencia, el primer episodio da después de un catarro o una gripe. El asma es más común entre los niños que viven con alguien que fuma cigarros. Al crecer, muchos niños dejan de tener asma. Pero siempre corren el riesgo de que les vuelva a dar ya de adultos.

La mayoría de los niños y los adultos pueden controlar el asma, evitando lo que les provoca episodios y tomando medicinas para tratar los síntomas. Los episodios o ataques agudos por lo general se pueden tratar con medicinas que se inhalan o se inyectan. Los episodios de asma casi nunca causan la muerte si se atienden rápidamente.

Prevención

Fíjese cuáles son las cosas que le producen episodios de asma y evítelas:

- Vuelva a leer las sugerencias para el tratamiento casero de las alergias, en las páginas 130 a 131.
- Evite el humo de todo tipo. No fume y evite el humo de otros fumadores. Coma, trabaje, viaje y descanse en lugares donde no haya humo. También evite las estufas de leña.
- Evite el aire muy contaminado. No salga cuando haya mucho "smog".
- Evite olores fuertes, gases y perfumes.
- No respire aire muy frío. Cuando haga frío, respire por la nariz y cúbrase la nariz y la boca con un pañuelo o mascarilla para el frío. Este tipo de mascarilla se vende en las farmacias.
- No tenga animales en la casa que tengan pelo o plumas. Es mejor escoger una mascota que pueda estar afuera, o animales como peces o una tortuga.
- Para ayudar a prevenir el catarro o la gripe, lávese las manos con frecuencia. También vacúnese contra la gripe cada año.

Fortalézcase los pulmones y las vías respiratorias:

- Haga ejercicio regularmente. La natación o los ejercicios aeróbicos en el agua pueden ser una buena alternativa, porque es menos probable que el aire húmedo cause un episodio. Si el ejercicio pesado le produce episodios de asma, hable con su médico. Podría hacerle provecho un ajuste o cambio en sus medicinas y su rutina de ejercicio.
- Practique respirar "en ondas" como se explica en la página 289.

Tratamiento en casa

- Aprenda a revisarse las vías de aire, usando un medidor de flujo máximo (*peak-flow meter*, en inglés). Éste es un aparatito que le indica cuánto aire puede soltar usted en una sola exhalación. Si usted usa este aparatito regularmente, podrá medir cómo va mejorando su habilidad para respirar. El aparato también le ayudará a saber cuándo le va a dar un episodio de asma para que usted pueda tomar las medidas apropiadas.
- Pídale a su doctor o a su profesional de la salud un plan de cuidado por escrito que le indique cuándo y cómo aumentar las dosis y el tipo de medicinas según lo necesite.
- Si a su niño le da un episodio de asma, mantenga la calma. Dele la medicina recomendada y ayude al niño a relajarse. Asegúrese de que el niño, sus maestros y todas las personas que lo cuiden sepan qué hacer en caso de un episodio.

Cómo usar un inhalador y un espaciador

1. Sacuda bien el inhalador por cinco segundos. Quítele la tapa protectora y meta la boquilla del inhalador en una punta del espaciador. Sostenga el inhalador con el dedo índice por arriba y el pulgar apoyando la base.

2. Suelte el aire lo más que pueda para vaciarse los pulmones. Incline la cabeza hacia atrás y métase la boquilla del tubo del espaciador en la boca. Cierre los labios con la boquilla adentro.

3. Empuje la parte de arriba del inhalador para que suelte una bocanada de medicina. Respire lenta y hondamente, para llenar los pulmones con la mayor cantidad de aire que pueda. Si oye un sonido musical, usted está inhalando demasiado rápido. Aguante la respiración cuando menos 10 segundos y luego suelte el aire.

4. Todavía con la boquilla en la boca y los labios cerrados tome aire profundamente dos o tres veces más, aguantando cada respiración por 10 segundos. Para sacar el mayor provecho, espere uno a dos minutos antes de tomar la siguiente bocada.

5. Cada semana, lave la boquilla, el espaciador y las tapas protectoras del inhalador con agua y jabón suave y deje que se sequen solos.

- Aprenda a usar un inhalador. Estos aparatitos envían la cantidad correcta de medicina a las vías de aire. Pero para que funcionen bien, hay que aprender a usarlos correctamente. Hoy en día se recomienda usar otro aparatito llamado espaciador (*spacer*, en inglés) junto con el inhalador (vea la página 133). Muéstrele a su doctor cómo usa usted el inhalador y el espaciador para que le diga si lo hace bien.
- Pregúntele a su doctor sobre los inhaladores antiinflamatorios.
- Tome más líquidos para aflojar el moco de los bronquios.
- La aspirina, el naproxen sódico y el ibuprofen pueden causar reacciones muy fuertes en algunas personas que sufren de asma. Use estas medicinas con cuidado y hable sobre este problema con su doctor. Si estas medicinas le causan problemas, no las tome.
- No use medicinas comunes y corrientes para el catarro o la tos, a menos que se lo recomiende su doctor.
- Practique los ejercicios de relajación que aparecen en las páginas 289 a 291.
- Siga los consejos de prevención ya descritos.
- Trabaje en asociación con su doctor para controlar su asma lo más posible.
- Para obtener mayor información sobre cómo controlar el asma, consulte a un profesional de la salud.

Cuándo llamar a Kaiser Permanente

- Si le dan síntomas agudos de asma por primera vez.
- Si el problema no mejora con su tratamiento usual, o si el episodio es muy fuerte (flujo máximo de menos del 50 por ciento).
- Si el moco que tose cambia de color, sobre todo si se vuelve verde, amarillo o sale con sangre. Eso puede indicar que tiene una infección de bacterias (vea la página 135).
- Si la persona que tiene asma o sus familiares no han aprendido cómo dar el tratamiento, o si no tienen la medicina necesaria a la mano.
- Para aprender exactamente qué hacer cuando comienza un episodio. Una persona con asma puede tratar hasta los episodios agudos sin ayuda profesional, si tiene entrenamiento, confianza en sí misma y las medicinas apropiadas.
- Si usted comienza a usar su medicina para el asma más de lo usual. Esto puede ser una seña de que su asma está empeorando.
- Para preguntar sobre las inyecciones "antialérgicas," las cuales pueden ayudar a evitar que le den episodios de asma. Vea la página 130.
- Para que lo refieran a un grupo de apoyo. El hablar con otras personas que padecen de asma quizás le ayude a conseguir más información y a sentir más confianza en sí mismo para que pueda controlar mejor su condición.

Infecciones por bacterias

Las infecciones de las vías respiratorias causadas por bacterias muchas veces son difíciles de distinguir de aquellas causadas por virus. En particular, puede ser difícil distinguir entre un caso fuerte de gripe y una infección bacteriana. A veces, las bacterias atacan el sistema debilitado de una persona que tiene catarro o gripe. (Es decir, a veces una infección bacteriana da justo después de una infección de virus.)

Las infecciones bacterianas más comunes son las infecciones del oído y las de estreptococos en la garganta. La bronquitis, sinusitis y pulmonía también pueden ser causadas por bacterias.

Algunas de las señas de una infección bacteriana son:

- Fiebre de 104 grados o más, que no baja con dos horas de tratamiento en casa.
- Fiebre de más de 101 grados junto con escalofríos y tos que produce flema.
- Fiebre persistente. Muchas de las infecciones virales causan fiebres de 102 grados o más, por períodos cortos (de hasta 12 a 24 horas). Llame al doctor si la fiebre permanece alta:
  - De 102 grados o más por 2 días enteros
  - De 101 grados o más por 3 días enteros
  - De 100 grados o más por 4 días enteros
- Si usted cree que tiene gripe, vea la página 145.
- Respiración forzada, rápida o corta.
- Si la flema que sale de los pulmones al toser es de color amarillo, verde, rojizo o contiene sangre; y si otros síntomas están empeorando (fiebre, tos que produce flema, mucho cansancio). La flema que sale de los pulmones tiene más importancia que el moco que escurre por la parte trasera de la garganta.
- Si el moco de la nariz cambia de ser transparente a ser de color verde o amarillo después de tener catarro de

Infecciones: ¿Por bacterias o por virus?

Infecciones por bacterias:

- Pueden dar después de una infección viral que no se mejora.
- Generalmente se concentran en un solo lugar del cuerpo: los senos paranasales, el oído o los pulmones.
- Algunas infecciones bacterianas comunes son la infección por estreptococos en la garganta y las infecciones del oído.
- Los antibióticos sí ayudan.

Infecciones por virus:

- Generalmente afectan diferentes partes del cuerpo: dolor de garganta, nariz que escurre, dolor de cabeza y de los músculos. Cuando los virus afectan la barriga, pueden causar náusea y diarrea.
- Algunas infecciones virales comunes son el catarro, la gripe y las infecciones intestinales.
- Los antibióticos no ayudan.

5 a 7 días, y si otros síntomas (como la fiebre o el dolor en los senos paranasales) también empeoran. Si el moco es verde o amarillo desde el principio de su catarro y sigue así por más de 7 a 10 días, llame al doctor.

- Tos que le dura por más de 7 a 10 días, después de que las otras molestias se le hayan quitado—sobre todo si la tos produce flema. La tos seca puede durar varias semanas después de una enfermedad viral (por ejemplo, un catarro).
- Dolor de oído que dura más de 24 horas o dolor de oído fuerte que dura más de una hora. Si le duele mucho por la noche, llame al médico a la mañana siguiente, incluso si ya se le pasó la molestia. Vea la página 166.
- Dolor en la cara arriba y debajo de los ojos (en los senos paranasales) que no se le quita a pesar de darse tratamiento en casa, de dos a cuatro días—y sobre todo si el moco de la nariz no es transparente. Vea la página 148.
- Dolor de garganta que dura más de dos o tres días a pesar del tratamiento en casa, y que no parece estar relacionado con un catarro. Vea la página 150.

Los antibióticos sólo son eficaces contra las infecciones bacterianas cuando la infección ya ha aparecido. Por lo tanto, la mayoría de los doctores no los recetan hasta que se ha confirmado la existencia de la infección. Una excepción es cuando se usan para prevenir que se repita una sinusitis o una infección del oído. Los antibióticos no previenen las complicaciones de una infección viral. Para información importante sobre los antibióticos, vea la página 339.

Cuándo llamar a Kaiser Permanente

Llame si le dan señas de una infección bacteriana. Las infecciones bacterianas las tiene que diagnosticar y tratar un doctor.

Bronquitis

La bronquitis es una inflamación de los bronquios en los pulmones (parte de la red de tubos por donde se respira). Casi siempre se debe a virus o bacterias. Pero el humo de cigarro y la contaminación del aire también pueden causar bronquitis. Esta enfermedad muchas veces da después de un catarro o una infección respiratoria que no se curó por completo.

Cuando se inflaman, los bronquios producen un moco pegajoso. A los pelitos de los bronquios (llamados cilios) les cuesta mucho trabajo sacar ese moco de los pulmones. Es por eso que con la bronquitis da una tos con flema. Ése es el intento del cuerpo de deshacerse del moco. Otras señas de la bronquitis son: una sensación de tener el pecho apretado, cansancio, fiebre baja, dolor de garganta, nariz que escurre y a veces un silbido al respirar. Los casos graves de bronquitis pueden convertirse en pulmonía.

La bronquitis se puede volver crónica, sobre todo en las personas que fuman o trabajan en aire contaminado. El 75 por ciento de las personas con bronquitis crónica fuman mucho (o fumaron mucho en el pasado).

La bronquitis crónica puede dar con enfisema o asma crónica. Cualquier combinación de estas condiciones se conoce como enfermedad crónica de obstrucción pulmonar.

Prevención

- Trate en casa los problemas respiratorios leves como el catarro y la gripe. Vea las páginas 140 y 145.
- Deje de fumar. Los fumadores y las personas que viven con ellos tienen episodios más frecuentes de bronquitis.
- Evite el aire contaminado.

Tratamiento en casa

La meta principal del tratamiento en casa es deshacerse del moco de los pulmones. Aquí tiene algunas sugerencias que pueden ayudarle a sanar más pronto.

- Tome mucha agua y otros líquidos—de 8 a 12 vasos al día (hasta que comience a orinar más de lo usual). Los líquidos ayudan a aflojar el moco en los pulmones, para que así la tos lo pueda expulsar.
- Incluya ajos y cebollas en su dieta.
- Deje de fumar y evite el humo de otros fumadores. El humo irrita los pulmones y retrasa el proceso de recuperación.
- Respire el aire húmedo de un vaporizador, de una ducha caliente o de un lavamanos lleno de agua caliente. El calor y la humedad aflojarán el moco. Esto le ayudará a expulsar la flema al toser.
- Descanse más. Use sus energías para sanarse.
- Pídale a alguien que le sobe los músculos del pecho y de la espalda. El masaje aumenta la circulación al pecho y le ayuda a relajarse.
- Tome aspirina, ibuprofen o acetaminofeno para bajar la fiebre y calmar los dolores del cuerpo. (No les dé aspirina a los niños o a jóvenes menores de 20 años.)
- Si tiene una tos seca que no lo deja dormir, tome un jarabe para la tos que contenga dextrometorfán y guaifenesina. No use productos que contengan más de un ingrediente activo. Vea la página 335.

Cuándo llamar a Kaiser Permanente

Si aparecen las siguientes señas de una infección por bacterias:

- Fiebre de 104 grados o más, que no baja con dos horas de tratamiento en casa.
- Fiebre de más de 101 grados junto con escalofríos y tos que produce flema.
- Fiebre persistente. Muchas de las infecciones virales causan fiebres de 102 grados o más, por períodos cortos (de hasta 12 a 24 horas). Llame al doctor si la fiebre permanece alta:
  - De 102 grados o más por 2 días enteros
  - De 101 grados o más por 3 días enteros
  - De 100 grados o más por 4 días enteros
- Si usted cree que tiene gripe, vea la página 145.
- Respiración forzada, rápida o corta.
- Si la flema que sale de los pulmones al toser es de color amarillo, verde, rojizo o contiene sangre; y si otros síntomas están empeorando (fiebre,

tos que produce flema, mucho cansancio). La flema que sale de los pulmones tiene más importancia que el moco que escurre por la parte trasera de la garganta.

- Tos que le dura por más de 7 a 10 días, después de que las otras molestias se le hayan quitado—sobre todo si la tos produce flema. La tos seca puede durar varias semanas después de una enfermedad viral (por ejemplo, un catarro).
- Si el enfermo es un bebé, una persona mayor o alguien que tiene una enfermedad crónica, sobre todo si la enfermedad le causa problemas de los pulmones.

Dolor de pecho

LLAME AL 911 U OTROS SERVICIOS DE EMERGENCIA INMEDIATAMENTE si el dolor en el pecho se siente como si algo lo aplastara o apretara, si se vuelve más fuerte, o si da con cualquiera de las señas de un ataque al corazón:

- **Sudores**
- **Respiración corta**
- **Dolor que se extiende al brazo, al cuello o a la quijada**
- **Náusea o vómito**
- **Mareo**
- **Pulso rápido o irregular**

Después de haber llamado a los servicios de emergencia, consulte la página 55 acerca de la resucitación cardiopulmonar, si es necesario.

El dolor en el pecho es una seña importante de un ataque al corazón, pero también puede deberse a otras causas.

El dolor que aumenta cuando usted aprieta la parte afectada, probablemente es un dolor en la pared del pecho. Este dolor se puede deber a que se haya jalado algún músculo o ligamento del pecho. Un dolor punzante que dure unos pocos segundos, o un dolor rápido al final de un suspiro profundo por lo general no es nada de qué preocuparse. La hiperventilación (respirar demasiado rápido y profundo) también puede causar dolor en el pecho. Vea la página 45.

El dolor de pecho también puede dar con otras condiciones. Por ejemplo, si tiene pleuresía o pulmonía (vea la página 147), el dolor empeorará al respirar profundo o al toser. Una úlcera (vea la página 84) puede causar un dolor de pecho que empeora cuando el estómago está vacío. Un dolor de la vesícula biliar puede empeorar después de una comida o en medio de la noche. La acidez (agruras) o la indigestión también pueden causar dolor de pecho. Vea la página 75.

La **angina de pecho** produce dolor, presión, pesadez o entumecimiento que dan detrás del esternón o por todo el pecho. Este tipo de angina se debe a una mala circulación al corazón debida al endurecimiento de las arterias que llevan la sangre al corazón. La angina es una seña de una enfermedad de estas arterias. Las molestias de la angina de pecho se pueden extender al cuello, quijada, espalda, hombros o brazos. Este problema puede resultar a causa de tensión nerviosa o agotamiento físico y por lo general se alivia con reposo y con medicamentos que le recete su médico.

Un **ataque al corazón** ocurre cuando no llega suficiente sangre al corazón porque la circulación está bloqueada. El dolor de un ataque al corazón generalmente es más fuerte y dura más tiempo que el dolor de la angina de pecho. Además, no se quita con el descanso o con medicamentos que antes le hayan calmado el dolor de la angina de pecho. Otros posibles síntomas de un ataque al corazón son sudor, náusea, dificultad al respirar, debilidad e indigestión. Sin embargo, las señas varían y pueden ser mucho más leves.

Algunos de sus hábitos o condiciones de salud pueden aumentar su riesgo de sufrir un ataque al corazón. Algunos ejemplos son:

- Fumar
- Presión alta de la sangre
- Colesterol alto
- No hacer suficiente ejercicio
- Historia familiar de ataques al corazón a edad temprana
- Mucha angustia o tensión nerviosa
- Diabetes

Hable con un profesional de la salud para conseguir más información sobre los factores que aumentan su riesgo.

Tratamiento en casa

Para el dolor de pecho causado por músculos o ligamentos jalados:

- Tome aspirina, ibuprofen, acetaminofeno u otra medicina para el dolor.
- Los ungüentos como Ben-Gay o Vicks VapoRub pueden aliviarle los dolores de los músculos.
- No haga actividades que le fuercen los músculos del pecho.

Cuándo llamar a Kaiser Permanente

LLAME AL 911 U OTROS SERVICIOS DE EMERGENCIA INMEDIATAMENTE SI HAY SEÑAS DE UN ATAQUE AL CORAZÓN (vea la página 138).

- Si un médico le ha dado el diagnóstico para su dolor de pecho y le ha recetado un plan de tratamiento casero, sígalo. Llame al 911 o a los servicios de emergencia si el dolor empeora, o si le da cualquiera de las señas mencionadas de un ataque al corazón.
- Si piensa que tiene angina de pecho, pero no le han hecho un diagnóstico.
- Si los síntomas de la angina de pecho no se alivian con el tratamiento que le hayan recetado, o si los síntomas cambian.

Si tiene un dolor de pecho leve, sin ninguna de las señas de un ataque al corazón, llame a un profesional de la salud...

- Si ha padecido de algún problema del corazón o de coágulos (cuajarones) de sangre en los pulmones.
- Si el dolor de pecho es constante, molesto y no se quita con el descanso.
- Si el dolor de pecho da junto con señas de pulmonía. Vea la página 147.
- Si cualquier dolor en el pecho dura 48 horas sin mejorarse.

Catarros (resfriados)

Hay unos 200 virus que pueden causar el catarro común y corriente. Las señas del catarro son: nariz que escurre, ojos rojos, estornudos, dolor de garganta, tos seca, dolor de cabeza y dolores o malestar del cuerpo. Generalmente, el catarro comienza a dar poco a poco en uno o dos días. A medida que el catarro progresa, los mocos de la nariz pueden volverse más espesos. Esta es la etapa justo antes de que el catarro se alivia. El catarro puede durar hasta dos semanas.

Los catarros pueden dar en cualquier temporada del año, pero son más comunes a fines del invierno y a principios de la primavera. En promedio, a los niños les dan seis catarros al año y a los adultos les dan menos.

Los enjuagues para la boca no sirven para prevenir los catarros y los antibióticos no los curan. De hecho, no hay una cura para el catarro común y corriente. Si a usted le da catarro, trátese las molestias.

A veces un catarro puede convertirse en una infección bacteriana (vea la página 135), como bronquitis o pulmonía. Si usted usa un buen tratamiento para el catarro, podrá evitarse estas complicaciones.

Si parece que usted o su niño siempre están acatarrados, o si los síntomas del resfriado duran dos semanas o más, puede que lo que tenga sea alergias (vea la página 127) o sinusitis (vea la página 148).

Prevención

- Coma una buena dieta, descanse lo suficiente y haga ejercicios para mantener su resistencia.
- No se lleve las manos a la nariz, los ojos ni la boca, excepto para cubrirse la boca cuando tosa o estornude.
- Lávese las manos con frecuencia, sobre todo cuando esté con personas acatarradas.
- Deje de fumar.
- Piense en amamantar a su bebé. Los bebés que se alimentan con leche materna parecen tener menos catarros o catarros menos fuertes.

Tratamiento en casa

El tratamiento casero para el catarro ayudará a aliviarle sus molestias y a evitarle complicaciones.

- Descanse después del trabajo o la escuela un poco más de lo usual. Tome su rutina diaria con un poco más de calma. No es necesario que se quede en cama, pero trate de no contagiar a otras personas.
- Beba muchos líquidos. El agua caliente, té de hierbas o sopa de pollo tal vez le ayude a descongestionar la nariz.
- Tome aspirina, ibuprofen o acetaminofeno para calmarse el malestar general. No les dé aspirina a los niños o a jóvenes menores de 20 años.
- Use un vaporizador en el cuarto donde duerma y tome duchas calientes para destaparse la nariz un poco.

- Fíjese si le escurre moco por la parte de atrás de la garganta. Si ve rayas de moco, haga gárgaras para que no le dé dolor de garganta.
- Use pañuelos desechables ("Kleenex"), en vez de pañuelos de tela, para no pasarle el virus a otras personas.
- Si la nariz se le pone roja y adolorida de tanto tallársela con los pañuelos desechables, póngase un poquito de vaselina donde tenga la molestia.
- No use los remedios que combinan medicinas para tratar varios síntomas diferentes. Estos productos con frecuencia contienen descongestionantes, antihistamínicos y calmantes. Trate cada síntoma por separado. Tome un descongestionante para la congestión y una medicina de tos para la tos. Vea el tratamiento en casa para la tos en la página 142.
- No use antihistamínicos. Estas medicinas no sirven para tratar el catarro.
- Use un medicamento que afloje la mucosidad para que ésta salga más fácilmente.
- Use gotas para la nariz por un máximo de tres días. Si las usa más de eso, pueden tener un efecto contrario al deseado. Es decir, pueden hacer que las membranas de la nariz se hinchen aún más que antes de usar las gotas. Vea la página 334, donde se explica cómo puede hacer usted sus propias gotas en casa.

Cuándo llamar a Kaiser Permanente

Si aparecen las siguientes señas de una infección por bacterias:

- Fiebre de 104 grados o más, que no baja con dos horas de tratamiento en casa.
- Fiebre de más de 101 grados junto con escalofríos y tos que produce flema.
- Fiebre persistente. Muchas de las infecciones virales, sobre todo la gripe, causan fiebres de 102 grados o más, por períodos cortos (de hasta 12 a 24 horas). Llame al doctor si la fiebre permanece alta:
  - De 102 grados o más por 2 días enteros
  - De 101 grados o más por 3 días enteros
  - De 100 grados o más por 4 días enteros
- Si usted cree que tiene gripe, vea la página 145.
- Respiración forzada, rápida o corta.
- Si la flema que sale de los pulmones al toser es de color amarillo, verde, rojizo o contiene sangre; y si otros síntomas están empeorando (fiebre, tos que produce flema, mucho cansancio). La flema que sale de los pulmones tiene más importancia que el moco que escurre por la parte trasera de la garganta.
- Si empieza a tener dolor en la cara, fiebre y otras señas de sinusitis. Vea la página 148.
- Si el moco de la nariz cambia de ser transparente a ser de color verde o amarillo después de tener catarro de 5 a 7 días, y si otros síntomas (como la fiebre o el dolor en los senos paranasales) también empeoran. Si el moco es verde o amarillo desde el principio de su catarro y sigue así por más de 7 a 10 días, llame al doctor.

- Tos que le dura por más de 7 a 10 días, después de que las otras molestias se le hayan quitado—sobre todo si la tos produce flema. La tos seca puede durar varias semanas después de una enfermedad viral (por ejemplo, un catarro).

Tos

La tos es la forma en que el cuerpo trata de sacar de los pulmones el moco o cualquier cosa que no deba estar allí (como polvo o una basurita). Hay diferentes tipos de tos que usted puede aprender a reconocer.

La **tos con flema** es una tos provechosa, que por lo general no se debe tratar de calmar. Al contrario, se necesita para sacar el moco de los pulmones.

La **tos seca**, sin flema, puede dar hacia el final de un catarro o después de respirar algo que irrite a los pulmones, como el polvo o el humo. La tos seca que da después de una enfermedad viral puede durar hasta varias semanas y es común que empeore de noche.

Una tos crónica seca puede ser seña de un asma leve. Vea la página 132.

Prevención

- No fume. La tos seca ("de fumador") indica que sus pulmones están irritados constantemente.
- Tome más agua, hasta 8 ó 10 vasos diarios. Usted está tomando lo suficiente si orina más seguido de lo usual.
- Tápese la boca cuando tosa.

Tratamiento en casa

- Tome mucha agua. El agua ayuda a aflojar la flema y a hacer que una garganta irritada se sienta mejor. La tos seca se calma con miel mezclada en agua caliente, té o jugo de limón. (No dé miel a los bebés menores de un año de edad.)
- Incluya ajos y cebollas en su dieta.
- Las pastillas que se chupan para la tos pueden aliviar una garganta irritada, pero no curan la tos. Las pastillas que saben a medicina y son más caras, no son mejores que las pastillas más baratas, con sabor a fruta o menta, o los caramelos.
- Eleve la cabeza usando más almohadas por la noche para aliviar la tos seca.
- Si tiene una tos seca, que no lo deja dormir, use un jarabe para la tos que contenga dextrometorfán. Si tiene una tos con flema, no se la calme a tal punto que no pueda sacar moco de los pulmones. Vea Medicinas para la tos en la página 334.
- Si la tos es causada por respirar sustancias que irritan los pulmones (como humo, polvo u otras materias contaminantes), evite estas sustancias o use una mascarilla.

Cuándo llamar a Kaiser Permanente

Si aparecen las siguientes señas de una infección por bacterias:

- Fiebre de 104 grados o más, que no baja con dos horas de tratamiento en casa.
- Fiebre de más de 101 grados junto con escalofríos y tos que produce flema.

- Fiebre persistente. Muchas de las infecciones virales, sobre todo la gripe, causan fiebres de 102 grados o más, por períodos cortos (de hasta 12 a 24 horas). Llame al doctor si la fiebre permanece alta:
  - De 102 grados o más por 2 días enteros
  - De 101 grados o más por 3 días enteros
  - De 100 grados o más por 4 días enteros
- Si usted cree que tiene gripe, vea la página 145.
- Respiración forzada, rápida o corta.
- Si la flema que sale de los pulmones al toser es de color amarillo, verde, rojizo o contiene sangre; y si otros síntomas están empeorando (fiebre, tos que produce flema, mucho cansancio). La flema que sale de los pulmones tiene más importancia que el moco que escurre por la parte trasera de la garganta.
- Tos que le dura por más de 7 a 10 días, después de que las otras molestias se le hayan quitado—sobre todo si la tos produce flema. La tos seca puede durar varias semanas después de una enfermedad viral (por ejemplo, un catarro).
- Si la tos le dura más de cuatro semanas.

Tipos de tos y sus causas

Tipo de tos	Posibles causas
Tos fuerte, como los ruidos que hacen las focas	Vea Crup (garrotillo), pág. 219.
Tos seca por la mañana que se mejora durante el día	Aire seco; el fumar. Tome más líquidos. Use un vaporizador en su recámara. Deje de fumar. Vea Tos, pág. 142.
Tos seca, sin flema; puede empeorar por la noche	Común por varias semanas después de una enfermedad viral. Puede ser causada por el fumar, moco que escurre por la parte trasera de la garganta, o un asma leve. Tome más líquidos. Pruebe un descongestivo. Deje de fumar. Vea Tos, pág. 142; Asma, pág. 132.
Tos con flema que da después del catarro o la gripe	Vea Bronquitis, pág. 136; Pulmonía, pág. 147; Sinusitis, pág. 148.
Tos seca, repentina, que da después de que la persona casi se atraganta; más frecuente en un bebé o un niño chiquito	Objeto atorado en la garganta. Vea Atragantamiento, pág. 34.

Fiebre (calentura)

Una persona tiene fiebre o calentura cuando la temperatura del cuerpo sube más allá de lo normal. La fiebre en sí no es una enfermedad, sino un síntoma. Es una de las formas en que el cuerpo combate las enfermedades. La fiebre de hasta 102 grados generalmente hace provecho, a pesar de que puede ser molesta. La mayoría de los adultos sanos pueden aguantar una fiebre de hasta 103 ó 104 grados por períodos cortos, sin ningún problema.

En la página 223 aparecen recomendaciones específicas para los casos de fiebre en niños menores de cuatro años.

Tratamiento en casa

- Tome mucha agua y otros líquidos.
- Tome y anote la temperatura cada dos horas y cada vez que cambien las señas.
- Si la fiebre le causa molestias, dese un baño de esponja con agua tibia y tome acetaminofeno, aspirina o ibuprofen para bajar la fiebre. No dé aspirina a niños o jóvenes menores de 20 años.
- Cuídese de la deshidratación. Vea la página 72.

Cuándo llamar a Kaiser Permanente

- Si tiene fiebre de más de 104 grados que no baja después de dos horas de tratarla en casa.
- Si la fiebre dura mucho. Muchas enfermedades virales, especialmente la gripe, causan fiebres de 102 grados o más, por períodos cortos (de hasta 12 a 24 horas). Llame al doctor si tiene fiebre de...
  - 102 grados o más por dos días enteros
  - 101 grados o más por tres días enteros
  - 100 grados o más por cuatro días enteros
- Si usted cree que tiene gripe, vea la página 145.
- Si le da fiebre de más de 103 grados con piel seca, incluso en las axilas (puede ser un golpe de calor o insolación, vea la página 44).
- Si tiene fiebre junto con otras señas de una infección por bacterias. Vea la página 135.
- Si la fiebre le da con cualquiera de las siguientes señas:
  - Nuca muy tiesa y dolor de cabeza. Vea "Encefalitis y meningitis" en la página 146.
  - Respiración corta y tos. Vea Bronquitis en la página 136 y Pulmonía en la página 147.
  - Dolor sobre los ojos o mejillas (cachetes). Vea Sinusitis en la página 148.
  - Dolor o ardor al orinar. Vea Infección de las vías urinarias en la página 256.
  - Dolor de barriga, náusea y vómitos. Vea Infecciones intestinales y envenenamiento con alimentos en la página 82, o Apendicitis en la página 69.
- Si la fiebre le da junto con señas que le preocupan o que no se pueden explicar.

Gripe

La gripe, también llamada "influenza" (o flu, en inglés), es una enfermedad viral que generalmente da en el invierno. En muchos casos, la gripe afecta a muchas personas a la vez (epidemia).

Las señas de la gripe son parecidas a las del catarro, pero por lo general son más graves y aparecen de repente.

La gente comúnmente considera que la gripe es una enfermedad respiratoria, pero ésta puede afectar todo el cuerpo. Las señas incluyen fiebre (de 101 a 104 grados), escalofríos, dolores en los músculos, dolores de cabeza, dolores en los músculos alrededor de los ojos, fatiga y debilidad, estornudos y nariz que escurre. Estas molestias pueden durar de cinco a siete días. La mayoría de los otros virus, como los del catarro, causan molestias más leves que no duran tanto tiempo.

Aunque una persona con gripe se siente muy enferma, raramente padecerá de complicaciones más serias. La gripe por lo general sólo es peligrosa para los bebés, las personas mayores y la gente con enfermedades crónicas.

Prevención

- Vacúnese contra la gripe cada otoño si usted es mayor de 65 años o si tiene una enfermedad crónica como asma, algún mal del corazón o diabetes. También vacúnese si su trabajo consiste en proporcionar servicios médicos y, por lo tanto, puede contagiar a pacientes cuando a usted le da la gripe.
- Para mantener su resistencia contra las infecciones, coma una buena dieta, descanse bastante y haga ejercicio regularmente.
- Trate de no entrar en contacto con el virus. Lávese las manos con frecuencia y no se las lleve a la nariz, a los ojos ni a la boca.

Tratamiento en casa

- Descanse bastante.
- Tome más líquidos; por lo menos un vaso de agua o jugo cada hora que esté despierto.
- Tome acetaminofeno, aspirina o ibuprofen para aliviar la fiebre y los dolores de cabeza y de los músculos. (No dé aspirina a los niños y jóvenes menores de 20 años de edad.)

Cuándo llamar a Kaiser Permanente

Es común que los adultos que padecen de gripe tengan fiebre alta (hasta de 103 grados) durante tres o cuatro días. Al tratar de decidir si debe llamar al médico, considere la posibilidad de que usted tenga gripe en lugar de una posible infección bacteriana. Si es la temporada de gripe y muchas personas en su comunidad tienen síntomas parecidos a los suyos, es probable que usted padezca de gripe. Sin embargo, si está preocupado o tiene cualquiera de las siguientes señas de una infección por bacterias, llame a su doctor.

- Fiebre de 104 grados o más, que no baja con dos horas de tratamiento en casa.
- Fiebre de más de 101 grados junto con escalofríos y tos que produce flema.

- Fiebre persistente. Muchas de las infecciones virales causan fiebres de 102 grados o más, por períodos cortos (de hasta 12 a 24 horas). Llame al doctor si la fiebre permanece alta:
  - De 102 grados o más por 2 días enteros
  - De 101 grados o más por 3 días enteros
  - De 100 grados o más por 4 días enteros
- Respiración forzada, rápida o corta.
- Si la flema que sale de los pulmones al toser es de color amarillo, verde, rojizo o contiene sangre; y si otros síntomas están empeorando (fiebre, tos que produce flema, mucho cansancio). La flema que sale de los pulmones tiene más importancia que el moco que escurre por la parte trasera de la garganta.
- Tos que le dura por más de 7 a 10 días, después de que las otras molestias se le hayan quitado—sobre todo si la tos produce flema. La tos seca puede durar varias semanas después de una enfermedad viral (por ejemplo, un catarro).
- Si le dan dolores en la cara, fiebre y otras señas de sinusitis. Vea la página 148.
- Si empieza a mejorarse y luego empeora de nuevo.
- Si le dan señas de gripe o le salen ronchas rojas de cuatro días a tres semanas después de que lo pique una garrapata. Vea la página 64.

Encefalitis y meningitis

La encefalitis es una inflamación del cerebro que puede dar después de una infección viral, como la viruela loca o varicela, la gripe, el sarampión, las paperas o las llagas en la boca causadas por el herpes simple. Un tipo grave de encefalitis, transmitida por mosquitos, da en la región este y sureste de los Estados Unidos.

La meningitis es una enfermedad viral o bacteriana que causa inflamación alrededor de los tejidos que rodean el cerebro y la médula espinal. Puede dar después de una infección como la sinusitis o una infección del oído, o después de una enfermedad viral.

La encefalitis y la meningitis son enfermedades graves que tienen señas parecidas. Llame a un profesional de la salud de inmediato si le dan los siguientes síntomas, sobre todo si aparecen después de una enfermedad viral o un piquete de mosquito:

- Dolor de cabeza muy fuerte con la nuca tiesa, fiebre, náusea y vómito
- Mucho sueño, desgano, confusión o delirio
- Mollera o fontanela abultada en un bebé (cuando el bebé no está llorando)

Laringitis

La laringitis es una infección o irritación de la laringe, que es el órgano donde se produce la voz. Las causas más comunes de la laringitis son las infecciones virales y el catarro. Este problema también se puede deber a una alergia, al hablar, cantar o gritar demasiado, o al humo del cigarro. Además, cuando los ácidos del estómago suben a la garganta la pueden irritar y causar laringitis. El beber mucho alcohol o fumar demasiado puede producir laringitis crónica.

Las señas de este problema incluyen ronquera o pérdida de la voz, muchas ganas de aclararse la garganta, fiebre, cansancio, dolor de garganta y tos.

Prevención

Para no ponerse ronco, deje de gritar en cuanto sienta el más leve dolor. Deje que descansen sus cuerdas vocales.

Tratamiento en casa

- Por lo general, la laringitis se quita sola en 5 a 10 días. Las medicinas hacen poco provecho.
- Si la ronquera se debe a un catarro, alíviese de eso (vea la página 140). La ronquera puede durar hasta una semana después de un catarro.
- Descanse la voz. No grite y hable lo menos posible. No susurre y evite aclararse la garganta.
- Deje de fumar y evite el humo de otros fumadores.
- Use un vaporizador para que respire aire húmedo, o báñese en la regadera con agua caliente.
- Tome suficientes líquidos.
- Para quitarse las molestias de la garganta, haga gárgaras con agua tibia y sal—una cucharadita en una taza (ocho onzas) de agua—o tome miel disuelta en agua caliente, jugo de limón o té aguado.
- Si tiene acidez o agruras y sospecha que esto le está causando o empeorando su laringitis, vea los remedios de la página 75.

Cuándo llamar a Kaiser Permanente

- Si le dan señas de una infección por bacterias. Vea la página 135.
- Si la ronquera le dura de tres a cuatro semanas.

Pulmonía

La pulmonía, o neumonía, es una infección de las vías de aire más pequeñas en los pulmones (alvéolos). Estos conductos se llenan de pus o moco, lo cual le impide al oxígeno llegar a la sangre. La pulmonía puede ser causada por diferentes bacterias o virus.

La pulmonía puede dar después de o junto con el catarro, la gripe o la bronquitis. Cuando una persona padece de una pulmonía causada por bacterias, generalmente se encuentra muy enferma y puede tener cualquiera de las siguientes señas:

- Fiebre (de 101 a 106 grados) y escalofríos
- Tos con flema de color amarillo, verde, marrón rojizo o mezclada con sangre
- Dolor en el pecho, sobre todo al toser o respirar profundamente
- Respiración forzada, rápida o corta
- Fatiga que es peor que la de un catarro
- Sudores y cara muy sonrojada
- Desgano para comer o malestar en el estómago

Prevención

- Para mantener su resistencia contra las infecciones, coma una buena dieta, descanse bastante y haga ejercicio regularmente.
- Cuídese cuando tenga enfermedades leves (como un catarro o un dolor de garganta). Vea el tratamiento en casa para el catarro en la página 140 y para la gripe en la página 145.
- No fume y evite otras cosas que le irriten los pulmones.
- Si usted es mayor de 65 años de edad, o si tiene una enfermedad crónica de los pulmones (excepto el asma) vaya a que le pongan una vacuna neumocócica. Vea la página 18.

Tratamiento en casa

Llame a un profesional de la salud si piensa que tiene pulmonía. Si le confirman que tiene la enfermedad, siga el tratamiento a continuación.

- Tome agua: de 8 a 12 vasos al día. El agua ayuda a que el moco no se ponga espeso. Usted está tomando suficiente agua si orina más seguido de lo usual.
- Descanse mucho. No trate de apurar su recuperación.
- Tómese toda la medicina que le haya recetado su médico, siguiendo sus indicaciones.
- Deje de fumar.

Cuándo llamar a Kaiser Permanente

- Si piensa que tiene pulmonía.
- Si tiene la respiración forzada o rápida con cualquier enfermedad respiratoria.

Sinusitis

La sinusitis es una inflamación o infección de los senos paranasales. Los senos paranasales son huequitos en ciertos huesos de la cara, que están recubiertos con membranas mucosas (el mismo tipo de membrana que la nariz tiene por dentro). Los senos paranasales por lo general se drenan con facilidad, a menos que haya una inflamación o infección. La sinusitis puede seguir a un catarro y con frecuencia da con la fiebre del heno (catarro alérgico), el asma o cualquier contaminación del aire que cause inflamación. Les puede dar a los bebés y a los niños, pero es más común en los adultos.

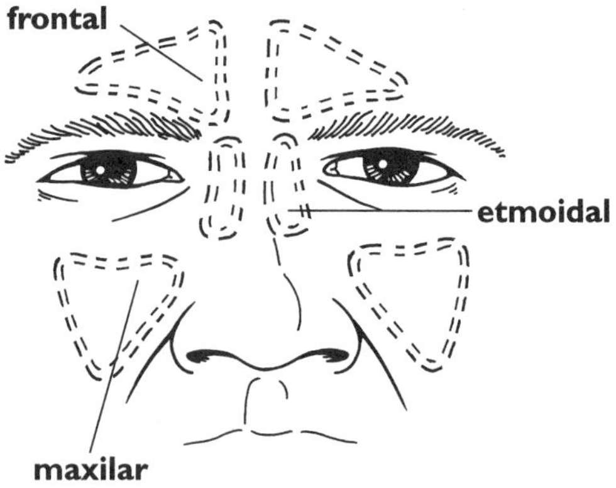

La sinusitis puede causar dolor en las mejillas, en la frente o alrededor de los ojos.

En los adultos, la seña principal de la sinusitis aguda es un dolor en los huesos de las mejillas y en los dientes de arriba, en la frente sobre las cejas, o alrededor y detrás de los ojos. En los niños, una seña común es una nariz constantemente tapada. También puede haber dolor de cabeza, fiebre (si los senos paranasales están infectados) o moco que se escurre por la parte trasera de la garganta. La tos y el dolor de garganta son síntomas comunes tanto en la sinusitis aguda como en la crónica. Los dolores de cabeza pueden dar al levantarse en la mañana y pueden empeorar en la tarde o al agacharse.

Si hay una infección por bacterias, tal vez sea necesario usar antibióticos.

Prevención

- Cuídese bien cuando le dé catarro para aliviarse pronto. Suénese la nariz suavemente. No se tape un lado de la nariz cuando se la suene.
- Beba más líquidos cuando tenga catarro para que el moco se vuelva aguado y escurra fácilmente.
- Deje de fumar. A los fumadores les da sinusitis más fácilmente.

Tratamiento en casa

Cuando uno tiene catarro es normal tener la nariz tapada y sentir algo de presión en la cara. El tratamiento en casa muchas veces hará que sus senos paranasales se vuelvan a drenar bien y que se alivien estos síntomas.

- Tome más líquidos para que el moco se vuelva aguado. Tome un vaso de agua o de jugo cada hora que esté despierto.
- Incluya ajos y cebollas en su dieta.
- Respire el aire húmedo de un vaporizador, ducha caliente o lavamanos lleno de agua caliente.
- Aumente la humedad del aire en la casa, sobre todo en el cuarto donde duerme.
- Use pastillas para la congestión, gotas para destaparse la nariz o un medicamento que aclare los mocos (vea la página 335). No use las gotas por más de tres días. Evite las medicinas que contengan antihistamínicos.
- Tome aspirina, acetaminofeno o ibuprofen para el dolor de cabeza.
- Fíjese si le escurre moco por la parte de atrás de la garganta. De ser así, haga gárgaras con agua tibia para que no le dé dolor de garganta.
- Mantenga la cabeza alzada por la noche (use almohadas para apoyarla).
- Los lavados con agua salada ayudan a sacar el moco y las bacterias de las vías de la nariz. Compre en cualquier farmacia gotas de solución salina para la nariz o haga sus propias gotas en casa (vea la página 334 para las instrucciones):
    - Échese chorritos de solución en la nariz con una perilla, o ponga un poco de solución en la palma de la mano y aspírela, primero con un lado de la nariz y luego con el otro.
    - Después suénese la nariz suavemente. Repita dos a cuatro veces al día.

Cuándo llamar a Kaiser Permanente

- Si las molestias de un catarro duran más de 10 a 14 días o empeoran con el tiempo.
- Si tiene dolor de cabeza muy fuerte, diferente a un dolor de cabeza "normal", que no se alivia con acetaminofeno, aspirina o ibuprofen.

- Si hay un aumento en la hinchazón de la cara, o visión borrosa o cambios en la visión.
- Si el moco de la nariz cambia de ser transparente a ser de color verde o amarillo después de tener catarro de 5 a 7 días, y si otros síntomas (como la fiebre o el dolor en los senos paranasales) también empeoran. Si el moco es verde o amarillo desde el principio de su catarro y sigue así por más de 7 a 10 días, llame al doctor.
- Si el dolor en la cara no se le quita después de darse tratamiento en casa durante dos a cuatro días, sobre todo si el dolor le da en un solo lado o a lo largo del borde entre la nariz y los párpados inferiores. Si también tiene fiebre y el moco de la nariz no es de color claro, debe llamar después de uno o dos días.
- Si las señas de sinusitis no se le quitan después de terminarse el tratamiento antibiótico que su médico le haya recetado.

Dolor de garganta e infección por estreptococos en la garganta

La mayoría de los dolores de garganta se deben a los virus y, a veces, dan junto con el catarro. Con frecuencia, un dolor leve de garganta se debe a la resequedad o a la contaminación del aire, o puede dar por fumar o por gritar. Las personas que a menudo tienen la nariz tapada o que padecen de alergias, muchas veces respiran por la boca al dormir, lo cual puede provocarles un dolor leve de la garganta.

Otra causa común del dolor de garganta es el reflujo de ácidos del estómago hacia la garganta. Aunque a menudo esto da junto con agruras o un sabor ácido en la boca, a veces la única molestia es el dolor de garganta.

Una infección por estreptococos (un tipo de bacteria) en la garganta también causa dolor. Este tipo de infección es más común en los niños de 4 a 11 años de edad y menos común en los niños mayores y los adultos. Los síntomas incluyen dolor de garganta con dos de las siguientes tres condiciones:

- Fiebre de 101 grados o más (la fiebre puede ser más baja en los adultos)
- Capa blancuzca o amarillenta que cubre las anginas
- Nodos linfáticos hinchados y sensibles en el cuello

En los niños, otros síntomas pueden incluir: dolor por todo el cuerpo, dolor de cabeza, dolor de estómago, náusea, vómito, nariz que escurre o desgano. La infección por estreptococos se combate con antibióticos para evitar la fiebre reumática. Los antibióticos son eficaces para la prevención de la fiebre reumática si se empiezan a tomar antes de que pasen nueve días de haber comenzado el dolor de garganta.

Un dolor de garganta que da junto con moco y tos, probablemente se debe a un virus y no a una infección por estreptococos. En ese caso, los antibióticos no hacen provecho.

Otra causa del dolor de garganta persistente es una infección por virus llamada mononucleosis. Es más común en los adolescentes y los adultos jóvenes. Además de cansancio y un dolor de garganta muy fuerte, la persona también puede tener debilidad, dolores o malestares generales, mareos, nodos linfáticos hinchados en el cuello y el bazo agrandado. El diagnóstico de mononucleosis se hace con una prueba de sangre para el virus Epstein-Barr.

La mononucleosis puede durar varias semanas y generalmente no es grave. Las molestias pueden ir y venir durante algunos meses y es normal que los nodos linfáticos estén hinchados hasta por un mes. No hay un tratamiento específico, excepto descansar, beber suficientes líquidos y tomar aspirina o acetaminofeno para los dolores.

Prevención

- Tome más líquidos: de 8 a 12 vasos de agua al día (o hasta que orine más seguido de lo usual).
- Fíjese qué cosas le irritan la garganta y evítelas (el humo, vapores o gases, gritar, etc.). No fume.
- Evite el contacto con personas que tengan una infección por estreptococos en la garganta.
- Si tiene mononucleosis, no deje que otras personas usen los mismos utensilios (platos, vasos o cubiertos) que usted usa para comer o beber, y no bese a nadie para no pasarles el virus.

Tratamiento en casa

Por lo general, el tratamiento en casa basta para aliviar un dolor de garganta causado por un virus. Aún si usted tiene una infección por estreptococos en la garganta, y está tomando antibióticos, estos consejos también le ayudarán a sentirse mejor.

- Haga gárgaras de agua tibia con sal—una cucharadita de sal en una taza (ocho onzas) de agua. La sal calma la hinchazón y las molestias.
- Si le escurre moco por la parte trasera de la garganta, haga gárgaras a menudo para evitar que la garganta se le irrite más.
- Beba más líquidos para aliviar el dolor de garganta. El té aguado con miel y limón también pueden ayudar.
- Deje de fumar y evite el humo de otros fumadores.
- El acetaminofeno, la aspirina o el ibuprofen le calmarán el dolor y le bajarán la fiebre. No dé aspirina a niños y jóvenes menores de 20 años de edad.
- Algunas de las pastillas para la garganta que se compran sin receta, tienen un anestésico local para aliviar el dolor. Las pastillas con clorhidrato de diclonina (*dyclonine hydrochloride*, en inglés) como las de marca Sucrets Maximum Strength, o benzocaína (*benzocaine*) como Spec-T y Tyrobenz, son seguras y eficaces. También puede usar las pastillas comunes y corrientes para la tos o los caramelos duros.
- Si sospecha que su dolor de garganta se debe al menos en parte a problemas con ácidos del estómago, vea los consejos de la página 75.

Cuándo llamar a Kaiser Permanente

- Si aparecen las siguientes señas:
  - Mucho babeo en un niño pequeño (más de lo normal)

- Dificultades para tragar
- Respiración forzada o dificultad para respirar

- Si le da dolor de garganta después de estar expuesto a alguien con una infección por estreptococos en la garganta.
- Si el dolor de garganta le da con dos de estas tres señas de una infección por estreptococos:
  - Fiebre de 101 grados o más (puede ser más baja en los adultos)
  - Capa blancuzca o amarillenta que cubre las anginas
  - Hinchazón y sensibilidad de los nodos linfáticos en el cuello
- Si le da salpullido (ronchas) junto con el dolor de garganta. La escarlatina es un salpullido que puede dar cuando hay una infección por estreptococos en la garganta. Al igual que la infección de la garganta, la fiebre escarlatina se trata con antibióticos.
- Si no puede encontrar la causa de su dolor de garganta (como un catarro, una alergia, fumar, usar mucho la voz u otra cosa que la irrite).
- Si un dolor de garganta leve le dura más de dos semanas.

Nodos linfáticos hinchados

Los nodos o ganglios linfáticos son glándulas pequeñas en el cuerpo. Los nodos que más se notan son los del cuello. Los nodos se hinchan a medida que el cuerpo combate infecciones leves como los resfriados, piquetes de insectos o cortadas pequeñas. Las infecciones más graves pueden hacer que los nodos se hinchen mucho y que también se pongan duros y sensibles.

Es común que los nodos linfáticos a uno o ambos lados del cuello se hinchen con el catarro o el dolor de garganta. Los ganglios linfáticos en la ingle pueden hincharse si hay una cortada o herida en la pierna o el pie, o si hay una infección en la vagina u otra parte de la pelvis.

Una vez que los ganglios se endurecen, pueden quedar así bastante tiempo después de que la infección inicial haya desaparecido. Esto es más frecuente en los niños, cuyos nodos pueden volverse más pequeños, pero pueden mantenerse duros y visibles por varias semanas.

Tratamiento en casa

- No hay un tratamiento específico para bajar la hinchazón de los nodos linfáticos. Siga tratando el catarro u otra infección que esté causando la hinchazón.
- Si a su niño se le endurecen los nodos linfáticos después de un catarro o una infección leve, pero no se hinchan ni se ponen sensibles, no necesita llamar al médico. Simplemente vigile su progreso en casa e informe al médico en su siguiente visita.

Cuándo llamar a Kaiser Permanente

- Si los nodos o ganglios están grandes, duros, rojos y muy sensibles.
- Si además de los nodos hinchados, hay otras señas de que una llaga o herida está infectada:
  - Fiebre de 100 grados o más, sin ninguna otra causa

- ° Hinchazón y dolor
- ° Una cortada o herida que suelta pus
- ° Rayas rojas que se extienden desde la herida

- Si los nodos hinchados siguen creciendo, o si aparecen sin causa y no se quitan en dos semanas.
- Si los nodos hinchados aparecen en áreas diferentes a las que se indican en el dibujo.

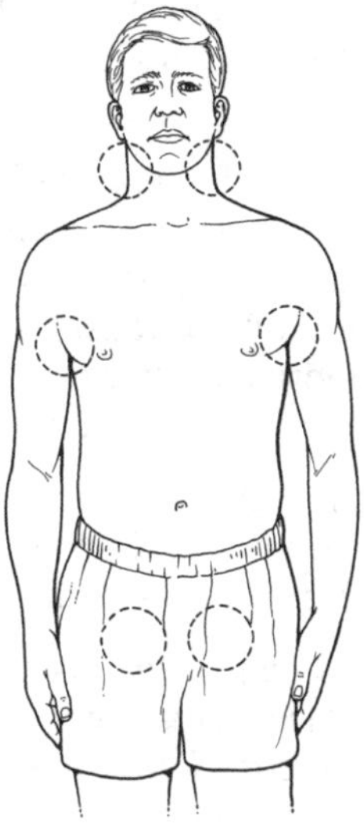

Las áreas donde comúnmente aparecen nodos hinchados.

Amigdalitis

Las anginas (o amígdalas) y los adenoides son tejidos linfáticos en la garganta. Ambos ayudan en la producción de anticuerpos para combatir infecciones. Las anginas pueden verse a ambos lados de la garganta, en la parte de atrás de la boca. Los adenoides están más arriba y casi nunca se pueden ver.

Es común que a los niños les dé inflamación de las amígdalas (amigdalitis o "anginas") y de los adenoides (adenoiditis), ya sea al mismo tiempo o por separado. Las señas de la amigdalitis y la adenoiditis son dolor de garganta, fiebre y cansancio. Puede haber dolor al tragar y las anginas muchas veces se ponen rojas, hinchadas y manchadas de pus. Los nodos linfáticos en el cuello también se pueden hinchar. La adenoiditis también puede causar dolor de cabeza y vómitos.

Si un niño tiene una inflamación crónica (duradera) de los adenoides, puede que respire por la boca, que ronque y hable "por la nariz" o que tenga la voz apagada. Los adenoides inflamados pueden bloquear algunos de los tubitos de los oídos y así ayudar a que éstos se infecten. Vea la página 166.

La amigdalitis y la adenoiditis a veces se deben a un virus. Es común que las amígdalas se pongan un poco hinchadas y dolorosas y que a la vez haya dolor de garganta y otras señas del catarro, tales como tos y nariz que escurre.

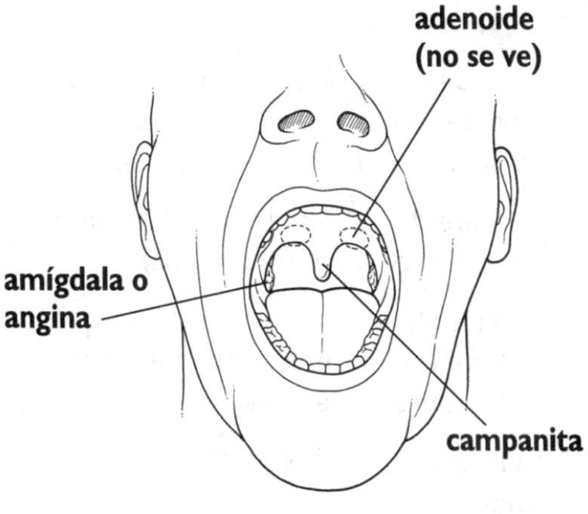

Las anginas y los adenoides se encuentran en la parte de atrás de la garganta.

Cuando alguien tiene mucho dolor de garganta, amígdalas muy hinchadas, fiebre e hinchazón de los nodos linfáticos en el cuello, la causa puede ser una infección de la garganta por estreptococos o por alguna otra bacteria. Vea la página 150 para las señas de una infección por estreptococos en la garganta, la cual debe tratarse con antibióticos.

Antes era común operar a los niños que tenían dolores de garganta frecuentes, para quitarles las anginas o los adenoides. Ahora se piensa que estos tejidos linfáticos pueden ayudar a combatir infecciones y no se deben operar, a menos que sea necesario. Estas operaciones llevan riesgos y sólo deben realizarse por razones válidas y después de consultarlo a fondo con su médico.

Tratamiento en casa

Si le duelen un poco las amígdalas, las tiene algo hinchadas y tiene otros síntomas de catarro, generalmente se puede curar siguiendo el tratamiento en casa para catarros y resfriados. Vea la página 140.

Cuándo llamar a Kaiser Permanente

- Si le da dolor de garganta junto con dos de estas tres señas de una infección bacteriana de las anginas:
    - Fiebre de 101 grados o más (puede ser más baja en los adultos)
    - Capa blancuzca o amarillenta que cubre las anginas, o hinchazón y sensibilidad de las anginas
    - Hinchazón de los nodos linfáticos del cuello

Amigdalectomía y adenoidectomía

En el pasado, era común sacarles a los niños las anginas (amígdalas) y los adenoides. Hoy en día, estas operaciones se hacen con menos frecuencia pues se han reconocido mejor los riesgos, costos y beneficios limitados. La amigdalectomía y la adenoidectomía sólo deben hacerse cuando los beneficios justifiquen plenamente el riesgo, las molestias y el dolor.

La **amigdalectomía** puede ser recomendable si se presenta por lo menos una de las siguientes condiciones:

- Si la persona ha tenido cuando menos de cuatro a seis infecciones graves por estreptococos en las anginas el año anterior, a pesar de tratamiento con un mínimo de dos antibióticos diferentes.
- Si las anginas hinchadas le causan gran dificultad para respirar o problemas para dormir.
- Si hay focos profundos de infección en las anginas que no han mejorado con el tratamiento.

La **adenoidectomía** puede ser recomendable si se presenta por lo menos una de las siguientes condiciones:

- Si los adenoides hinchados obstruyen las vías del aire, lo cual le causa a la persona dificultades para respirar y problemas para dormir.
- Si se piensa que los adenoides son causa de infecciones de oídos persistentes, a pesar de tratamientos con antibióticos.

Si le recomiendan una operación aunque no se haya presentado ninguna de estas condiciones, quizás sea buena idea conseguir una segunda opinión.

- Si le da dolor de garganta o amigdalitis después de estar expuesto a una infección por estreptococos.
- Si tiene varios episodios de amigdalitis, sobre todo más de cuatro o cinco al año.
- Si un niño respira constantemente por la boca, ronca o habla "por la nariz" o tiene la voz apagada.
- Si una persona no puede tragar o abrirse la boca sin dolor.

Cómo dejar de fumar

Una de las cosas más importantes que usted puede hacer por su salud y la salud de los demás es dejar de fumar. Las personas que fuman tienen más riesgo de padecer de ciertos problemas de la salud, incluyendo las enfermedades del corazón, los derrames cerebrales y el cáncer, que las que no fuman. Los niños que respiran humo de cigarro en casa tienen más infecciones de los oídos que otros niños y es más probable que padezcan de otros problemas de salud.

Cuando uno deja de fumar, su cuerpo no tarda mucho en comenzar a sanarse y a reducir el riesgo de tener problemas de salud.

- El riesgo de tener una enfermedad del corazón se baja casi inmediatamente. Después de 10 años, el riesgo es parecido al de una persona que nunca ha fumado.
- Los pulmones comienzan a sanar, y después de 10 a 15 años el riesgo de sufrir de cáncer del pulmón es casi tan bajo como el de alguien que no ha fumado nunca.

No es fácil dejar de fumar y no hay un método que funcione para todo el mundo. Algunas personas pueden dejar de fumar de un día para otro, y otras tienen que ir reduciendo poco a poco el número de cigarrillos durante varios meses. No importa qué método use, las siguientes sugerencias le ayudarán a poner manos a la obra.

Consejos para dejar de fumar

Antes de dejar de fumar

- Decida cuándo y cómo dejará de fumar. Como la mitad de las personas lo hace sin más; la otra mitad lo deja poco a poco (durante un período de una a tres semanas).
- Encuentre la razón por la cual fuma. ¿Fuma para animarse? ¿Para relajarse? ¿Para controlar su enojo u otros sentimientos negativos? ¿Le gusta todo el ritual de fumar? ¿Fuma por costumbre, a veces sin darse cuenta de que lo está haciendo?
- Encuentre una alternativa sana que le ofrezca lo mismo que le da el fumar. Por ejemplo, si fuma porque le gusta tener siempre algo en la mano, tome algo diferente: una moneda, una piedra de superficie lisa, una pluma o un lápiz. Si lo que le gusta es tener algo en la boca, masque chicle sin azúcar o palillos con sabor a menta.
- Escriba en una lista por qué quiere dejar de fumar: por su salud y la de su familia, para ahorrar dinero, para evitar que le salgan arrugas o lo que sea. Tenga esas metas siempre en mente.

- Piense en formas sanas de recompensarse por dejar de fumar. Use el dinero que ahorre por no comprar cigarros para hacer o comprar algo que le dé gusto.
- Tenga una actividad planeada para cuando le den muchas ganas de fumar. El deseo se le pasará pronto: camine, lávese los dientes, cómase un dulce de menta o mastique un chicle.
- Escoja un programa confiable para dejar de fumar. En los buenos programas, por lo menos el 20 por ciento de los participantes no han vuelto a fumar después de un año. Desconfíe de programas que afirmen ser aún más exitosos.
- Fije una fecha para dejar de fumar y no la cambie por ningún motivo. Trate de escoger un momento en el que usted estará ocupado, pero sin muchas presiones.
- Puede que su doctor le pregunte, durante sus visitas de rutina, si usted sigue fumando. Lo hace porque se ha demostrado que el consejo de un doctor puede ayudar a que las personas tengan éxito para dejar de fumar. Si usted quiere dejar de fumar, pero no está seguro de cómo hacerlo, consulte a su médico o llame a la Asociación Americana de los Pulmones para obtener mayor información.

El parche de nicotina

El parche de nicotina es un parche adhesivo que va soltando nicotina en la piel, para que se absorba por allí y llegue a la sangre. Existen pruebas muy convincentes de que el uso del parche junto con la participación en un programa para dejar de fumar pueden ser de gran ayuda. El parche puede ayudar a algunos fumadores a vencer su adicción a la nicotina, porque les permite ir reduciendo el uso de esta sustancia poco a poco.

Aunque muchos fumadores dejan de fumar sin tener que recurrir al reemplazo de la nicotina, el parche es de ayuda a algunas personas. Generalmente lo usan los que están acostumbrados a fumar más de un paquete de cigarrillos al día. Para tener éxito, es preciso que usted no fume mientras esté usando el parche.

Si además de usar el parche, usted participa en un buen programa para dejar de fumar, será mucho más probable que tenga éxito.

También hay otros medicamentos que parecen ser eficaces para ayudar a las personas a dejar el tabaco. Algunos de ellos pueden tomarse en forma de pastillas. Hable con su doctor acerca de estos medicamentos.

Después de dejar de fumar

- Sepa a qué atenerse. Lo peor se le pasará en unos cuantos días, pero los síntomas físicos del retiro pueden durar de una a tres semanas. Vea los consejos para relajarse en el Capítulo 17.
- Quite de sus alrededores cualquier cosa que lo haga pensar en fumar. Haga cosas que no pueda hacer al mismo tiempo que fumar, como andar en bicicleta o ir al cine.
- Durante las primeras semanas, evite situaciones y ambientes que asocie con fumar.
- Tome bastante agua para ayudar a sacarse toda la nicotina del cuerpo. Trate de no tomar alcohol.
- Tenga a la mano bocadillos o refrigerios que no engorden para cuando le den antojos. Su apetito puede aumentar, pero la mayoría de las personas suben menos de 10 libras (5 kilos) cuando dejan de fumar. Una dieta saludable, baja en grasas, y el ejercicio regular le ayudarán a resistir las ganas de fumar y a no engordar. De todas maneras, los beneficios de dejar de fumar son más importantes que el engordar unas cuantas libras.

Tuberculosis

La tuberculosis (TB, tisis) es una enfermedad contagiosa causada por una bacteria que infecta principalmente los pulmones. La enfermedad se transmite cuando una persona infectada suelta las bacterias al aire al toser o estornudar, y otra persona las respira. Una vez que la tuberculosis ha infectado a una persona, puede tardar hasta dos años en volverse activa y muchas veces esto nunca sucede. Las señas de la tuberculosis activa incluyen tos persistente, pérdida de peso, fatiga y fiebre (calentura).

Desde el año 1985, el número de casos de tuberculosis ha aumentado en los Estados Unidos. Esto se debe principalmente al mayor número de personas infectadas por el virus del SIDA (VIH), el cual les hace más susceptibles a la tuberculosis. Otros grupos con más riesgo de infección son las personas que se inyectan drogas, las que viven en la calle, los inmigrantes que provienen de países con niveles altos de tuberculosis, las personas que trabajan con enfermos, y las de edad avanzada.

Los medicamentos pueden curar la tuberculosis, pero a veces tardan de 6 a 12 meses en hacer efecto. Eso hace que muchas personas pierdan la esperanza y dejen el tratamiento, aumentando así el riesgo de contagiar a otras personas.

Para evitar la tuberculosis, evite el contacto con personas que tengan una infección activa; sobre todo no pase mucho tiempo con ellos en una habitación cerrada. La tuberculosis no se transmite al tocar cosas que una persona infectada haya tocado.

Si cree que ha tenido contacto con una persona que padece de tuberculosis activa, llame a su médico o al departamento de salud y pida que le hagan la prueba de la tuberculina (vea la página 19).

- Consiga ayuda y apoyo. Pídale a alguien que haya dejado de fumar que le ayude.
- Considérese un ex-fumador. Sea optimista.
- Prepárese a tener recaídas. Por lo general, los fumadores hacen varios intentos de dejar de fumar antes de poder lograrlo de manera definitiva. Si vuelve a fumar, perdónese a sí mismo y aprenda algo de la experiencia. Usted no fallará siempre y cuando siga luchando.
- **¡Buena suerte!**

8

Problemas de los ojos y de los oídos

Los ojos y los oídos pueden causarle problemas de diferentes tipos. La resequedad de los ojos, la conjuntivitis, los tapones de cera y el dolor de oído son sólo algunos ejemplos. La mayoría de estos problemas se quitan con tratamientos en casa y con paciencia. Este capítulo le explicará qué puede hacer usted en casa y le indicará cuándo obtener ayuda profesional.

Resequedad de los ojos

Los ojos que no tienen suficiente humedad (lágrimas) pueden sentirse secos, calientes o arenosos. La resequedad de los ojos se puede deber a poca humedad en el aire, a humo, a ciertas enfermedades o a medicinas como los antihistamínicos, los descongestionantes y las píldoras anticonceptivas. Los ojos también se van volviendo más secos a medida que uno envejece.

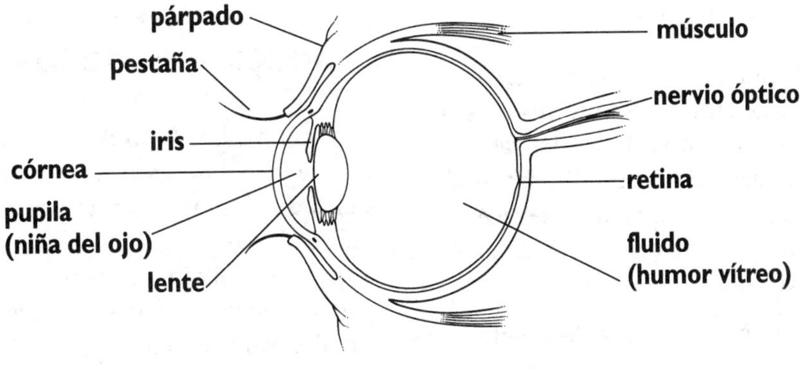

El ojo tiene muchas partes.

Problemas de los ojos

Síntomas del ojo	Posibles causas
Ojos rojos con comezón y lagrimeo	Vea Alergias, pág. 127. Piense en alergias a productos para el cuidado de los ojos, el maquillaje y el humo. Irritación por los lentes de contacto. Sáquese los lentes de contacto. Vea la pág. 162.
Muchas lagañas; párpados rojos e hinchados; sensación de arena en el ojo	Vea Infecciones de los ojos, pág. 160. Posible irritación por los lentes de contacto. Vea la pág. 162.
Granito o hinchazón en el párpado	Vea Orzuelos, pág. 163.
Dolor en el ojo	Vea Quemadura del ojo con productos químicos, pág. 34; Jaquecas, pág. 176; Jaquecas repetitivas, pág. 176; Objetos en el ojo, pág. 52; posible irritación por los lentes de contacto, pág. 162; Infecciones de los ojos, pág. 160.
Dolor agudo en el ojo, visión borrosa, ojo rojo	Posible iritis o glaucoma agudo. ¡Vaya al doctor de inmediato!
Mancha roja en la parte blanca del ojo	Vea Sangre en el ojo, pág. 163.
Golpe en el ojo	Vea Moretones (ojo moro), pág. 31.
Ojos secos y arenosos	Vea Resequedad de los ojos, pág. 159.

Tratamiento en casa

- Pruebe una de las gotas de "lágrimas artificiales" que se compran sin receta, como Akwa Tears, Duratears o HypoTears. Éstas son diferentes a las gotas como Visine que reducen el enrojecimiento en vez de la resequedad del ojo.
- Llame a un profesional de la salud si la resequedad de los ojos no se le quita aunque use lágrimas artificiales.

Infecciones de los ojos

La conjuntivitis (mal de ojo, llorona) es una inflamación de la membrana delicada, llamada conjuntiva, que cubre el interior del párpado y la superficie del ojo. La conjuntivitis puede deberse a bacterias, virus (que pueden ser muy contagiosos), alergias, contaminación o sustancias irritantes.

Tics en el ojo

Los tics en el ojo o espasmos de los músculos alrededor del ojo suelen estar relacionados normalmente con la fatiga y el estrés. Por lo general, los tics mejoran cuando la persona descansa o se calma y desaparecen por sí solos en poco tiempo.

Llame a un profesional de la salud si, además del tic, tiene el ojo enrojecido, hinchado o con lagañas, si tiene fiebre o si el tic dura más de una o dos semanas.

Las señas de la conjuntivitis son enrojecimiento de la parte blanca del ojo, párpados rojos e hinchados, mucho lagrimeo y una sensación como de arena en los ojos. Los ojos también pueden soltar un tipo de lagaña que hace que los párpados se peguen mientras la persona duerme. La infección a veces causa que los ojos se vuelvan sensibles a la luz.

Prevención

- Lávese las manos muy bien después de hacerse el tratamiento para la conjuntivitis.
- No use las mismas toallas o pañuelos que una persona infectada.
- Si un producto químico o un objeto le entra al ojo, láveselo inmediatamente con agua. Vea las páginas 34 y 52.

Tratamiento en casa

Aunque generalmente la conjuntivitis se quita sola en cinco a siete días, la conjuntivitis viral puede durar varias semanas. La conjuntivitis debida a alergias o contaminación no se quitará mientras usted siga en contacto con la sustancia irritante. Un buen tratamiento en casa le dará alivio y le ayudará a sanar más rápido.

- Póngase compresas frías o tibias varias veces al día, para aliviarse las molestias.
- Límpiese suavemente el borde del párpado con un algodón húmedo o con agua y una toallita de baño limpia, para quitarse las lagañas.
- No use lentes de contacto o maquillaje de ojos hasta que se le quite la infección. Tire a la basura el maquillaje de ojos que tenga cuando le dé una infección.

Moscas volantes (manchas y destellos)

Las moscas volantes son manchas, puntos y líneas que "flotan" en el campo de la visión. Se deben a células sueltas o hilos de tejido que flotan en el líquido espeso como gelatina que forma el globo del ojo. Este problema puede ser molesto, pero rara vez es grave o peligroso. Sin embargo, si es la primera vez que ve manchas o destellos, llame por teléfono a su médico u oculista. Si ha tenido el problema por algún tiempo, o si de vez en cuando ve destellos, dígaselo a su oculista la próxima vez que tenga una cita con él.

Lentes de contacto

Si usa lentes de contacto (lentillas), estos consejos le ayudarán a evitar problemas:

- Limpie sus lentes de contacto según las instrucciones. Siempre tenga muy limpios sus lentes y cualquier cosa que los toque (sus manos, el recipiente para guardarlos, los botes de soluciones y el maquillaje). Lávese las manos antes de tocar sus lentes de contacto.
- Use una solución salina comercial. Las soluciones caseras se contaminan fácilmente con bacterias. (Cualquier marca es buena; incluso las genéricas.)
- Métase los lentes de contacto antes de ponerse el maquillaje de los ojos. No se ponga maquillaje en el borde interno del párpado. Use nuevo maquillaje de los ojos cada tres a seis meses para reducir el riesgo de que se contamine.
- Los lentes de contacto de uso prolongado causan infecciones graves de los ojos con más frecuencia, cuando se usan por mucho tiempo. Si decide usarlos, siga el horario de uso y limpieza que su doctor le recomiende.
- Las señas de que sus lentes de contacto le están causando un problema incluyen: enrojecimiento fuera de lo usual, dolor o ardor en el ojo, desecho del ojo, visión borrosa y sensibilidad extrema a la luz. Quítese los lentes y desinféctelos. Si las molestias siguen por más de dos a tres horas después de quitarse y limpiar sus lentes, llame a su médico.
- Vaya con su especialista de ojos una vez al año para que revise sus lentes de contacto y sus ojos.

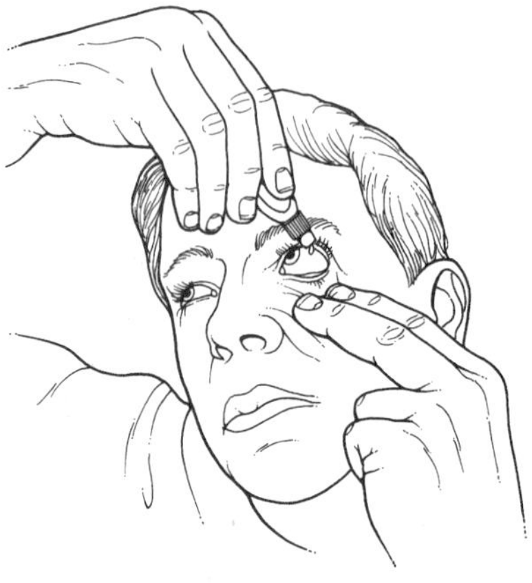

Para ponerse gotas en el ojo, jale hacia abajo el párpado inferior para crear una bolsita. Mire hacia el lado opuesto del gotero al ponerse las gotas en la bolsita. Entonces cierre el ojo para que las gotas se esparzan.

- Si le recetan gotas para los ojos, póngaselas así:
  - En niños mayores y adultos: Jale hacia abajo el párpado inferior con dos dedos para crear una bolsita. Ponga las gotas allí. Cierre el ojo por varios minutos para que las gotas se esparzan.
  - En niños más chicos: Pídale al niño que se acueste boca arriba con los ojos cerrados. Ponga una gota en la esquinita de adentro del ojo. Cuando el niño abra el ojo, la gota se escurrirá hacia adentro solita.
  - Asegúrese de que el gotero esté limpio y de que no toque el ojo, el párpado ni ninguna superficie. El lagrimeo normal de los ojos va sacando las gotas, así que hay que volver a ponérselas por lo menos tres veces al día.

- Puede ser un poco difícil poner una pomada antibiótica en el ojo, sobre todo en los niños. Pero si puede ponerla en las pestañas, se derritirá y entrará al ojo.
- Asegúrese de que cualquier medicina que compre sin receta sea *oftálmica* (para los ojos) y no *ótica* (para los oídos).

Cuándo llamar a Kaiser Permanente

- Si tiene dolor (en vez de irritación) en el ojo, visión borrosa o pérdida de la visión que no se le quita ni por un momento al parpadear.
- Si la luz hace que el ojo le duela.
- Si se enrojece el párpado o la piel alrededor del ojo.
- Si siente que tiene algún objeto en el ojo.
- Si el ojo está rojo y suelta un desecho de color amarillo verdoso, que no empieza a mejorar en 24 horas.
- Si una pupila se le pone más grande que la otra.
- Si el problema no se le quita en siete días.

Sangre en el ojo

A veces, los vasos sanguíneos en la parte blanca del ojo se revientan y forman una manchita o un punto rojo. Puede ser alarmante ver la sangre en el ojo, sobre todo si la mancha es grande. Pero por lo general no hay de qué preocuparse, y la mancha se quita en dos o tres semanas.

Sin embargo, si se ve sangre en el ojo y también hay dolor, si hay sangre en la parte de color del ojo (iris), o si el derrame ocurrió después de un golpe en el ojo, llame a un profesional de la salud *de inmediato*. También llame si le salen manchitas de sangre con frecuencia, si le salen después de empezar a tomar anticoagulantes (medicinas que vuelven la sangre más aguada) o si le cubren más de un cuarto de la parte blanca del ojo.

Orzuelos o perrillas

Un orzuelo es una infección no contagiosa en el borde del párpado. Se ve como una bolita o un granito rojo en el párpado o en el borde del párpado. Se va llenando de pus y se abre a los pocos días.

Los orzuelos son muy comunes y no son graves. La mayoría de ellos desaparecen con el tratamiento en casa y no es necesario quitarlos.

Tratamiento en casa

- No se talle el ojo y no se exprima el orzuelo.
- Póngase compresas húmedas tibias por 10 minutos, de cinco a seis veces al día, hasta que el orzuelo se abra y se drene.

Cuándo llamar a Kaiser Permanente

- Si el orzuelo le impide ver bien.
- Si el orzuelo empeora a pesar del tratamiento en casa.
- Si el enrojecimiento del orzuelo se extiende a todo el párpado.

Cataratas y glaucoma

Las cataratas son áreas nubladas en el cristalino del ojo. Pueden causar problemas de la vista, tales como la visión borrosa, la sensación de ver a través de una tela, el deslumbramiento debido a la luz del sol, de las lámparas o de los faros de los automóviles, y la visión doble. Las cataratas afectan con frecuencia a las personas de edad avanzada.

Los siguientes factores aumentan el riesgo de padecer de cataratas:

- Tener diabetes
- Ser nativo americano o de raza afroamericana
- Tomar corticoesteroides (por ejemplo, Prednisone)
- Fumar
- Estar expuesto a rayos ultravioleta (no se sabe si el proteger los ojos del sol reduce el riesgo)

El glaucoma es un problema de los ojos que se debe a un exceso de presión en el globo del ojo. Si la presión no se alivia, con el tiempo puede dañar el nervio óptico y producir ceguera. El glaucoma por lo general se desarrolla lentamente a lo largo de muchos años. Generalmente no causa dolor ni otras señas.

Los siguientes factores aumentan el riesgo de padecer de glaucoma:

- Parientes que han tenido glaucoma
- Raza afroamericana
- Diabetes o miopía

Las cataratas y el glaucoma son fáciles de detectar durante los exámenes de rutina y responden bien al tratamiento médico. Hable con su doctor de la frecuencia con que usted debe hacerse exámenes de los ojos, basándose en su edad y su nivel de riesgo.

Llame a un profesional de la salud de inmediato si de repente tiene la visión borrosa, pérdida de la visión o dolor en los ojos.

Mareos

Los **mareos** generalmente no se deben a un problema grave; de hecho, es común sentirse mareado de vez en cuando. A menudo, el mareo se debe a una baja momentánea de la presión de la sangre y del flujo de sangre a la cabeza. Sucede cuando uno se pone de pie muy rápido. Con frecuencia la causa del problema es una medicina o la deshidratación.

Otras causas del mareo pueden ser los efectos secundarios de una medicina, la tensión nerviosa, la ansiedad o el tomar bebidas alcohólicas. Otra causa menos común es una anormalidad en el ritmo del corazón. Esto por lo general produce varios mareos repetidos durante unos cuantos días.

El **vértigo** es una sensación de que el cuerpo o lo que lo rodea está dando vueltas. Puede dar con náusea y vómitos. Durante un ataque fuerte de vértigo puede ser imposible caminar. El tipo más común de vértigo se debe a cambios en la posición de la cabeza; como por ejemplo, cuando usted

Problemas de los oídos

Síntomas del oído	Posibles causas
Dolor en el oído con fiebre; en bebés y niños pequeños, el jalarse la oreja, sobre todo si también lloran sin consuelo	Vea Infecciones de los oídos, pág. 166.
Dolor al masticar; dolor de cabeza	Vea Síndrome de la coyuntura temporomandibular, pág. 187.
Dolor al jalar la oreja; comezón o ardor en el oído	Vea Infecciones del canal externo del oído, pág. 170.
Desecho que sale del oído	Vea Infecciones del canal externo del oído, pág. 170; tímpano reventado, pág. 166.
Sensación de tener el oído tapado; con la nariz tapada o que escurre, tos y fiebre	Vea Catarros, pág. 140; Infecciones de los oídos, pág. 166.
Sensación de tener algo en el oído; como si algo estuviera brincando en el oído	Vea Objetos en el oído, pág. 51.
Sordera; distracción	Vea Cera de los oídos, pág. 168; otitis media serosa, pág. 166.
Zumbido en los oídos	Vea Zumbido en los oídos o tinnitus, pág. 169.

mueve la cabeza de lado a lado o la inclina para ver hacia arriba. El vértigo también se puede deber a una inflamación en la parte del oído que controla el equilibrio. Este problema se llama laberintitis y se puede deber a una infección viral. A veces da después del catarro o la gripe.

Tratamiento en casa

El mareo no es nada de que preocuparse a menos que sea fuerte, persistente, o que dé con otros síntomas.

- Cuando se sienta mareado, siéntese por uno o dos minutos y respire profundo varias veces. Luego, póngase de pie lentamente.
- Siéntese o párese despacio para evitar los cambios en la presión y el flujo de la sangre a la cabeza, que son lo que lo pueden marear.
- Evite las posiciones o los cambios de posiciones de la cabeza que le causen vértigo. Por otro lado, algunos expertos sugieren que practicar estas posiciones puede ser de ayuda para superar el problema.
- Si tiene vértigo, no se tienda de espaldas totalmente. Eleve la cabeza un poco para que se le pasen las tarantas.

Cuándo llamar a Kaiser Permanente

- Si junto con el mareo tiene dolor de pecho, dolor de cabeza, confusión, sordera o cambios en la visión, debilidad en los brazos o las piernas o entumecimiento en cualquier parte del cuerpo.
- Si siente que se va a desmayar o si pierde el conocimiento completamente.
- Si le da vértigo muy fuerte (que con frecuencia le causa vómitos) o si el vértigo da junto con sordera o dolor de oído.
- Si cree que el mareo puede ser un efecto secundario de una medicina.
- Si el mareo dura más de tres a cinco días y le impide hacer sus actividades diarias como de costumbre.
- Si le da vértigo muy fuerte (la sensación de que el cuarto está dando vueltas a su alrededor) o si el vértigo le dura por más de tres días, no ha sido diagnosticado o es bastante diferente que en otras ocasiones que lo haya tenido.
- Si le dan varios mareos en unos cuantos días seguidos.
- Si cuando se siente mareado su pulso es de menos de 50 o de más de 130 latidos por minuto.

Infecciones de los oídos

Las infecciones de los oídos pueden aparecer en el oído medio o en el canal externo del oído (vea Infecciones del canal externo del oído, página 170).

Una infección del oído medio (otitis media) generalmente comienza cuando un catarro hace que la trompa de Eustaquio se hinche y se cierre. La trompa de Eustaquio es un tubito que conecta el oído con la garganta. Cuando la trompa se cierra, el oído se llena de líquido y allí comienzan a crecer las bacterias o el virus. A medida que el cuerpo combate la infección, la presión aumenta y causa dolor. El tratamiento con antibióticos impide que las bacterias crezcan y así alivia la presión y el dolor.

Sin tratamiento, la presión puede hacer que el tímpano se reviente. No es grave que el tímpano se reviente una sola vez; esto no causa sordera. Pero si se revienta varias veces, sí puede producir sordera.

A los niños pequeños les dan más infecciones de los oídos porque los tubitos de los oídos se les tapan más fácilmente. Y también porque les da catarro más seguido.

Las señas de una infección por bacterias o por virus en el oído incluyen: dolor de oído, mareos, un zumbido en los oídos o una sensación de que están tapados, sordera, un desecho del oído, fiebre, dolor de cabeza y nariz que escurre. Si su niño todavía no habla, fíjese si se jala las orejas. Esta puede ser una seña de que tiene dolor.

El oído también puede seguir lleno de líquido después de una infección. A esta condición se le llama otitis media serosa. Muchas veces no presenta síntomas, pero puede producir la sensación de tener el oído tapado y de no oír muy bien. Este problema no es nada de qué preocuparse, y tal vez no requiera tratamiento a menos que dure más de tres meses o cause bastante sordera.

Prevención

- Enseñe a sus niños a sonarse suavemente la nariz. Se recomienda lo mismo para los adultos.
- Amamante a su bebé. Los bebés alimentados con leche de pecho tienen menos infecciones de los oídos.
- Cuando alimente a su bebé, siéntelo más o menos derecho para evitar que la leche le entre a los tubitos de los oídos. No deje que un bebé se quede dormido con el biberón en la boca. (No importa que los bebés que maman se queden dormidos en el pecho de la madre.)
- No exponga a los niños al humo de cigarro, el cual ha sido asociado con una mayor frecuencia de infecciones de los oídos.
- Limite el contacto de su niño con otros niños que tengan catarro. Enseñe a sus niños a lavarse las manos antes de comer.

Tratamiento en casa

- Para aliviar el dolor, caliente el oído, por ejemplo con una toallita de baño tibia o un cojín eléctrico puesto bajito. Nunca deje a un niño solo con un cojín eléctrico.
- Descanse. Use su energía para combatir la infección.
- Tome más bebidas claras, como agua, consomé, té o jugo de manzana.
- El acetaminofeno, la aspirina o el ibuprofen ayudarán a calmar el dolor de oído. Para las dosis, vea las páginas 336 a 338. No le dé aspirina a un niño o a un joven menor de 20 años.
- Las pastillas que se toman para destapar la nariz pueden ayudar a aliviar el dolor de oído. No use productos con antihistamínicos.
- Si le dan mareos, vea la página 164.

Cuándo llamar a Kaiser Permanente

- Cuando sospeche que tiene una infección de oído. Si el examen médico confirma la infección, tendrá que tomar antibióticos.
- Si tiene un dolor agudo de oído por más de una hora, o si cualquier dolor de oído le dura más de 12 a 24 horas. Si el dolor es muy fuerte por la noche, llame por teléfono a la mañana siguiente, aunque se le haya quitado el dolor. Puede que todavía tenga la infección.

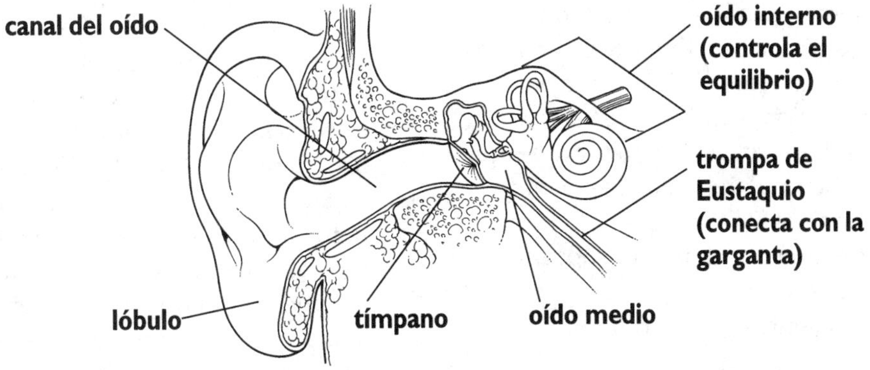

Las infecciones del oído pueden dar en el oído medio o en el canal externo del oído. Los mareos pueden ser causados por inflamaciones en el oído interno.

- Si un bebé se talla o se jala la oreja mucho y parece tener dolor.
- Si un niño tiene dolor de oído, fiebre y se ve enfermo.
- Si además tiene dolor de cabeza, fiebre y el cuello tieso. Éstas pueden ser señas de meningitis (vea la página 146).
- Si en un niño pequeño que no puede describir el dolor, usted encuentra irritado el oído al examinarlo en casa con un otoscopio. Vea la página 329.
- Si sale del oído un desecho blanco, amarillo o sangriento. Eso puede indicar que se ha reventado el tímpano.
- Si no se mejora después de tres o cuatro días de tomar antibióticos.
- Si, por más de 10 días después de que se le ha quitado un catarro, sigue teniendo algo de sordera o los oídos tapados, sin sentir otras molestias.

Cera en los oídos

La cera de los oídos es una sustancia protectora, parecida al moco o a las lágrimas, que filtra polvo y mantiene al oído limpio. Normalmente la cera es líquida, se drena sola y no causa problemas. Pero de vez en cuando, la cera se acumula, se endurece y causa algo de sordera. El tratar de sacarse la cera con un dedo, un isopo (Q-tip) u otro objeto sólo hará que la cera se comprima más contra el tímpano. Se necesita ayuda profesional para sacar

Infecciones repetidas de los oídos

Si su niño tiene por lo menos tres infecciones de los oídos en un período de seis meses, o más de dos infecciones antes de los seis meses de edad, es posible que le recomienden que le dé antibióticos de modo preventivo. Esto se hace dando una pequeña dosis diaria de antibióticos, durante la estación del año en que al niño le dan más infecciones de los oídos. Este tipo de tratamiento ayuda a reducir la frecuencia de las infecciones de los oídos. Pero los antibióticos no siempre evitan que se acumulen líquidos en el oído. Además, se teme que este tipo de tratamiento cause la propagación de bacterias peligrosas que sean resistentes a los antibióticos.

Puede que su doctor sugiera ponerle tubitos en los oídos a su niño (timpanostomía) si la infección no se le quita después de un mes de tratamiento continuo (con dos antibióticos diferentes por lo menos). Los tubitos se insertan a través del tímpano y permanecen allí de 6 a 18 meses para ayudar a evitar más infecciones.

En algunos casos, los niños siguen teniendo líquido detrás del tímpano por más de tres meses después de haber tenido una infección de los oídos. Puesto que esto puede producir sordera, deberá llevarse a cabo un examen de los oídos. Si después de cuatro a seis meses el niño aún tiene líquido en los oídos y la sordera es notable, el médico le puede recomendar el tratamiento con tubitos. Consulte a su médico sobre los riesgos y las ventajas a largo plazo de todos los posibles tratamientos.

una bolita de cera que esté muy comprimida. Usted puede tratar la mayoría de los problemas de la cera evitando usar isopos y siguiendo los consejos para el tratamiento en casa que damos a continuación.

Los niños producen mucha cera en los oídos, que parece ir disminuyendo a medida que crecen. No se preocupe a menos que la cera le cause al niño un zumbido en el oído, la sensación de tener los oídos tapados o algo de sordera.

Tratamiento en casa

- Use gotas de aceite mineral tibio para aflojar la cera. Luego lave el oído con una jeringa de oídos y agua tibia. (El agua fría lo puede marear.) Inyecte el agua con muy poca fuerza. No haga esto si ha habido un desecho del oído, si sospecha que tiene una infección del oído o que se ha reventado el tímpano, o si tiene tubos para drenar los oídos.

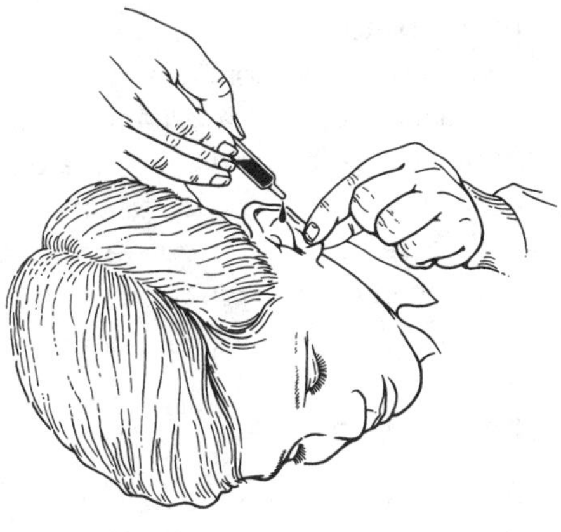

Ponga las gotas poco a poco por un lado del canal del oído.

- Si el aceite mineral tibio no le hace efecto, use uno de los suavizantes de cera que se compran sin receta médica y luego lávese el oído con cuidado usando una jeringa de oídos. Haga esto todas las noches por una o dos semanas. No use este tratamiento si piensa que tiene una infección o el tímpano reventado.

Cuándo llamar a Kaiser Permanente

- Si los tratamientos anteriores no le sirven y la cera está dura, seca y comprimida.
- Si sospecha que la cera le está causando problemas para oír.
- Si el oído está adolorido o sangrando.

Zumbido en los oídos o tinnitus

A casi toda la gente le da de vez en cuando un zumbido en los oídos (o un silbido o tintineo). El sonido usualmente sólo dura unos minutos. Si se vuelve persistente, puede que usted tenga tinnitus.

El tinnitus generalmente se debe a un daño de los nervios del oído interno causado por ruidos fuertes. Otras causas más curables incluyen: un exceso de cera en el oído, infecciones del oído, problemas de los dientes y el uso de algunas medicinas, sobre todo los antibióticos y las dosis grandes de aspirina. El beber mucho alcohol también puede causar tinnitus.

Tratamiento en casa

- Evite ruidos fuertes como los de la música, herramientas eléctricas, disparos o máquinas industriales.
- Consuma menos cafeína, nicotina y alcohol (o evite estas cosas por completo).
- Trate de relajarse. La tensión y el cansancio parecen empeorar el zumbido.
- Limite su uso de aspirina y medicinas que contienen aspirina.

Cuándo llamar a Kaiser Permanente

- Si el zumbido se vuelve persistente y no lo deja dormir o hacer sus actividades diarias.
- Si el zumbido le da con mareos, pérdida del equilibrio, vértigo, náusea o vómito.
- Si el zumbido siempre le da en un solo oído.

Infecciones del canal externo del oído

Este tipo de infección (otitis externa) generalmente da después de que entra agua al oído, sobre todo después de nadar. También puede dar cuando entra arena u otra basurita en el canal del oído. Si uno se rasca el oído, o se lo lastima con un isopo (Q-tip) u otro objeto, también se puede irritar el canal.

Algunas de las señas de este tipo de infección son dolor, comezón y una sensación de tener los oídos tapados. El canal del oído también puede hincharse. Una infección bacteriana más grave puede causar un dolor más fuerte, desechos del oído y quizás algo de sordera. A diferencia de una infección del oído medio (otitis media), el dolor de una infección externa es peor al masticar, al apretar la puntita de la oreja que está arriba del lóbulo, o al jalar el lóbulo mismo.

Prevención

- Siempre tenga los oídos secos. Después de nadar o ducharse, sacuda la cabeza para sacarse el agua de los oídos. Séquese suavemente los oídos con la punta de un pañuelo desechable o de una toalla, o use un secador de pelo a la temperatura más baja, sin acercárselo demasiado al oído.
- Después de nadar o ducharse, póngase unas cuantas gotas de alcohol para hacer curaciones o de alcohol con vinagre blanco. Mueva la oreja para que el líquido entre al canal y luego agache la cabeza para que vuelva a salir. O use de las gotas que se compran sin receta (Star-Otic, Swim-Ear).
- No se limpie los oídos con isopos u otros objetos. Para consejos sobre cómo limpiarse los oídos si tiene demasiada cera, vea la página 168. Para sacarse la tierra o la arena que le entre al oído al nadar, use una perilla de hule o deje que le entre al oído un chorro suave de agua tibia en la ducha.

Tratamiento en casa

- Asegúrese de que no tenga un objeto o un insecto en el oído. Vea Objetos en el oído en la página 51.
- Enjuáguese el oído con cuidado, usando una perilla de hule y una solución de agua y sal, o una mezcla de vinagre blanco y agua tibia en cantidades iguales.

- Evite que le entre agua al oído hasta que se le quite la irritación. Puede hacerse un tapón para el oído con un algodón untado con un poco de vaselina. No use tapones de plástico.
- Si el oído le pica, pruebe las gotas ya mencionadas que se compran sin receta. Úselas antes y después de nadar o de mojarse los oídos.
- Para poner gotas en los oídos, pídale a la persona que se acueste de lado con la oreja hacia arriba. Primero, caliente un poco las gotas, frotando el frasco entre las manos. Luego ponga las gotas poco a poco por un lado del canal del oído, de modo que haya espacio para que el aire pueda salir y las gotas puedan entrar al oído. Le ayudará jalar y mover un poco la oreja.
- Quizás sea más fácil ponerle gotas en los oídos a un niño pequeño así: acueste al niño de lado sobre sus piernas y deténgale la cabeza entre las rodillas suyas. Acomode las piernas del niño alrededor de su cintura.
- Para calmar las molestias, ponga sobre la oreja una toalla calientita o un cojín eléctrico a la temperatura más baja. No deje a un niño solo cuando le ponga un cojín eléctrico. El acetaminofeno o la aspirina también puede ayudar. No dé aspirina a los niños ni a los jóvenes menores de 20 años.

Cuándo llamar a Kaiser Permanente

- Si el dolor y la picazón en el oído no se quitan o empeoran a pesar de cinco días de tratamiento en casa.
- Si el canal del oído está hinchado, rojo y muy sensible, o si sale un desecho del oído.
- Si el enrojecimiento se extiende a la parte externa del oído.
- Si el dolor de oído da después de un catarro. Vea la página 166.

9

Dolores de cabeza

Los dolores de cabeza son uno de los problemas de salud más comunes. Pueden deberse a tensión, infecciones, alergias, lesiones, hambre, cambios del flujo de la sangre en la cabeza o a productos químicos.

La mayoría de los dolores de cabeza que dan sin otros síntomas se pueden tratar en casa.

Más del 90 por ciento de los dolores de cabeza se deben a la tensión nerviosa y responden bien a las medidas de prevención y al tratamiento en casa. Vea la página 178.

Un dolor de cabeza que sea muy diferente a cualquier otro que haya tenido antes, puede ser grave. Vea "Dolores de cabeza que son una emergencia". Sin embargo, si ha tenido antes dolores de cabeza parecidos y su doctor le ha recomendado un plan de tratamiento, quizás no sea necesario el cuidado de emergencia.

Dolores de cabeza que son una emergencia

Llame a su doctor de inmediato si tiene:

- Un dolor de cabeza muy fuerte y repentino.
- Un dolor de cabeza muy fuerte que le dé de repente, y que sea diferente de los dolores de cabeza que haya tenido antes.
- Si junto con dolor de cabeza se le pone el cuello tieso y le da fiebre, náusea, vómito, sueño y confusión.
- Un dolor de cabeza fuerte y repentino, con rigidez en el cuello que da poco después de haber comenzado el dolor de cabeza.
- Un dolor de cabeza acompañado de debilidad, parálisis, entumecimiento, problemas del habla o de la visión, confusión o cambios en el comportamiento.
- Dolores de cabeza que dan después de una caída o de un golpe en la cabeza. Vea la página 42 para información sobre los golpes y heridas en la cabeza.

Posibles causas de los dolores de cabeza

Si el dolor de cabeza ocurre:	Posibles causas
Al despertarse.	Vea Dolores de cabeza debidos a la tensión, pág. 178; Alergias, pág. 127; Sinusitis, pág. 148; Problemas del cuello, pág. 98; Síndrome de la coyuntura temporomandibular, pág. 187.
En los músculos de la quijada o en ambas sienes.	Síndrome de la coyuntura temporomandibular, pág. 187; Dolores de cabeza debidos a la tensión, pág. 178.
Todas las tardes o noches; después de varias horas de trabajar sentado; con molestias en la nuca y los hombros.	Dolores de cabeza debidos a la tensión, pág. 178; Problemas del cuello, pág. 98.
De un lado de la cabeza.	Vea Jaquecas, pág. 176; Jaquecas repetitivas, pág. 176.
Después de un golpe en la cabeza.	Vea Golpes en la cabeza, pág. 42.
Después de respirar vapores de productos químicos (pintura, barniz, insecticida en rociador, humo de cigarro).	Dolor de cabeza por productos químicos. Salga al aire fresco. Beba agua para sacar las sustancias tóxicas del cuerpo.
Con fiebre (calentura), nariz que escurre o dolor de garganta.	Vea Gripe, pág. 145; Dolor de garganta, pág. 150; Catarros, pág. 140.
Con fiebre, cuello tieso, náusea y vómito.	Vea Encefalitis y meningitis, pág. 146.
Con escurrimiento de la nariz, lagrimeo y estornudos.	Vea Alergias, pág. 127.
Con fiebre y dolor en la mejilla o arriba de los ojos.	Vea Sinusitis, pág. 148.
En las mañanas, si toma menos cafeína de lo usual.	Dolor de cabeza por dejar de tomar cafeína de golpe. Tome menos cafeína poco a poco. Vea la pág. 178.
Después de un evento que le causa tensión.	Vea Dolores de cabeza debidos a la tensión, pág. 178.
Siempre en la misma etapa de su ciclo de la regla.	Vea Síndrome premenstrual, pág. 254.
Con una medicina nueva.	Alergia a una medicina. Llame a su doctor.
Con dolor muy fuerte en los ojos.	Glaucoma agudo. ¡Vaya al doctor de inmediato!

Dolores de cabeza en los niños

Los dolores de cabeza en los niños generalmente no son serios. Son más comunes entre los niños cuyos padres hablan de sus propios dolores de cabeza. Los niños tienden a imitar a sus padres; por eso es mejor tratar de no hablar de los dolores de cabeza frente a los niños.

La tensión (o estrés) es la causa más común de los dolores de cabeza en los niños. A menudo, el padre o la madre puede descubrir la causa de la tensión y puede ayudar a calmar al niño. Muchas veces, tan sólo una plática sobre el problema puede ayudar al niño a sentirse mejor. Algunos niños tratan de lograr demasiado, o la familia o la escuela los presionan mucho a que logren ciertas cosas. Incluso las actividades divertidas, si se hacen demasiado, pueden causar fatiga y dolores de cabeza. Anime a su niño a hablar abiertamente sobre sus problemas y otras cosas que le causen tensión en la escuela.

Los dolores de cabeza debidos a tensión o estrés (vea la página 178) son comunes en los adolescentes. Generalmente la tensión tiene que ver con la escuela, los deportes o las amistades y noviazgos. Las jaquecas (vea la página 176) a veces empiezan durante la adolescencia.

El hambre también puede causarles dolores de cabeza a los niños. El desayunar a diario y comer algo nutritivo después de la escuela puede ayudar a evitar los dolores. Los dolores de cabeza también pueden dar cuando se fatiga la vista y son comunes con las infecciones virales que causan fiebre, como el catarro y la gripe.

Tratamiento en casa

- Platique con su niño. Trate de descubrir la causa del dolor de cabeza y encárguese de ella. Explíquele a su niño que a usted le importa lo que le pase. Los dolores de cabeza por tensión algunas veces dan por necesidad de "atención". En estos casos, los dolores pueden aliviarse con un rato de tranquilidad y un poco más de atención, sin necesidad de usar medicinas.
- Juegue tranquilamente con su niño, o lean libros juntos.
- Si el dolor de cabeza no se le quita, acueste al niño en una recámara oscura con un trapito frío en la frente.
- Si los remedios mencionados no alivian el dolor, use acetaminofeno. Para las dosis apropiadas, vea la página 338. No acostumbre al niño a tomar pastillas para cualquier dolor. No dé aspirina a los niños.

Cuándo llamar a Kaiser Permanente

- Si tiene un dolor de cabeza muy fuerte que no se le quita relajándose o tomando acetaminofeno.
- Si le da un dolor de cabeza muy fuerte junto con señas de encefalitis o meningitis (vea la página 146), sobre todo después de una infección viral.
- Si le dan dolores de cabeza a un niño de dos a tres veces por semana o más, o si está dándole medicinas para el dolor más de una vez a la semana.

- Si usted no puede encontrar una causa razonable del dolor de cabeza. A veces es difícil que un niño le cuente sus problemas a sus padres. A veces es más fácil que platique con uno de los profesionales de su centro médico.
- Si los dolores de cabeza despiertan al niño durante la noche o si son más fuertes cuando se despierta por la mañana.
- Vea también "Dolores de cabeza que son una emergencia" en la página 173.

Jaquecas o migrañas

Las jaquecas o migrañas tienen síntomas muy específicos, incluyendo un dolor pulsante en uno o ambos lados de la cabeza y sensibilidad a la luz o al ruido. También pueden causar náusea o vómito. Antes se creía que las jaquecas se debieran a cambios del flujo de sangre en los vasos de la cabeza.

Aunque el dolor de cabeza aparece de repente, a veces primero dan síntomas visuales (que reciben el nombre de "aura"). Por ejemplo, puede que la persona vea líneas en zigzag. Antes de la jaqueca, la persona también puede tener mareos o puede sentir entumecido un lado del cuerpo. Las jaquecas pueden durar de unas cuantas horas hasta varios días y repetirse varias veces a la semana o menos de una vez al año.

Las jaquecas o migrañas son más comunes en las mujeres. Pueden comenzar durante la niñez, pero es más común que empiecen durante la adolescencia o alrededor de los 20 a 25 años de edad.

Prevención

Apunte los síntomas de su dolor de cabeza en varias ocasiones. Vea "Cómo llevar un registro de sus dolores de cabeza" en la página 177.

Jaquecas repetitivas

Las jaquecas repetitivas son dolores repentinos, agudos y punzantes que dan en un lado de la cabeza, generalmente en la sien o detrás del ojo. Puede que el ojo y la nariz del lado afectado escurran, o el ojo puede ponerse rojo.

El dolor de cabeza muchas veces comienza de noche y puede durar desde 30 minutos hasta varias horas. Se puede repetir varias veces al día. Los ataques pueden durar de 4 a 12 semanas y luego desaparecer por meses o años.

Las jaquecas repetitivas son cinco veces más comunes en los hombres que en las mujeres. Muchos hombres que padecen de ellos fuman y beben mucho. Evite las bebidas alcohólicas y el cigarro durante un ataque.

Vaya al doctor si piensa que padece de jaquecas repetitivas, o si tiene dolores de cabeza agudos y persistentes, sin ninguna razón.

También vea "Dolores de cabeza que son una emergencia" en la página 173.

Cuando descubra qué eventos, alimentos, medicinas o actividades le causan dolores de cabeza, quizás usted pueda evitarlos, por lo menos parte del tiempo.

Algunas mujeres descubren que sus dolores de cabeza mejoran si dejan de tomar píldoras anticonceptivas. Si usted está usando las píldoras y padece de jaquecas, consulte a su médico.

Tratamiento en casa

- A la primera señal de una jaqueca, acuéstese en una recámara oscura con un trapito frío en la frente. Relaje todo el cuerpo, comenzando con la frente y los ojos hasta llegar a los dedos de los pies (vea la página 290). A veces las jaquecas se alivian durmiendo.
- A muchas personas les calma el dolor la aspirina, el acetaminofeno o el ibuprofen.
- Si un doctor le ha recetado medicina para sus jaquecas, tome la dosis recomendada en cuanto sienta que le está empezando a dar el dolor.
- Si usa diariamente o varias veces por semana medicinas para el dolor de cabeza (ya sean medicinas de receta o no), los dolores de cabeza pueden empeorar o darle más seguido.

Cuándo llamar a Kaiser Permanente

- Si sospecha que sus dolores de cabeza son jaquecas. El diagnóstico y tratamiento de un profesional, combinado con el tratamiento en casa, le ayudarán a controlar sus jaquecas y la manera en que afecten su vida. Pida información sobre los métodos de relajación y la técnica llamada *biofeedback* en inglés. Ambas cosas ayudan a muchas personas a evitar las jaquecas.
- Si sus dolores de cabeza se vuelven más fuertes o más frecuentes.
- Vea también "Dolores de cabeza que son una emergencia" en la página 173.

Cómo llevar un registro de sus dolores de cabeza

Si tiene dolores de cabeza regularmente, vaya haciendo un registro de sus síntomas. Sus apuntes le servirán a su doctor si tiene que hacerle una evaluación médica. Apunte:

1. La fecha y la hora en que empezó y terminó cada dolor de cabeza.
2. Cualquier cosa que parezca haberle provocado el dolor: un alimento, humo, luz fuerte, tensión o alguna actividad.
3. ¿En qué parte de la cabeza le dio el dolor y de qué tipo fue: pulsante, persistente, punzante o sordo?
4. ¿Qué tan fuerte fue el dolor?
5. Otras molestias: náusea, vómito, problemas de la visión, sensibilidad a la luz o al ruido.
6. Si usted es mujer, apunte cualquier relación que note entre los dolores de cabeza y el ciclo de su regla, su uso de píldoras anticonceptivas o de hormonas para la menopausia.

Dolores de cabeza debidos a la tensión

La tensión nerviosa es la causa de más del 90 por ciento de los dolores de cabeza. Los dolores de cabeza de este tipo se vuelven más fuertes y frecuentes durante las épocas cuando usted siente estrés, ya sea por causas físicas o emocionales. Con frecuencia, los dolores de cabeza por tensión dan junto con una contracción o tensión de los músculos del cuello, de la espalda y de los hombros. Si usted se ha lastimado antes el cuello o tiene artritis en el cuello, quizás también padezca de dolores de cabeza por tensión.

Un dolor de cabeza por tensión puede causar dolor por toda la cabeza, presión o una sensación de tener una banda alrededor de la cabeza. Quizás sienta como que le están apretando la cabeza en una prensa. Algunas personas sienten presión y un ardor leve arriba de los ojos.

También pueden doler los músculos de la quijada, del cuello y de los hombros. Es difícil sentir de dónde viene el dolor exactamente.

Prevención

- Disminuya su tensión emocional. La próxima vez que haga algo que le cause dolor de cabeza, tómese el tiempo necesario para relajarse antes y después de lo que haya hecho. Vea la página 288, donde aparecen algunos consejos para controlar la tensión.
- Disminuya su tensión física. Cambie de posición a menudo cuando esté trabajando sentado en su escritorio y estírese por 30 segundos cada hora. Haga un esfuerzo consciente para relajar los músculos de la quijada, del cuello, de los hombros y de la parte superior de la espalda.
- Fíjese en la posición de su cuello y hombros en el trabajo y mejórela si es necesario. Vea las páginas 99 a 100.
- Haga ejercicio a diario. El ejercicio ayuda a reducir la tensión que produce los dolores de cabeza.
- Vaya a que le den un masaje profesional. Algunas personas lo hacen regularmente porque ayuda a aliviarles la tensión.
- No tome más de una o dos tazas de café y otras bebidas con cafeína al día. A las personas que toman mucha cafeína a menudo les da dolor de cabeza varias horas después de haber tomado su última bebida. O pueden levantarse por las mañanas con un dolor de cabeza que se alivia tomando cafeína. Disminuya su consumo de cafeína poco a poco para evitar estos problemas.

Tratamiento en casa

- Deje de hacer lo que esté haciendo y siéntese en silencio por un momento. Cierre los ojos y respire lenta y profundamente. Trate de relajar los músculos de la cabeza y del cuello.
- Deténgase unos minutos para estirarse o para hacer un ejercicio de relajación. Vea la página 289.
- Dese un masaje en los músculos del cuello, sobándolos suave y firmemente. Vea la página 102 para ejercicios del cuello.
- Póngase calor con compresas calientes o un cojín eléctrico, o dese una ducha caliente.

- Acuéstese en un cuarto oscuro con un trapo frío en la frente.
- La aspirina, el acetaminofeno o el ibuprofen pueden ayudar a aliviarle un dolor de cabeza por tensión. Pero si usa muy seguido medicinas para el dolor de cabeza (ya sean medicinas de receta o no), los dolores de cabeza pueden empeorar o darle más seguido.

Cuándo llamar a Kaiser Permanente

- Si un dolor de cabeza es muy fuerte y no se le quita con el tratamiento en casa.
- Si tiene dolores de cabeza más de tres veces a la semana, sin ninguna explicación.
- Si sus dolores de cabeza se vuelven más fuertes y frecuentes.
- Si los dolores de cabeza lo despiertan durante el sueño profundo o si son peores temprano por la mañana.
- Si necesita ayuda para hallar o eliminar la causa de sus dolores de cabeza por tensión. Quizás le ayude hablar con un profesional de la salud.
- Vea también "Dolores de cabeza que son una emergencia" en la página 173.

10

Problemas de los dientes y de la boca

Sus dientes le durarán toda la vida si se los cuida bien. Para que sus dientes se mantengan sanos, cepílleselos y límpieselos con seda dental a diario y visite regularmente a su dentista.

Escoja a su dentista con el mismo cuidado con que escogería a cualquier otro doctor. En las páginas 5 y 6 encontrará consejos sobre cómo hallar a un dentista que cumpla sus requisitos y que se preocupe por el cuidado preventivo.

Llaguitas o "fuegos"

A veces salen llagas pequeñas y dolorosas dentro de la boca. Estas llagas se pueden deber a una lesión dentro de la boca, a infecciones, a causas genéticas, al efecto de las hormonas femeninas o a la tensión emocional. Por lo general, estas llagas sanan en 7 a 10 días.

Prevención

- Trate de no lastimarse la boca por dentro:
  - Mastique la comida despacio y con cuidado.
  - Use un cepillo de dientes de cerdas suaves y cepíllese bien los dientes, pero con cuidado.
- Evite las comidas que parezcan producirle llagas.

Tratamiento en casa

- Evite el café, las comidas saladas y picantes, y las frutas cítricas (naranjas, limones, etc.).
- Póngase en la llaga un ungüento como Orabase. El ungüento le aliviará el dolor y le protegerá la llaga y ayudará a que ésta sane más pronto. Otros medicamentos para estas llagas, que usted puede comprar sin receta, son: Gly-Oxide, Amosan y Cankaid. El Anbesol puede ayudar a calmarle el dolor.

Problemas de los dientes y de la boca

Problema	Posibles causas
Manchas blancas, llagas o sangre en la boca	Vea Llaguitas o "fuegos", pág. 181; vea moniliasis o algodoncillo, pág. 200. Si tiene llagas sin saber por qué y le duran más de 14 días, llame a un profesional de la salud.
Encías que sangran	Males de las encías. Vea Problemas de los dientes, pág. 183.
Dolor de muelas	Vea la pág. 187.
Llagas en los labios	Vea Llagas de fiebre, más abajo.
Mal aliento	Puede ser seña de problemas dentales, pág. 184; acidez, pág. 75; o infección respiratoria, págs. 140, 145, 147.
Quijada tiesa y adolorida, con dolor de cabeza	Vea Síndrome de la coyuntura temporomandibular, pág. 187; Dolor de cabeza por tensión, pág. 178.

- Enjuáguese la boca con una cucharada de agua oxigenada mezclada con una taza (ocho onzas) de agua.
- Quizás también le ayude ponerse en la llaga un poquito de bicarbonato de sodio mezclado con agua.

Cuándo llamar a Kaiser Permanente

- Si estas llagas le salen después de empezar a tomar una medicina.
- Si una de estas llagas o una llaga de cualquier otro tipo no le ha sanado después de 14 días.
- Si tiene una llaga muy dolorosa o una llaga que le vuelve a dar una y otra vez.
- Si le sale otro tipo de manchas blancas en la boca, que no mejoran en una a dos semanas.

Llagas de fiebre

Las llagas de fiebre son pequeñas ampollas rojas que salen en los labios y en el borde de afuera de la boca. A menudo, después de varios días, estas llagas sueltan un líquido claro y forman costras. A veces, la gente las confunde con el impétigo, una infección que generalmente aparece en el área entre la nariz y la boca (vea la página 226). Pero el líquido que sale con el impétigo es turbio y color de miel, no es claro.

Las llagas de fiebre son causadas por un virus del herpes. Los virus del tipo herpes (la varicela es otro ejemplo de estos virus) quedan en el cuerpo después de la primera infección. Más tarde, algo estimula al virus y hace que se vuelva a poner activo. Las llagas de fiebre pueden aparecer después de estar en el sol, de tener catarro o fiebre, o de estar muy tenso. También pueden aparecer durante la regla. A veces, no se sabe por qué salen.

Prevención

- Evite besar a alguien que tenga una llaga de fiebre. Tampoco toque con ninguna parte de la piel las llagas de herpes en la ingle o en los genitales (vea la página 274). Ambos tipos de herpes pueden afectar tanto la boca como los genitales. Los condones ayudan a reducir el riesgo de contraer herpes durante las relaciones sexuales.
- Póngase una crema protectora para el sol en los labios, y use un sombrero, si parece ser que el sol le produce llagas.
- En algunos casos, ayuda estar menos tenso y nervioso. Practique con frecuencia los ejercicios de relajación. Vea la página 289.

Tratamiento en casa

- A la primera señal de que le vaya a salir una llaga de fiebre (hormigueo o comezón en el lugar donde le saldrá la llaga), póngase hielo. Quizás esto ayude a que la llaga sea menos severa.
- Para los labios resecos o partidos, use petrolato o vaselina.
- Úntese una pasta hecha de maicena y un poco de agua.
- El Blistex o el Campho-Phenique pueden calmar el dolor. No les preste estas pomadas a otras personas (para no contagiarlas).
- Tenga paciencia. Las llagas de fiebre por lo general desaparecen en 7 a 10 días.

Cuándo llamar a Kaiser Permanente

- Si las llagas duran más de dos semanas, si le dan con frecuencia o si salen muchas llagas de fiebre a la vez. Su médico le puede recetar una medicina para reducir la frecuencia y la severidad de los brotes.

Problemas de los dientes

Las enfermedades dentales se pueden evitar. Sus dientes le durarán toda la vida si usted se los cuida bien en casa y va a hacerse chequeos profesionales regularmente. Cepíllese y use seda dental todos los días. Tanto las picaduras de los dientes (caries) como las enfermedades de las encías, se deben al efecto de la placa producida por bacterias.

La placa y las picaduras

Siempre hay bacterias en la boca. Si usted no las elimina cepillándose los dientes y limpiándolos con seda dental, las bacterias se van pegando a los dientes y van formando colonias más y más grandes. A esto se le llama placa. La placa forma una capa pegajosa sin color en los dientes.

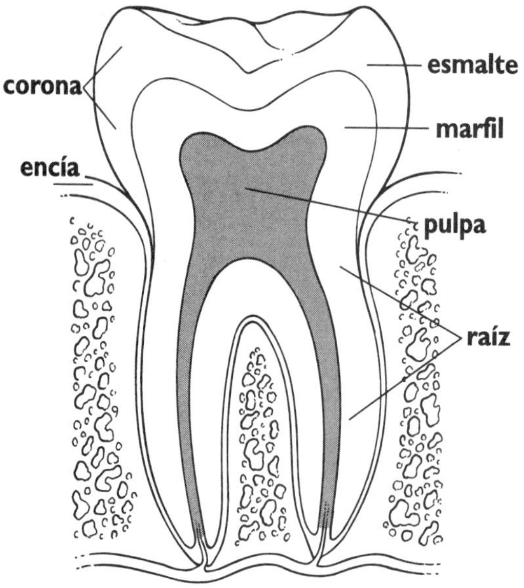

El buen cuidado dental le ayudará a mantener sanas todas las partes del diente.

Esta placa pegajosa daña los dientes de dos maneras. En primer lugar, los pequeños restos de comida que quedan en la boca (sobre todo los azúcares refinados) se pegan a la placa. La placa usa esa comida para producir más bacterias y también para producir ácido. En segundo lugar, la placa mantiene el ácido contra la superficie de los dientes. Si el ácido no se elimina, con el tiempo destruye el esmalte de los dientes. Eso es lo que causa las picaduras o caries.

Si usted sólo come a las horas de las comidas principales, las bacterias y el ácido se tardan como 24 horas en afectar la dentadura. Esto le da suficiente tiempo para que se cepille y elimine la placa y el ácido. Si come entre las comidas, la placa se acumula más rápidamente y usted necesita cepillarse los dientes con más frecuencia.

La placa y los problemas de las encías

La periodontitis (una inflamación de las encías y del hueso que apoya las encías) es una de las causas principales de la pérdida de los dientes. La periodontitis se debe a la placa producida por bacterias que se acumula y se mete entre los dientes y las encías.

En la primera etapa de la enfermedad, llamada gingivitis, las encías se hinchan y sangran, y la persona tiene mal aliento. Esta etapa no es dolorosa y desafortunadamente, muchas personas no van por tratamiento.

A medida que la enfermedad avanza, va afectando los huesos y los ligamentos que sostienen a las encías. Las encías se encogen y van dejando espacios entre los dientes. Con el tiempo, los dientes se caen.

Las personas que tienen diabetes y las que fuman o mastican tabaco corren un mayor riesgo de padecer de esta enfermedad. Pero no hay quien no corra el riesgo de contraerla. Se calcula que entre el 75 y el 80 por ciento de toda la gente en los Estados Unidos, tiene algún problema de las encías.

El que a veces le sangren las encías cuando se cepille los dientes o use seda dental, es una de las primeras señas de un problema de las encías. No obstante, si usted se las cuida bien, sus encías se aliviarán pronto. Cepíllese los dientes y límpieselos con seda dental todos los días. También siga los consejos de prevención.

Prevención

- Vaya a un dentista o a un higienista dental por lo menos dos veces al año, para que le limpie y le revise los dientes.
- Coma manzanas, zanahorias crudas y otros alimentos crujientes que limpian los dientes. También coma alimentos con mucha vitamina C (como frutas cítricas y tomates).

Cómo cepillarse los dientes

Cepíllese y use bien la seda dental para quitarse la placa de los dientes. Cepíllese por lo menos dos veces al día, de tres a cinco minutos cada vez. Límpiese toda la superficie de cada diente.

1. Use un cepillo de dientes de cerdas suaves y redondeadas, que le permita alcanzarse todas las partes de la boca. Cambie su cepillo por uno nuevo cada tres o cuatro meses.

2. Escoja una pasta con fluoruro (*fluoride*, en inglés) y use sólo un poquito (una cantidad como del tamaño de un chícharo o arveja). Hay pastas dentales especiales (llamadas *tartar-control toothpastes*, en inglés) que pueden combatir la acumulación de placa dura o sarro en los dientes. Pero no es necesario usar este tipo de pastas. Lo mejor que usted puede hacer para controlar el sarro es cepillarse con cualquier pasta dental y limpiarse los dientes con seda dental todos los días.

3. Coloque el cepillo a un ángulo de 45 grados donde los dientes se unen con las encías. Empuje el cepillo con firmeza y muévalo suavemente de un lado a otro, usando pequeños movimientos circulares. No se frote los dientes con fuerza si tiene un cepillo de cerdas duras. Eso podría hacer que las encías se separen de los dientes y podría también dañar el esmalte.

4. Cepíllese todas las superficies de los dientes, tanto del lado de la lengua, como del lado de las mejillas. Cepíllese especialmente bien los dientes de adelante y la parte trasera de las muelas.

5. Cepíllese bien las superficies que se usan para masticar, con movimientos cortos hacia adelante y hacia atrás.

6. Cepíllese la lengua. La placa en la lengua puede causar mal aliento y es un buen lugar para que las bacterias se reproduzcan.

7. Use a veces tabletas reveladoras (*plaque disclosing tablets*, en inglés). Estas tabletas indican si queda algo de placa en los dientes. Al masticarlas, colorean cualquier placa que quede en la dentadura después de haberse cepillado. Estas tabletas se pueden comprar en muchas farmacias.

Cómo usar la seda dental

El cepillarse bien los dientes sirve para quitar la mayor parte de la placa que se forma sobre ellos. El uso habitual de la seda dental es la mejor manera de eliminar la placa que se forma entre los dientes y más abajo de la línea de las encías. Use seda dental una vez al día, siguiendo uno de estos métodos:

1. Corte un pedazo de seda dental como de 18 a 20 pulgadas de largo (como medio metro). Enrolle una punta de la seda alrededor del dedo de en medio de su mano izquierda y la otra punta alrededor del dedo de en medio de su mano derecha, hasta que tenga las manos como a dos o tres pulgadas de distancia. (Vea el dibujo en la página 186.)

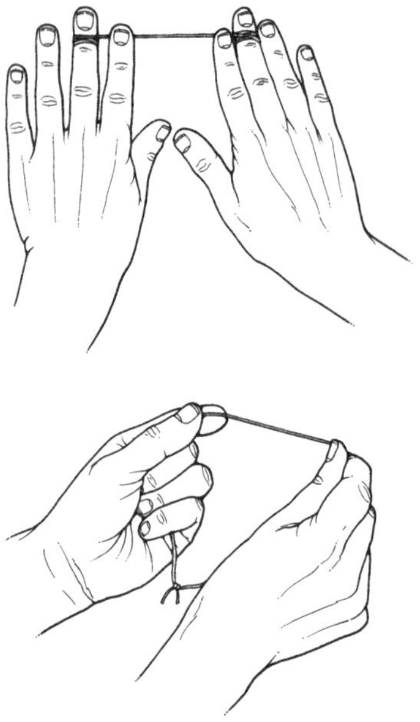

La seda dental puede usarse enrollándola en los dedos o atando las puntas para formar un círculo.

2. Use un pedazo de seda dental como de 12 pulgadas (30 cm). Amarre las puntas para formar un círculo. Si el círculo es demasiado grande, enrolle la seda alrededor de sus dedos de en medio para achicarlo.

Para limpiarse los dientes de arriba (ya sea con el primero o el segundo método), use el pulgar de una mano y el dedo índice de la otra para guiar la seda dental.

Para limpiarse los dientes de abajo, use ambos dedos índices para guiar la seda dental. Debe haber como media pulgada de distancia.

Pase la seda dental alrededor de cada diente y deslícela suavemente por debajo de la línea de las encías. Mueva la seda para arriba y para abajo con firmeza varias veces para quitar la placa. Si en vez de hacer esto, sólo mete y saca la seda una vez, no quitará mucha placa.

Los instrumentos para sostener la seda dental pueden ser bastante útiles, sobre todo para los adultos que le limpian los dientes a un niño. Quite la placa del modo ya descrito.

Con la práctica, se vuelve más fácil usar la seda dental. Cualquier sangrado que tenga al principio, se le irá quitando a medida que sus encías se vuelvan más sanas.

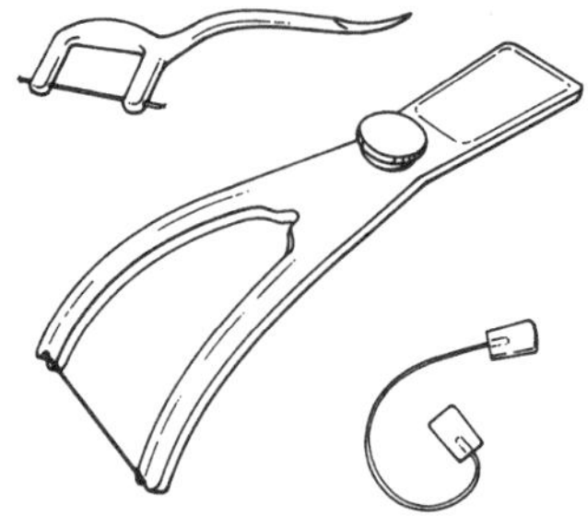

Hay diferentes instrumentos para sostener la seda dental.

El cuidado dental para los niños

Los niños deben ir a su primera visita con el dentista entre los dos y los tres años de edad. Por lo general, se recomienda que los adultos y los niños vayan al dentista cada seis meses para que les revisen y les limpien los dientes.

- Comience a cuidarles los dientes a sus niños desde pequeños, aún antes de que les salgan los dientes permanentes. No acueste a un bebé o a un niño pequeño con un biberón de jugo o de leche. El azúcar de estos líquidos puede picar los dientes. Sin embargo, el amamantar a un bebé hasta que se duerma no causa problemas.

- Comience a cepillarle los dientes a su niño en cuanto le salgan. Los padres deben cepillarles los dientes a sus niños por los primeros cuatro o cinco años, hasta que ellos puedan hacerlo bien solos. Una buena forma de enseñarle a un niño a limpiarse los dientes es así: usted cepílleselos a él o ella por la noche para que vea como lo hace, pero deje que él o ella se los cepille solos por la mañana. También revise de vez en cuando qué tan bien se está limpiando el niño los dientes usando tabletas reveladoras.
- Tan pronto como el niño tenga dientes que se toquen, empiece a limpiárselos con seda dental. Límpieselos usted hasta que el niño pueda usar bien la seda dental por sí mismo. Quizás le ayude usar uno de los instrumentos para sostener la seda dental.

Tratamiento con selladores y fluoruro

Un **sellador** es una capa de plástico que se le aplica al área de las muelas con que se mastica. Sirve para proteger las muelas contra picaduras. Los selladores son especialmente útiles para las muelas permanentes cuando acaban de salir, generalmente entre los 6 y 11 años de edad. Aún con selladores, es necesario cepillarse y limpiarse los dientes con seda dental todos los días.

El **fluoruro** es un mineral que fortalece el esmalte de los dientes y que combate el efecto dañino de la placa. Los niños y los adultos necesitan fluoruro para tener dientes fuertes. Hable con su dentista sobre la cantidad de fluoruro que hay en el agua de beber del área donde vive. Quizás necesite usted tratamientos de fluoruro.

Cuándo llamar a un dentista

- Cuando necesite una cita de rutina para que le revisen y limpien los dientes. Se recomienda hacer esto cada seis meses.
- Si las encías le sangran cuando se las presiona o si le sangran con frecuencia cuando se cepilla los dientes.
- Si tiene dientes sueltos o dientes que se le están separando, o si nota cambios en la forma en que sus dientes encajan cuando usted muerde.
- Si tiene las encías muy rojas, hinchadas o sensibles, o si le sale pus.
- Si tiene un dolor de muelas. Estos dolores dan cuando el marfil (la parte interior del diente) queda expuesto. Quizás el dolor se le pase por un tiempo, pero el problema no se le quitará. Tome aspirina, ibuprofen o acetaminofeno para aliviarse el dolor hasta que pueda ir a una consulta. Quizás también le ayude ponerse una compresa fría en la quijada.

Síndrome de la coyuntura temporomandibular

Una coyuntura del tamaño de una aceituna conecta el hueso de la quijada con el cráneo. Se le llama coyuntura temporomandibular (*TMJ*, en inglés). Cuando hablamos sobre el "síndrome de la coyuntura temporomandibular" nos referimos a un grupo de síntomas relacionados con algún tipo de tensión o daño que afecta a la coyuntura. Algunas de las señas de este síndrome son:

- Dolor en y alrededor de la coyuntura
- La coyuntura chasquea, cruje o hace otros ruidos
- La persona no puede abrir la boca a todo lo que da
- Dolor y espasmos de los músculos donde éstos se unen al hueso
- Dolor de cabeza, del cuello y de los hombros; dolor de oído o de ojos y dificultades para tragar

Es difícil determinar la causa de este problema. Algunas de las posibilidades más probables son:

- Una lesión, como un golpe directo a la quijada, o un estiramiento forzado de la quijada durante un tratamiento dental
- Hábito de apretar los dientes o de masticar chicle
- Artritis en la coyuntura
- Tensión crónica en los músculos, debido a angustia, depresión o una mala postura (generalmente afecta más a los músculos de la quijada que a la coyuntura)
- Dientes que no encajan bien cuando usted muerde

El tratamiento en casa y otros tratamientos aliviarán con éxito la mayoría de los síntomas de este problema. Su doctor puede recomendarle una tablilla de plástico para la boca, terapia física o calmantes para el dolor. Muy pocos casos requieren de una operación.

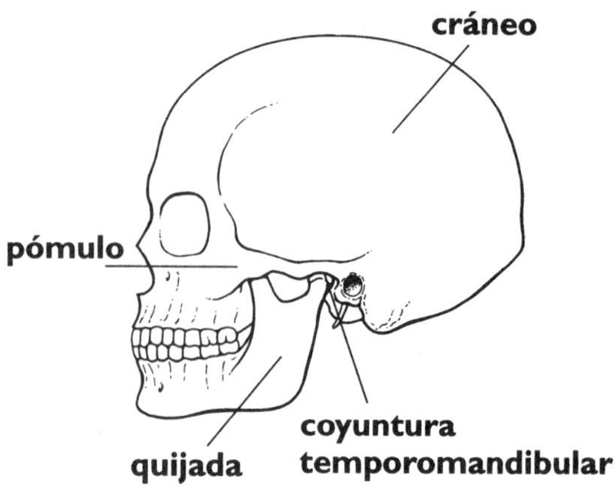

El síndrome de la coyuntura temporomandibular puede deberse a daño o tensión en la coyuntura que mueve la quijada.

Prevención

- Practique regularmente la relajación progresiva de los músculos, sobre todo antes de dormirse. Vea la página 290.
- Deje de masticar chicle o alimentos duros a la primera señal de dolor o molestia en los músculos de la quijada.
- No se coma las uñas ni muerda lápices u otros objetos. Eso obliga a la quijada a estar en una posición incómoda y puede causarle dolor.
- Trate de tener una buena postura con el oído, el hombro y la cadera en línea recta. Vea la página 90.

Tratamiento en casa

- Siga los consejos preventivos.
- No masque chicle ni alimentos duros o pegajosos.
- No abra muy ancha la boca.
- No sostenga el auricular del teléfono entre el hombro y la quijada.

- Para descansar la quijada, mantenga los dientes separados y los labios cerrados. (Ponga la lengua contra el paladar de arriba, no entre los dientes.)
- Póngase una compresa fría en la coyuntura durante cinco minutos, tres veces al día. Abra y cierre suavemente la boca unas cuantas veces mientras tenga puesta la compresa. Si el músculo de la quijada está hinchado, póngale hielo seis veces al día.
- Tome aspirina o ibuprofen para bajar la hinchazón y calmar el dolor.
- Si no hay hinchazón, póngase un lienzo caliente y húmedo en el músculo de la quijada tres veces al día. Abra y cierre suavemente la boca mientras tenga el lienzo puesto. Alterne este tratamiento con el tratamiento con compresas frías.
- Si está muy tenso o si sufre de angustia o depresión, vea el Capítulo 19.

Cuándo llamar a Kaiser Permanente

- Si el dolor es muy fuerte.
- Si los síntomas del síndrome de la coyuntura temporomandibular le dan después de lastimarse la quijada.
- Si la quijada se le traba en ciertas posiciones.
- Si cualquier problema o dolor de la quijada le dura más de dos semanas, sin mejorarse.
- Si otros síntomas leves del síndrome de la coyuntura temporomandibular no mejoran después de cuatro semanas de tratamiento en casa.

11

Problemas de la piel

Los problemas de la piel rara vez son graves, pero sí pueden ser molestos. Se puede necesitar ayuda médica para hacer el diagnóstico de un problema de la piel, sobre todo si es la primera vez que el problema se presenta. Consulte el cuadro de la página siguiente y el índice (lista de temas al final del libro) para encontrar el problema de la piel que le interese. También vea "Salpullidos de la niñez" en la página 216.

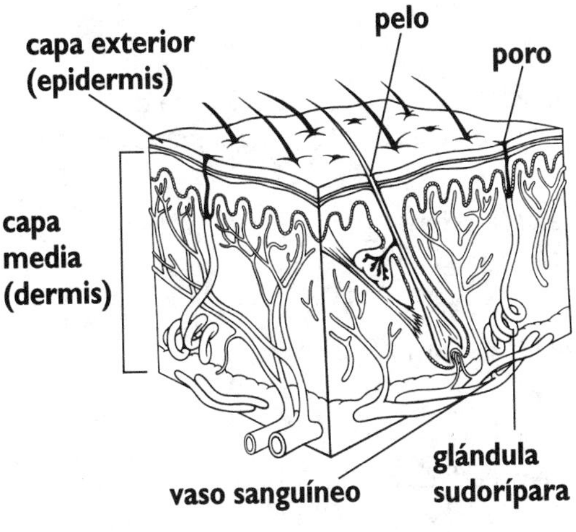

La piel protege el cuerpo contra la suciedad y los microbios. También ayuda al cuerpo a mantener una temperatura constante.

Acné

Acné es el nombre médico de los barros y espinillas que salen en la cara, el pecho, la espalda y los hombros. Cuando se tapa una de las glándulas que producen grasa en la piel, se juntan bajo la piel pus y bacterias. Así es como se forma un barro o granito. El acné generalmente empieza en la adolescencia y muchas veces continúa en la vida adulta.

A muchas mujeres les salen unos pocos granitos justo antes de que les baje la regla. La tensión nerviosa y algunas píldoras anticonceptivas pueden empeorar el acné. Por lo general, ya no se considera que las comidas grasosas como el chocolate y las nueces causen acné.

En muchos casos, el acné mejora con el tratamiento en casa, sobre todo si el problema es leve. Para los casos severos o persistentes, su doctor puede recetarle pomadas más fuertes, antibióticos u otros medicamentos.

Problemas de la piel

Señas	Posibles causas
Ronchas o ampollas con comezón que aparecen después de ser picado por un insecto o después de tomar una medicina	Vea Urticaria (ronchas con comezón), pág. 201; Piquetes de insectos y de arañas, pág. 47.
Bola roja, dolorosa e hinchada bajo la piel	Vea Nacidos o furúnculos, pág. 195.
Piel enrojecida y escamosa que da comezón	Vea Piel seca, pág. 197; Eczema, pág. 193; Infecciones por hongos, pág. 199; Salpullidos, pág. 204.
Salpullido color a miel que forma costras	Vea Impétigo, pág. 226.
Salpullido que sale después de usar nuevas joyas o ropa, de tocar plantas venenosas, de comer algo nuevo o de tomar una nueva medicina	Vea Salpullidos, pág. 204; Alergias, pág. 127.
Salpullido rojo con ampollas y comezón	Posible contacto con plantas venenosas. Vea Salpullidos, pág. 204; Varicela, pág. 215.
Una franja o raya de ampollas dolorosas de un lado del cuerpo	Vea Herpes zoster o herpes zona, pág. 200.
Lunar que cambia de forma, tamaño o color o que siempre está irritado	Vea Cáncer de la piel, pág. 206.
Piel rajada que se está pelando, da comezón y tiene ampollas entre los dedos de los pies	Vea Infecciones por hongos (pie de atleta), pág. 199.
Salpullido en el área de la ingle o los muslos que está rojo, da comezón y suelta un desecho	Vea Infecciones por hongos (tiña de la ingle), pág. 199; Impétigo, pág. 226.
Manchas pelonas y escamosas en el cuero cabelludo que producen comezón	Vea Infecciones por hongos (la culebrilla), pág. 199.
Manchas plateadas y escamosas en la piel, especialmente en las rodillas, los codos o el cuero cabelludo	Vea Psoriasis, pág. 199.
Salpullido que pone la piel muy áspera (como lija) con dolor de garganta; lengua con bolitas, como una mora	Vea Escarlatina, pág. 152.

Prevención

- Lávese la cara con un jabón suave, como Dove, o con un jabón que contenga peróxido de benzoílo (*benzoyl peroxide*), como por ejemplo Oxy Sensitive. Lávese la cara lo necesario para tenerla limpia, pero no se talle la piel.
- Ya no se piensa que los alimentos causan el acné. Sin embargo, evite cualquier alimento que parezca producirle barros o espinillas.

Tratamiento en casa

- La limpieza es muy importante. Lávese la cara, los hombros, el pecho y la espalda con agua y jabón. Use un jabón muy suave como los de marca Aveeno, Neutrogena o Basis. Evite jabones que resecan la piel como los jabones desodorantes. Siempre enjuáguese muy bien.
- No deje que el pelo le caiga sobre la cara ni los hombros. Láveselo todos los días.
- No se pellizque ni se reviente los barros y espinillas. Esto puede causar infecciones y cicatrices.
- Uno de los mejores tratamientos para el acné es el ungüento de peróxido de benzoílo. Se consigue sin receta. Empiece con el ungüento menos fuerte y cambie a uno más concentrado según lo tolere la piel. Póngaselo una vez al día, media hora después de lavarse. Puede que la piel se le ponga un poco roja y seca. Este tratamiento puede tardarse varias semanas en hacer efecto. Nunca use ungüento con más de 5 por ciento de peróxido de benzoílo, a menos que se lo recomiende su doctor.
- Use sólo lociones y maquillaje hechos con agua (no aceite), e ingredientes que no causen acné (*noncomedogenic*, en inglés). Y úselos sólo si no le empeoran los barros y espinillas.
- El control de la tensión nerviosa puede ayudar a evitar los episodios de acné. Vea la página 287.

Cuándo llamar a Kaiser Permanente

- Si el acné va empeorando a pesar de tratarlo en casa durante varios meses.
- Si hay mucha inflamación, quistes o bultitos rojos o morados bajo la piel.
- Si el acné le deja cicatrices al desaparecer.

Eczema

El eczema o dermatitis atópica es un mal crónico de la piel. Es más común entre las personas que padecen de asma, fiebre del heno y otras alergias. Produce ronchas rojas, que pican mucho y que pueden soltar un líquido como agua. O en vez de ronchas pueden salir unas ampollitas muy pequeñas que se revientan y forman costras. Es fácil que las ampollas se infecten, sobre todo si la persona no puede dejar de rascarse.

En los niños, el eczema afecta sobre todo la cara, el cuero cabelludo, las nalgas, los muslos, el pecho y la espalda. En los adultos es más común en el cuello, la parte de adentro de los codos y la parte de atrás de las rodillas.

A los adultos cuyas manos y pies entran a menudo en contacto con sustancias irritantes, les puede dar eczema en las manos y los pies.

Con frecuencia, el eczema es peor durante la niñez y mejora mucho cuando la persona se vuelve adulta. Muchos niños mejoran cuando cumplen cinco o seis años.

Tratamiento en casa

Para que el tratamiento dé resultado, es importante ayudar a la piel a retener su humedad.

- Tome duchas o baños cortos a diario con agua tibia (no caliente). Use un jabón suave (Dove, Oil of Olay, Neutrogena) o un limpiador sin jabón (Cetaphil o Aveeno). Si es posible, báñese sin usar jabón.
- Después de bañarse, séquese suavemente dándose palmaditas y póngase una crema humectante (Lubriderm, Moisturel). La crema puede ayudar a que no se le seque la piel. Debe ponérsela varias veces al día.
- Use un vaporizador frío en el cuarto donde duerme.
- Las pastillas o jarabes antihistamínicos (Benadryl) pueden ayudar a aliviarle la comezón y a relajarlo lo suficiente para que pueda dormir. Evite los antihistamínicos y antisépticos en crema o rociador, porque irritan la piel.
- Evite cualquier sustancia que le cause problemas. Póngase guantes cuando trabaje con sustancias irritantes.
- Lave su ropa y ropa de cama con detergentes suaves y enjuáguela por lo menos dos veces. No use suavizante de ropa si le causa irritación.
- Para otros consejos sobre cómo aliviarse la comezón, vea la página 198.

Cuándo llamar a Kaiser Permanente

- Si le salen ronchas que hacen costras o que sueltan líquido. Puede haber una infección de bacterias.
- Si la comezón no lo deja dormir bien y el tratamiento en casa no le da resultado.
- Si el problema no se controla con el tratamiento en casa.

Ampollas

Las ampollas usualmente salen cuando algo talla la piel mucho. Algunas enfermedades, como el herpes zoster o herpes zona, causan salpullidos como de ampollas (vea la página 200). Las quemaduras también pueden producir ampollas en la piel. Vea la página 32.

Prevención

- No use zapatos que estén muy apretados o que le rocen el pie.
- Use guantes cuando haga trabajos que le puedan raspar las manos.

Tratamiento en casa

- Si tiene una ampolla pequeña que no ha reventado, déjela en paz. Cúbrala con una curita floja y evite la actividad o los zapatos que la hayan causado.

- Si tiene una ampolla pequeña en alguna parte del cuerpo en que pone peso (como la planta del pie), protéjala con una rosquita de una tela especial llamada molesquín (*moleskin*, en inglés). No tape el área sobre la ampolla.
- Si una ampolla mide más de una pulgada de ancho (dos centímetros y medio), es mejor sacarle el líquido. El siguiente es un método seguro:
    - Esterilice una aguja con alcohol para curaciones.
    - Pique suavemente un borde de la ampolla.
    - Vaya presionando el líquido en la ampolla hacia el agujerito que hizo con la aguja, para que salga por allí.
- Una vez que haya abierto una ampolla, o si ésta se ha reventado, lave el área con agua y jabón.
- No quite el cuerito que cubre la ampolla (a menos que esté muy sucio o despedazado, o si se está formando pus bajo la ampolla). Suavemente aplane el cuerito sobre la piel más delicada que tiene abajo.
- Póngase pomada antibiótica y una gasa estéril. No use alcohol o yodo porque la ampolla se tardará más en sanar.
- Cámbiese la gasa una vez al día. Así habrá menos posibilidad de que la ampolla se infecte.
- Quítese la gasa de noche para que se seque el área afectada.

Cuándo llamar a Kaiser Permanente

- Si le salen ampollas a menudo sin que usted sepa por qué.
- Si aparecen señas de una infección:
    - Aumento en el dolor, la hinchazón, el enrojecimiento o la sensibilidad
    - Si la ampolla está caliente o tiene rayas rojas que se extienden hacia afuera
    - Si sale pus de la ampolla
    - Fiebre (calentura) de 100 grados o más, sin ninguna otra causa aparente
- Si tiene diabetes o mala circulación en las piernas y le salen ampollas en las manos, los pies o las piernas.

Nacidos o furúnculos

Un nacido es una bolita roja, hinchada y dolorosa, parecida a un barro o granito grande, que se forma bajo la piel. Muchas veces, los nacidos salen cuando se infecta la raíz de un pelo. Las bacterias de la infección forman un absceso o bolsa de pus. El absceso puede volverse más grande que una fresa y puede causar muchísimo dolor.

Los nacidos generalmente salen en las partes del cuerpo que tienen pelo y se rozan, como por ejemplo: la cara, el cuello, las axilas (arcas), los senos, la ingle y las nalgas.

Prevención

- Lávese a menudo las áreas donde a usted le salgan nacidos. Use agua y jabón. Quizás le ayude más un jabón antibacteriano. Séquese bien.
- No se ponga ropa muy apretada.

Tratamiento en casa

- No se exprima, rasque, drene ni pique el nacido. Si lo exprime, puede extender la infección aún más profundamente en la piel. Si lo rasca, puede aumentar el área afectada por las bacterias y hacer que salgan más abscesos.
- Lávese bien el área afectada con un jabón antibacteriano, para evitar que el nacido se extienda.
- Póngase trapitos remojados en agua caliente sobre el absceso, de 20 a 30 minutos, tres o cuatro veces al día. Haga esto tan pronto como note que le está saliendo un nacido. El calor y la humedad pueden ayudar a que el absceso madure y reviente, pero esto puede tomar de cinco a siete días. También puede usar una bolsa de agua caliente o un cojín eléctrico puesto sobre una toalla húmeda.

Marcas de nacimiento

Las marcas de nacimiento son más o menos comunes. Algunas manchas tienen un pigmento (algo que les da color) que no desaparece, mientras que otras las producen los vasos sanguíneos y por lo general se quitan a medida que el niño crece.

Un tipo de marcas de nacimiento son marcas de color rosa pálido, que pueden aparecer en el labio de arriba, los párpados, la frente y la nuca. Se quitan en unos cuantos meses.

Otras marcas son bolitas blandas y rojas formadas por grupos de vasos sanguíneos. El niño las puede tener al nacer o le pueden salir durante sus primeros meses de vida. Estas marcas pueden crecer hasta por seis meses, luego generalmente no cambian por un poco de tiempo y después empiezan a encogerse y a desaparecer. El 60 por ciento de estas marcas desaparecen antes de los cinco años de edad; y casi todas desaparecen antes de los nueve años. No se necesita tratamiento a menos que sigan creciendo.

Otro tipo de marcas de nacimiento son de color rosa o de color vino. Por lo general aparecen en la cabeza y en la cara. Estas manchas son permanentes y se vuelven más oscuras a medida que el niño crece.

No es necesario quitar una marca de nacimiento a menos que afecte la respiración o la visión, o desfigure la cara. Si se desea una operación para mejorar la apariencia del niño, es mejor esperar a que él sea un poco mayor. Avísele a su profesional de la salud si nota cualquier cambio en una de las marcas de nacimiento.

- Siga usando las compresas calientes por tres días después de que el nacido reviente. Póngase una gasa para evitar que el pus o el líquido del absceso se escurra a otras áreas. Cambie la gasa a diario.

Cuándo llamar a Kaiser Permanente

De ser necesario, su doctor puede drenarle el absceso y tratar la infección. Llame a su doctor si:

- Tiene el nacido en la cara, o cerca de la espina (columna) o del ano.
- Aparecen señas de infección más serias:
  - El nacido se pone más adolorido, hinchado, caliente, rojo o sensible
  - Se extienden rayitas rojas del nacido
  - Sigue saliendo pus del absceso
  - Fiebre de 100 grados o más, sin ninguna otra causa aparente
- Aparecen otras bolitas cerca del área infectada (sobre todo si las bolitas causan dolor).
- El dolor le impide hacer sus actividades como de costumbre.
- Usted tiene diabetes.
- El nacido se pone del tamaño de una fresa grande.
- El nacido no mejora después de cinco a siete días de tratamiento en casa.
- Durante varios meses, le salen muchos nacidos.

Caspa

Por todo el cuerpo, cuando las células de la piel mueren, se desprenden y se caen. Lo mismo sucede en el cuero cabelludo. Excepto que allí, las escamas de piel se pueden mezclar con grasa y polvo para formar la caspa. La caspa no se cura, pero sí se puede controlar.

Tratamiento en casa

- Vea si le ayuda lavarse el pelo frecuentemente. Use cualquier champú y frótese con fuerza. Lávese el pelo a diario, si esto le controla la caspa.
- Si tiene mucha caspa con comezón, pruebe un champú contra la caspa (Head & Shoulders, Sebulex, T-Gel, Tegrin). Deje que el champú penetre en el cuero cabelludo y no se enjuague la cabeza durante varios minutos. Pruebe varias marcas para encontrar la que más le sirva.

Cuándo llamar a Kaiser Permanente

Si no le da resultado lavarse el pelo a menudo, o lávarselo con un champú contra la caspa.

Piel seca

Es un problema común tener la piel seca, con escamas y comezón, sobre todo en el invierno. Este problema sucede cuando la piel pierde agua (no aceite), y esto a su vez generalmente sucede cuando el aire de un lugar encerrado está seco o cuando la persona se baña demasiado o usa agua caliente. A menudo, la piel seca empeora en el invierno por la baja en la humedad del medio ambiente y por el uso de calentadores.

Prevención

- Dese baños en vez de duchas. Cuando uno se ducha, se quita el aceite natural de la piel que la ayuda a mantenerse húmeda. Los baños son mucho mejores.
- Eche aceite de baño en el agua.
- Use jabones suaves (Dove, Cetaphil), sobre todo en las axilas y las áreas genitales.
- Para mantener la humedad después del baño, úntese una loción humectante.

Tratamiento en casa

- Siga los consejos de prevención que acabamos de describir. La prevención es más importante que el tratamiento.
- Si tiene las manos muy secas, pruebe esto una noche: úntese una capa delgada de vaselina y póngase guantes delgados de algodón cuando se acueste. (Este remedio también puede servirle para los pies.)
- No se rasque, porque eso daña la piel. Si la comezón le causa muchas molestias, vea "Cómo calmar la comezón" en esta página.

Cuándo llamar a Kaiser Permanente

- Si tiene comezón por todo el cuerpo, sin tener salpullido ni otra causa que pueda notar.

Cómo calmar la comezón

- Aplique crema humectante en el área que le pica y manténgala lubricada.
- Un baño de avena puede ayudar a calmar la comezón. Sin embargo, tenga cuidado de no secar demasiado la piel, ya que eso le puede agravar las molestias. Envuelva una taza de avena en una tela de algodón y hiérvala como si la fuera a cocinar. Use esto como una esponja y báñese en agua tibia sin jabón. O pruebe el producto de avena llamado Aveeno Colloidal Oatmeal.
- La loción de calamina sirve para los salpullidos causados por plantas venenosas.
- Si sólo tiene comezón en un área pequeña, pruebe una de las cremas con 1 por ciento de hidrocortisona que se compran sin receta médica. Póngase muy poca crema en la cara o en los genitales (partes ocultas). Si la comezón es muy fuerte, su doctor le puede recetar una crema más fuerte.
- Pruebe unas de las pastillas o jarabes antihistamínicos que se compran sin receta (Chlor-Trimeton, Benadryl).
- Córtese las uñas al ras o use guantes de noche para no rascarse.
- Use ropa de algodón. No deje que le toquen la piel las telas acrílicas ni la lana.

- Si la comezón es tan fuerte que no puede dormir y los métodos de tratamiento en casa no le ayudan.
- Si tiene la piel muy pelada por rascarse mucho.

Infecciones por hongos

Las infecciones por hongos en la piel pueden afectar los pies, la ingle, el cuero cabelludo o las uñas. Los hongos crecen mejor en las partes calientitas y húmedas de la piel, como entre los dedos de los pies, en la ingle y en el área bajo los senos.

El **pie de atleta** es la infección por hongos que más comúnmente afecta la piel. Entre otras cosas, hace que la piel entre los dedos de los pies se agriete, se pele y tenga ampollas. En las plantas de los pies, la piel se pone roja y escamosa. El pie de atleta causa mucha comezón. Raras veces afecta a los niños antes de la adolescencia. De ser así, la infección quizás sea parecida al eczema. El pie de atleta a menudo vuelve y debe ser tratado cada vez que aparece.

La **tiña de la ingle** causa mucha comezón y humedad en la piel de la ingle y de la parte de arriba de los muslos. Puede haber áreas de la piel que estén hinchadas, rojas y escamosas y que suelten pus o un líquido claro.

La **culebrilla o tiña de la cabeza** y del cuerpo también es una infección contagiosa por hongos. Produce manchas redondas que se pueden pelar y causar comezón. En el pecho y la espalda puede aparecer una manchita roja y escamosa, que da comezón y

Psoriasis

La psoriasis es una condición crónica de la piel que produce manchas rojas cubiertas con piel escamosa y plateada. Las manchas generalmente aparecen en las rodillas, los codos, el cuero cabelludo y la espalda. La psoriasis también puede afectar las uñas y las palmas de las manos, al igual que las plantas de los pies. No es contagiosa.

Las manchas en realidad son capas gruesas de células muertas de la piel. Normalmente las células de la piel son reemplazadas cada 30 días. Pero en las personas que tienen psoriasis, las células de la piel son reemplazadas cada tres a cuatro días. Es por eso que se acumulan.

Con frecuencia, las manchas pequeñas de psoriasis se pueden tratar, usando regularmente una crema con hidrocortisona.

Los productos con alquitrán o brea (lociones, champús, etc.) también pueden ser útiles, aunque pueden aumentar la sensibilidad al sol. El asolearse un poco también puede ser provechoso (proteja la piel que no esté afectada con una loción protectora). Si tiene psoriasis en el cuero cabelludo, pruebe un champú suave con alquitrán (Neutrogena, T-Gel, etc.).

La tensión nerviosa puede empeorar la psoriasis. Las técnicas para relajarse y calmar los nervios pueden ayudar en algunos casos. Vea la página 289.

Llame a su doctor si la psoriasis es muy roja o cubre una gran parte de su cuerpo. Los casos más graves muchas veces requieren de atención profesional.

que crece hasta que mide como una pulgada de ancho (como 2 centímetros y medio). Este tipo de tiña es más común en niños que en adultos.

Las **infecciones por hongos de las uñas** hacen que las uñas cambien de color, se vuelvan más gruesas y, a menudo, también más blandas. Estas infecciones son difíciles de tratar y muchas veces dañan las uñas para siempre.

La **moniliasis o algodoncillo** es una infección por hongos en la boca, que les da sobre todo a los bebés. La boca se forra de blanco por dentro (sobre todo la parte de adentro de las mejillas). La capa blanca se ve como leche pero es difícil de quitar.

Prevención

- Mantenga los pies limpios y secos. Séquese bien entre los dedos después de nadar o bañarse.
- Use zapatos de cuero o sandalias (huaraches) que permitan que los pies "respiren" y calcetines de algodón para absorber el sudor. Póngase talco en los pies y úselo en sus zapatos. Deje que sus zapatos se sequen por 24 horas antes de volver a usarlos.
- Use chancletas o sandalias de hule en albercas y duchas públicas.
- Mantenga limpia y seca el área de la ingle. Lávela y séquela bien, especialmente después de hacer ejercicio. Póngase talco para absorber la humedad. Use ropa interior de algodón y no use pantimedias ni pantalones apretados.
- Enséñele a los niños a no jugar con perros o gatos que tengan roña o manchas peladas o sarnosas en la piel.

Herpes zoster o herpes zona

El herpes zoster es una enfermedad que afecta a personas que alguna vez tuvieron varicela (viruela loca). Años después de tener varicela, el virus de esa enfermedad "revive" y vuelve a atacar el cuerpo. El virus generalmente afecta uno de los nervios grandes que salen de la espina (la columna). Eso causa dolor y un salpullido que forma una banda alrededor del pecho, la barriga o la cara. En el curso de varias semanas, el salpullido forma ampollas, luego costras y finalmente se quita solo.

Nadie sabe por qué "revive" el virus. Aunque el herpes zoster puede afectar a cualquier persona que haya tenido varicela, es más común en las personas mayores y las personas que tienen poca resistencia a las enfermedades. Este último grupo incluye a aquellos que...

- han tenido un transplante de médula ósea o de algún órgano.
- tienen cáncer, sobre todo del sistema linfático.
- están infectados con el virus del SIDA (VIH).

El herpes zoster en sí no es contagioso, pero sí puede causarle varicela a una persona que no haya tenido esa enfermedad antes.

Si sospecha que tiene herpes zoster, llame a su doctor o a su enfermera consejera (si es posible en menos de 24 horas después de que le salga el salpullido). Ellos le pueden recomendar medicinas para controlar el dolor y el salpullido.

- No les preste a otras personas sus sombreros, peines o cepillos para el cabello.

Tratamiento en casa

- Siga las guías de prevención ya descritas.
- Para el pie de atleta y la tiña en la ingle use uno de los talcos o lociones contra hongos que se compran sin receta, como Micatin o Lotrimin AF. Siga usando el medicamento hasta una o dos semanas después de que se le quiten los síntomas, para evitar que regrese la infección. No use hidrocortisona para una infección por hongos.
- Para mantenerse los pies secos, se recomienda usar calcetines de algodón y cambiárselos dos veces al día. Si puede, use sandalias o huaraches abiertos con calcetines de algodón. Cuando esté en casa, use sólo calcetines.
- Para la culebrilla o tiña del cuerpo se puede usar uno de los medicamentos contra hongos ya mencionados.

Cuándo llamar a Kaiser Permanente

- Si hay señas de infección: si el área se pone más hinchada y roja o si hay pus.
- Si usted tiene diabetes y le da pie de atleta. Las personas con diabetes corren más peligro de contraer infecciones y pueden necesitar atención profesional.
- Si la infección no mejora después de dos semanas de tratamiento en casa o si no desaparece después de un mes.
- Si se le cae el pelo de repente y además nota que tiene el cuero cabelludo inflamado y escamoso, y el pelo quebradizo. O si a varios miembros de su familia también se les cae el cabello.
- Si tiene mucha culebrilla o tiña que se está esparciendo o que aparece en el cuero cabelludo. Quizás necesite que su médico le recete algo.

Urticaria (ronchas con comezón)

Las ronchas de la urticaria son manchas rojas e hinchadas en la piel, que dan comezón, que muchas veces están llenas de líquido y que pueden ir y venir sin ton ni son. Pueden medir de menos de medio centímetro a más de dos centímetros y pueden durar de unos cuantos minutos hasta varios días.

La urticaria aguda muchas veces se debe a una alergia, pero con frecuencia no se puede encontrar la causa de la urticaria crónica. Cuando varias ronchas salen juntas, generalmente son una reacción a una medicina, un alimento o una infección. Por lo general, después de un piquete de insecto sólo sale una roncha. Otras cosas que pueden causar ronchas son las plantas, el respirar ciertos alérgenos, la tensión nerviosa, los cosméticos, el calor, el frío, la luz del sol y la ropa apretada. De ser posible, evite alimentos, medicinas e insectos que alguna vez le hayan producido urticaria.

Tratamiento en casa

- Siga evitando la sustancia que le produjo las ronchas.
- Las compresas de agua fría ayudarán a calmarle la comezón. También vea la página 198.
- Las pastillas y jarabes antihistamínicos (como Benadryl o Chlor-Trimeton) pueden ayudar a bajar las ronchas y a aliviar la comezón. Ya que se le hayan quitado las ronchas, disminuya poco a poco la dosis durante un período de cinco a siete días.

Cuándo llamar a Kaiser Permanente

- Llame al 911 u otros servicios de emergencia si junto con las ronchas tiene mareos, un silbido al respirar, dificultades para respirar o el pecho apretado, o si se le hinchan la lengua, los labios o la cara.
- Si le salen ronchas poco después de tomar una nueva medicina.
- Si las ronchas no se le quitan en varios días, a pesar de darse tratamiento en casa y de evitar lo que usted piensa que le causó las ronchas.

Uñas encarnadas o uñeros

Cuando una uña del pie no está bien cortada, una esquina de la uña puede abrir la piel y enterrarse en el dedo. Los zapatos demasiado apretados también pueden hacer que una uña se entierre. Las uñas encarnadas se pueden infectar fácilmente; por eso hay que tratarlas pronto.

Prevención

- Córtese las uñas de los pies en línea recta. Deje las esquinas de las uñas un poco más largas para que así las puntas afiladas no se puedan enterrar en la piel.
- Use zapatos cómodos y tenga siempre los pies limpios y secos.

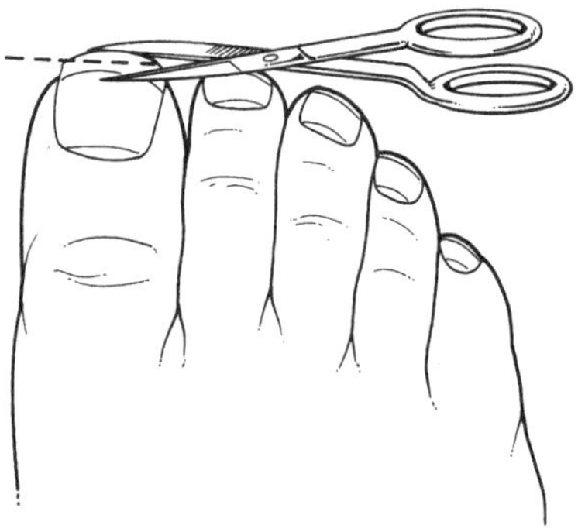

Córtese las uñas de los pies en línea recta.

Tratamiento en casa

- Meta un pedacito de algodón mojado bajo las esquinas de la uña para acojinar la uña y evitar que corte la piel.
- Repita esto a diario hasta que la uña haya crecido y la pueda cortar bien.
- Remójese el pie en agua tibia por 15 minutos, tres o cuatro veces al día. Esto le aliviará la hinchazón o la sensibilidad mientras la uña crece.

Cuándo llamar a Kaiser Permanente

- Si aparecen señas de infección:
  - Más dolor, hinchazón, enrojecimiento o sensibilidad
  - Rayitas rojas que se extienden desde el área afectada

  - Pus
  - Fiebre (calentura) de 100 grados o más, por ninguna otra causa aparente
- Si tiene diabetes o problemas de la circulación o de la visión.

Piojos y sarna (guaguana)

Los **piojos** son unos insectos pequeñísimos, color café oscuro, sin alas, que pueden vivir en la piel, el cabello o la ropa. Se alimentan picando la piel y chupando la sangre. Los piquetes dan comezón. Los piojos ponen unos huevecillos blancos y muy chiquitos, llamados liendres, que a menudo se pueden ver en el cabello. Además de los piojos que viven en el cabello y la ropa hay piojos que viven en la ingle, las axilas (arcas) y las pestañas. A éstos se les llama ladilla. Los piojos pasan de una persona a otra por medio del contacto físico o del contacto con la ropa, la ropa de cama, los cepillos para el pelo o los peines. La ladilla se puede transmitir por contacto sexual.

La **sarna** (o guaguana) la produce un pequeño parásito llamado arador que hace pequeños surcos bajo la piel y pone allí sus huevecillos. Cuando se mete bajo la piel produce una reacción alérgica con ronchas y mucha comezón. Los aradores muchas veces se encuentran entre los dobleces de la piel en los dedos, las muñecas, las axilas y la ingle. Para combatir estos parásitos generalmente se usa una medicina, que se pone por todo el cuerpo y se deja durante la noche. La comezón puede durar varias semanas después del tratamiento.

Prevención

- Esté pendiente de cualquier seña de piojos: comezón y señas de piojos o liendres en el cabello. Si recibe tratamiento pronto, quizás evite pasarles los piojos a otras personas.
- No use el cepillo para el pelo ni el sombrero de otra persona.

Tratamiento en casa

- El Nix y el RID son medicamentos para combatir piojos que se pueden comprar sin receta. Para usarlos, siga las instrucciones de fábrica. Para combatir los piojos en la cabeza, hay que quitar todas las liendres. Así que peine bien el cabello con un peine con dientes muy finos después del tratamiento.
- El día que comience el tratamiento, lave en agua caliente toda la ropa sucia de su familia, incluyendo la ropa de cama y las toallas. Esto ayudará a matar los piojos, las liendres y los aradores de la sarna. Planche las cosas que no se puedan lavar.
- No use enjuagues, laca, brillantina ni otros productos inmediatamente después del tratamiento.
- Llame a su farmacéutico o al departamento de salud para pedir más información sobre tratamientos y maneras de evitar que regresen los piojos o los aradores.

Cuándo llamar a Kaiser Permanente

Llame si no le da resultado el tratamiento con medicamentos que se compran sin receta. Hay productos más fuertes que se le pueden recetar.

Manchas pelonas

Las manchas pelonas no son lo mismo que la calvicie. Muchos hombres tienen una tendencia natural a ser calvos. Esta tendencia más que nada es de familia. No presenta ningún peligro, excepto quizás las quemaduras de sol (use un sombrero y póngase una loción protectora).

Por otro lado, las manchas pelonas se pueden deber a diferentes causas. Por ejemplo, puede que una persona se jale mucho el pelo, como para hacerse trenzas muy apretadas, o quizás tenga la costumbre de tirar de su cabello o de torcérselo. La tiña del cuero cabelludo es una infección por hongos que producen manchas pelonas y escamosas en la piel. Vea la página 199.

Pero si una persona tiene sano el cuero cabelludo y de repente le van quedando manchas sin pelo, quizás tenga un problema más grave. Si la pérdida del cabello es repentina o comienza después de empezar a tomar una nueva medicina, llame a su doctor.

Salpullidos

Un salpullido (dermatitis) es cualquier irritación o inflamación de la piel. Los salpullidos pueden deberse a una enfermedad, a una alergia o al calor. Algunas veces pueden resultar a causa de la tensión nerviosa. Para información sobre los salpullidos que dan con las enfermedades de la niñez, vea la página 216. Si tiene un salpullido que le dio después de un piquete de garrapata, vea la página 64.

La **hiedra venenosa** y otras plantas venenosas muchas veces producen salpullido rojo, con ampollas y comezón. El salpullido aparece en el área donde la planta haya rozado a la persona.

Al notar que le está dando salpullido, hágase estas preguntas para ayudar a encontrar la causa (también vea las páginas 192 y 216):

- ¿Me salió el salpullido después de tocar con alguna parte de la piel algo nuevo que me haya podido irritar? (Como alguna planta venenosa; jabones, detergentes, champús, perfumes, cosméticos o lociones; joyas o telas; herramientas o aparatos nuevos; guantes de látex.) Quizás le dé una idea de su causa el fijarse dónde salió el salpullido.
- ¿He comido algo nuevo a lo que pueda ser alérgico?
- ¿Estoy tomando alguna medicina nueva (ya sea recetada o no)?
- ¿He estado muy tenso, triste o nervioso recientemente?
- ¿He tenido dolor de coyunturas o fiebre (calentura) con el salpullido?
- ¿Se está extendiendo el salpullido?
- ¿Me pica el salpullido?

El aceite en las hojas de estas plantas puede causar ampollas o ronchas rojas, con comezón.

Prevención

- Si toca cualquier planta venenosa, lávese la piel con agua y detergente para platos dentro de 30 minutos, para quitarse el aceite irritante. Esto puede ayudar a evitar o reducir el salpullido. Lave también a su perro, su ropa y cualquier cosa que haya podido tocar la planta.
- No use los productos que le hayan causado el salpullido: detergentes, cosméticos, lociones, ropa, joyas, etc.
- Si tiene salpullidos frecuentes, use jabones, lociones y cosméticos "hipoalergénicos" (*hypoallergenic*, en inglés) o sin perfumes ni conservativos.

Tratamiento en casa

- Lávese con agua las áreas afectadas. El jabón puede irritar la piel. Séquese bien dándose palmaditas.
- Póngase compresas húmedas y frías para calmarse la comezón, tan seguido como sea necesario. Vea también la página 198.
- No se tape el salpullido. Deje que le dé el aire. Puede usar talco de bebé para mantenerlo seco. No se ponga lociones ni pomadas hasta que se le quite el salpullido. Pero para los salpullidos causados por plantas, sí ayuda la loción de calamina. Úsela de tres a cuatro veces al día.
- Una crema con hidrocortisona puede calmar la comezón por ratos. Use muy poca para los salpullidos en la cara o en los órganos sexuales.
- Los salpullidos en los pies o la ingle pueden deberse a infecciones por hongos. Vea la página 199.

Cuándo llamar a Kaiser Permanente

- Si aparecen señas de infección:
  - Aumento en el dolor, la hinchazón, el enrojecimiento o la sensibilidad
  - Sensación de calor o rayitas rojas que se extienden desde el área afectada hacia afuera
  - Pus o costras amarillentas
  - Fiebre (calentura) de 100 grados o más, sin ninguna otra causa
- Si sospecha que el salpullido se debe a una reacción a una medicina.
- Si el salpullido le da junto con fiebre y dolor en las coyunturas.

- Si el salpullido le da junto con dolor de garganta. Vea la página 152.
- Si le da un salpullido y usted no sabe por qué.
- Si el salpullido no se le quita después de dos o tres semanas de tratamiento en casa.

Cáncer de la piel

El cáncer de la piel es el tipo más común de cáncer. Afortunadamente, muchos tipos de cáncer de la piel son fáciles de curar.

La mayoría de los cánceres de la piel resultan por pasar demasiado tiempo en el sol. El 90 por ciento de los problemas suceden en la cara, el cuello y los brazos (que son las partes más expuestas al sol). Las personas güeras o muy blancas y de ojos claros corren mayor riesgo de que les dé cáncer de la piel. Las personas con piel oscura corren menos peligro.

La mayoría de los cánceres de la piel por lo general crecen despacio y son fáciles de reconocer y de tratar en un consultorio médico. Un pequeño porcentaje de cánceres de la piel son más graves.

Los cánceres de la piel que no son del tipo melanoma (cánceres de las células basales y escamosas) generalmente crecen en las áreas expuestas al sol. Hay varias diferencias importantes entre estos cánceres y los lunares no cancerosos. Los cánceres de la piel:

- Suelen sangrar más y muchas veces son llagas abiertas que no sanan.
- Generalmente crecen lentamente.

La mayoría de los lunares son inofensivos. Pero, los melanomas malignos (lunares cancerosos) pueden causar la muerte. Deben tratarse pronto.

Prevención

La mayoría de los cánceres de la piel se pueden prevenir evitando asolearse demasiado. Mucho del daño sucede antes de los 20 años de edad, así que proteja a sus niños contra el sol (vea la página 63). Entre más veces se asolee, mayor será el riesgo de que le den ciertos tipos de cáncer.

Tratamiento en casa

Examínese la piel con un espejo o pídale a otra persona que le ayude a hacerlo. Busque lunares, manchas o chichones raros. Preste atención especial a las áreas que reciben mucho sol:

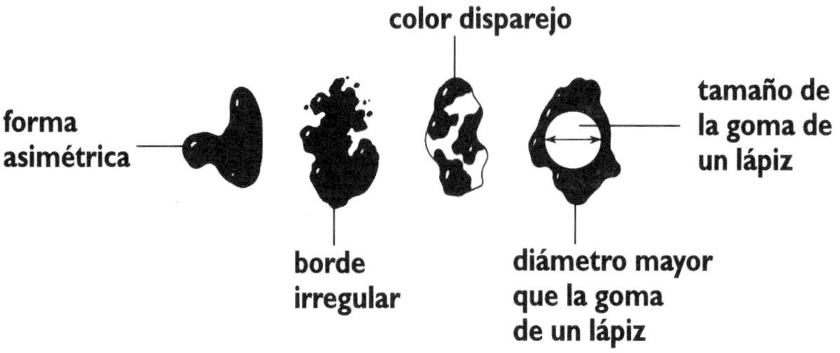

Cambios que hay que buscar al examinar lunares.

las manos, los brazos, el pecho, el cuello (sobre todo por atrás), la cara, las orejas, etc. Fíjese si hay cambios y, de ser así, avísele a su doctor.

Cuándo llamar a Kaiser Permanente

Si sus lunares no cambian con el tiempo, hay poco de qué preocuparse. Si tiene parientes que han padecido de melanomas malignos, dígaselo a su doctor. Quizás corra usted mayor riesgo de tener ese problema. También llame al doctor si nota cualquiera de los siguientes cambios:

- Forma asimétrica o dispareja: la mitad de un lado no es igual a la otra mitad.
- Bordes irregulares: los bordes son desiguales, dentados o borrosos.
- Color: el color no es parejo. Fíjese si el lunar tiene tonos rojos y negros, o si se ve moteado de rojo, blanco y azul.
- Diámetro (ancho): mayor que el de la goma de un lápiz (los lunares inofensivos generalmente son más pequeños).
- El lunar tiene escamas, suelta algún desecho o sangra, o si su color parece extenderse a la piel a su alrededor.
- Si aparece un chichón o un nodo en el lunar, o si hay cualquier cambio en la apariencia del lunar.
- Si hay comezón, dolor o sensibilidad.
- Si hay cambios raros en la piel, o si aparecen nacidos, sobre todo si sangran y siguen creciendo.

Verrugas (mezquinos)

Las verrugas son nacidos que salen en la piel a causa de un virus. Pueden dar en cualquier parte del cuerpo. Las verrugas no son peligrosas, pero pueden ser molestas.

Se sabe poco acerca de las verrugas. La mayoría de las verrugas son poco contagiosas. Pueden pasar a otras partes del cuerpo de la misma persona, pero raras veces a otras personas. Las verrugas en los órganos sexuales y el ano son una excepción; éstas se transmiten con facilidad a través del contacto sexual y pueden aumentar el riesgo de cáncer de la cérvix (o cuello de la matriz). Vea la página 275.

Las verrugas plantares ("ojos de pescado") aparecen en las plantas de los pies. La mayor parte de la verruga se encuentra bajo la piel. Al caminar, puede que usted sienta la verruga como si fuera una piedrita.

Las verrugas muchas veces van y vienen sin ninguna razón aparente. Por eso se piensa que quizás reaccionen a los cambios en el sistema de defensas o sistema inmunológico del cuerpo. A veces las verrugas se quitan con el puro poder de la voluntad.

Si es necesario, su doctor puede quitarle cualquier verruga. Por desgracia, es fácil que vuelva a aparecer.

Tratamiento en casa

- Las verrugas salen y se quitan sin razón conocida. Pueden durar una semana, un mes o hasta varios años. Para deshacerse de sus verrugas, es importante que usted tenga fe en el tratamiento. Descubra qué le da resultado a usted y siga haciéndolo.

- Si la verruga le sangra un poco, cúbrala con una curita o una gasa y apriétela un poco para que deje de sangrar.
- Si la verruga le estorba, quítesela con una piedra pómez o una solución de ácido salicílico (*salicylic acid*, en inglés). Las soluciones con mucho ácido salicílico pueden irritar la piel; quizás necesite usar una solución menos fuerte por más tiempo. Estas soluciones se consiguen sin receta médica.
- Si padece de diabetes o de mala circulación en las piernas, no use ácido salicílico ni se irrite la verruga sin consultar primero a un profesional de la salud.
- Si usa una piedra pómez, pueden ser contagiosos tanto los restos de la verruga como la parte de la piedra pómez que haya tocado la verruga. No deje que su piel toque estas cosas. Deshágase de ellas lo más pronto que pueda.
- Para una verruga en la planta del pie, póngase un cojincito en forma de rosca para acolchonar la verruga y aliviar el dolor. Por la noche, póngase una solución de ácido salicílico en la verruga y tállese la piel blancuzca a la mañana siguiente.
- Pruebe primero el método más barato contra las verrugas. Quizás se ahorre usted una visita al doctor.
- No se corte o queme una verruga para quitársela.

Cuándo llamar a Kaiser Permanente

- Si una verruga se ve infectada después de que algo la haya irritado o desprendido.
- Si tiene una verruga en la planta del pie que le duele cuando camina, y los cojincitos de esponja no le ayudan.
- Si tiene verrugas en el área del ano o de los órganos sexuales. Vea la página 275.
- Si una verruga le causa una molestia constante.
- Si le sale una verruga en la cara y a usted le molesta porque afecta su apariencia.

Callos

Los callos se pueden formar de dos maneras. Si una parte de la piel del pie se roza por fuera (por ejemplo, con un zapato) se puede poner dura y gruesa, y formar así un callo. Pero algo también puede rozar la piel desde adentro (como por ejemplo un hueso) y producir un callo.

Remójese los pies en agua caliente y tállese el callo con una piedra pómez. Quizás necesite hacer esto varios días, para lograr que se le quite la piel gruesa.

No se trate de cortar o quemar un callo para quitárselo. Si tiene diabetes o mala circulación en los pies, consulte a su doctor antes de tratar de quitarse un callo que le moleste.

12

La salud de los niños

Cuando sus niños se enferman o se lastiman, generalmente usted es la primera persona en atenderlos. La calma, confianza y habilidad con que usted se encargue de sus problemas de salud, ayudará a sus niños a disfrutar de una niñez saludable. También les enseñará que es importante que aprendan a cuidar de su salud por sí mismos, a medida que vayan creciendo.

Casi todos los problemas de salud que mencionamos en este libro pueden afectar a los niños. Pero hay ciertos problemas que casi sólo dan en la niñez. Para su conveniencia, hemos agrupado esos problemas en este capítulo. Si el problema que le interesa no se encuentra en este capítulo, por favor búsquelo en el índice (la lista de temas al final del libro).

Información general sobre los bebés y niños chiquitos

La siguiente información será de especial interés para los padres de bebés recién nacidos. Quizás ayude a calmar algunas de sus inquietudes y a guiarlos en el cuidado de sus niños.

El cordón umbilical y el ombligo

Limpie el ombligo tres o cuatro veces al día con un algodoncito empapado en alcohol para curaciones. Levante el cordón umbilical suavemente, pero con firmeza, para limpiar la base. (Trate de evitar que caiga alcohol en la piel alrededor del ombligo.) Limpiando bien el ombligo, habrá menos riesgo de que se infecte. Mantenga seco el ombligo y no bañe al bebé en tina hasta que el ombligo haya sanado. Evite que los pañales y las camisetas tapen el ombligo. Así se secará más pronto.

Por lo general, el cordón umbilical se cae y el ombligo se sana en una a tres semanas. Después de que se caiga el cordón, quizás por varios días usted note, al cambiar los pañales, que hay un poco de desecho. El desecho puede ser aguado o tener un poco de sangre y, por lo general, dejará una mancha menor que una moneda de veinticinco centavos. No se preocupe. No es necesario ningún tratamiento especial.

Llame a su doctor si el área alrededor del ombligo está roja o hinchada, o si el ombligo suelta mucho pus con mal olor.

La forma de cortar el cordón no afecta la apariencia del ombligo. A veces, queda una bolita de tejido después de que el cordón se cae. Si la bolita es pequeña, muchas veces no necesita tratamiento. Si es grande o persiste por más de dos semanas, llame a su doctor.

Amamantamiento

La leche materna es el alimento ideal para los bebés menores de cuatro a seis meses de edad. La Academia Norteamericana de Pediatría (*American Academy of Pediatrics*, en inglés) recomienda que se les dé pecho a los bebés durante el primer año de vida. Aunque la leche de pecho es la mejor, los bebés también se pueden alimentar bien con la leche en polvo o fórmula. La mayoría de los médicos no recomiendan dar leche de vaca a los niños menores de un año.

Asientos de seguridad para niños

Un asiento de seguridad puede salvarle la vida a su bebé o a su niño en caso de un accidente en auto. Muchos estados del país los exigen para todos los niños menores de cuatro años o que pesan menos de 40 libras (como 18 kilos). Los niños que no están en asientos de seguridad pueden quedar gravemente heridos o hasta morir en un accidente, o inclusive si el auto da una parada repentina a poca velocidad. Para darles a sus hijos la mayor protección posible, siga las instrucciones de fábrica cuando use cualquier asiento de seguridad.

Todos los niños menores de 12 años deben sentarse en el asiento trasero, sobre todo si el auto tiene una bolsa de aire de seguridad del lado del pasajero.

Para bebés que pesan menos de 20 libras (9 kilos): Use un asiento de seguridad para bebés que se recline y mire hacia atrás. Siga las instrucciones del fabricante.

Para bebés y niños que pesan más de 20 libras (más de 9 kilos): Use un asiento para niños que mire hacia adelante y tenga un cinturón en "v" u otro retén parecido. Algunos de los asientos para bebés se pueden convertir en asientos para niños.

Para niños mayores de cuatro años y que pesan más de 40 libras (más de 18 kilos): Use uno de los asientos que elevan al niño para que pueda ver por la ventana. Use los cinturones de seguridad del auto alrededor de las caderas y los hombros. Ajuste el cinturón de modo que cruce a la altura del hombro (no del cuello).

Sea un buen ejemplo para sus niños: use siempre su cinturón de seguridad y nunca deje que ellos vayan en el auto sin abrocharse los suyos.

El dar pecho tiene muchas ventajas, tanto para la madre como para el bebé. La leche materna contiene anticuerpos y otras sustancias que previenen enfermedades. Protege al bebé contra alergias y asma, y también es más fácil de digerir que la leche en polvo. Los bebés alimentados con leche de pecho tienen menos catarros, infecciones de oídos, diarrea y vómitos.

Para que disfrute de amamantar a su bebé y no tenga problemas, prepárese antes de que su niño nazca. Trate de tomar una clase de amamantamiento. Dos otras fuentes de información, consejos y apoyo son La Leche League (La Liga de la Leche) y Nursing Mother's Council (Consejo de Madres que Amamantan).

Las madres que están dando pecho necesitan comer más, como 500 calorías más al día de las que comían antes del embarazo. Aunque no se necesita tomar leche para producir leche, es importante obtener bastante calcio y proteínas, y quizás su doctor le recete vitaminas. Cualquier cosa que usted coma o beba pasará a su leche. Por eso es importante que no fume ni tome bebidas alcohólicas y que no tome más de uno o dos cafés (u otras bebidas con cafeína) al día. No tome ninguna medicina mientras esté amamantando, a menos que se la recete un médico.

Circuncisión

La circuncisión es una operación que se le hace a un varoncito recién nacido para quitarle el prepucio, que es el pliegue de piel que cubre la punta del pene. Actualmente, en los Estados Unidos la operación se le hace más o menos al 60 por ciento de los bebés varones. Antes esta operación era más común. A fines de los setentas, se les había hecho la operación a más del 80 por ciento de los bebés varones.

La circuncisión tiene tanto beneficios como riesgos, y usted debe hablar de ellos con su doctor. La decisión de circuncidar a su niño depende sólo de usted y de su pareja.

La ventaja principal de la circuncisión es que hace más fácil mantener limpio el pene. Esto a su vez reduce el riesgo de infecciones de las vías urinarias (mal de orín) en los muchachitos.

Los riesgos de la circuncisión son pocos. Sólo como en 1 de cada 250 casos se da una infección local o hay problemas de sangrado. La circuncisión se hace con un anestésico local para reducir el dolor lo más posible. Por lo general, la circuncisión no se aconseja cuando un bebé está enfermo.

Después de la circuncisión, cada vez que cambie el pañal, unte la cabeza del pene con mucha vaselina (petrolato), para evitar que la costra se pegue al pañal. Lave el pene con un chorrito de agua tibia (no use alcohol ni toallitas húmedas para bebé). Séquelo a palmaditas con una toalla suave.

Si el área de la circuncisión se pone roja, úntele una pomada antibiótica (Bacitracin o Polysporin). Llame a su doctor si el enrojecimiento se extiende hacia la base del pene.

Si usted y su pareja deciden no circuncidar a su hijo, deben lavarle el prepucio suavemente hasta que cumpla cuatro años. Alrededor de esa edad, hay que empezar a retraer el prepucio (es decir a jalarlo hacia atrás con cuidado) para lavar la cabeza del pene. No trate de retraer el prepucio a la fuerza. Quizás no sea posible retraerlo por completo hasta la pubertad. Enséñele a su hijo a lavarse bien el pene cada vez que se bañe y a retraerse el prepucio para limpiar la punta.

Cada niño es diferente

No hay dos niños que sean exactamente iguales. Cada niño tiene su propia forma especial de enfrentarse al mundo. Observe el comportamiento y el modo de ser de su niño. Lo que es "normal" para su niño puede ser muy diferente de lo que es "normal" para un hermano, un vecino o un amigo de su misma edad. Si a usted le interesa un programa sobre el comportamiento y la personalidad de los niños, consulte al pediatra de su niño o llame a su centro médico.

Disciplina

La disciplina es una forma de ayudar a los niños a controlarse a sí mismos para que puedan portarse de un modo apropiado y responsable. Los niños aceptan mejor la disciplina cuando es justa, firme, consistente y cariñosa. Trate de cambiar el comportamiento del niño y no su carácter. Fije límites y ofrézcale al niño alternativas dentro de esos límites. A los niños mayores y los adolescentes, explíqueles bien cuáles son las reglas y qué es lo que usted espera de ellos. Sea firme y preciso.

Para mejorar la comunicación con su niña o niño, pruebe esta técnica: Cuando le exprese sus sentimientos, escúchele con cuidado y repítale lo que le dijo. Así sabrá que usted de veras le está prestando atención. Además ayudará a poner en claro lo que siente.

Vigile el comportamiento de su niño. Cuando se porte bien, hágale caso y felicítelo. Cuando se porte mal, trate de no hacerle caso. Generalmente los niños no se portan mal si eso no les consigue la atención de sus padres.

Cuando su niño se porte mal:

- Le recomendamos que no le grite ni le pegue. Si usted está enojado, tómese unos minutos para calmarse. Explíquele al niño que su comportamiento no es aceptable, pero no se burle de él ni lo desprecie.
- Una cosa que puede probar es quitar al niño de lo que esté haciendo y sentarlo solo unos cuantos minutos (menos de cinco). Así el niño entenderá que usted no aguantará que se porte mal. También le dará tiempo a él para calmarse.
- Para disciplinar a los niños mayores, quíteles un privilegio (por ejemplo, no los deje salir de paseo o hacer algo que les guste).

Berrinches o rabietas

Los niños a veces hacen berrinches cuando se frustran, quieren atención o quieren salirse con la suya. Los niños suelen hacer más berrinches cuando están cansados, tienen hambre o están enfermos.

- Sea comprensivo con el niño si el berrinche se debe a frustración, cansancio o hambre. Cálmelo, acuéstelo o dele algo de comer.
- No pierda la calma. Si usted se enoja, el niño sólo hará más berrinches. No le pegue al niño porque él se dará cuenta de que usted ha perdido el control.

- No deje que los berrinches afecten sus decisiones respecto al niño. Los niños aprenden pronto que los berrinches no dan resultado.

Cómo entrenar a su niño a usar el excusado

No todos los niños están listos para aprender a usar el excusado a una misma edad. Generalmente, se puede empezar a entrenar a un niño entre los 18 y los 36 meses de edad (entre el año y medio y los tres años). Para saber cuándo comenzar a entrenar a su niño, fíjese si él muestra señas de que está listo:

- Entiende las palabras popó y pipí (o los nombres que se usen en su casa para excremento y orina).
- Sabe cuándo tiene la vejiga llena y cuándo necesita obrar.
- Sabe para qué es el excusado (inodoro o retrete) y ha visto a otras personas usarlo.
- Prefiere tener pañales limpios y secos que pañales sucios.
- Entiende que si usa el excusado no tendrá un pañal sucio.

Si usted piensa que su niño ya está listo para aprender a usar el excusado, quizás los siguientes consejos le ayuden a entrenarlo más fácilmente:

- Consígale una sillita con bacinica (orinal). Asegúrese de que los pies del niño puedan alcanzar el piso o un banquito cuando él se siente en la bacinica. Anime al niño a sentarse en la bacinica por lo menos una vez al día, más o menos a la misma hora. Deje que el niño se siente en la sillita para ver libros o la televisión.
- Después de que el niño obre en un pañal, siéntelo en la sillita y ponga el excremento en la bacinica.
- Una vez que el niño esté interesado, déjelo que juegue sin pañal a ratos, con la sillita cerca. Anímelo a usar la sillita si tiene que "ir al baño".
- Cada vez que el niño use la bacinica con éxito, abrácelo y felicítelo. Su niño tendrá bastantes "accidentes" en las primeras semanas, pero no le critique ni lo regañe por estos errores. No les preste mucha atención y actúe como de costumbre.
- El control para orinar puede tomar más tiempo que el control para obrar. Si el niño sabe cuándo tiene la vejiga llena, siéntelo en la sillita cada 30 a 60 minutos. Felicite al niño cuando tenga éxito y anímelo con cariño cuando se moje los pantalones para que no se dé por vencido.

Hábitos de dormir

Los bebés tienen etapas de sueño profundo y de sueño ligero. Cada período de tres horas de sueño tiene una hora de sueño ligero, luego tiene de 60 a 90 minutos de sueño profundo y otra media hora de sueño ligero. Al final de este ciclo, el bebé sólo está medio dormido y se puede despertar fácilmente.

Los padres pueden ayudar al bebé a dormir toda la noche, enseñándole a calmarse y a volverse a dormir él solo, durante los ratos de sueño ligero.

Para los bebés menores de 2 meses de edad:

- Ponga al bebé en la cuna cuando esté adormitado pero todavía despierto.

- Cuando le dé de comer por la noche, hágalo rápidamente y no divierta al bebé.
- A medida que el bebé vaya creciendo, trate de retrasar cada vez más la hora a que le da de comer en plena noche. Después de los cuatro meses, puede dejar de darle de comer de noche.

Según parece, es mejor que los bebés duerman boca arriba o de lado para evitar el Síndrome de Muerte Súbita en Infantes. Sin embargo, no fuerce a su niño a dormir en una posición determinada. Los bebés son capaces de cambiar de posición solos.

Orinarse en la cama

Muchos niños chiquitos se orinan en la cama, pero la mayoría de ellos superarán este problema entre los seis y ocho años de edad. En general el problema no es una enfermedad, sino más bien una parte normal del desarrollo del niño.

Algunas veces, un niño que no se ha orinado en la cama durante meses o años puede empezar a hacerlo de nuevo. Esto puede suceder sin que haya una causa aparente, o como resultado de una infección de las vías urinarias o de un problema emocional.

Tratamiento en casa

Hay varias maneras de tratar este problema sin usar medicamentos. Pídale consejos a su doctor.

- No castigue ni se burle del niño por orinarse en la cama.
- Recuérdele al niño que se levante de noche si necesita orinar. Quizás sea buena idea poner cerca de la cama del niño una sillita con una bacinica y una lucecita que esté prendida toda la noche.
- Si su niño tiene más de cinco años, deje que él se encargue del problema. Ayúdelo a aprender a despertarse solo para ir al baño. Póngale un despertador en el dormitorio para que suene tres o cuatro horas después de que se haya acostado, colocándolo lejos de la cama para que él tenga que levantarse a apagarlo.
- No obligue al niño a usar pañales de noche, aunque algunos niños se sienten cómodos usando pañales para adultos, como Attends o Depend. Hay ropa interior muy absorbente e impermeable que su niño puede usar para que usted no tenga que cambiar las sábanas todos los días. También puede colocar un forro grueso encima del colchón para protegerlo. Lave la ropa interior y el forro con media taza de vinagre para quitarles el mal olor.

Cuándo llamar a Kaiser Permanente

Su doctor le puede decir si hay alguna causa física del problema y cómo tratarla. También puede aconsejarle a usted y a su niño cómo librarse del problema. Llámelo:

- Si además de orinarse en la cama, el niño tiene dolor o ardor al orinar o tiene otras señas de una infección de las vías urinarias. Vea la página 256.
- Si la prevención y el tratamiento en casa no dan resultado después de cuatro a seis semanas con un niño mayor de seis años.

- Si el niño empieza a orinarse más en la cama o con más frecuencia.
- Si su niño se empieza a orinar en la cama después de haber estado seco por varios meses.
- Si el niño no sólo orina sino también obra en la cama después de cumplir tres años de edad.
- Si un niño mayor de tres años tiene problemas para controlar cuándo orina durante el día.

Varicela o viruela loca

La varicela es una enfermedad más o menos leve, que les da a casi todos los niños. Durante los primeros dos días, por lo general, su niño se sentirá enfermo; quizás tenga catarro, tos, fiebre y dolor en la barriga. Luego le saldrá un salpullido de granos rojos. Un niño puede tener sólo unos cuantos granos o el salpullido puede cubrirle todo el cuerpo, incluyendo la garganta, la boca, las orejas, la ingle y el cuero cabelludo.

Los granos se vuelven ampollas transparentes que luego se ponen opacas, se rompen y forman costras. El niño tendrá mucha comezón. Los granos siguen saliendo de uno a cinco días más y sanan en una o dos semanas.

La varicela es muy contagiosa (pegadiza). Los síntomas aparecen de diez días a tres semanas después de entrar en contacto con la enfermedad. La enfermedad puede pasar de un niño a otro desde uno o dos días antes de que salgan los granos, hasta cinco días después de que aparezcan. En general, los niños pueden regresar a la escuela o a la guardería cuando todos los granos hayan formado costras, o cuando hayan pasado seis días desde que apareció el salpullido. La encefalitis (página 146) es una complicación poco común de la varicela.

Prevención

Se recomienda dar la vacuna contra la varicela a los niños mayores de 12 meses de edad. También se recomienda la vacuna para los adolescentes y los adultos que no hayan tenido la enfermedad. Vea la página 17. Esta vacuna es muy importante para los adolescentes y los adultos porque la varicela es más grave para ellos que para los niños.

Los adultos que no han sido vacunados y que no han tenido varicela deben evitar el contacto con niños que tengan la enfermedad y también evitar contacto con personas que tengan herpes zoster o herpes zona (vea la página 200). Las mujeres embarazadas que nunca han tenido varicela y que no han sido vacunadas también deben evitar tales contactos, ya que la enfermedad puede dañar al bebé que se está formando en su vientre. La vacuna no se puede dar durante el embarazo.

Tratamiento en casa

- Use acetaminofeno para bajar la fiebre (calentura). No les dé aspirina a los niños o a los jóvenes menores de 20 años de edad que puedan tener varicela, ya que la aspirina puede producirles el síndrome de Reye. (Este síndrome es una condición rara, pero frecuentemente mortal.)

- Controle la comezón (vea la página 198). Dele al niño jarabe o pastillas de Benadryl y baños tibios con un poco de bicarbonato de sodio, o con el producto Aveeno Colloidal Oatmeal, que se compra en cualquier farmacia. No use Benadryl en pomada porque este medicamento puede acumularse hasta llegar a envenenar el cuerpo.
- Córtele al niño las uñas al ras para que no se rasque ni se arranque las costras. Si éstas se caen antes de tiempo, las heridas que queden se pueden infectar.

Cuándo llamar a Kaiser Permanente

- Si su niño corre riesgo de tener complicaciones de la varicela (por ejemplo, si está recibiendo medicamentos con esteroides, o quimioterapia contra el cáncer, o si tiene débil su sistema de defensas o inmunológico).
- Si un niño de tres meses a tres años de edad tiene fiebre de 103 grados o más por 24 horas. Vea Fiebre (calentura) en la página 223.

Salpullidos (ronchas) de la niñez

Las ronchas que dan con las enfermedades de la niñez son fáciles de confundir. Repase todas las señas antes de decidir qué hacer.

Descripción	Lo que puede ser
Granitos rojos o colorados que se vuelven ampollas; fiebre (calentura)	Varicela (viruela loca), pág. 215
Ronchas sólo en el área del pañal	Rozadura de pañal, pág. 220
Salpullido rojo en la cara, como si alguien hubiera abofeteado al niño; salpullido rosado en el pecho y la espalda que va y viene; quizás haya fiebre	Eritema infeccioso, pág. 230
Puntitos rojos o rosados en la cabeza, el cuello y los hombros; más común en los bebés	Salpullido por calor, pág. 228
Fiebre alta y repentina por 2 ó 3 días; a medida que la fiebre baja, sale un salpullido rosado en el pecho, los brazos y el cuello	Roséola, pág. 229
Salpullido rosado, muy finito; comienza en la cara y cubre todo el cuerpo; nodos linfáticos hinchados detrás de las orejas	Rubéola o sarampión alemán (poco común), pág. 229
Fiebre, nariz que escurre, tos seca; ojos rojos 2 ó 3 días antes de que un salpullido rojo cubra todo el cuerpo	Sarampión (poco común), pág. 229
Fiebre alta, dolor de garganta, ronchas como papel de lija y la lengua cubierta de bolitas, como una mora	Escarlatina, pág. 152

- Si no puede controlar la comezón con Benadryl y baños tibios.
- Si aparecen moretones sin que el niño se haya golpeado.
- Si le salen granos en los ojos.
- Si hay señas de encefalitis (vea la página 146). Estas señales son:
  - Fiebre, dolor de cabeza muy fuerte, nuca tiesa
  - Mucho más sueño que de costumbre
  - Vómitos que no se quitan

Cólicos

Los cólicos no son una enfermedad, sino un padecimiento que hace que un bebé sano llore sin parar, generalmente por la tarde y en la noche. Los doctores no saben cuál es la causa de los cólicos, pero la teoría más aceptada es que se deben a un dolor de barriga producido por gases en los intestinos.

Pero si todos los bebés lloran, ¿cómo va a saber usted si el suyo tiene un cólico? Le puede ayudar recordar lo siguiente: si el problema empieza antes de que su bebé cumpla tres meses, y si él llora más de tres horas al día, más de tres días a la semana, es probable que padezca de cólicos.

Por fortuna, los cólicos desaparecen a medida que el bebé crece, casi siempre para fines del tercer mes. En algunos bebés, los cólicos se quitan aún más pronto y a otros bebés nunca les dan. No hay un solo método que siempre sea eficaz para calmar los cólicos, pero usted puede probar varios remedios. Por desgracia, lo que funcione una vez, quizás no le dé resultado a la siguiente. Use su imaginación y no se dé por vencido.

Tratamiento en casa

- Lo más importante es que tenga calma y trate de relajarse. Si comienza a perder el control, deténgase un minuto y reflexione. Nunca sacuda a un bebé porque podría causarle daños permanentes al cerebro, o incluso la muerte.
- Asegúrese de que el bebé esté comiendo suficiente, pero no demasiado. El problema podría ser el hambre y no el cólico.
- Asegúrese de que el bebé no trague mucho aire mientras coma. Cuando lo alimente, sosténgalo de modo que esté casi sentado (no acostado). Aliméntelo despacito. Ayúdelo a eructar varias veces. Después de que coma, vuelva a ponerlo casi sentado por 15 minutos.
- Si le da biberón a su bebé, use chupones con agujeros bastante grandes. Debe salir por lo menos una gota de leche fría por segundo. Si el agujero es muy pequeño, el bebé tragará más aire de alrededor del chupón.
- Entibie la leche de biberón a la temperatura del cuerpo. No la caliente demasiado.
- Los bebés necesitan estar chupando algo durante dos horas al día para estar satisfechos. Si usted no pasa tanto tiempo dándole de comer, dele un chupón.
- Procure que el niño coma, juegue y duerma más o menos a las mismas horas todos los días. Dele de comer en un ambiente tranquilo, sin luces brillantes ni ruidos fuertes.

- Asegúrese de que el pañal del bebé esté limpio, que el bebé no tenga ni mucho calor ni mucho frío y que no esté aburrido.
- Trate de mecer a su bebé o pasearlo. O sostenga al bebé boca abajo, sobre una de sus piernas o sobre un brazo.
- Para calmar al bebé, llévelo de paseo en auto o a dar una caminata al aire libre. A veces también ayuda poner al bebé cerca de una secadora de ropas, un lavaplatos o una pecera con una bombita de agua.
- No tenga miedo de consentir demasiado a un bebé en los primeros tres meses; si usted lo consuela, ambos se sentirán mejor.
- ¡Pídale a uno de sus vecinos o amigos que cuide a su bebé una noche mientras usted va a cenar y al cine!
- No sienta remordimientos por cerrar la puerta de su cuarto y subir el volumen a la música del radio o de un disco, de vez en cuando. Si esto le ayuda a relajarse, también ayudará al bebé. Sin embargo, no deje llorar a su bebé solo por más de 5 ó 10 minutos. Después de 10 minutos, vuelva a probar las sugerencias que acabamos de mencionar.

Cuándo llamar a Kaiser Permanente

Los cólicos no requieren tratamiento profesional a menos que den junto con vómitos, diarrea u otras señas de una enfermedad más grave. Si el bebé se ve sano y se comporta normalmente entre los episodios de cólicos y si usted puede aguantar su llanto por los tres primeros meses, tiene poco de qué preocuparse.

Sin embargo, si los cólicos duran más de cuatro horas al día, o si usted siente que necesita ayuda, llame a su doctor. Él o ella podrá darle otros consejos y sugerencias.

En unos cuantos casos los cólicos pueden ser tan fuertes que usted y su doctor quizás quieran considerar una medicina. Pregunte sobre los efectos secundarios de cualquier medicina que escojan.

Seborrea

Cuando un bebé tiene seborrea, se le forman escamas o costras amarillas y grasosas en el cuero cabelludo. La seborrea resulta cuando se acumulan los aceites normales de la piel. Es un problema común en los bebés y es fácil de curar.

Tratamiento en casa

- Lávele la cabeza a su bebé una vez al día, con champú de bebé. Para quitar las costras y escamas, frote con cuidado el cuero cabelludo con un cepillo suave por unos cuantos minutos (un cepillo de dientes suave sirve bien). No tenga miedo de lastimarle la cabeza a su bebé; es más fuerte de lo que usted piensa. Cuando termine, enjuáguelo bien.
- Una hora antes de lavarle la cabeza, puede frotarle aceite mineral en el cuero cabelludo para aflojar las costras.
- Si no le da resultado el champú de bebé, pruebe un champú contra la caspa como Selsun Blue, Head & Shoulders o Sebulex. Pero use estos champús con cuidado porque le pueden irritar los ojos a su bebé.
- Si el cuero cabelludo se ve irritado y rojo, probablemente le ayudará una crema suave con hidrocortisona (como Cortaid).

Crup

El crup es un problema de la respiración que afecta generalmente a los niños de dos a cuatro años de edad. Puede dar junto con una infección de virus, como por ejemplo un catarro. La seña principal es una tos seca, parecida al ruido que hacen las focas. Es común que haya fiebre de 100 a 101 grados. Puede que el niño se asuste. El crup por lo general empeora de noche y puede durar de uno a siete días, mejorando poco a poco cada noche.

Tratamiento en casa

- No pierda la calma. El niño ya está asustado y necesita que usted esté calmado.
- Trate de humedecer el aire para que el niño pueda respirar mejor. Lleve al niño al baño y abra todas las llaves del agua caliente para que el cuarto se llene de vapor. Siéntense juntos en el piso a leer un cuento.
- Arrope bien al niño (lo puede envolver en una cobija) y sáquelo a pasear al aire libre. El aire fresco y húmedo es el más provechoso.
- Use un vaporizador o una "tienda (carpa) de vapor" en el cuarto del niño. Coloque un vaporizador bajo la cuna y extienda una cobija sobre la cabecera de la cuna para atrapar la humedad cerca de la cabeza del niño. Si el niño ya no duerme en cuna, extienda la manta sobre un paraguas o una mesita. Quédese con el niño para asegurarse de que la cobija no le caiga encima. Con un vaporizador frío, el aire se pondrá bastante fresco. Vista al niño con pijamas calientes, cúbralo con las cobijas usuales y coloque una sábana liviana sobre las cobijas para que no se humedezcan. No se preocupe de que a su niño le vaya a dar frío. Lo importante es que el aire esté fresco y húmedo.
- Si el niño empieza a llorar, eso es buena señal, ya que indica que puede respirar mejor.

Cuándo llamar a Kaiser Permanente

- Si el niño deja de respirar o comienza a ponerse azul, llame por teléfono al 911 o a los servicios de emergencia. Si el niño no respira, dele respiración de boca a boca (vea la página 55) hasta que llegue la ayuda.
- Se necesita atención médica si, aún con tratamiento en casa, aparecen y persisten estas señas peligrosas:
  - Silbido o pillido cuando el niño respira
  - La piel entre las costillas se hunde cuando el niño respira
  - Se le abren las ventanas de la nariz
- Si el niño tiene la respiración tan corta que no puede caminar o hablar.
- Si el niño babea o respira con la barbilla salida y la boca abierta.
- Si 20 minutos de respirar vapor o aire fresco no relajan al niño lo suficiente para que pueda dormir.
- Si el niño tiene fiebre de 102 grados o más.
- Si usted o su niño se ponen muy angustiados y no pueden calmarse.

- Si ésta es la primera vez que le da crup a alguien en su familia y usted necesita ayuda para tranquilizarse y tener confianza.
- Si el crup dura más de tres noches.

Rozadura de pañal

La rozadura o escaldadura es una reacción de la piel a la humedad y a las bacterias en la orina y el excremento de un bebé, o al detergente que se use para lavar los pañales. Es un problema molesto para el bebé, pero no es peligroso.

Cuando un bebé se roza, se le ponen las nalgas y los muslos de color rojo. Será más fácil que usted reconozca la rozadura de pañal ya que la haya visto por lo menos una vez.

Prevención

- Cuando el bebé se orine o se ensucie los pañales, cámbieselos lo más pronto que pueda.
- Siempre que pueda, deje la piel del bebé al descubierto por 5 ó 10 minutos antes de ponerle un nuevo pañal.
- Lave los pañales con un detergente suave y enjuáguelos dos veces. No use cloro (blanqueador).
- Evite por un tiempo usar calzones de plástico si el bebé se roza con frecuencia. Este tipo de calzones atrapan la humedad y la mantienen junto a la piel del bebé.
- Proteja la piel en el área del pañal con óxido de zinc u otra pomada cuando el niño tenga diarrea. Si el problema se debe a diarreas frecuentes, vea Diarrea en la página 221.

Tratamiento en casa

- Cambie los pañales con frecuencia. Lave y seque la piel en el área del pañal cada vez que cambie al bebé. Use una toallita de baño con agua para limpiarlo, y deje que la piel se seque al aire siempre que pueda. Lave la piel con un jabón suave una vez al día.
- Proteja la piel con pomadas como Desitin, Diaparene, A & D Ointment u óxido de zinc. Siempre seque la piel antes de poner la pomada. No siga usando la pomada si sale un salpullido o parece que la rozadura tarda más en sanar.
- Pruebe otra marca u otro tipo de pañal. Algunos bebés aguantan mejor un tipo que otro.
- No use pañales demasiado abultados o muy gruesos.
- Deje de ponerle al bebé calzones de plástico cuando se roce.
- Pruebe otros detergentes si la rozadura no se le quita.

Cuándo llamar a Kaiser Permanente

- Si la piel se pone muy roja, como carne viva o si se ve adolorida.
- Si le salen ampollas, manchas escamosas, pus o costras.
- Si están rozados sobre todo los pliegues de la piel. Esto puede ser seña de una infección de algodoncillo.
- Si el niño está bastante rozado por más de cinco días.

Diarrea y vómitos

A un niño le puede dar la diarrea con vómitos por diferentes causas: puede tener una infección intestinal, puede haber comido algo nuevo que no le haya caído bien o puede haber comido demasiado. El sistema digestivo de un bebé todavía se está desarrollando, así que a veces no aguantará grandes cantidades de jugo, frutas o incluso de leche. Es más difícil que les dé diarrea a los bebés alimentados con leche de pecho.

Muchas veces, las infecciones intestinales comienzan con vómitos y varias horas después producen diarrea (a veces hasta 8 ó 12 horas después, o más). A veces no causan diarrea.

Los bebés y los niños menores de cuatro años, y sobre todo los que son menores de seis meses, necesitan atención especial cuando tienen diarrea o vómitos. Ellos pueden deshidratarse rápidamente. Para tratar de evitar problemas, le ayudará fijarse bien cómo se ve el niño y cuánto líquido está tomando. Para los niños de cuatro años o más, vea Diarrea en la página 74 y Náusea y vómito en la página 80.

Tratamiento en casa

Para los bebés de 3 meses a 2 años de edad:

- Si amamanta a su bebé, siga haciéndolo. Si la diarrea empeora (excrementos más grandes o más frecuentes), o si el niño empieza a vomitar, dele además de la leche de pecho una bebida de rehidratación (Pedialyte, Ricelyte o una marca de tienda).
- Si el bebé normalmente toma leche en polvo (fórmula), dele en su lugar una bebida de rehidratación. En las siguientes 24 horas, vaya dándole otra vez poco a poco leche en polvo. Vuelva a darle la cantidad usual de leche en polvo al segundo día y deje de darle la bebida de rehidratación.
- Dele de media taza a una taza entera de líquido (de 4 a 8 onzas de bebida de rehidratación) o dele pecho por unos 5 minutos por cada excremento grande y suelto que tenga.
- Para los niños mayores de seis meses, puede mejorar el sabor de la bebida de rehidratación, añadiéndole una pizca de NutraSweet, de Kool-Aid sin azúcar o polvo de gelatina Jell-O, también sin azúcar (*sugar free*, en inglés).
- No le dé bebidas para deportistas, jugo de frutas, ni refrescos (sodas). Estas bebidas contienen mucha azúcar y no tienen suficientes de los electrolitos que el cuerpo ha perdido.
- Puede dejar que el niño no tome nada más que bebidas de rehidratación durante 12 horas, pero no más.
- Después de 12 a 24 horas, ofrézcale alimentos sólidos al niño, si él ya los comía antes. Déjelo que coma lo que más le guste; no importa mucho qué alimento escoja. Sin embargo, evite alimentos con mucha fibra (como los frijoles) y los alimentos con mucha azúcar, como el jugo y el helado (nieve).
- Proteja la piel cubierta por el pañal untándole óxido de zinc o alguna otra pomada. Es común que se roce un bebé después de haber padecido de diarrea.

Para los niños mayores de 2 años:

- Cada hora dele de media taza a una taza entera de bebida de rehidratación. Incluso si el niño está vomitando, dele cantidades pequeñas con frecuencia. Si es necesario, añádale NutraSweet a la bebida para que sepa mejor.
- Si la diarrea no es fuerte, puede darle temporalmente una mezcla de agua con Gatorade o alguna otra bebida para deportistas. Sin embargo, es mejor que el niño tome una bebida de rehidratación. No le dé jugo de frutas ni refrescos.
- Además de la bebida de rehidratación, dele al niño alimentos fáciles de digerir (como cereales cocidos, pan tostado o galletas saladas). El niño puede volver a comer como de costumbre, más o menos después de un día. Puede dejarlo que no coma ni tome más que la bebida de rehidratación hasta por 12 horas, pero no más.

A medida que el niño mejore, sus excrementos serán más pequeños y menos frecuentes. Hay tipos de diarrea aguada que duran de cuatro a seis días. Esté pendiente de cualquier seña de deshidratación (vea la página 72). Pero, mientras que el niño tome suficientes líquidos y alimentos, orine cantidades normales y esté mejorando, usted puede tratar la enfermedad en casa.

Cuándo llamar a Kaiser Permanente

- Si además de los vómitos, el niño tiene dolor de cabeza muy fuerte, desgano, mucho sueño (se le hace difícil despertar) o la nuca tiesa (quizás el niño llore o grite si le mueven el cuello). Vea la página 146.
- Si la diarrea tiene sangre, es rojo oscura o parece alquitrán.
- Si la orina tiene sangre o es color de Coca Cola.
- Si hay sangre en el vómito.
- Si aparecen señas de deshidratación (también vea las páginas 72 a 74):
  - El niño tiene los ojos hundidos, sin lágrimas y tiene la boca y la lengua secas
  - La fontanela o mollera de la cabeza del bebé está hundida
  - El niño orina poco o nada durante ocho horas
  - La piel se ve pastosa o no vuelve a su lugar después de pellizcarla
  - Tiene la respiración y el pulso rápidos
  - Tiene mucho sueño, dificultades para despertar, desgano y se irrita fácilmente
- Si un niño con diarrea o vómito se niega a tomar líquidos o no puede beber suficientes líquidos para reponer los que ha perdido.
- Si un bebé menor de tres meses tiene vómitos fuertes (vomita casi todos los líquidos y la leche que le dé). Si el niño es mayor de tres meses, llame si los vómitos son fuertes y duran...
  - más de cuatro horas para un bebé de tres meses a un año de edad.
  - ocho horas para un niño de uno a tres años.
- Si el niño sólo vomita de vez en cuando y puede mantener los líquidos en el estómago un rato antes de vomitarlos, llame si el problema dura...
  - más de uno o dos días en un niño menor de tres meses.

  - más de dos a cuatro días en un niño de tres a seis meses.
  - más de una a dos semanas en un niño de seis meses a tres años de edad.
- Si la diarrea fuerte (excrementos grandes y aguados cada una o dos horas) dura...
  - más de cuatro horas en un bebé menor de tres meses.
  - más de ocho horas en un niño de tres a seis meses.
  - más de uno o dos días en un niño de seis meses a cuatro años de edad.
- Si la diarrea es leve o moderada, sin ninguna causa aparente, y no hay otras señas de enfermedad, y esto dura...
  - más de 24 horas en un bebé menor de tres meses.
  - más de uno o dos días en un niño de tres a seis meses.
  - más de cuatro a siete días en un niño de seis meses a cuatro años de edad.
- Si el niño tiene fiebre de 103 grados o más, o una fiebre más baja con diarrea, por más de dos días.
- Si el niño tiene dolor de estómago muy fuerte.
- Si el dolor de estómago es persistente y el niño tiene vómitos frecuentes por más de 12 horas, y tiene poca o nada de diarrea.
- Si el dolor de estómago comienza varias horas antes que los vómitos y parece ser algo más serio que calambres o cólicos.
- Si el dolor de estómago no da cerca del ombligo, y sobre todo si parece estar en la parte inferior derecha del abdomen (barriga). Esto puede ser difícil de determinar en niños pequeños.

Fiebre (calentura)

La fiebre o calentura generalmente se define como una temperatura de más de 100,4 grados. La temperatura también puede subir por encima de lo normal en un bebé que está muy arropado o que se encuentra en un cuarto muy caliente.

Para información sobre cómo tomar correctamente la temperatura de los bebés y niños, vea la página 21. **Todas las temperaturas que mencionamos en esta sección son temperaturas del recto.**

Por lo general, aunque no siempre, la fiebre indica que la persona tiene una enfermedad. Por sí sola, la fiebre no es dañina; de hecho, puede ayudar a que el cuerpo combata mejor las infecciones.

En los niños, las infecciones por virus, como el catarro, la gripe o la varicela pueden causar fiebres altas. La gripe (vea la página 145) puede causar una fiebre alta por cinco días o más, junto con dolores por todo el cuerpo, dolor de cabeza y molestias como de catarro. Las infecciones bacterianas, como la infección por estreptococos en la garganta o las infecciones del oído, también causan fiebre. Los bebés pueden tener una fiebre leve, de hasta 100 grados, cuando les están saliendo los dientes.

Los niños suelen tener fiebres más altas que los adultos. Aunque las fiebres altas son molestas, es raro que causen problemas médicos. Las convulsiones o ataques causados por fiebre son poco comunes. Vea la página 225.

No hay evidencia médica de que las fiebres altas puedan dañar el cerebro. El cuerpo impide que la temperatura suba a más de 106 grados. No obstante, el cerebro sí se puede dañar cuando el calor de otras fuentes (como un auto estacionado en el sol) aumenta la temperatura del cuerpo a más de 107 grados.

Tratamiento en casa

Puede ser difícil saber cuándo llamar al doctor cuando su niño tiene fiebre o calentura, sobre todo si le está dando gripe u otra enfermedad viral.

El grado de la fiebre no siempre indica qué tan grave es la infección. Es mejor que se fije en cómo se ve y se comporta su niño.

La mayoría de los niños se vuelven menos activos cuando tienen fiebre. No obstante, si a ratos su niño juega y está más activo y alegre, y además está tomando líquidos sin problema, eso es una buena señal.

Por lo general, si un niño mayor de tres años está cómodo, comiendo y jugando como siempre, no se preocupe por la fiebre. La fiebre hará más provecho que daño.

- Vista al niño con ropa ligera y no lo envuelva en cobijas.
- Anime al niño a tomar más líquidos de lo usual o a chupar pedacitos de hielo o paletas heladas.

Si el niño tiene fiebre de más de 102 grados y está incómodo:

- Dele acetaminofeno o ibuprofen. Para las dosis, vea la página 338. No les dé aspirina a los niños ni a los jóvenes menores de 20 años.
- Si la temperatura es 104 grados o más, dele un baño de esponja con agua tibia, por 20 minutos. No use agua fría, hielo ni alcohol para curaciones. Tómele la temperatura con frecuencia. La fiebre puede tardar hasta una hora en bajar.
- Siga animando al niño a tomar más líquidos de lo usual.

Cuándo llamar a Kaiser Permanente

- Si además de fiebre o calentura, el niño tiene vómito, dolor de cabeza fuerte, mucho sueño, desgano (se le hace difícil despertar) o la nuca tiesa (quizás el niño llore o grite si le mueven el cuello). Vea la página 146.
- Si la fiebre da junto con estos síntomas:
  - Respiración rápida y difícil
  - Babeo o incapacidad para tragar
  - Salpullido morado que no se aclara al apachurrar la piel
  - Vómito, diarrea y dolor de estómago (vea la página 221)
  - Señas de deshidratación (vea las páginas 73 y 74)
  - Salpullido o ronchas sin ninguna explicación (para información sobre las enfermedades comunes de la niñez que producen salpullido, vea la página 216)

  - Dolor de oído (los bebés muchas veces se jalan las orejitas cuando les duelen los oídos)
  - Dolor al orinar (el niño llora al orinar, y la causa no es una rozadura de pañal)
  - Dolor de coyunturas
  - Cualquier dolor notable o fuera de lo común
- Si un bebé menor de tres meses tiene una fiebre de 101 grados o más.
- Si un niño tiene una fiebre de 104 grados o más que no le baja, después de cuatro a seis horas de tratamiento en casa.
- Si un niño de tres meses a tres años de edad tiene una fiebre de 103 grados o más, por 24 horas.
- Si una fiebre de 100 a 103 grados dura más de tres días.
- Si un niño con fiebre o calentura se ve peor de lo que usted esperaría con una enfermedad de virus, como un catarro o una gripe.
- Si la fiebre da con dolor que no se quita con el tratamiento en casa.
- Si el niño tiene delirio o alucinaciones (es decir, se desvaría).

Convulsiones por fiebre

Las convulsiones o ataques por fiebre son espasmos de los músculos que algunas veces les dan a los niños cuando les sube la temperatura muy rápidamente. Las convulsiones muchas veces dan hasta antes de que usted se dé cuenta de que el niño tiene fiebre. Una vez que la fiebre está alta, generalmente ya no hay riesgo de que cause un ataque.

El niño que tiene una convulsión se pone rígido y aprieta los brazos, las piernas y los dientes. Los ojos se pueden ir para atrás y el niño puede dejar de respirar por unos cuantos segundos, puede vomitar, orinarse u obrar. Las convulsiones, por lo general, duran de uno a cinco minutos.

Aunque dan miedo, los ataques por fiebre en los niños de seis meses a cinco años de edad rara vez son graves y no hacen ningún daño. Sólo entre el dos y el cuatro por ciento de los niños de esta edad tienen tendencia a padecer de convulsiones por fiebre. Más o menos el 30 por ciento de los niños que tienen una convulsión por fiebre tendrán otra, por lo general en menos de dos años después del primer ataque.

Tratamiento en casa

Durante una convulsión:

- Proteja al niño para que no se lastime. Bájelo lentamente al piso o, si es un niño chiquito, sosténgalo boca abajo sobre sus piernas. No contenga al niño.
- Voltéele la cabeza de un lado para que pueda salir el vómito o la saliva de la boca y el niño pueda respirar.
- No le ponga nada en la boca para evitar que se muerda la lengua. Eso podría lastimar al niño.
- Trate de mantener la calma; eso le ayudará al niño a calmarse también.
- Si es posible, fíjese cuánto tiempo dura la convulsión.

Después de una convulsión:

- Revise si el niño se lastimó.
- Baje la fiebre con acetaminofeno o ibuprofen y baños de esponja con agua tibia. Vea la página 224.
- Acueste al niño en un cuarto fresco para que duerma. Es común tener sueño después de una convulsión.

Cuándo llamar a Kaiser Permanente

- Llame por teléfono al 911 o a los servicios de emergencia:
  - Si el niño deja de respirar por más de 30 a 60 segundos. Comience a darle respiración de boca a boca. Vea la página 55.
  - Si un ataque dura más de cinco minutos, o si da un segundo ataque.
- Si el niño es menor de seis meses, mayor de cinco años o si la convulsión sólo afecta a un lado del cuerpo.
- Si junto con la fiebre alta da dolor de cabeza muy fuerte, vómito y la nuca se pone tiesa, o si al bebé se le hincha la mollera o fontanela. Vea la página 146.
- Si una convulsión da sin fiebre.
- Si es la primera vez que le da una convulsión al niño, o si usted no ha hablado con su doctor sobre qué hacer si ocurre otra.
- Si, después de una convulsión, usted no puede bajarle la fiebre a 102 grados o menos.

Impétigo

El impétigo es una infección bacteriana mucho más común en los niños que en los adultos. A menudo empieza cuando una herida o cortada pequeña se infecta. Las señas son llagas que sueltan líquido y forman costras color de miel. Las llagas muchas veces aparecen en la cara, entre el labio y la nariz, sobre todo después de un catarro. El rascarse las llagas puede extender el impétigo a otras partes del cuerpo.

Prevención

- Lávese todas las heridas y llagas con agua y jabón.
- Si a su niño le escurre la nariz, manténgale limpia el área abajito de la nariz, para evitar que se infecte.
- Mantenga las uñas de las manos cortas y limpias.

Tratamiento en casa

Los casos leves de impétigo muchas veces se curan con el tratamiento en casa si éste se hace a tiempo.

- Quite las costras, remojando el área afectada en agua tibia de 15 a 20 minutos (para la cara use una toallita remojada en agua tibia). Luego frote el área suavemente con una toallita y un jabón antibacteriano como Betadine o Hibiclens. Seque el área a palmaditas; no talle la piel. Repita varias veces al día.
- Use una pomada antibiótica (vea la página 331). Cubra el área con gasa, asegurándose de pegar la cinta adhesiva lejos del área afectada. Esto ayudará a evitar que la infección se extienda y que la persona se rasque.

- Para no pasarle la infección a nadie, no use las mismas toallas, toallitas o agua de baño que otras personas. Los hombres no deben afeitarse directamente sobre las llagas, sino sólo a su alrededor. Debe usar una nueva hoja de rasurar todos los días. No use una brocha para afeitarse.

Cuándo llamar a Kaiser Permanente

- Si el impétigo cubre un área mayor de dos pulgadas (cinco centímetros) de ancho.
- Si, después de tres o cuatro días, aparecen nuevas áreas infectadas, o si no ha logrado controlar el impétigo. Quizás su médico le recete un antibiótico.
- Si el área alrededor de las ventanas de la nariz, los labios o la cara se hincha y se pone sensible.
- Si aparecen señas de infección:
    - Dolor, hinchazón o sensibilidad
    - Enrojecimiento o rayas rojas que se extienden desde el área afectada
    - Pus
    - Fiebre (calentura) de 100 grados o más, sin ninguna otra causa

Oxiuros (lombrices intestinales)

Los oxiuros (llamados *pinworms*, en inglés) son lombrices chiquitas, como hilos, que infectan los intestinos (tripas) de los niños pequeños. Estas lombrices son más comunes en los niños de cuatro a seis años de edad, aunque cualquier persona puede tenerlas. Los oxiuros viven en el intestino grueso, cerca del apéndice, y salen por el ano para poner allí sus huevecillos.

Las lombrices casi siempre ponen sus huevecillos de noche. Como por lo general esto causa comezón, el niño se rasca el ano. Luego, cuando el niño se chupa los dedos, se vuelve a tragar los huevecillos. Estos llegan al intestino, donde nacen nuevas lombrices.

Los huevecillos son muy pegajosos y pueden sobrevivir en la ropa y la ropa de cama por varios días. Otros miembros de la familia los pueden recoger de allí y enfermarse.

La comezón en el ano, sobre todo de noche, es la seña más común de una infección de oxiuros. Si la infección es muy grave, también puede haber dolor en la barriga y pérdida del apetito.

Los oxiuros son comunes y afectan a muchas familias. Si usted sospecha que su niño tiene oxiuros, es muy fácil confirmarlo en su propia casa y sin gastar dinero. Entre a oscuras al cuarto donde duerme su niño, varias horas después de que se haya acostado. Enfoque una linterna hacia el ano del niño. La luz hará que los oxiuros se vuelvan a meter al ano. Si no ve lombrices después de intentar esto dos o tres noches, es poco probable que el niño tenga lombrices.

Prevención

Enséñele al niño a lavarse las manos después de usar el excusado y antes de las comidas.

Tratamiento en casa

- Pídale a su farmacéutico una medicina contra oxiuros (Pin-X).
- Deles tratamiento a todos los niños de su casa que tengan entre 2 y 10 años de edad. Si la infección regresa, quizás sea conveniente que trate a todas las personas en su familia que sean mayores de dos años de edad.
- Durante el primer día del tratamiento, lave en agua caliente toda la ropa interior, las pijamas, las sábanas y las toallas. Eso matará a todos los huevecillos y evitará que causen otra infección. Limpie el excusado (retrete) y las áreas donde duerme su familia con un desinfectante fuerte.
- Córteles a todos las uñas de las manos al ras.
- Exija que todos se laven las manos con frecuencia, se bañen por la mañana y se cambien a diario la pijama y la ropa interior.

Cuándo llamar a Kaiser Permanente

- Si una medicina produce vómito, dolor u otra reacción.
- Si sospecha que su niño tiene una infección de oxiuros, pero cuando lo revisa de noche no ve nada.
- Si todavía se ven las lombrices de noche, después de tres días de tratamiento en casa. Hay medicinas más fuertes que se le pueden recetar.

Salpullido o ronchas por calor

El salpullido causado por el calor (llamado *prickly heat*, en inglés) produce puntitos rojos o rosados como granitos, en la cabeza, el cuello y los hombros de un bebé.

Este salpullido a menudo resulta cuando los padres, con toda buena intención, arropan demasiado a su bebé. Pero le puede dar a cualquier bebé cuando hace mucho calor. Los bebés no necesitan usar más ropa o ropa más caliente que los adultos. Y pueden estar cómodos a la misma temperatura que los adultos. Es normal que las manos y los pies de los bebés se sientan fríos.

Prevención

No arrope demasiado a su bebé. Siéntale la espalda entre las escápulas. Si el bebé tiene la piel caliente o húmeda, tiene demasiado calor.

Tratamiento en casa

- Vista al bebé en tan pocas ropas como pueda cuando haga mucho calor.
- Mantenga la piel del bebé fresca y seca.
- Mantenga fresca el área donde duerma el bebé.
- Una pomada con hidrocortisona (0,5 por ciento de concentración) puede serle de ayuda.

Cuándo llamar a Kaiser Permanente

- Si las ronchas se ven infectadas o no se quitan en tres o cuatro días.
- Si el bebé se ve enfermo.
- Si el bebé es menor de tres meses, tiene fiebre de 100,4 grados además del salpullido, y la fiebre no baja aunque le quite al bebé la ropa que trae de más.

Roséola

La roséola es una enfermedad leve, causada por un virus, que muchas veces empieza con una fiebre alta repentina (de 103 a 105 grados) y mal humor. La fiebre dura de dos a tres días. A medida que la fiebre baja, sale un salpullido rosado en el pecho, el cuello y los brazos que puede durar de uno a dos días. Como la fiebre es bastante alta y da de repente, el niño puede tener convulsiones de fiebre (vea la página 225). La roséola es más común entre los niños de seis meses a dos años de edad. Es rara después de los cuatro años.

Tratamiento en casa

- Si el niño está incómodo, bájele la fiebre. Vea la página 224.
- Dele mucho líquido.
- Si le da una convulsión, vea la página 225.

Cuándo llamar a Kaiser Permanente

Vea "Cuándo llamar a Kaiser Permanente" en casos de fiebre, en la página 224.

Sarampión, paperas y rubéola

Antes, el sarampión, las paperas y la rubéola (sarampión alemán) eran enfermedades comunes de la niñez. Hoy en día, son bastante raras gracias a la vacuna que existe para estas tres enfermedades (en inglés, se le llama vacuna MMR por *measles, mumps* y *rubella*). Dos inyecciones dan protección para toda la vida. La primera inyección se da entre los 12 y 15 meses de edad y la segunda entre los cuatro y seis años o entre los 11 y 12 años de edad. Los adultos que no han sido vacunados, que sólo han recibido una dosis o que no han tenido estas enfermedades, también pueden necesitar una dosis o ambas.

En los lugares donde no se vacuna a suficientes niños, pueden haber pequeñas epidemias de sarampión, paperas o rubéola.

Señas de sarampión:

- Fiebre, nariz que escurre y tos seca
- Ojos rojos
- Manchas rojas por todo el cuerpo

Señas de paperas:

- Hinchazón a lo largo de la quijada
- Fiebre (calentura) y vómitos

Seña de rubéola:

- Salpullido finito color de rosa, que empieza en la cara y cubre todo el cuerpo

Llame a su profesional de la salud para pedir información sobre la vacuna MMR, o si sospecha que su niño tiene sarampión, paperas o rubéola.

Eritema infeccioso

Otra enfermedad común de la niñez que causa ronchas o salpullido es el eritema infeccioso. La seña principal es un salpullido rojo en la cara como de cachetadas y un salpullido rosado como encaje en la parte trasera de los brazos y las piernas, en el pecho y en las nalgas. Puede haber un poco de fiebre. El salpullido puede ir y venir por varias semanas a causa de los cambios de temperatura y luz del sol.

Esta enfermedad es más contagiosa la semana antes de que salgan las ronchas. Ya que el niño tenga salpullido, no podrá contagiar a otras personas.

El tratamiento en casa para esta enfermedad consiste sólo en mantener al niño cómodo y fijarse que no le den señas de una enfermedad más grave (fiebre de más de 102 grados o un niño que se ve muy enfermo).

Esta enfermedad es leve en los niños sanos, pero representa un pequeño riesgo para los que aún no han nacido. Si es posible, las mujeres embarazadas deben evitar el contacto con esta enfermedad. Si usted está embarazada y entra en contacto con un niño que tenga eritema infeccioso, o si le sale un salpullido parecido al de esta enfermedad, llame al médico que esté atendiendo su embarazo.

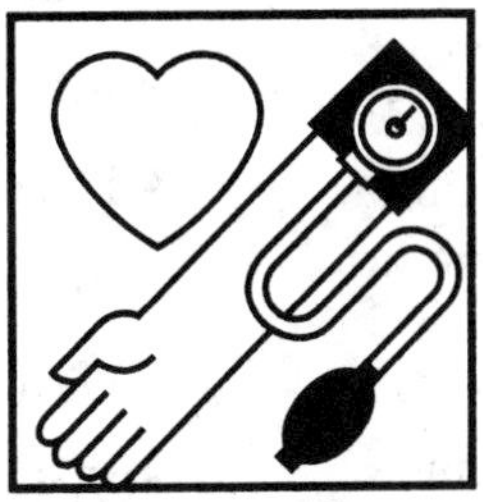

13

Condiciones crónicas

La mayoría de las condiciones descritas en este libro son enfermedades agudas, o sea, problemas que se mejoran en poco tiempo. Las enfermedades crónicas, por otro lado, son aquéllas que duran largas temporadas o que van y vienen, muchas veces por el resto de la vida. El tener una enfermedad crónica no quiere decir que usted ya no pueda disfrutar de la vida; aunque estas enfermedades no son curables, con frecuencia pueden ser controladas.

Las siguientes condiciones, que pueden ser crónicas, se tratan en otras partes de este libro.

- Las alergias, página 127.
- La artritis, página 103.
- El asma, página 132.
- Los problemas de la espalda, página 87.
- La depresión, página 315.
- Los dolores de cabeza, página 173.
- El síndrome del intestino delicado, página 78.
- Los problemas del cuello, página 98.
- La osteoporosis, página 115.

Diabetes

Al digerir los alimentos, el cuerpo convierte en glucosa los almidones y azúcares que uno haya comido. La glucosa es un azúcar que el cuerpo usa para darse energía. La insulina es una hormona producida por el páncreas que controla la cantidad de glucosa en la sangre. Sin insulina, el cuerpo no puede usar o almacenar glucosa, por lo que demasiado azúcar se queda en la sangre.

La diabetes del tipo 1 da cuando el páncreas no produce insulina. Este tipo de diabetes generalmente empieza durante la niñez o la adolescencia, pero puede aparecer a cualquier edad. Las personas con diabetes del tipo 1 necesitan inyectarse insulina todos los días.

La diabetes del tipo 2 da cuando las células del cuerpo se vuelven resistentes a la insulina. Como resultado, las células pueden usar menos insulina de lo normal en cualquier momento dado. Este tipo de diabetes es más común entre los adultos, especialmente entre los que pesan de más y son mayores de 40 años.

Muchas personas con diabetes del tipo 2 pueden controlar el nivel de azúcar en su sangre, controlando cuánto pesan, haciendo ejercicios regularmente y siguiendo una dieta saludable. Algunas pueden necesitar inyecciones de insulina o pastillas para bajar el nivel de azúcar en su sangre.

Los siguientes factores aumentan el riesgo de padecer de diabetes del tipo 2:

- Ser mayor de 40 años
- Pesar demasiado (20 por ciento más de su peso ideal)
- Tener parientes que padecen o han padecido de diabetes
- Ser de origen afroamericano, hispánico (latinoamericano) o indígena de Norteamérica o de las islas del Pacífico
- Haber dado a luz a un bebé de más de 9 libras (4 kilos) o haber tenido diabetes durante el embarazo

Las señas de la diabetes son bastante generales y por sí mismas no son muy alarmantes. Incluyen:

- Mucha sed
- Ganas frecuentes de orinar (sobre todo por la noche)
- Más ganas de comer
- Pérdida de peso que no se puede explicar
- Cansancio
- Infecciones de la piel
- Heridas que tardan en sanar
- Infecciones vaginales que se repiten
- Dificultad para tener erecciones
- Visión borrosa
- Hormigueo o entumecimiento en las manos o en los pies

Se necesita una prueba de sangre para diagnosticar la diabetes. Las pruebas para medir el azúcar en la sangre son económicas y de muy bajo riesgo. Pregúntele a su doctor si debe comer o ayunar antes del examen.

Prevención

Actualmente, no existe ningún método o ninguna forma para prevenir la diabetes del tipo 1.

La mayoría de la gente puede reducir su riesgo de tener diabetes del tipo 2 haciendo ejercicio regularmente (vea el Capítulo 17) y manteniéndose a un peso saludable.

Tratamiento en casa

- Tenga fe en que usted puede controlar la diabetes. La diabetes requiere que usted haga cambios notables en sus hábitos y costumbres por muchos años. Quizás al principio esto le parezca imposible. Pero si va haciendo un solo cambio a la vez, pronto tendrá un mejor control sobre su vida y su diabetes.
- Coma una dieta sana. Ésta le ayudará a controlar el nivel de azúcar en su sangre y a mantenerse a un peso saludable. Coma alimentos bajos en grasas, fíjese bien en el tamaño de las porciones y siga las otras recomendaciones del Capítulo 18.

- Haga ejercicio aeróbico regularmente. Le ayudará a controlar el azúcar en su sangre, a reducir su riesgo de tener enfermedades del corazón y a controlar su peso. Usted y su doctor pueden determinar juntos cómo afecta su nivel de actividad los niveles de glucosa en su sangre y qué medicinas necesita (si es que las necesita del todo).
- Dependiendo de qué tan estrictamente esté controlando los niveles de azúcar en su sangre y de cuán difícil sea controlarlos, puede que usted quiera apuntar la siguiente información a diario:
    - La hora y el contenido de cada comida
    - El tipo y la cantidad de ejercicio que hace
    - Qué tan cansado o animado se siente
    - Si usted tiene un monitor de glucosa en casa, revísese el nivel de azúcar en la sangre de la forma en que le haya indicado su médico. Esta información le ayudará a entender cómo reacciona su cuerpo a diferentes alimentos y al ejercicio. Así usted podrá corregir los desequilibrios en el nivel de la glucosa cuando aún sean fáciles de controlar.
- Si le recetan medicinas para controlar el azúcar en la sangre, tómelas como se lo indiquen. Si no toma suficiente medicina, tendrá más azúcar en la sangre de lo normal; si toma demasiada medicina, tendrá menos azúcar de lo normal. A medida que mejore su dieta y vaya haciendo más ejercicio, quizás necesite menos medicina. Hable de esto con su médico.
- Cuídese bien los pies. Las personas con diabetes tienen problemas con los nervios y con la circulación en los pies. Por eso es más fácil que les den infecciones allí. Trate de no cortarse ni rasparse los pies. Si tiene cualquier llaga o herida, atiéndala pronto.
- Acuda al oculista regularmente para que le revise la retina, que se encuentra en la parte trasera del ojo. La diabetes puede causar cambios en los ojos que no tienen síntomas hasta que están bastante avanzados. El tratamiento a tiempo puede retrasar el avance de estos problemas y salvar su visión.
- Manténgase al tanto de su presión sanguínea.
- Vacúnese contra la gripe cada año.
- Revísese el nivel de colesterol y lípidos (grasas) en la sangre regularmente.
- Si fuma, deje de hacerlo (vea la página 155). Evite el humo de otros fumadores.

Usted puede obtener más información sobre la diabetes a través del Centro Nacional de Intercambio de Información sobre la Diabetes (*National Diabetes Information Clearinghouse*). Escriba a: 1 Information Way, Bethesda, MD 20892.

Cuándo llamar a Kaiser Permanente

- Llame al 911 u obtenga servicios de emergencia si una persona con diabetes pierde el conocimiento y permanece inconsciente.

- Si a una persona con diabetes, le dan señas de tener el azúcar alto en la sangre:
  - Ganas frecuentes de orinar
  - Mucha sed
  - Mala visión
  - Respiración rápida
  - Aliento que huele a fruta
- Si una persona con diabetes sigue teniendo señas de que el nivel de azúcar en su sangre está bajo más de 15 minutos después de haber comido algo con azúcar:
  - Cansancio, debilidad, náusea
  - Hambre
  - Visión doble o borrosa
  - Corazón que late con fuerza
  - Confusión, irritabilidad, apariencia de estar borracho
- Si, al revisarse en casa el nivel de azúcar en la sangre, usted descubre que lo tiene más alto o más bajo de lo que su médico le ha recomendado.
- Si quiere que le hagan una prueba de glucosa en la sangre porque sospecha que tiene diabetes.

Nivel de colesterol alto

El colesterol es una sustancia como cera que el cuerpo humano produce y que también se encuentra en los alimentos que vienen de animales. Las células necesitan algo de colesterol para poder funcionar. Desafortunadamente, si uno tiene demasiado colesterol, éste se va juntando en las arterias. Los depósitos de colesterol (arteriosclerosis) son la causa principal de los ataques al corazón y de los derrames cerebrales (embolias).

La cantidad de colesterol en su sangre le puede indicar qué tan alto es su riesgo de tener un problema del corazón o un derrame cerebral. Entre más colesterol tenga en la sangre, mayor es su riesgo. A pesar de todo, no todo el colesterol es dañino. Hay un colesterol "malo", llamado *LDL*, y un colesterol "bueno", el *HDL*.

¿Qué significan los números?

Los médicos no están de acuerdo en cuanto a cuáles son las medidas del colesterol que son más útiles para determinar su riesgo de padecer de un mal del corazón. A continuación presentamos las medidas que se usan con mayor frecuencia. La importancia de los números será mayor o menor dependiendo de cuáles sean sus factores de riesgo.

Niveles deseables: todos los siguientes:
- Colesterol total de menos de 200
- Colesterol HDL de más de 35
- Colesterol LDL de menos de 130

Niveles de riesgo casi inaceptable: uno o más de los siguientes:
- Colesterol total de 200-239
- Colesterol LDL de 130-159

Niveles de riesgo alto: uno o más de los siguientes:
- Colesterol total de 240 o más
- Colesterol HDL de menos de 35
- Colesterol LDL de más de 160

Dos tipos de colesterol

El colesterol LDL se reparte por todo el cuerpo. Una lipoproteína lo recoge en el hígado y lo lleva a todas las células. Cuando las células ya no pueden aceptar más colesterol, éste se deposita en las paredes de las arterias. Si usted tiene mucho colesterol LDL en la sangre, corre un mayor riesgo de tener una enfermedad del corazón o un derrame cerebral.

El colesterol HDL se une a otro tipo de lipoproteína que recoge todo el colesterol extra de la sangre y lo lleva al hígado. Si usted tiene mucho colesterol HDL en la sangre, su riesgo de tener una enfermedad del corazón y un derrame es menor.

Prueba de colesterol

Para averiguar con qué frecuencia debe hacerse una prueba de colesterol, consulte las recomendaciones de Kaiser Permanente para la atención preventiva. Si usted tiene cualquiera de los siguientes factores que aumentan el riesgo de padecer de un mal del corazón, pregunte a su profesional de la salud cuándo debe empezar a hacerse pruebas y con qué frecuencia debe hacérselas.

- Parientes cercanos que han tenido un ataque al corazón a una edad relativamente joven (su padre o un hermano antes de los 55 años de edad; su madre o una hermana antes de los 65 años)
- Fuma cigarrillos actualmente
- Tiene presión alta de la sangre (más de 140/90) o está tomando medicinas para la presión alta
- Tiene diabetes
- Tiene o ha tenido algún problema del corazón
- Es mujer y ya ha pasado por la menopausia

El colesterol alto es uno de muchos factores que aumentan su riesgo de tener un problema del corazón. El fumar, la presión alta, la diabetes, un historial familiar de ese tipo de enfermedades y la falta de ejercicio también aumentan su riesgo.

Si su colesterol total es de más de 200, piense en hacerse pruebas para medir los niveles de su colesterol HDL y LDL. Éstas pueden ayudar a clarificar más su verdadero riesgo. Por ejemplo, si sus niveles de colesterol HDL y LDL se hallan dentro de los límites deseables, un nivel de colesterol total de más de 200 podría ser menos inquietante. Vea la página 234 para una explicación de lo que indican los niveles de colesterol HDL, colesterol LDL y colesterol total.

La mayoría de la gente no necesita más que seguir una dieta baja en grasas (vea la página 298) y hacer ejercicio para reducir su nivel de colesterol. Las personas que tienen el colesterol muy alto o una enfermedad del corazón (o un riesgo muy elevado de padecer de una) pueden necesitar medicamentos además de la dieta baja en grasas y del ejercicio.

Cómo reducir su nivel de colesterol

- Coma menos grasas en general. Una dieta alta en grasas aumenta el colesterol, por eso no basta consumir menos colesterol en sí. También hay que disminuir el consumo total de grasas. Vea la página 298.

- Use aceite para cocinar (como aceite de maíz, soya, girasol o semillas de algodón) y úselo lo más poco que pueda.
- Coma de dos a tres porciones (de tres a cuatro onzas) de pescado horneado o asado a la semana. La mayoría de los pescados contienen ácidos grasos de tipo omega-3, que ayudan a disminuir el colesterol y los triglicéridos (un tipo de grasas) en la sangre. En general, el pescado que tiene la carne más oscura como la caballa (*mackerel*, en inglés), la trucha de lago, el arenque (*herring*, en inglés), el salmón y el halibut tienen más aceites omega-3. Todavía no se sabe mucho acerca del valor o de los riesgos de tomar cápsulas o jarabes de aceite de pescado.
- Haga más ejercicio. El ejercicio aumenta el nivel de colesterol bueno (HDL).
- Deje de fumar. Eso puede aumentar su nivel de colesterol bueno y reducir su riesgo de tener un problema del corazón.
- Si pesa de más, adelgace. El perder aunque sea de 5 a 10 libras (2 a 4 kilos) puede aumentar su nivel de colesterol bueno, y a la vez bajar su colesterol total.
- Coma más fibra soluble (frutas, verduras y avena) para bajar su colesterol total. Vea la página 296.
- Aprenda a reducir su consumo de grasas tomando un curso práctico o consultando a un dietista titulado. Dependiendo de cuál sea su meta, usted aprenderá a lograr que las grasas representen 30 por ciento o menos del número total de calorías que usted consuma. Para sugerencias sobre cómo comer menos grasas, vea la página 298.

Cómo revertir un mal del corazón

El comer una dieta baja en grasas y cambiar ciertos hábitos pueden parar, e inclusive revertir, el progreso de una enfermedad del corazón y además ayudar a despejar las arterias que estén tapadas por la arteriosclerosis.

Los participantes de una investigación científica siguieron una dieta vegetariana con menos del 10 por ciento de calorías provenientes de grasas y sin cafeína. También dejaron de fumar, hicieron 30 minutos de ejercicio por los menos seis días a la semana y practicaron una técnica de relajación durante una hora al día (respiración profunda, estiramiento, relajación muscular progresiva, etc.). Después de un año, más del 80 por ciento de los participantes habían perdido peso, reducido su colesterol y lo más importante es que habían reducido el bloqueo en sus arterias.

Para mayor información, vea la página 298.

Presión alta de la sangre

La presión alta (hipertensión) ocurre cuando la presión de la sangre en las arterias es más alta de lo normal. En la página 24 explicamos cómo tomarse la presión.

Los doctores clasifican la presión de los adultos mayores de 18 años así:

- Normal: menos de 130/85

- Normal-alta: 130-139/85-89
- Alta: más de 140/90

Generalmente, la gente que tiene presión alta no tiene síntomas. La presión alta en sí no es una enfermedad, pero sí aumenta su riesgo de padecer de un derrame cerebral o embolia, un ataque al corazón o problemas de los riñones. Las personas que tienen una presión menor de 120/80 corren el menor riesgo de que les den estos males.

Los siguientes factores aumentan el riesgo de tener alta la presión de la sangre:

- Ser de raza afroamericana
- Ser gordo
- Tener familiares que han padecido de presión alta
- No hacer suficiente ejercicio
- Tomar demasiado alcohol
- Comer demasiada sal (sodio)
- Usar ciertas medicinas, incluyendo las píldoras anticonceptivas, los esteroides y las medicinas descongestivas y antiinflamatorias (que reducen la hinchazón)

En algunos casos, la presión alta se puede evitar. Muchas personas se pueden controlar la presión cambiando sus hábitos, y quizás hasta sin medicinas. Seguir los siguientes consejos es de especial importancia para las personas que tienen uno o más de los factores mencionados arriba.

Prevención

- Baje de peso. Esto es de mayor importancia si usted tiende a ganar peso en la cintura, en vez de las caderas y muslos. El perder tan sólo 10 libras (4 kilos) puede bajar la presión de la sangre.
- No tome más de dos bebidas alcohólicas al día. El tomar demasiado alcohol sube la presión de la sangre.
- Haga ejercicio regularmente. El caminar rápido de 30 a 45 minutos tres a cinco veces por semana, ayuda a bajar la presión (y también le ayudará a perder peso).
- Use menos sal en la comida. Ésa es una buena idea para casi toda la gente, pero en especial para las personas que tienen la presión alta. Eso es porque hasta la mitad de esas personas logran controlar su presión simplemente usando menos sal. Vea la página 303.
- Coma bastantes frutas, verduras, alimentos de granos integrales y productos de leche descremada o semidescremada. Una dieta sana puede ayudarle a bajar de peso, puede bajarle la presión y puede reducir su riesgo de sufrir de un problema del corazón.
- Coma menos comidas con grasas saturadas. Las grasas saturadas se encuentran en los productos animales (leche, queso y carne). El comer menos de estos alimentos le ayudará a perder peso y reducirá su riesgo de tener una enfermedad del corazón. Vea la página 298.
- Deje de fumar y evite los productos de tabaco de todo tipo. El fumar o usar tabaco aumentan su riesgo de tener un problema del corazón o un derrame cerebral. Vea la página 155 para formas de dejar el tabaco.

Tratamiento en casa

- Siga los consejos de arriba aún más cuidadosamente si ya tiene la presión alta.
- Tome la medicina que le hayan recetado para la presión, justo de la manera indicada.
- Aprenda a tomarse la presión de la sangre en casa. Vea la página 24.
- Si tiene la presión alta, vea a su profesional de la salud por lo menos una vez al año.

Cuándo llamar a Kaiser Permanente

- Si usted mismo se revisa la presión de la sangre y descubre que la tiene muy alta, como por ejemplo 200/120, o si tiene un dolor de cabeza muy fuerte o la vista se le pone borrosa, llame a su doctor de inmediato.
- Si en dos o más ocasiones su presión sistólica ha sido de 140 o más, o su presión diastólica ha sido de 90 o más. Llame si después de revisarse la presión varias veces en diferentes días, uno o ambos de los números sigue estando alto.
- Si sigue teniendo la presión alta a pesar de haber estado tomando medicamentos para controlarse la presión.

14

La salud de la mujer

Desde la pubertad hasta la menopausia, las mujeres tienen que enfrentarse a problemas de salud únicos. Este capítulo cubre temas de salud de especial interés para las mujeres. En otros capítulos presentamos problemas de la salud importantes que afectan tanto a las mujeres como a los hombres.

Hábitos saludables

El tener hábitos saludables es la mejor forma de reducir su riesgo de padecer uno de los cinco problemas que más comúnmente causan la muerte en las mujeres de todas las edades. Para las mujeres ya mayores, las principales causas de mortalidad son los problemas del corazón y el cáncer.

1. Cáncer

- Deje de fumar para reducir su riesgo de contraer cáncer de los pulmones (página 155).
- Hágase mamografías y pruebas de Papanicolaou regularmente (páginas 242 y 243).

2. Accidentes (sobre todo en vehículos motorizados)

- Use su cinturón. Los cinturones de seguridad salvan vidas y evitan lesiones graves.
- No maneje si ha bebido.

3. Problemas del corazón

- Deje de fumar. Eso reducirá su riesgo de padecer una enfermedad del corazón o de tener un derrame cerebral.
- Limite la cantidad de grasas y colesterol en su dieta, sobre todo si usted tiene el colesterol alto (página 234).
- Manténgase a un peso saludable y haga ejercicio con regularidad.
- Asegúrese de que le revisen la presión de la sangre regularmente (vea las páginas 24 y 236) y tome las medicinas que le receten para la presión alta de las formas en que se lo indiquen.

4. Suicidio

- Aprenda cuáles son las señas de advertencia de la depresión y consiga ayuda si usted las tiene (página 315).

5. Homicidio

- Si tiene una relación personal con alguien que abusa de usted, tome medidas para protegerse (página 321).

La salud de los senos

El cáncer del seno es la causa principal de muerte por cáncer entre las mujeres de 40 a 55 años de edad. Tome en cuenta que el cáncer del seno responde mejor al tratamiento y puede ser curable si se descubre en sus inicios. Hay tres métodos para descubrirlo a tiempo: el autoexamen de los senos, el examen profesional de los senos y la mamografía (radiografía de los senos).

Uno de los factores que más aumenta el riesgo de padecer cáncer del seno es la edad. El riesgo aumenta considerablemente después de los 40 años. Las mujeres menores de 40 años corren un riesgo relativamente bajo de contraer este tipo de cáncer (como de 1 en 1.200). Sin embargo, si su madre o una hermana suya tuvo cáncer del seno antes de la menopausia, pregunte a su médico si debe comenzar a examinarse los senos y a someterse a otras pruebas antes de los 40 años.

Cómo examinarse los senos

Nota: A algunas mujeres quizás les dé vergüenza o pena tocarse los senos para examinarse. Pero es importante que de todos modos se examinen, porque su salud, e incluso su vida, puede depender de ello.

La mayoría de las mujeres tienen algunos bultitos o bolitas en los senos. Cuando tenga duda acerca de alguna bolita en particular, examínese el otro seno. Si encuentra una bolita parecida en la misma área del otro seno, lo más probable es que ambos senos estén normales. Esté pendiente de cualquier bolita que parezca mucho más dura que el resto del seno. Si usted encuentra algo que le preocupa, pídale a su profesional de la salud que la examine.

El autoexamen de los senos es una técnica sencilla que las mujeres pueden usar para aprender cómo son sus pechos normalmente, y así darse cuenta de cualquier cambio que tengan.

Fije un día de cada mes para examinarse los pechos. Muchas veces conviene examinarse unos cuantos días después de su regla, cuando no tenga los senos hinchados o sensibles. Las mujeres que ya no tienen la regla (a

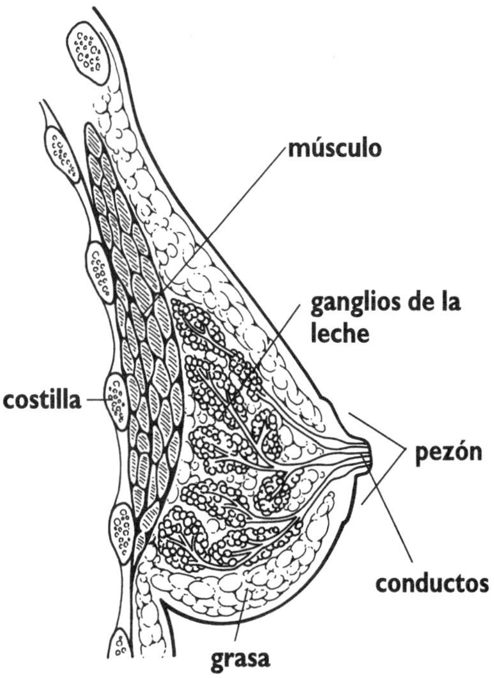

Los ganglios de la leche se hinchan cuando una mujer está embarazada o cuando está dando pecho a su niño. Casi todo el resto del seno es grasa.

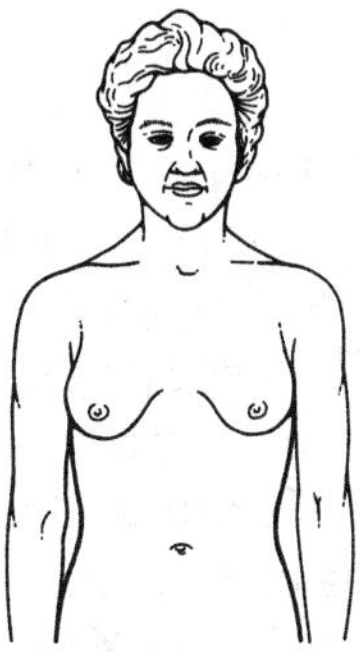

Mírese los senos en el espejo.

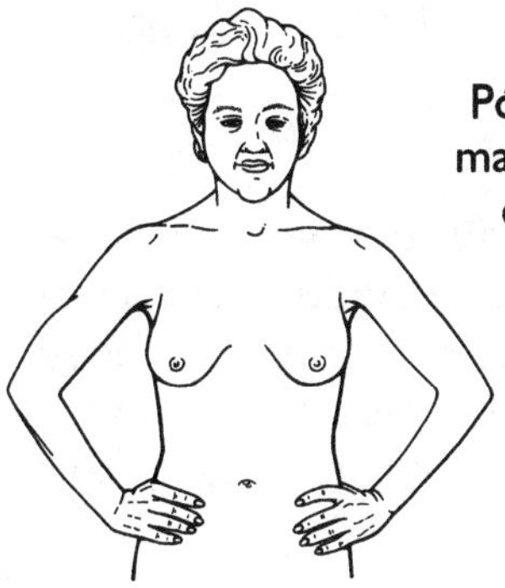

Póngase las manos en las caderas.

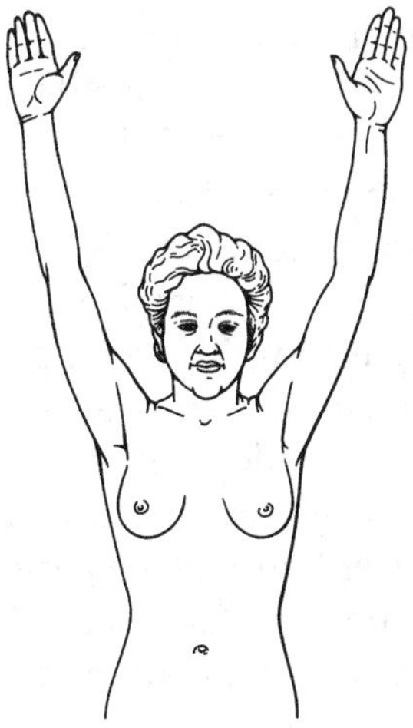

Levante los brazos.

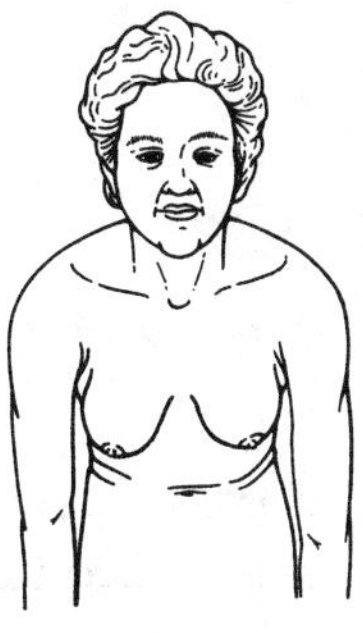

Dóblese hacia adelante, mientras sigue mirando el espejo.

causa de la menopausia o de una histerectomía—una operación que consiste en sacar la matriz) se pueden examinar los senos cualquier día del mes.

Examínese los senos de dos formas:

1. Frente al espejo:

Párese frente al espejo y mírese los pechos con cuidado. Pocas mujeres tienen los senos exactamente iguales. Es normal que un seno sea un poquito más grande que el otro. Aprenda lo que es normal para usted.

Mírese los senos en cuatro posiciones:

- Párese con los brazos colgando.
- Póngase las manos en las caderas.
- Levante los brazos sobre la cabeza.
- Incline el cuerpo hacia adelante.

En cada posición, fíjese si hay cambios en la forma de los senos, y en el color y la textura de la piel y el pezón. También fíjese si sale algún desecho de los pezones.

2. Acostada:

Para examinarse el seno izquierdo, ponga una almohada o toalla doblada bajo su hombro izquierdo. Si sus senos son grandes, acuéstese del lado derecho y voltee el hombro izquierdo bastante hacia atrás para extender el seno de una forma pareja (si se amontona de un lado no lo podrá examinar bien).

Use las puntas de los tres dedos de en medio de la mano derecha para examinarse el seno. Mueva los dedos en pequeños círculos, como del tamaño de una moneda de diez centavos. Ponga presión suave o regular en cada área del seno para sentir completamente el grosor del tejido. No quite los dedos de la piel. Lo que busca son bultos, partes que se hayan endurecido o cambios de cualquier tipo.

Examínese el seno entero, moviendo la mano de arriba para abajo, como se muestra en el dibujo. Tiéntese todo el tejido desde la clavícula hasta la línea del sostén y desde la axila hasta el esternón. Comience en la axila y baje los dedos hasta la línea del sostén. Mueva los dedos un poquito hacia el centro (como el ancho de un dedo) y súbalos hasta la clavícula. Repita hasta que haya examinado el seno entero.

Si nota cualquier bolita, dureza, desecho del pezón o algún otro cambio, avísele de inmediato a su doctor. Recuerde, la mayoría de los bultos o bolitas no son cánceres, pero necesitará que su doctor le examine los senos para hacer el diagnóstico.

Si se examina los pechos cada mes, aprenderá lo que es normal para usted y se dará cuenta rápidamente si algo cambia. Para aprender a examinarse bien los senos, hay que practicar. Pídale a su profesional de la salud que le enseñe cómo hacerlo.

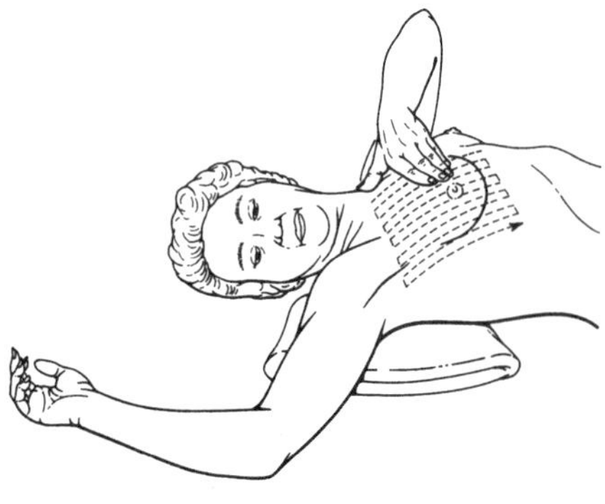

Cómo examinarse los senos acostada.

Examen profesional de los senos

El segundo método para descubrir a tiempo algún problema de los senos es el examen físico hecho por su profesional de la salud. Este examen es muy parecido al examen que se puede hacer usted misma. Consulte el programa de exámenes profesionales de los senos recomendado por Kaiser Permanente o hable con su médico.

Mamografía

Una mamografía es una radiografía especial del seno. Ayuda a encontrar bultos o tumores de los senos que son muy pequeños, y que por eso no se pueden sentir al examinarse tan solo tocándose.

Se ha demostrado que las mamografías pueden salvar vidas entre las mujeres mayores de 50 años de edad. En este grupo, la mamografía ha reducido, hasta por un tercio, el porcentaje de muertes por cáncer del seno. Los estudios que se han hecho acerca de los beneficios de la mamografía en las mujeres menores de 50 años han dado resultados contradictorios. Asegúrese de seguir las recomendaciones de Kaiser Permanente para la atención preventiva. Hable con su médico si usted tiene inquietudes particulares, o si su madre o una hermana suya tuvo cáncer antes de la menopausia.

Cómo hacer una cita

- Escoja una fecha entre 7 y 14 días después de su regla.
- No se ponga desodorante, perfume, talco o loción, pues estos productos pueden afectar la calidad de la radiografía.

- Vístase de manera que no se tenga que quitar más que la camisa o la blusa.

Consejos para la salud de los senos

- Sométase a un examen profesional de los senos según el programa recomendado.
- Hágase mamografías con la frecuencia que sea apropiada al tomar en cuenta su edad y sus riesgos. Consulte el programa recomendado por Kaiser Permanente.
- Examínese los senos regularmente.
- No tome más de una bebida alcohólica al día. El riesgo de contraer cáncer del seno aumenta con el consumo de alcohol intenso—o incluso moderado.

La salud de los órganos sexuales

Los exámenes de la pelvis y las pruebas de Papanicolaou son importantes para la salud de la mujer. Estos exámenes pueden indicar a tiempo si hay cualquier cosa rara o anormal en los órganos sexuales. Es mejor descubrir cualquier enfermedad cuando apenas esté empezando y sea más fácil de tratar.

Cómo examinarse

Nota: Quizás a usted le dé vergüenza examinarse los genitales. Pero al igual que en el caso de los senos, es importante que lo haga para ayudar a asegurar su salud y bienestar. Si usted se examina a sí misma, llegará a entender mejor su cuerpo y lo que es normal para usted.

Los genitales (o partes ocultas) de una mujer incluyen dos pares de labios que se hallan alrededor de la abertura urinaria (el hoyito por donde sale la orina), la abertura de la vagina y el clítoris.

Examínese regularmente toda el área de los genitales para ver si tiene cualquier llaga, verruga, área hinchada y roja, o un flujo o desecho fuera de lo común. Un flujo normal puede ser blanco o amarillento y oler un poco a vinagre. Puede haber mucho o poco flujo y éste puede ser espeso o aguado; cada mujer es diferente. A mediados del ciclo de la regla (durante la ovulación), por lo general hay mucho moco transparente y resbaloso. Si la cantidad, el olor o la consistencia de su flujo cambia de lo normal, vea Vaginitis en la página 258.

No debe sentir dolor ni tener que esforzarse para orinar y la orina debe salir en un chorro más o menos constante. La orina debe ser de color amarillo claro y no debe oler mucho a amoníaco. Si tiene dolor o ardor al orinar, vea Infecciones de las vías urinarias en la página 256 o Vaginitis en la página 258.

El examen de la pelvis y la prueba de Papanicolaou

Un examen de la pelvis hecho por un profesional generalmente consistirá en un examen por fuera de los genitales, una prueba de Papanicolaou y un examen manual.

La prueba de Papanicolaou es un examen para detectar el cáncer del cérvix (el cuello de la matriz). La prueba de Papanicolaou detecta del 90 al 95 por ciento de los cánceres de este tipo, así

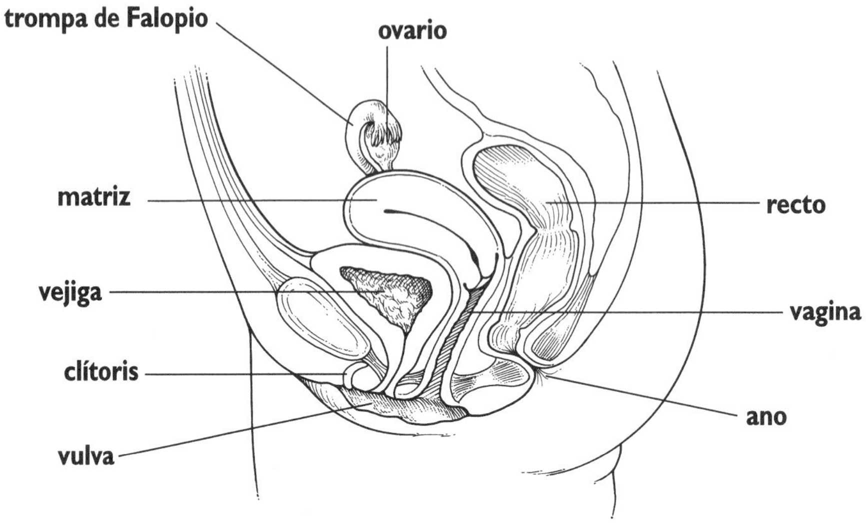

Los órganos pélvicos de la mujer

que es una prueba confiable e importante. La prueba se hace así: el profesional que la atienda le abrirá un poco la vagina con un instrumento llamado espéculo. Luego tomará una muestra de las células de su cérvix y su vagina. Esto puede ser molesto, pero no debe ser doloroso. Si está muy incómoda, dígalo. El espéculo se puede ajustar para que no sea tan molesto.

Las células se embarran en un pequeño cristal y se envían a un laboratorio para ser examinadas. Si hay células anormales, su doctor le pedirá que regrese al consultorio para hacerle más pruebas. En cualquier caso, su doctor debe darle los resultados de su prueba de Papanicolaou. Pídale que se los explique.

Para el examen manual, el profesional se pone guantes, se engrasa dos dedos y se los mete a usted en la vagina. Con la otra mano, le empuja la barriga. Esto le ayuda a sentirle los ovarios y la matriz.

Cómo hacer una cita

Se recomienda que usted acuda a hacerse su primera prueba de Papanicolaou cuando comience a tener relaciones sexuales. Por lo tanto, si usted tiene 16 años de edad y ya ha comenzado a tener relaciones sexuales, debe ir a que le hagan la prueba.

Para averiguar con qué frecuencia necesita usted hacerse una prueba de Papanicolaou, consulte las recomendaciones de Kaiser Permanente para la atención preventiva. Es posible que no necesiten una prueba de Papanicolaou anual las mujeres que sólo tienen un compañero sexual y que han tenido varias pruebas de Papanicolaou consecutivas con resultados normales.

Pueden necesitar una prueba de Papanicolaou anual las mujeres que tienen más de un compañero sexual, las que corren un mayor riesgo de padecer cáncer del cérvix por otras razones y las que han tenido resultados anormales para esa prueba. Hable con su médico o su profesional de la salud.

Haga la cita para una o dos semanas después de su regla. No se haga un lavado vaginal, no tenga relaciones sexuales ni use productos higiénicos vaginales durante las 24 horas antes de que le hagan el examen, porque esas cosas pueden afectar los resultados.

Las mujeres que han tenido una histerectomía total no necesitan hacerse la prueba, a menos que ya hayan padecido de cáncer o de alguna condición precancerosa.

Embarazo: Cómo tener un bebé sano

Usted puede mejorar las posibilidades de que su bebé nazca sano. Los siguientes consejos le ayudarán. Para mayor información, consulte los materiales de educación prenatal de Kaiser Permanente.

Antes de quedar embarazada

La salud de la madre, antes y durante las primeras semanas del embarazo, es muy importante para la salud del bebé. Comience a ayudar a su bebé aún antes de quedar embarazada.

- Si tiene diabetes, presión alta, cualquier enfermedad que cause ataques epilépticos o convulsiones, o cualquier enfermedad de familia, hable con su doctor antes de quedar embarazada. Quizás su doctor quiera cambiar su tratamiento y tal vez pueda recetarle medicinas que sean más seguras para el bebé en desarrollo.
- Antes de tratar de quedar embarazada, hágase un análisis de la sangre para ver si tiene inmunidad (resistencia) a la rubéola. Si su prueba indica que no la tiene, usted deberá vacunarse contra esa enfermedad y usar algún método anticonceptivo por lo menos durante tres meses después de vacunarse.
- Si tiene cualquier seña de una enfermedad transmitida por contacto sexual o si tiene dudas sobre la historia sexual de su pareja, vea las páginas 274 a 279. También haga una cita con su doctor para que le haga exámenes y pruebas.

Pruebas de embarazo caseras

Si usted queda embarazada, es importante que lo sepa de inmediato. La forma más rápida de enterarse es con una de las pruebas de embarazo que se pueden hacer en casa. Estas pruebas son económicas y muy confiables si se hacen correctamente. Escoja una prueba que tenga instrucciones sencillas y sígalas con mucho cuidado. Los errores pueden dar resultados falsos.

Si la prueba indica que está embarazada, llame al consultorio de su doctor o a la enfermera consejera. Ellos le darán una cita para que se haga una prueba de laboratorio. Ésto confirmará si usted está embarazada. Aunque la prueba casera indique que usted no está embarazada, cuídese como si lo estuviera, hasta que esté segura de lo contrario.

- Coma bien. Asegúrese de comer bastantes verduras de hojas verdes y legumbres. También tome pastillas de ácido fólico que contengan 0,4 mg. de folacina. El ácido fólico ayuda a prevenir ciertos defectos de nacimiento, como por ejemplo la espina bífida. Otros alimentos que contienen bastante ácido fólico son el cereal enriquecido, el pan de trigo integral, las naranjas y las nueces.
- Deje de fumar (vea la página 155) y de tomar alcohol.
- No use drogas ilegales y elimine cualquier medicina que no sea absolutamente necesaria.
- Si está muy angustiada o deprimida, busque ayuda. Vea las páginas 313 a 317.
- Cómprese un buen libro sobre el embarazo y comience a leerlo.

Los primeros tres meses del embarazo

- Continúe sin fumar, sin tomar bebidas alcohólicas y sin usar drogas.
- Cuando tenga entre 6 y 12 semanas de embarazo, acuda a su primera cita con el médico o el profesional de la salud que se encargará de atenderla.
- Siga acudiendo a dicho médico o profesional de la salud regularmente, para obtener la atención prenatal apropiada.
- Siga comiendo bien. Llame a su oficina local del programa WIC (para mujeres, bebés y niños) para averiguar si usted califica para recibir los servicios de dicho programa. A través del programa WIC, las mujeres embarazadas y las madres de bebés recién nacidos o niños menores de cinco años de edad pueden obtener fichas para comprar alimentos nutritivos y recibir consejos sobre la buena alimentación y el amamantamiento.
- Siga tomando 0,4 mg. de ácido fólico todos los días. Muchos médicos ya no recomiendan que las mujeres embarazadas tomen vitaminas, siempre y cuando estén

Náusea y vómitos del embarazo

A muchas mujeres, los primeros meses del embarazo les causan mareos, náusea y vómitos. Estos malestares pueden dar a cualquier hora del día. Son una reacción normal del cuerpo al embarazo. Puede que los siguientes consejos le sean de ayuda:

- Coma de cinco a seis comidas pequeñas al día para evitar tener el estómago vacío. Incluya algo de proteína en cada una de estas comidas.
- Coma galletas saladas o pan tostado antes de levantarse de la cama en las mañanas.
- Coma alimentos ricos en vitamina B_6, como cereales y granos integrales, nueces y cacahuates, semillas (de ajonjolí, calabaza y girasol), legumbres como frijoles y habas, y tomates y plátanos. No tome vitaminas en los primeros meses del embarazo sin consultar a su médico. Las vitaminas pueden causar náusea.
- Sea optimista. Estos malestares generalmente sólo duran los tres o cuatro primeros meses del embarazo.

comiendo bien. De hecho, hay algo de evidencia que las vitaminas pueden causar más náusea o vómitos al principio del embarazo.

- Si tiene o cuida a un gato, no limpie usted la caja donde obre, ni toque el excremento del gato. También, cocine bien todas las carnes antes de comerlas. El excremento de gato, al igual que la carne cruda o poco cocida, pueden causar toxoplasmosis. La toxoplasmosis es una infección que puede dañar el cerebro del bebé en el vientre o causar un aborto (pérdida o malparto).
- Evite todos los vapores de productos químicos, pinturas y sustancias venenosas.
- Si toma café o refrescos que contengan cafeína, no tome más de dos tazas o más de medio litro al día.

Del cuarto al sexto mes del embarazo

- Siga los mismos consejos que para los primeros meses del embarazo.
- Tenga cuidado de no caerse ni golpearse:
    - Siempre use su cinturón de seguridad cuando vaya en auto.
    - Use zapatos bajitos y cómodos.
    - Siga haciendo ejercicio como de costumbre, excepto que algo menos para que no se canse demasiado ni le cueste trabajo respirar.
    - Evite deportes en los que sea fácil caerse o golpearse.
- Aumente el calcio en su dieta, bebiendo más leche (como un litro o 4 tazas al día de leche descremada o semidescremada) o comiendo otros alimentos ricos en calcio. Vea la página 302.
- Controle su peso según se lo aconseje su doctor o su profesional de la salud.

Los últimos tres meses del embarazo

- Mantenga en práctica todos los consejos ya descritos.
- Descanse bastante.
- Tome clases de preparación para el parto con su pareja o con la persona que la vaya a acompañar.
- Aprenda cuáles son las señas del comienzo del parto.
- Si es apropiado, inscriba a sus otros niños en una clase que les ayude a prepararse para la llegada del nuevo bebé.
- Practique los ejercicios de relajación de la página 289. Le serán de ayuda durante el parto.
- Decida con su doctor o su profesional de la salud qué es lo que espera y desea que pase durante el parto y el nacimiento de su bebé. (Por ejemplo, puede decidir si quiere que le den medicinas para el dolor, etc.) Ponga todo por escrito.
- No pierda su sentido del humor.

Cesáreas

La mayoría de los bebés nacen por la vagina. Pero cuando la salud del bebé o de la madre está en peligro, los doctores también pueden sacar al bebé haciendo una incisión o corte en el vientre de la madre. A esto se le llama cesárea.

Las cesáreas tienen tres desventajas principales:

- Más riesgo. A algunas de las madres que tienen una cesárea les dan infecciones o hemorragias que requieren medicinas o tratamientos adicionales. Además, es cuatro veces más probable que una madre muera al tener una cesárea que al tener un parto "natural" (por la vagina)—aunque aun así, las probabilidades de morir durante cualquier parto son muy bajas.
- Recuperación más larga. Generalmente, la madre puede irse a casa uno o dos días después de un parto vaginal. En cambio, después de una cesárea muchas madres se quedan en el hospital tres días o más. Después de una cesárea, la madre también tiene que limitar sus actividades durante cuatro a seis semanas para permitir que la herida sane bien.
- Menos participación. La madre y otros miembros de la familia pueden participar más durante un parto natural. La cesárea es una operación (cirugía), lo que limita la participación de la familia.

Las cesáreas son apropiadas cuando el bebé o la madre están en peligro. Una cesárea no se debe hacer sólo porque es más fácil de planear o porque usted ya ha tenido una cesárea antes. Pregúntele a su doctor o su profesional de la salud lo que puede hacer para tratar de evitar una cesárea.

Amamantamiento

La leche de pecho es el alimento ideal para su recién nacido. Piense en tomar clases de amamantamiento antes de tener a su hijo, y vea la información de la página 210.

Sangrado entre reglas

Muchas mujeres sangran un poco o "se manchan" entre sus reglas. Esto no quiere decir necesariamente que tengan un problema grave. Las mujeres que usan un aparato o dispositivo intrauterino (*IUD*, en inglés) tienen más probabilidades de mancharse entre reglas. También es común que una mujer sangre un poco al ovular y durante los primeros tres meses de usar píldoras anticonceptivas. También es común mancharse o sangrar regularmente mientras que se le da pecho al bebé.

Si el sangrado es leve y ocurre sólo de vez en cuando, probablemente no hay de qué preocuparse.

Use tampones o toallas sanitarias y evite la aspirina, la cual puede hacer que sangre más tiempo.

Cuándo llamar a Kaiser Permanente

- Si junto con el sangrado tiene dolores o calambres raros o fiebre (calentura).
- Si el sangrado es muy fuerte (tiene que cambiarse una toalla sanitaria de tamaño maxi o un tampón de tamaño super cada hora, por más de seis horas seguidas).
- Si el sangrado entre reglas dura más de diez días seguidos u ocurre durante tres meses seguidos.
- Si el sangrado le da después de tener relaciones sexuales.
- Si tiene más de 35 años de edad y tiene sangrado de cualquier tipo entre reglas, o si el sangrado le dura mucho con sus reglas.

Menopausia

La mayoría de las mujeres tienen la menopausia entre los 45 y los 55 años de edad, cuando el cuerpo empieza a producir menos hormonas femeninas (estrógeno y progesterona). Los cambios hormonales hacen que las reglas se vuelvan irregulares antes de que paren por completo. La mujer también puede tener ataques de calor o "bochornos", resequedad en la vagina y cambios de humor. La osteoporosis (la condición en que los huesos se debilitan mucho y pueden romperse fácilmente) también está directamente relacionada con la disminución del estrógeno que ocurre con la menopausia. Vea la página 115.

Métodos anticonceptivos durante la menopausia

Algunas mujeres pueden quedar embarazadas durante la menopausia, aunque ya no tengan la regla regularmente.

Las mujeres que dejan de tener la regla *antes* de los 50 años de edad y que no quieren salir embarazadas, deben seguir usando métodos anticonceptivos (algo que no sea la píldora) por dos años. Las píldoras anticonceptivas se pueden tomar bajo supervisión médica.

Las mujeres que dejan de tener la regla *después* de los 50 años de edad, por lo general sólo necesitan usar métodos anticonceptivos por un año.

Los cambios en la regla son diferentes en cada mujer. Las reglas se pueden volver más fuertes o más ligeras, y se pueden tardar más en venir o venir con más frecuencia. Además, puede haber manchado entre reglas. Algunas mujeres tienen reglas irregulares por años durante la menopausia. Otras tienen reglas regulares hasta que de repente les dejan de bajar por completo. Cada mujer es única y pasará por la menopausia de una forma diferente.

Los ataques de calor o bochornos son períodos repentinos en que la mujer siente mucho calor, suda y se pone roja. Los bochornos muchas veces comienzan en el pecho y se extienden al cuello, a la cara y a los brazos. Del 75 al 80 por ciento de las mujeres tienen bochornos durante la menopausia. Pueden dar hasta una vez por hora y durar hasta tres o cuatro minutos. Si dan de noche, pueden interrumpirle el sueño. La mayoría de los bochornos se quitan en un año o dos, pero algunos pueden continuar por varios años.

La resequedad en la vagina (que sucede porque hay menos flujo y humedad en la vagina) puede causar dolor durante y después de las relaciones sexuales. Los cambios en la vagina también pueden aumentar el riesgo de infecciones. Vea Vaginitis en la página 258.

Los cambios de humor se deben a los cambios en las hormonas y el cuerpo que suceden durante la menopausia. Es común que una mujer se sienta nerviosa, desganada, muy triste o malhumorada y que tenga problemas para dormir.

Muchas mujeres tienen temor de la menopausia por los trastornos emocionales que les pueda causar y porque piensan que tal vez pierdan su sexualidad. Por otro lado, muchas mujeres la esperan con agrado porque desean deshacerse de las molestias de la regla y de la necesidad de usar anticonceptivos.

Si usted entiende lo que le pasa y usa tratamientos en casa para aliviarse las molestias, podrá pasar por la menopausia con más facilidad.

Tratamiento en casa

Cambios en la regla:

- Apunte las fechas de sus reglas (y otros datos que le parezcan importantes) en caso de que necesite hablar sobre ellos con un profesional de la salud.

Ataques de calor o bochornos:

- Mantenga su casa y lugar donde trabaje a una temperatura fresca.
- Vístase con varias capas de ropa suelta que se pueda quitar fácilmente.
- Tome mucha agua y jugos. No tome bebidas con cafeína o alcohol si le producen bochornos.
- Haga ejercicio regularmente. Esto ayudará a que se estabilicen sus hormonas. También le ayudará a dormir mejor.

Resequedad de la vagina:

- Use un lubricante para la vagina que se disuelva en agua, como Astroglide, Surgilube o Today Personal Lubricant para evitar hacerse daño durante las relaciones sexuales. No use productos de petrolato, como vaselina.

Cambios de humor:

- Lo mejor que puede hacer es darse cuenta de que su condición no es única y que usted no está sola. Hable sobre sus molestias con otras mujeres. No se impaciente ni se enoje consigo misma. Si puede, explíquele a sus familiares y amigos lo que le está pasando y pídales su cariño y comprensión.

Cuándo llamar a Kaiser Permanente

- Si tiene sangrado prolongado e irregular, sobre todo si usted pesa de más.
- Si está pensando en tomar pastillas de hormonas.
- Si los cambios de humor le causan problemas, y el tratamiento en casa no ayuda.
- Si sangra después de no haber tenido una regla durante seis meses.

Tratamiento con hormonas

Como ya hemos mencionado, la causa de las molestias de la menopausia es una baja en la producción de hormonas femeninas. Esta baja en hormonas también produce otros riesgos a largo plazo. El tratamiento con pastillas de hormonas ayuda no sólo a aliviar las molestias a corto plazo, sino también a disminuir los riesgos a largo plazo. Hay dos tipos de tratamientos con hormonas: uno en que se da puro estrógeno (*estrogen replacement therapy* o *ERT*, en inglés) y otro en que se usa estrógeno junto con progestina (*hormone replacement therapy* o *HRT*, en inglés).

El tratamiento con puro estrógeno por lo general sólo se les receta a las mujeres que han tenido una histerectomía (la operación para sacar la matriz). Esto es porque ese tratamiento aumenta el riesgo de cáncer de la matriz. El tratamiento que combina estrógeno y progestina por lo general sólo se les receta a las mujeres que todavía tienen la matriz. Las mujeres que todavía tienen la matriz, pero que de cualquier forma reciben el tratamiento de puro estrógeno, necesitan ir a exámenes regulares para que su médico revise si ha habido algún cambio en su matriz.

Los tratamientos con hormonas disminuyen algunos riesgos, pero aumentan otros. Considere estas cosas al tomar su decisión:

Osteoporosis

Ambos tratamientos reducen el riesgo de osteoporosis y retrasan el proceso que hace que los huesos se debiliten (proceso que ocurre después de la menopausia). Esto a su vez ayuda a reducir el riesgo de quebraduras o fracturas. Para información sobre cómo prevenir la osteoporosis, vea la página 116.

Males del corazón

El tratamiento con puro estrógeno aumenta un tipo de colesterol provechoso (conocido como *HDL*, en inglés). Eso a su vez reduce el riesgo de tener males del corazón. Los estudios del otro tratamiento de hormonas indican que ése también ayuda a proteger la salud del corazón.

Para las mujeres que ya han tenido la menopausia, el riesgo de padecer de una enfermedad del corazón es mayor que muchos otros riesgos. Por eso, para muchas de ellas, el tratamiento con puro estrógeno puede ser la mejor selección.

Cáncer del seno

No se sabe con certeza si los tratamientos con hormonas aumentan el riesgo de padecer de cáncer del seno. Algunos estudios indican que lo aumentan un poco, mientras que otros afirman que se mantiene igual. Sin embargo, las mujeres que tienen cáncer activo en los senos no deben recibir ninguno de los tratamientos con hormonas. Algunas mujeres que han padecido de cáncer del seno en el pasado, pero que han estado sin cáncer por lo menos durante dos o tres años, quizás puedan recibir el tratamiento de estrógeno con progestina. Consulte a su médico.

Cáncer de la matriz

El tratamiento con puro estrógeno aumenta el riesgo de la mujer de contraer cáncer de la matriz (aunque el riesgo es muy bajo). El tratamiento que incluye progestina no aumenta el riesgo de este tipo de cáncer.

Enfermedades de la vesícula biliar

Ambos tipos de tratamiento aumentan el riesgo de tener enfermedades de la vesícula biliar.

Lo que hay que tomar en cuenta

Los tratamientos con hormonas reducen las molestias de la menopausia. Sin embargo, el tratamiento con e
geno y progestina también tier
tos secundarios que quizás
mujeres no quieran o no r
aguantar. Por ejemplo:
miento puede hacer
mujeres sangren p
larmente, se sier

tengan calambres, náusea y los senos sensibles. A veces su doctor podrá disminuir estos efectos ajustando la dosis de hormonas.

Para que los tratamientos hagan provecho a largo plazo, hay que tomar las pastillas de hormonas por muchos años. Las mujeres que estén recibiendo el tratamiento a largo plazo necesitan ir regularmente con su profesional de la salud.

¿Debe usted tomar hormonas?

Los tratamientos con hormonas generalmente no se les recomiendan a las mujeres que han tenido cáncer del seno, problemas con cóagulos (cuajarones) de sangre, enfermedades del hígado, o sangrados por la vagina que no hayan sido diagnosticados por un médico.

Hable con su doctor sobre los riesgos y los beneficios de estos tratamientos. Al parecer, los riesgos de tomar hormonas a corto plazo (hasta por un año) son pocos. Pero si usted está pensando en tomar hormonas a largo plazo, tenga en cuenta lo siguiente:

- Si usted corre poco riesgo de tener osteoporosis o enfermedades del corazón, quizás no valga la pena que tome hormonas a largo plazo. En ese caso, los beneficios de las ...odrían ser mínimos en ...os y las podrían valer la pena, a pesar de las molestias o los riesgos que le pudieran causar.
- Si para usted es inconveniente tomar las hormonas, o éstas le están causando efectos secundarios, tal vez quiera pensar en no usarlas, sobre todo si hay pocas probabilidades de que usted padezca de osteoporosis o de un mal del corazón.

Molestias de la regla

Muchas mujeres tienen diferentes molestias cuando les baja la regla. Entre otras cosas, pueden tener calambres fuertes o leves en la barriga, en la cintura o en los muslos, dolores de cabeza, diarrea, estreñimiento, náusea, mareos y desmayos.

Durante el ciclo de la regla, una parte de la matriz produce una hormona llamada prostaglandina. Esta hormona hace que la matriz se contraiga (se apriete), lo que muchas veces causa dolor. Se piensa que quizás los dolores muy fuertes que algunas mujeres tienen con la regla se deban a que esas mujeres producen más prostaglandina que otras, o quizás se deba a que esas mujeres son más sensibles a los efectos de la prostaglandina.

Tratamiento en casa

- Haga ejercicio regularmente. Eso ayuda a disminuir el dolor de los calambres. Vea el Capítulo 17.

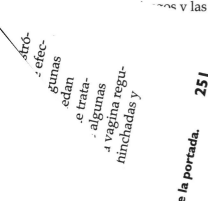

- El ibuprofen y el naproxen (Aleve) generalmente calman mejor los calambres que la aspirina o el acetaminofeno. Tome la medicina el día antes de que le baje la regla, o a la primera seña de dolor. Y tómela con leche o con comida, porque puede caerle mal en el estómago.
- El calor (compresas calientes, un cojín eléctrico o baños calientes) ayuda a relajar los músculos y a calmar los calambres.
- Los tés de manzanilla, yerbabuena y moras pueden ser buenos para calmar los nervios y los músculos tensos.
- Vea si le sirve usar toallas sanitarias en vez de tampones.
- Si usted tiene otros síntomas como aumento de peso, dolor de cabeza y tensión, vea Síndrome premenstrual en la página 254.

Cuándo llamar a Kaiser Permanente

- Si de repente le da dolor fuerte en la barriga (pelvis), ya sea que el dolor venga acompañado del sangrado de la regla o no.
- Si junto con la regla le da una fiebre alta y repentina, diarrea o salpullido (ronchas).
- Si los calambres son bastante más fuertes de lo normal.
- Si tiene un dolor en la pelvis que no parece estar relacionado con el ciclo de su regla.
- Si tiene sangrado muy fuerte (tiene que cambiarse más de una toalla sanitaria maxi o un tampón super cada hora, por más de seis horas seguidas), o si el sangrado le dura más de 10 días.
- Si la regla le baja más seguido que cada 21 días.
- Si sospecha que su dispositivo intrauterino (*IUD*, en inglés) le está causando los calambres.
- Si los calambres le empiezan de cinco a siete días antes de la regla, o si los calambres no se le calman cuando deja de sangrar.
- Si los dolores no se le alivian con el tratamiento en casa.

Reglas que son irregulares o que no vienen

Una regla puede no venir o ser irregular por diferentes razones. Por lo general, lo primero que hay que considerar es el embarazo, pero también hay otras causas:

- La tensión nerviosa, un aumento o una baja de peso, los viajes y un aumento de ejercicio (para ciertas atletas, es común que les deje de bajar la regla).
- El uso de píldoras anticonceptivas puede causar que las reglas sean más ligeras o menos frecuentes, o que no bajen.
- La menopausia o la menarquía (la etapa cuando una joven empieza a tener la regla). Al principio, una joven puede tener reglas irregulares por varios años.

- Algunas medicinas, incluyendo los esteroides, tranquilizantes y pastillas para perder peso.
- Problemas de las hormonas o de los ovarios, la matriz o las trompas.

Si a usted no le viene la regla un mes, trate de mantener la calma; muchas mujeres se saltan una regla de vez en cuando. La relajación física y emocional suelen ayudar. A menos que usted esté embarazada, lo más probable es que el próximo mes su regla le baje como de costumbre. Si usted podría estar embarazada, cuídese como si lo estuviera hasta que sepa con certeza cuál es su estado.

Tratamiento en casa

- Si tuvo relaciones sexuales el mes anterior, hágase una prueba de embarazo en casa. Vea la página 245.
- No use una de las dietas que limitan mucho lo que puede comer (tanto en cantidad como en variedad). No pierda mucho peso en poco tiempo. Para mantenerse a un peso saludable, lleve una dieta variada baja en grasas (vea la página 298).
- Aumente el ejercicio poco a poco. Si usted hace ejercicio muy pesado, entrene menos o pregúntele a su doctor si le recomienda que tome pastillas de estrógeno, progesterona y/o calcio para evitar que se le debiliten los huesos.
- Aprenda a hacer ejercicios de relajación y hágalos regularmente. Le ayudarán a reducir y controlar su tensión nerviosa. Vea el Capítulo 17.
- Si es mayor de 45 años, quizás le esté comenzando la menopausia. Vea la página 249.

Cuándo llamar a Kaiser Permanente

- Si es posible que esté embarazada, haga una cita para confirmar la prueba de embarazo que se haya hecho en casa. Su médico podrá hablar con usted sobre sus opciones y/o empezar a atenderle su embarazo.
- Si normalmente su regla es bastante puntual, pero no le ha venido dos veces y no está embarazada, no le está comenzando la menopausia, no está a dieta, no está haciendo mucho ejercicio ni tampoco ha estado muy tensa o nerviosa.
- Si el tipo de ejercicio que hace le impide entrenar menos. Puede que usted necesite tomar hormonas o calcio.
- Si no le ha venido la regla dos o tres veces, está tomando píldoras anticonceptivas y no se le ha olvidado tomarse ninguna.

Síndrome premenstrual

A muchas mujeres les dan diferentes molestias de 7 a 10 días antes de que les baje la regla (menstruación). A estas molestias se les llama síndrome premenstrual (*PMS*, en inglés). Se calcula que como un 90 por ciento de las mujeres alguna vez ha tenido algunas de las molestias de este síndrome. Sin embargo, las molestias sólo afectan severamente como a un 10 por ciento de las mujeres. Por lo general, las molestias mejoran cuando la regla comienza.

Hay más de 150 malestares físicos y emocionales que se relacionan con el síndrome premenstrual. Algunos de los malestares físicos son los dolores de cabeza, dolores de espalda, aumento de peso, sensibilidad en los senos, retención de agua y pesadez, antojos y ganas de comer mucho, diarrea o estreñimiento, mareo o desmayos y torpeza.

Los malestares emocionales incluyen irritabilidad y enojo, cambios de humor repentinos, angustias, ganas repentinas de llorar, tristeza, cansancio, falta de concentración, agresividad y pocas ganas de tener relaciones sexuales.

Para saber si usted padece del síndrome premenstrual, hágase estas preguntas:

- ¿Me dan las mismas molestias cada mes?
- ¿Me dan las molestias durante los 10 días antes de que me comienza la regla?
- ¿Se mejoran o se me quitan las molestias cuando me comienza la regla?
- ¿Paso por lo menos una semana de cada mes sin estas molestias?

Apunte en un diario qué molestias le dan alrededor de la regla e indique cuándo le dan y qué tan fuertes son. Si las molestias le dan de una manera más o menos regular durante varios meses, lo más probable es que padezca de síndrome premenstrual.

Tratamiento en casa

- Coma comidas más pequeñas, cada tres o cuatro horas, con bastantes granos, frutas y verduras. No coma muchas grasas ni dulces y coma menos sal para evitar la pesadez lo más posible.
- Si deja de fumar y de tomar bebidas con alcohol o cafeína, puede que se le quiten algunas de las molestias.
- Haga ejercicio. Si hace ejercicio regularmente, tendrá malestares más leves antes de la regla.
- Pruebe una de las medicinas para el síndrome premenstrual que se compran sin receta, como Midol o Pamprin. Muchas de estas medicinas contienen una combinación de medicamentos que ayudan a aliviar los calambres, la pesadez y el dolor de cabeza.
- Tome pastillas de calcio, 600 mg. dos veces al día, cada día del mes. En una investigación reciente, la mayor parte de las mujeres que tomaron un complemento de calcio experimentaron una reducción de un 50 por ciento en sus molestias.
- Si puede, trate de hacer cosas que le agraden. Intente estar en calma lo más posible. Para relajarse, quizás le ayuden las técnicas de la respiración profunda y el yoga. Vea el Capítulo 17.
- Muchas veces ayuda hablar con otras mujeres. Usted encontrará que el síndrome afecta a muchas de sus amigas y compañeras de trabajo. O si quiere, participe en un grupo de apoyo para mujeres con síndrome premenstrual. Hable con su médico o con su profesional de la salud para pedir información o un envío a otros servicios.

Cuándo llamar a Kaiser Permanente

- Si tiene malestares físicos o emocionales muy fuertes, y el tratamiento en casa no ayuda.
- Si las molestias no se le quitan cuando le comienza la regla.

Infecciones de las vías urinarias

Las infecciones de las vías urinarias (también llamadas infecciones de la vejiga o cistitis) son comunes en las mujeres, las jovencitas y algunos bebés varones. También les pueden dar a los hombres.

Las primeras señas pueden ser ardor o dolor al orinar y comezón o dolor en la uretra (el tubo por donde sale la orina de la vejiga). También puede haber molestias en la parte de abajo de la barriga y ganas frecuentes de orinar sin poder pasar mucha orina. Los hombres con estas molestias pueden tener una infección de la próstata. Vea la página 267.

Las infecciones urinarias generalmente son causadas por una bacteria (llamada *E. coli*) que normalmente se encuentra en el sistema digestivo. Es más fácil que este tipo de infección les dé a las mujeres que a los hombres.

Hay otras cosas que pueden irritar el área de los genitales, lo cual a su vez puede ayudar a producir una infección de la vejiga. Algunos ejemplos son el tener relaciones sexuales, usar diafragmas, ponerse pantalones muy apretados, andar en bicicleta, orinar con poca frecuencia, usar jabones y talcos perfumados, e incluso comer cosas picantes.

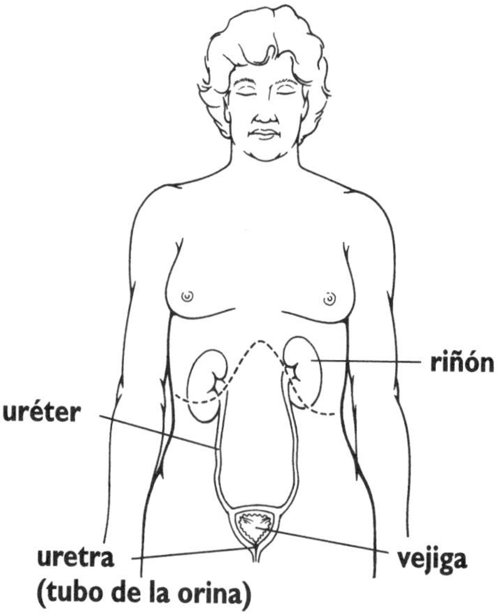

Los riñones filtran la sangre. Los productos de desecho de la sangre se convierten en orina. Los uréteres llevan la orina a la vejiga. La orina sale del cuerpo por la uretra (en los hombres, la uretra se encuentra dentro del pene). Las infecciones pueden ocurrir en cualquier parte de las vías urinarias.

Prevención

- Beba más líquidos; el agua es lo mejor.
- Orine con frecuencia.
- Las mujeres deben limpiarse de adelante hacia atrás después de obrar, para evitar que las bacterias del ano lleguen a la uretra (el hoyito de la orina es la punta de la uretra). Las niñas chiquitas deben acostumbrarse a limpiarse así desde que aprenden a ir al baño solas.
- Evite ponerse lavados vaginales con frecuencia y no use desodorantes en la vagina ni otros productos perfumados.
- Lávese el área de la vagina una vez al día, con pura agua o con un jabón suave. Enjuáguese y séquese bien.

- Las mujeres que sufren de muchas infecciones urinarias deben beber mucha agua antes de tener relaciones sexuales y orinar pronto después de acabar.
- Use ropa interior de algodón, pantimedias con entrepierna de algodón y ropa suelta.
- El beber jugo de arándano (*cranberry juice*, en inglés) puede proteger contra estas infecciones, especialmente en las mujeres que han tenido la menopausia.

Tratamiento en casa

Empiece el tratamiento en casa a la primera seña de irritación o dolor al orinar. Si los síntomas son leves, es posible que desaparezcan en más o menos un día. Si duran más o empeoran a pesar del tratamiento, llame a su médico. Como los órganos de las vías urinarias están conectados, la infección se puede extender hasta los riñones y causar graves problemas si no recibe tratamiento.

- Tome mucha agua en las primeras 24 horas, después de que le den señas de la infección. Trate de tomar hasta ocho litros (dos galones) de agua o más. Esto ayudará a sacar las bacterias de la vejiga.
- No tome bebidas con alcohol o con cafeína.
- Un baño de agua caliente puede ayudar a calmar el dolor y la comezón. No se dé un baño de burbujas.
- Examínese el área de los genitales y tómese la temperatura dos veces al día. Si tiene fiebre, quizás su infección sea más seria.
- No tenga relaciones sexuales hasta que sus síntomas se mejoren.
- Si una niña tiene enrojecimiento y ardor en la vagina, quizás sea alérgica al jabón o jabón de burbujas con que la bañen.

Cuándo llamar a Kaiser Permanente

- Si tiene dolor al orinar junto con cualquiera de los siguientes síntomas:
  - Escalofríos y fiebre de 101 grados o más
  - No puede orinar cuando siente la necesidad
  - Dolor de espalda, justo abajo de las costillas
  - Sangre o pus en la orina
  - Desecho anormal de la vagina
  - Náusea o vómito

Sangre en la orina

Un golpe en los riñones, una infección de las vías urinarias o el correr mucho pueden producir sangre en la orina. La sangre en la orina puede ser seña de una enfermedad grave, tanto en las mujeres como en los hombres. Si usted tiene este problema, avísele a un profesional de la salud de inmediato.

Cuando la orina tiene sangre, se puede ver rosada o roja. Pero también se puede ver así debido a colorantes naturales o artificiales de alimentos que la persona coma, como por ejemplo betabeles (remolachas), zarzamoras o comidas con colorantes rojos.

- Si los síntomas no mejoran después de 24 horas de tratamiento en casa.
- Si está embarazada o tiene diabetes y le dan señas de una infección de las vías urinarias.
- Si cree que su niño tiene una infección de las vías urinarias.

Vaginitis

La vaginitis es cualquier infección, inflamación o irritación que causa un cambio en el flujo normal de la vagina. Las señas incluyen cambios en la cantidad, color, olor o consistencia del flujo; comezón, dolor al orinar y dolor durante las relaciones sexuales. Dos tipos comunes de vaginitis son las infecciones por hongos o algodoncillo (vea la página 259) y las infecciones por bacterias (vaginosis bacteriana). Con algunas enfermedades de transmisión sexual (enfermedades venéreas) también puede haber un desecho anormal de la vagina. Vea la página 274. Si usted siente ardor y dolor al orinar y tiene ganas de orinar con frecuencia, vea Infecciones de las vías urinarias en la página 256.

Una de las señas de la vaginosis bacteriana es un flujo vaginal aguado, de color blanco grisáceo, que huele como a pescado. El olor con frecuencia es peor después de las relaciones sexuales.

La vaginosis bacteriana se puede deber al uso de tampones, de un dispositivo intrauterino o de un diafragma, y también al hecho de tener varios compañeros sexuales. Además, los lavados vaginales frecuentes, la ropa apretada y el uso de jabones fuertes o de productos higiénicos perfumados pueden contribuir a que la vagina se irrite o se infecte.

Prevención

- Limite el número de sus compañeros sexuales. El tener relaciones sexuales con varias personas puede cambiar el estado normal de la vagina, lo cual aumenta su riesgo de contraer vaginosis bacteriana.
- Use condones cuando tenga relaciones sexuales.
- Si usted cree que sus infecciones vaginales frecuentes se deben, por lo menos en parte, a su uso de un diafragma o DIU, hable con su médico sobre otras opciones de protección anticonceptiva.
- Límpiese de adelante hacia atrás después de obrar para no llevar las bacterias del ano a la vagina.
- Lávese el área de la vagina una vez al día, con pura agua o con un jabón suave y no perfumado. Enjuáguese y séquese bien. No se ponga lavados o duchas vaginales.
- No se ponga productos perfumados en la vagina (como desodorantes vaginales). Irritan la piel delicada.
- Cámbiese los tampones por lo menos tres veces al día, o alterne los tampones con toallas sanitarias. Asegúrese de quitarse el último tampón que haya usado para la regla.

Tratamiento en casa

La vaginosis bacteriana puede aliviarse sola en tres o cuatro días. Llame a su médico si los síntomas no desaparecen.

- Evite tener relaciones sexuales por dos semanas, para que los tejidos irritados de la vagina tengan tiempo de sanar.
- No se rasque. Use compresas frías para aliviarse la comezón.
- Asegúrese de que la causa de la vaginitis no sea un tampón olvidado u otro objeto que haya dejado en la vagina.

Cuándo llamar a Kaiser Permanente

- Si junto con el flujo o desecho tiene dolor en la pelvis o la barriga y fiebre.
- Si tiene un flujo anormal que huele mal, sobre todo después de tener relaciones sexuales.
- Si el desecho y los otros síntomas son muy molestos.
- Si hay posibilidad de que tenga una enfermedad de transmisión sexual (vea la página 274). Puede que su pareja también deba recibir tratamiento.
- Si tiene dolor durante las relaciones sexuales, que no se alivia usando un lubricante en la vagina, como Astroglide, Surgilube o Today Personal Lubricant.
- Si tiene un flujo anormal que le dura más de dos semanas.

Si tiene una cita para ver a un profesional de la salud, no se ponga lavados vaginales, use cremas vaginales ni tenga relaciones sexuales durante las 48 horas antes de su consulta. Estas cosas pueden dificultar su diagnóstico.

Infecciones por hongos

En la vagina viven diferentes organismos pequeñísimos, incluyendo bacterias y hongos. Cuando la cantidad de hongos en la vagina de una mujer aumenta excesivamente, se dice que ella tiene una infección por hongos, también conocida como moniliasis (*yeast infection*, en inglés). Las infecciones por hongos comúnmente afectan a las mujeres durante sus años de concebir. Pueden causar señas muy molestas, pero es raro que causen problemas graves.

Algunas de las señas comunes de las infecciones por hongos son la comezón (a veces muy fuerte) en el área de los genitales, un flujo vaginal blanco y grumoso, que generalmente no huele, y dolor al orinar o durante las relaciones sexuales. La piel alrededor de la vagina puede estar roja e irritada. Si usted siente ardor y dolor al orinar, y también ganas de orinar seguido, vea Infecciones de las vías urinarias en la página 256.

Las infecciones por hongos no se transmiten sexualmente. Sin embargo, algunos doctores opinan que el atender a la pareja de la mujer puede ayudar a evitar que estas infecciones se vuelvan crónicas o recurrentes.

Las siguientes cosas aumentan la probabilidad de una mujer de contraer una infección por hongos: el uso de antibióticos o esteroides, el embarazo, la diabetes y las enfermedades que incapacitan al sistema de defensas del cuerpo. Además, los lavados vaginales frecuentes, la ropa apretada y el uso de jabones fuertes o de productos higiénicos perfumados pueden contribuir a que la vagina se irrite o se infecte.

Prevención

- Use pantaletas (calzones) de algodón o que al menos tengan la entrepierna de algodón. No use pantalones apretados ni ropa interior ajustada. Éstos producen un aumento en el calor del cuerpo, lo cual a su vez puede permitir que los hongos se desarrollen más fácilmente en su vagina.
- No use perfumes, talcos ni aerosoles femeninos en el área de la vagina. Éstos pueden afectar el equilibrio normal de los organismos microscópicos de su vagina. No se haga lavados vaginales, a menos que se lo indique su profesional de la salud.
- Límpiese de adelante hacia atrás después de obrar y cuando se bañe.
- No se ha comprobado que una dieta alta en azúcar cause infecciones por hongos; sin embargo, el limitar su consumo de azúcar podría ayudar a evitarlas.

Tratamiento en casa

Algunas mujeres contraen infecciones leves de moniliasis hacia el final de sus reglas. Estas infecciones a veces desaparecen sin tratamiento, a medida que el ciclo de la regla va progresando. Asegúrese de que sus señas realmente sean infecciones de moniliasis antes de empezar el tratamiento en casa.

- Use un medicamento para moniliasis que se puede comprar sin receta, como Gyne-Lotrimin o Monistat 7. Siga las instrucciones del envase.
- No se limpie demasiado el área de la vagina. Lávese una vez al día con agua sola o con un jabón suave, no perfumado.
- Piense en usar condones mientras esté bajo tratamiento. Es posible que así pueda evitar infectar a su pareja o evitar que él la vuelva a infectar a usted. Si las relaciones sexuales le causan dolor, use un lubricante soluble en agua (como Astroglide, Surgilube o Today Personal Lubricant) para disminuir la irritación.

Cuándo llamar a Kaiser Permanente

- Si junto con el flujo o desecho tiene dolor en la pelvis o la barriga y fiebre.
- Si piensa que está teniendo su primera infección por hongos, o no está segura de que sus señas se deban a una infección por hongos.
- Si una infección de moniliasis no se le quita después de tres o cuatro días de usar un medicamento comprado sin receta médica, o si está usando a menudo las pomadas para moniliasis.
- Si tiene dolor durante las relaciones sexuales, que no se alivia usando un lubricante en la vagina.
- Si tiene un flujo anormal que le dura más de dos semanas.

Si tiene una cita para ver a un profesional de la salud, no se ponga lavados vaginales, use cremas vaginales ni tenga relaciones sexuales durante las 48 horas antes de su consulta. Estas cosas pueden dificultar su diagnóstico.

¿Cuándo son recomendables las histerectomías?

Una histerectomía es una operación que consiste en sacar la matriz a la mujer. A veces se necesita para salvar la vida de la mujer. Sin embargo, con frecuencia se lleva a cabo sin necesidad.

Una histerectomía con frecuencia es la mejor solución para:

- El cáncer de la matriz o del cérvix
- Un sangrado muy fuerte por la matriz, por causas desconocidas
- El cáncer de los ovarios
- Los fibromas grandes que producen mucho sangrado y dolor
- Un prolapso grave de la matriz

Una histerectomía generalmente no es la mejor solución para:

- El cáncer del cérvix, no invasivo, que ocurre antes de la menopausia
- Los fibromas sin síntomas o sólo con síntomas leves
- La endometriosis que no produce síntomas graves
- Un prolapso de la matriz que se mejora con el ejercicio u otro tratamiento
- La enfermedad inflamatoria del vientre que se mejora con otros tratamientos
- Sangrado anormal de la matriz

Puede que las recomendaciones anteriores no sean adecuadas en su caso. Usted y su médico deberán colaborar para decidir si una histerectomía es la mejor solución para su problema.

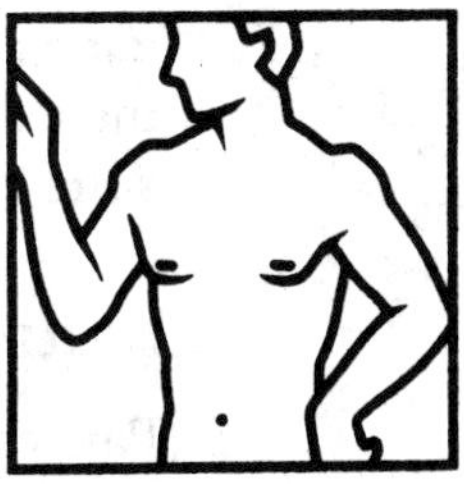

15

La salud del hombre

Este capítulo trata principalmente de varios problemas de salud que afectan únicamente a los hombres. Sólo toca brevemente el tema de los hábitos saludables. Sin embargo, es importante recordar que los buenos hábitos son los factores más importantes para la salud, tanto de los hombres como de las mujeres.

Hábitos saludables

El tener hábitos saludables es la mejor forma de reducir su riesgo de padecer uno de los cinco problemas que más comúnmente causan la muerte en los hombres de 25 a 44 años de edad. Para los hombres mayores, las principales causas de mortalidad son los problemas del corazón y el cáncer.

1. Accidentes

- Use su cinturón de seguridad, aunque su vehículo tenga bolsas de aire. Los cinturones de seguridad salvan vidas y evitan las lesiones graves.
- No maneje si ha bebido.

2. Infección por el virus del SIDA (VIH)

- Siempre use condones cuando tenga relaciones sexuales con una nueva compañera (o compañero), o con cualquier persona cuyo historial sexual pueda presentar riesgos (vea la página 276).

3. Problemas del corazón

- Limite la cantidad de grasas y de colesterol en su dieta, sobre todo si usted tiene el colesterol alto (vea la página 234).
- Deje de fumar. Así reducirá su riesgo de padecer un ataque al corazón o un derrame cerebral (embolia). Vea la página 155.
- Manténgase a un peso saludable y haga ejercicio con regularidad.
- Asegúrese de que le revisen la presión de la sangre regularmente (vea las páginas 24 y 236) y tome las medicinas que le receten para la presión alta de las formas en que se lo indiquen.

4. Cáncer

- Deje de fumar. El cáncer de los pulmones es el tipo de cáncer más común, tanto para los hombres como para las mujeres.

5. Suicidio

- Aprenda cuáles son las señas de la depresión y consiga ayuda si usted las tiene (vea la página 315).

Si usted ya tiene buena salud, estos hábitos le ayudarán a mantenerse sano y activo a medida que vaya envejeciendo. Si tiene algunos problemas médicos, los buenos hábitos son aún más importantes. En otros capítulos incluimos recomendaciones específicas para controlar el colesterol, la presión de la sangre y el peso, para hacer suficiente ejercicio, para dejar de fumar y para lidiar con la tensión nerviosa. Si quiere ayuda para empezar a cuidarse, diríjase a las páginas mencionadas anteriormente o consulte el índice.

Salud de los genitales

Para evitar infecciones bacterianas, límpiese el pene (miembro) todos los días. Límpiese sobre todo bajo el prepucio si no ha sido circuncidado. El aseo diario también reduce el riesgo (ya bajo) de cáncer del pene. A los niños hay que enseñarles como a los tres o cuatro años a retraerse el prepucio, lavarse el pene y luego cubrirlo con el prepucio otra vez. Es posible que el prepucio no se pueda retraer por completo hasta la pubertad. Si es difícil o doloroso retraer el prepucio, no lo haga.

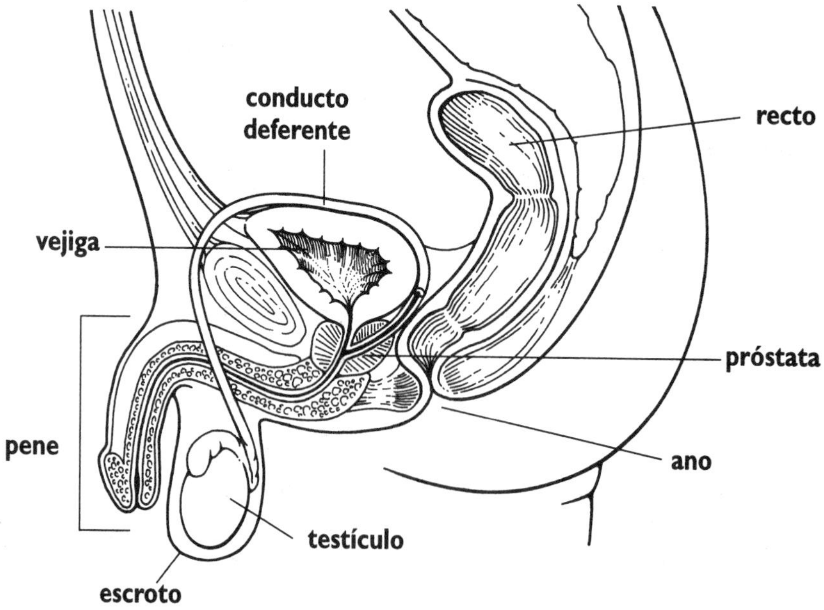

Órganos pélvicos del hombre

Cómo examinarse los testículos

Se recomienda que los adolescentes y los hombres jóvenes que corren un alto riesgo de contraer cáncer de los testículos se examinen los testículos una vez al mes. El cáncer de los testículos es muy raro. El riesgo es mayor para los hombres cuyos testículos no han bajado normalmente o para aquéllos que han tenido parientes con este tipo de cáncer. El cáncer de los testículos casi siempre se puede curar.

El mejor momento de examinarse los testículos es después de un baño o ducha caliente, cuando la piel del escroto está relajada.

- Párese y coloque la pierna derecha sobre algo elevado. En el baño, puede usar la orilla de la tina o el asiento del excusado.
- Examínese el testículo derecho, rodándolo suavemente entre el pulgar y los demás dedos de las dos manos. Sienta si hay algún bultito duro. El testículo debe sentirse redondo y liso.

Sienta cada testículo para descubrir si hay bultos duros o cambios de tamaño.

- Fíjese si el testículo se siente más grande o si su consistencia ha cambiado. Es normal que un testículo sea un poco más grande que el otro. Pero si hay una diferencia bastante grande, avísele a un profesional de la salud.
- Levante la pierna izquierda y examínese el testículo izquierdo de la misma manera.

Cuándo llamar a Kaiser Permanente

- Si nota bultos o nodos raros en los testículos.
- Si tiene dolor o hinchazón en los testículos o en el escroto, sin ninguna razón.
- Si nota llagas en el pene o desecho de cualquier tipo, vea las páginas 274 y 275 y hable con su doctor.

Problemas de erección

Los problemas de erección (impotencia) son comunes y muchas veces se pueden tratar en casa. Básicamente, un hombre tiene un problema de erección si no puede levantar o mantener una erección para tener relaciones sexuales.

Los problemas con la erección muchas veces se deben a las tensiones en el trabajo o en las relaciones personales, a la depresión, al cansancio, o a la falta de intimidad. También pueden ser el resultado de una lesión física o del uso de un medicamento. Estos problemas por lo general son temporales y se pueden solucionar con tratamiento en casa. Otras causas no tan fáciles de resolver son la diabetes, los problemas de la circulación y el haber fumado durante mucho tiempo.

La facilidad para lograr y sostener las erecciones generalmente disminuye con la edad. Sin embargo, con la estimulación y el ambiente apropiados, la edad no tiene por qué limitar la capacidad de los hombres sanos para tener erecciones.

Prevención

La mayoría de los problemas de erección se pueden evitar siguiendo dos consejos. El primero es hacer el amor de una manera más relajada. El segundo es cuidarse de los efectos secundarios que diferentes medicinas o enfermedades pueden causar.

Tratamiento en casa

- Antes que nada, asegúrese de que su problema no se deba a algún medicamento. Muchas medicinas pueden causar problemas de erección, sobre todo los medicamentos para la presión alta, los diuréticos y las medicinas que afectan el humor. Pídale a su doctor o a su farmacéutico que revise si sus medicinas pueden afectar las funciones sexuales, o, si puede, investigue esto usted mismo.
- Las bebidas alcohólicas y el tabaco empeoran los problemas de erección. Evítelos.
- Si está tenso, nervioso o preocupado, trate de relajarse (vea el Capítulo 17). Las tensiones en su vida lo pueden distraer y dificultarle las erecciones. Quizás le ayude hacer ejercicio regularmente. También pruebe otras actividades para reducir la tensión.
- Tome su tiempo para excitarse antes de hacer el acto sexual. Comuníquele a su pareja que a usted le gustaría que lo acaricie. Haga el amor con toda la calma que necesite.
- Tenga paciencia. Si usted ha perdido a algún ser querido o tiene una nueva pareja, quizás todavía no esté listo para tener erecciones. Generalmente, usted se sentirá mejor con el tiempo y podrá tener erecciones de nuevo. Mientras tanto, no se angustie.
- Averigüe si puede tener erecciones en otras ocasiones. Si puede tener una erección al masturbarse o cuando se despierta, lo más probable es que su problema se deba a tensión nerviosa o a algún problema emocional.

Cuándo llamar a Kaiser Permanente

- Si piensa que el problema quizás se deba a una medicina. Tal vez su médico pueda recetarle otra medicina que no le cause problemas.
- Si no puede tener una erección del todo, o si piensa que su problema puede tener una causa física.
- Si todavía tiene problemas después de varios meses de tratarse en casa.

- Si ha probado todas sus opciones durante varios meses sin que le den resultado, tal vez quiera hablar con su médico sobre otros tratamientos. Hay inyecciones, dispositivos e implantes que podrían ayudarle a tener erecciones.

Problemas de la próstata

La próstata es una glándula en forma de rosca con dos lóbulos que se halla justo abajo de la vejiga, a medio camino entre el recto y la base del pene. La próstata rodea la uretra, que es el tubito que lleva la orina desde la vejiga hasta la punta del pene. La próstata es del tamaño de una nuez y produce la mayor parte del líquido del semen.

Los tres problemas más comunes de la próstata son infección (prostatitis o "tapado de orín"), agrandamiento de la próstata y cáncer de la próstata. Ni la infección ni el agrandamiento producen cáncer.

Infección de la próstata (prostatitis)

Hay dos tipos de prostatitis: aguda y crónica. Las infecciones agudas dan de repente con algunas o todas estas señas:

- Fiebre y escalofríos
- Dolor y ardor al orinar y al eyacular (soltar semen)
- Ganas fuertes y frecuentes de orinar, aunque sólo pueda orinar un poquito
- Dolor en la espalda (a la altura de la cintura) o la barriga
- Sangre en la orina (a veces)

Las señas de la prostatitis crónica generalmente son más leves que las de la prostatitis aguda. Por lo general, no dan fiebre ni escalofríos. Ambos tipos de prostatitis pueden dar junto con una infección de las vías urinarias. Vea la página 256.

La prostatitis generalmente se alivia con tratamiento en casa y antibióticos. Si la infección vuelve, quizás necesite usted tomar antibióticos a largo plazo.

Algunas veces, los hombres tienen síntomas urinarios dolorosos sin tener una infección. Esta condición puede llamarse prostatodinia y a menudo se debe a tensión o ansiedad.

Prevención

- Tome más agua y otros líquidos, hasta de 8 a 12 vasos al día. Cuando empiece a orinar más seguido que de costumbre, sabrá que está tomando suficientes líquidos. Esto le limpiará las vías urinarias.
- Evite las bebidas con alcohol y cafeína. La cafeína puede producirle ganas fuertes y frecuentes de orinar. Recuerde que algunos refrescos (sodas) contienen cafeína, al igual que el café y el té.
- Trate de no estar muy tenso o nervioso. Muchos de los dolores al orinar están relacionados con la tensión y ansiedad de la persona.

Tratamiento en casa

- No tome nada de alcohol ni cafeína.
- Los baños calientes calman el dolor y también son buenos para relajarse.
- La aspirina o el ibuprofen pueden ayudar a calmarle los dolores.

Cuándo llamar a Kaiser Permanente

- Si las molestias para orinar le dan junto con fiebre, escalofríos, vómito o dolor en la espalda o la barriga.
- Si la orina es roja o rosada, sin que se deba a algo que haya comido o tomado. Vea la página 257. Debe llamar a su médico sin falta, si tiene sangre en la orina.
- Si las molestias no se le quitan en cinco días, a pesar del tratamiento en casa.
- Si los síntomas cambian o empeoran de repente.
- Si tiene dolor al orinar o al eyacular, y además le sale un desecho del pene. Vea las páginas 274 y 275.

Agrandamiento de la próstata (no causado por cáncer)

En los hombres mayores, la próstata se puede agrandar. Esto parece ser un proceso natural y no es una enfermedad en sí. Sin embargo, a medida que la próstata se vuelve más grande, puede aplastar la uretra (el tubo de la orina) y causar problemas como estos:

- Dificultades para empezar a orinar y para dejar de orinar por completo (hay un goteo)
- Ganas de orinar seguido, que inclusive pueden despertarlo por la noche
- Dolor al orinar
- El chorro de la orina se vuelve menos fuerte
- No se vacía la vejiga por completo

Tener la próstata agrandada no es un problema serio, a menos que se vuelva muy difícil orinar, o que la orina estancada cause infecciones de la vejiga o dañe los riñones. Es muy común tener algo de goteo y esto no es necesariamente seña de un problema de la próstata.

Generalmente no es necesario operar una próstata agrandada. Antes, la cirugía era un tratamiento común. Pero las investigaciones recientes muestran que, en la mayoría de los casos, una próstata agrandada no sigue empeorando con el tiempo, como se pensaba antes. En muchos hombres los síntomas permanecen iguales y a veces se quitan solos. En esos casos, puede ser mejor no hacer nada. Hay medicinas que pueden ayudar a mejorar los síntomas en algunos hombres. Su doctor puede explicarle sus opciones y aconsejarle.

Prevención

Como la próstata produce el líquido del semen, existe la creencia de que las eyaculaciones regulares (dos o tres veces por semana) ayudan a evitar que la próstata se agrande. No hay una prueba científica de esto, pero a la vez, el hacerlo no presenta ningún riesgo.

Tratamiento en casa

- No tome antihistamínicos ni descongestionantes, ya que pueden empeorar los problemas para orinar.
- Si con frecuencia las ganas de orinar lo molestan por la noche, beba menos líquidos antes de irse a la cama. Evite sobre todo las bebidas con alcohol y cafeína.
- No se aguante las ganas de orinar y tómese su tiempo. Vea si le ayuda orinar sentado en el excusado, en vez de parado.
- Si tiene goteo después de orinar, lávese el pene una vez al día para evitar infecciones.
- Vea también Pérdida del control para orinar en la página 85.

Cuándo llamar a Kaiser Permanente

- Si le da fiebre, escalofríos o dolor en la espalda o la barriga.
- Muchas clases de medicamentos (los diuréticos, tranquilizantes, antihistamínicos, descongestionantes y antidepresivos) pueden empeorar los problemas urinarios. Pregúntele a su médico si su problema se puede deber a alguna medicina que esté tomando. De ser así, pregúntele si le puede recetar otro medicamento que no tenga estos efectos secundarios.
- Si las molestias de una próstata agrandada duran más de dos semanas. Si su médico lo examina pronto, podrá confirmar el diagnóstico y explicarle sus opciones.

Cáncer de la próstata

El cáncer de la próstata es el tipo de cáncer más común y es la segunda causa principal de muerte por cáncer en los hombres. Generalmente los tumores son pequeños y crecen despacio. Si este cáncer se halla a tiempo, antes de que pase a otros órganos, puede ser curable. El cáncer de la próstata se vuelve más común con la edad: la mayoría de los casos se ven en hombres mayores de 65 años. Como ataca a una edad avanzada, generalmente los hombres que lo tienen mueren de otras causas. Pero este cáncer puede ser muy serio si es muy grande, está avanzado o da a una edad más joven.

El cáncer de la próstata no tiene síntomas específicos. La mayoría de los hombres no tienen ningún síntoma. En unos pocos casos, este cáncer causa molestias para orinar parecidas a las de una próstata agrandada. En los casos avanzados, pueden haber dolores u otros síntomas si el cáncer ha llegado a otras partes del cuerpo, como a los huesos.

A veces, el cáncer de la próstata es de familia. Es más común en los hombres afroamericanos y también suele ser más común en los hombres que tienen una dieta alta en grasas.

Prevención

De que se sepa, no hay manera de reducir el riesgo de cáncer de la próstata, excepto comiendo una dieta baja en grasas.

Se ha discutido mucho si realmente conviene examinar a hombres que no tienen ningún síntoma de cáncer mediante los exámenes del recto y una prueba de sangre especial llamada *prostate-specific antigen* o *PSA,* en inglés. No se ha demostrado que estas pruebas puedan mejorar o alargar la vida. Por eso muchos expertos no están seguros de que se les deban realizar a todos los hombres.

Si desea más información sobre estas pruebas, hable con su médico.

Tratamiento en casa

El tratamiento para el cáncer de la próstata puede ser diferente para cada persona. Trabaje con su médico para asegurarse de que el tratamiento que reciba le brinde beneficios a largo plazo.

Aprenda todo lo posible sobre los tratamientos que pueda recibir, para que usted y su médico puedan escoger el que más le convenga. Tome en cuenta que quizás la mejor opción sea esperar y observar su cáncer antes de hacer algo.

Hay muchos factores importantes que usted debe considerar al escoger un tratamiento, incluyendo su edad, estado general de salud, condiciones médicas que tenga y las características de su cáncer.

Cuándo llamar a Kaiser Permanente

- Si tiene cualquiera de los síntomas que aparecen bajo "Cuándo llamar a Kaiser Permanente", ya sea en la sección sobre infección de la próstata (página 268) o en la sección sobre agrandamiento de la próstata (página 269).
- Si tiene dolor de huesos muy fuerte.

16

La salud sexual

La sexualidad es un aspecto importante de la salud. La sexualidad puede afectar la forma en que amamos o estimamos a otras personas y en que nos apreciamos a nosotros mismos. También puede influir en nuestras amistades. La sexualidad se basa en los profundos valores personales que aprendemos de nuestros padres, de nuestra cultura, de nuestra religión y de nuestras propias experiencias.

La sexualidad puede ser confusa; hay muchos mitos y creencias falsas. Los padres de familia tienen la obligación de guiar a sus hijos a medida que ellos vayan formando sus opiniones y valores acerca del sexo y la sexualidad. Si puede, hable con sus hijos sobre su sexualidad y deles buena información. Enséñeles a tomar decisiones responsables sobre el sexo y la sexualidad, y a no arriesgar su salud. Si por cualquier razón, a usted y a su pareja les da pena hablar con sus hijos, pídale a otra persona que hable con ellos. Escoja a alguien que sea de confianza y que comparta sus valores.

Este capítulo contiene información útil para las personas que tienen relaciones sexuales. Incluye información sobre los métodos anticonceptivos y las enfermedades de transmisión sexual, incluyendo el SIDA (*AIDS*, en inglés).

La planificación familiar y los métodos anticonceptivos

Los métodos anticonceptivos pueden ayudarle a evitar embarazos que no quiera. No obstante, no hay ningún método anticonceptivo que sea 100 por ciento eficaz y que no tenga riesgos (excepto el no tener relaciones sexuales). Cada método tiene diferentes riesgos y ofrece diferentes niveles de eficacia. El texto a continuación y el cuadro de la página 272 describen brevemente los métodos anticonceptivos más comunes. Repase cada uno de ellos con su pareja antes de decidir cuál les conviene más. Su profesional de la salud le puede ayudar a entender mejor los riesgos y la eficacia de cada método.

Métodos anticonceptivos

Método	Embarazos*	Comentarios
Esterilización Ligadura de trompas (mujeres) Vasectomía (hombres)	Menos de 1	Generalmente es permanente.
Métodos con hormonas		
Píldoras anticonceptivas	3 (menos de 1 con el uso debido)	Aumenta el riesgo de tener problemas de la circulación y presión alta en las fumadoras.
Norplant (injerto) Depo-Provera (inyección)	Menos de 1 Menos de 1	Cualquiera de los dos puede causar cambios en las fechas de la regla.
Dispositivo intrauterino o DIU (*IUD*, en inglés)	Menos de 1	Puede causar hemorragia y calambres. El cuerpo lo puede arrojar sin que la mujer lo note. Aumenta el riesgo de infección de la pelvis.
Métodos de barrera		
Condón solo	12	Para la mayor protección, hay que usarlos correctamente.
Condón con espermicida	5	Dan la protección más segura contra las enfermedades venéreas.
Diafragma (con espermicida)	18	
Capuchón cervical	18-36	
Espermicidas		
Jalea, crema, espuma, supositorio	21	Para la mayor protección, se deben usar con condón.
Usados con condón	5	
Períodos de no tener relaciones (planificación familiar natural: método de la temperatura, del moco o del ritmo o calendario)	20	
Retirarse antes de eyacular	19	
Ningún método	85	

* Número típico de embarazos accidentales cada año por cada 100 mujeres. Cuando los métodos anticonceptivos se usan correctamente, el número es más bajo.

Fuente: R. Hatcher, et al., *Contraceptive Technology, 1994-1996.*

Use cada método anticonceptivo exactamente cómo esté recomendado en las instrucciones del paquete o cómo su médico se lo haya indicado. El uso correcto ayuda a asegurar la mayor eficacia posible. Si usted tiene relaciones sexuales sin usar un método anticonceptivo y está preocupada de que podría embarazarse, llame de inmediato a su médico o a la enfermera consejera para obtener información sobre los anticonceptivos de emergencia.

Los métodos anticonceptivos de hormonas para la mujer sólo se pueden obtener con una receta del médico. Las hormonas evitan que los ovarios suelten un huevo cada mes (ovulación). No proporcionan protección contra las enfermedades de transmisión sexual.

Los anticonceptivos orales ("la píldora") son pastillas que se toman a diario. El anticonceptivo llamado Norplant consiste en una serie de pequeños cilindros que se colocan bajo la piel. Los cilindros sueltan hormonas continuamente, hasta por cinco años. Es posible sacar los cilindros en cuanto la mujer decida que desea embarazarse. La Depo-Provera es una inyección que se da una vez cada tres meses.

El dispositivo intrauterino (DIU, "el aparato") es un aparatito de plástico o de metal que un médico coloca dentro de la matriz. Parece evitar el embarazo impidiendo que el huevo sea fecundado. El DIU no da protección alguna contra las enfermedades de transmisión sexual.

Los métodos anticonceptivos de barrera impiden que los espermatozoides lleguen al huevo.

Los condones (preservativos) son forros delgados de látex u otro material que se ajustan al pene erecto del hombre y atrapan el semen cuando él eyacula. También hay condones para mujeres que forran la vagina y dan protección contra las enfermedades venéreas y los embarazos no deseados.

Los espermicidas son espumas, jaleas y supositorios que contienen sustancias químicas que matan a los espermatozoides.

Cuando se usan junto con un espermicida, los condones dan la mejor protección contra las enfermedades sexuales, incluyendo las infecciones por VIH. Sin embargo, la protección no es absoluta. Es posible comprar tanto condones como espermicidas sin receta médica.

El diafragma y el capuchón cervical son tapitas de hule que se llenan de espermicida. Se colocan dentro de la vagina para tapar el cérvix (la abertura a la matriz). Es necesario dejarlos en su lugar por seis horas o más después de tener relaciones sexuales. Para obtener cualquiera de los dos, se necesita una receta del médico.

Estos métodos de barrera dan poca protección contra las enfermedades venéreas y el VIH.

La esterilización es el método anticonceptivo más eficaz.

La vasectomía (esterilización del hombre) consiste en cortar y amarrar los tubos (vasos o conductos deferentes) que transportan a los espermatozoides. La ligadura de trompas (esterilización de la mujer) consiste en cerrar o bloquear las trompas de Falopio. Eso impide que los huevos pasen de los ovarios a la matriz.

En general la esterilización es permanente, aunque en algunos casos es posible restablecer la fertilidad mediante una operación.

Los métodos naturales de planificación familiar consisten en calcular la temporada de mayor fertilidad para la mujer (durante la ovulación), para evitar las relaciones sexuales durante ese período. Para saber cuándo ocurre la ovulación cada mes, la mujer se toma la temperatura a diario y la anota, se revisa el flujo de la vagina y se mantiene al tanto de sus reglas.

Enfermedades de transmisión sexual

Las enfermedades de transmisión sexual (*STDs*, en inglés) o enfermedades venéreas son infecciones que pasan de una persona a otra a través de las relaciones sexuales o del contacto genital. Algunas de las enfermedades venéreas más comunes son la clamidia, el herpes genital, las verrugas genitales, la gonorrea, la hepatitis B y la sífilis. La más peligrosa de todas estas enfermedades es el SIDA. Hablamos del SIDA en la página 276.

La **clamidia** es una infección de bacterias que afecta a millones de hombres y mujeres. Esta enfermedad puede ser difícil de detectar; como el 75 por ciento de las mujeres y el 20 por ciento de los hombres que tienen clamidia no tienen síntomas. Cuando sí hay síntomas, éstos aparecen de dos a cuatro semanas después de contagiarse. Algunos de los síntomas que las mujeres pueden tener incluyen: un desecho de la vagina, reglas que se adelantan o se atrasan, dolor al orinar, comezón en los genitales o dolor en la parte baja de la barriga. Los hombres pueden tener un desecho del pene o dolor al orinar.

La clamidia se cura fácilmente con antibióticos. Si en una mujer no se detecta y no se trata, la clamidia puede causar la enfermedad inflamatoria de la pelvis, que a su vez puede causar esterilidad (la mujer no podrá tener hijos). Por eso, todas las jóvenes menores de 20 años que estén teniendo relaciones sexuales deben hacerse una prueba para la clamidia aunque no tengan ningún síntoma de la enfermedad. Otras mujeres que estén teniendo relaciones sexuales deben preguntarle a su proveedor de la salud si necesitan hacerse la prueba.

El **herpes genital** es causado por el virus herpes simple. Este virus es el mismo que causa las llagas de fiebre o fuegos (vea la página 182). El herpes genital se transmite fácilmente por medio del contacto sexual y del contacto directo con la piel de una persona infectada.

Las señas aparecen de 2 a 30 días después de contagiarse. También es posible estar infectado con herpes y no tener ningún síntoma.

El primer ataque de herpes genital puede ser muy agudo, con muchas llagas o ampollas dolorosas. También puede dar con fiebre, dolor de cabeza y dolores de los músculos. Los nodos linfáticos se pueden hinchar. Si salen llagas en la uretra o la vagina, puede haber dolor al orinar o un desecho de la vagina. En poco tiempo (de una a tres semanas) las llagas formarán costras y desaparecerán. Por otro lado, el primer ataque de herpes puede ser tan leve que la persona ni se dé cuenta que lo tiene.

No hay tratamiento que cure el herpes. Sin embargo, la mayoría de las personas infectadas sufren sólo un ataque. Si a usted le dan episodios repetidos, éstos por lo general serán más cortos y menos fuertes que el primero. Usted puede tener comezón, ardor u hormigueo en el lugar donde le vayan a salir las llagas. Quizás le ayuden las medicinas si tiene episodios fuertes y muy frecuentes.

Las **verrugas genitales** son causadas por el virus humano papiloma (*HPV*, en inglés) el cual se transmite por contacto sexual. Las verrugas generalmente se ven como bolitas carnosas o manchas lisas y blancuzcas. Pueden salir en los labios de la vagina, dentro de la vagina, en el pene o el escroto, o alrededor del ano. A veces las verrugas son tan pequeñas que no se ven. Existe la posibilidad de que las mujeres infectadas con el virus papiloma corran un mayor riesgo de tener cáncer de la cérvix (el cuello de la matriz). El virus a veces se puede detectar por medio de la prueba de Papanicolaou.

Un profesional de la salud puede quitar las verrugas si causan molestias o aparecen en la cérvix, pero en algunos casos, las verrugas vuelven a salir. Todavía no se ha encontrado una cura eficaz para este problema.

La **gonorrea**, que también se conoce como la gota o blenorragia, es una infección por bacterias que se transmite por contacto sexual. Algunas señas de esta enfermedad son dolor al orinar, un desecho de la vagina, reglas adelantadas o atrasadas o un desecho espeso del pene. Muchas personas infectadas no tienen síntomas. Si no se trata, la gonorrea puede producir enfermedad inflamatoria de la pelvis en las mujeres y hacer que no puedan tener hijos. A veces la gonorrea puede llegar a las coyunturas y causar artritis.

La **hepatitis B** es una infección por virus que se transmite por medio del contacto sexual o del contacto con sangre infectada. Una mujer embarazada que esté infectada también puede pasarle el virus a su bebé. Las señas de la enfermedad aparecen de dos a cinco meses después de contagiarse. Incluyen vómito, dolor de barriga, pérdida del apetito y un color amarillento en los ojos y la piel (ictericia). Más o menos una de cada tres personas infectadas no tienen síntomas. Uno de los efectos a largo plazo de la enfermedad es el daño al hígado, que puede causar la muerte. Se recomienda vacunar contra la hepatitis B a todos los bebés, a los adolescentes (sobre todo a aquéllos que corren algún riesgo de contagiarse) y a las personas que, por diferentes razones, corren peligro de contraer la enfermedad. Entre otras, éstas son las personas que tienen varias parejas sexuales, los hombres que tienen relaciones sexuales con otros hombres, las personas que se inyectan drogas, los bebés de madres infectadas y quienes trabajan con enfermos. Vea las páginas 17 a 18.

La **sífilis** es una infección por bacterias que se transmite por medio del contacto sexual o por el uso de agujas contaminadas. Las señas aparecen de dos semanas a un mes después de contagiarse por el contacto sexual. La primera seña es una pequeña llaga o ampolla roja, llamada chancro, que aparece en los genitales, el área del ano o en la boca. Como esta llaga no duele, puede que la persona no se dé cuenta que la tiene. Puede que los nodos linfáticos en la ingle también se hinchen.

Si la sífilis no se trata pronto, puede causar otros problemas después de dos a ocho semanas, incluyendo salpullido, manchas pelonas, fiebre, hinchazón de los nodos linfáticos y molestias como de gripe. Muchas de estas señas se pueden confundir fácilmente con las de otras enfermedades.

La sífilis se puede tratar con antibióticos. Si no se trata, la sífilis puede causar problemas graves y hasta la muerte.

Prevención

Es más fácil prevenir una enfermedad de transmisión sexual que tratarla después de que ocurra. Sólo hay dos formas de eliminar por completo el riesgo de contraer una de estas enfermedades. Una es teniendo relaciones sexuales con una sola persona que no esté infectada y le sea fiel. La otra es no teniendo relaciones sexuales del todo.

- No tenga relaciones sexuales mientras usted o su pareja estén recibiendo tratamiento para una enfermedad venérea.
- Si usted o su pareja tienen herpes, eviten el contacto sexual cuando la persona infectada tenga una ampolla o una llaga abierta. Cuando tengan relaciones sexuales, usen siempre condones.
- Las mismas precauciones que reducen su riesgo de contraer el virus del SIDA o VIH (como el usar condones) también reducen su riesgo de contraer otras enfermedades venéreas. Para otros consejos sobre cómo protegerse contra estas enfermedades, vea la página 278.

Cuándo llamar a Kaiser Permanente

Llame si nota que le sale un flujo raro por el pene o por la vagina, si tiene llagas, áreas rojas o bultos en los genitales, o si sospecha que puede haberse expuesto a una enfermedad de transmisión sexual.

Las enfermedades de transmisión sexual tienen que ser diagnosticadas y tratadas por un profesional de la salud. Su doctor o un departamento de salud pueden hacerle el diagnóstico y recetarle el tratamiento que necesite. Su pareja también debe recibir tratamiento, aunque no tenga síntomas. Él o ella podría volver a infectarlo a usted o podría tener complicaciones serias.

La infección por VIH y el SIDA

El SIDA (síndrome de inmunodeficiencia adquirida o *AIDS*, en inglés) es causado por el virus de inmunodeficiencia humana (VIH o *HIV*, en inglés). Este virus destruye el sistema de defensa, de modo que el cuerpo no puede combatir enfermedades, aunque sean bastante leves. El SIDA es la última etapa de la enfermedad del VIH, cuando el cuerpo ya no puede combatir enfermedades ni infecciones.

Para saber si una persona tiene el virus del SIDA, hay que hacerle una prueba de sangre. En las personas infectadas, la sangre contiene los anticuerpos del virus. Después de infectarse, pueden pasar hasta seis meses antes de que aparezcan los anticuerpos. Una persona infectada con VIH puede verse sana por 10 años o más, antes de que le den síntomas de SIDA.

El VIH no se transmite por medio de mosquitos o zancudos, asientos de excusados o el contacto diario con una persona infectada (por ejemplo, si la persona le da la mano, le tose encima, come con usted, etc.). Usted tampoco puede contraer el VIH si dona sangre.

El riesgo de contraer el virus al recibir sangre o productos de sangre es muy pequeño, porque desde 1985, toda la sangre se examina para asegurarse de que no tenga VIH.

El VIH sólo se transmite cuando la sangre, el semen o los flujos vaginales de una persona infectada entran al cuerpo de otra persona. Éstas son algunas actividades que sí transmiten el virus del SIDA:

1. Usar las mismas agujas y jeringas que ha usado una persona infectada (como por ejemplo, para inyectarse drogas).

2. Tener relaciones sexuales por el ano con una persona infectada sin usar un condón. Con frecuencia, el sexo por el ano desgarra los vasos sanguíneos del recto, y el virus entra al cuerpo por allí.

3. Tener contacto sexual, ya sea por la boca o por la vagina, con una persona infectada, sin usar condones.

Los bebés que nacen o toman pecho de madres infectadas también corren un alto riesgo de contraer el virus.

A usted no se le pegará el virus del SIDA si una persona infectada lo toca, lo abraza o lo besa suavemente.

Siempre y cuando usted siga los consejos que aparecen más adelante, en la sección sobre prevención, será casi imposible que contraiga el virus.

Si es posible que usted se haya expuesto recientemente al VIH, comuníquese con su profesional de la salud o con la enfermera consejera. Ellos le darán una cita para que usted se haga una prueba. La prueba, que consiste en tomar y analizar una muestra de su sangre, es sencilla y confidencial. Nosotros la recomendamos para todas las mujeres embarazadas y para cualquier persona que corra un alto riesgo de contraer el virus. Si usted no quiere hacerse la prueba en Kaiser Permanente, llame a su departamento de salud local.

Aunque las nuevas pruebas pueden detectar el VIH a las tres semanas después del contagio, los anticuerpos del VIH pueden tardar hasta seis meses en desarrollarse. El virus puede transmitirse aun antes de que aparezcan los anticuerpos. Después de que los anticuerpos se desarrollan, algunas personas siguen sin síntomas por hasta más de 10 años, pero aun así, pueden transmitir el virus a otras personas.

Los científicos creen que la mayoría de las personas que han sido infectadas por el VIH, con el tiempo contraerán SIDA. Aunque las infecciones por VIH y el SIDA aún no son curables, los nuevos tratamientos han mejorado mucho la salud y la vida de las personas infectadas. La clave es hacer el diagnóstico lo antes posible, mediante una prueba. Si usted averigua que se ha infectado, encontrará que hay muchas fuentes de ayuda a su disposición.

Señas de la infección por VIH y el SIDA

Al principio, las personas infectadas generalmente no tienen molestias. Sin embargo, algunas personas pueden tener uno o más de estos síntomas:

- Pérdida de peso rápida sin razón aparente
- Sudores por la noche y fiebre que no se quita
- Mucho cansancio que no se quita
- Diarrea persistente
- Nodos linfáticos hinchados en el cuello, las axilas o la ingle

A medida que el sistema de defensa se debilita, pueden dar otros síntomas que incluyen:

- Llagas raras en la piel o en la boca; manchas blancas en la boca
- Brotes más frecuentes de llagas de fiebre (fuegos) o de herpes genital
- Respiración corta y tos seca, sin razón
- Dolor o entumecimiento severo en las manos y los pies
- Cambios en la personalidad o pérdida de algunas habilidades mentales
- Cánceres e infecciones raras

Estos síntomas también pueden deberse a muchas otras enfermedades aparte de la infección por VIH y el SIDA. No obstante, si le da o no se le quita cualquiera de estos síntomas, sin que haya una buena explicación, llame a su médico. Es aún más importante que llame si, por cualquier razón, usted corre un mayor riesgo de infectarse con el virus del SIDA.

Prevención

Sólo hay dos formas de eliminar por completo el riesgo de contraer SIDA u otra enfermedad de transmisión sexual. Una es teniendo relaciones sexuales con una sola persona que no esté infectada y le sea fiel. La otra es no teniendo relaciones sexuales del todo. Los siguientes pasos le ayudarán a *reducir* su riesgo:

- Si usted está empezando una relación sexual con alguien, hable de antemano con él o ella sobre el VIH y otras enfermedades venéreas. Averigüe si su pareja tiene o podría tener la infección (por ejemplo, si sus hábitos lo ponen en peligro de contraer el virus). También hable sobre sus propios riesgos y su historial de infecciones. Recuerde que es posible estar infectado sin saberlo.
- Use condones cada vez que usted y su pareja tengan relaciones sexuales, ya sea por el ano o por la vagina, hasta que esté seguro de que ninguno de los dos tiene una enfermedad de transmisión sexual. También asegúrese de que, mientras que su relación continúe, ninguno de ambos tendrá contacto sexual sin protección con cualquier otra persona.
- Recuerde que pueden pasar hasta seis meses antes de que el VIH se pueda detectar en la sangre. Si usted y su pareja deciden hacerse una prueba de sangre para averiguar si necesitan usar condones, deberán esperar seis meses después de que cualquiera de ambos haya tenido relaciones sexuales sin protegerse o haya hecho cualquier cosa que lo ponga en peligro de contraer el virus. Durante ese tiempo, ninguno de los dos deberá tener relaciones

sexuales sin protegerse. Será necesario que usen condones cada vez que tengan relaciones sexuales.

- No tenga relaciones sexuales sin protegerse con una persona que tenga señas de una enfermedad venérea, que se haya expuesto a una enfermedad de ese tipo, o que haga actividades que la pongan en peligro de infectarse con el VIH. Recuerde que una persona puede transmitir una enfermedad venérea aunque no tenga ninguna seña de la enfermedad.
- No tenga relaciones sexuales de ningún tipo (por la vagina, por el ano o por la boca) sin protegerse, si tiene cualquier duda sobre la historia sexual de la otra persona. Tampoco lo haga si es posible que la persona haya compartido agujas con alguien más para inyectarse drogas.
- Use condones de látex, junto con un lubricante soluble en agua, desde el principio hasta el final del contacto sexual anal o vaginal. Los lubricantes solubles en aceite (como la vaselina, la crema para las manos y el aceite para masajes) hacen que los condones se rompan más fácilmente. Los condones "naturales" o de piel de oveja no dan protección contra el virus del SIDA.
- Use espermicidas que contengan nonoxynol-9, a menos que usted sea alérgico a ellos. Si es alérgico, el uso de dichos espermicidas podría causarle irritación y llagas genitales. Eso, a su vez, puede aumentar su riesgo de contraer una infección por VIH.
- No cuente con que estará bien protegido contra las enfermedades sexuales si sólo usa jalea anticonceptiva, pastillas anticonceptivas o un diafragma. Los condones dan la protección más confiable en contra de la infección por VIH y otras enfermedades de transmisión sexual.

Además de las recomendaciones anteriores, los siguientes consejos también reducirán su riesgo de contraer el VIH y la hepatitis B:

- Evite las actividades mencionadas en la página 277, que transmiten el virus del SIDA. Hay actividades que son más seguras como besar con la boca cerrada, abrazarse, darse masajes o tocarse de otras maneras agradables.
- Nunca use agujas, jeringas ni otros artículos personales que puedan estar contaminados con sangre de otra persona. A veces las agujas quedan contaminadas aún después de hervirlas.

Para mayor información, llame gratis a la Línea Nacional del SIDA en español al 1-800-344-7432.

17

La buena condición física y la relajación

Es bueno para usted y para su salud mantenerse en forma y llevar una vida tranquila. Los consejos de este capítulo le pueden ayudar a disfrutar más de la vida.

Los beneficios del ejercicio

Ninguna cantidad de ejercicio puede garantizarle una larga vida. Sin embargo, con que haga algo de ejercicio, puede mejorar sus probabilidades de tener una vida sana. Usted se sentirá mejor, evitará más enfermedades y disfrutará más de la vida si está en buena condición y además tiene una actitud positiva y una dieta saludable.

Piense en los beneficios de estar en buena forma que mencionamos aquí. Decida por cuál o cuáles de estas razones quiere usted comprometerse a seguir su propio programa de ejercicio.

Los beneficios del ejercicio

- Calma la tensión y los nervios
- Es agradable y divertido
- Estimula la mente
- Ayuda a mantener un peso estable
- Controla el apetito
- Mejora la imagen que uno tiene de sí mismo
- Mejora la condición y la fuerza de los músculos
- Mejora la flexibilidad
- Baja la presión de la sangre
- Alivia el insomnio
- Aumenta el colesterol "bueno"
- Ayuda a prevenir la diabetes
- Aumenta la energía y ayuda a reducir la fatiga
- Reduce la ansiedad y la depresión
- Mejora el equilibrio y la coordinación
- Ayuda a prevenir el estreñimiento

Plan personal para estar en forma

Nadie le puede recetar a usted un plan perfecto para mantenerse en forma. Usted tiene que diseñar su propio plan, basándose en lo que le gusta hacer y lo que va a seguir haciendo a largo plazo. La información de las páginas siguientes le puede ser de gran ayuda en esta tarea.

Para mantenerse en buena forma, lo más básico y lo más importante es ser consistente. Por desgracia, esto es lo que muchas personas olvidan. Las actividades moderadas y el ejercicio pueden rendir grandes beneficios siempre y cuando se hagan de una forma regular y consistente.

Un buen plan para estar en forma debe tener tres partes: ejercicios aeróbicos, fortalecimiento de los músculos y ejercicios de flexibilidad. Lea la sección sobre cada una de estas partes. Luego lea "Cómo fijar sus metas para estar en forma" en la página 286.

Ejercicios aeróbicos

Los ejercicios aeróbicos fortalecen el corazón y los pulmones. Algunos ejemplos de buenos ejercicios aeróbicos son: caminar rápido, correr, subir escaleras, andar en bicicleta, nadar y hacer baile aeróbico o cualquier otra actividad que haga que el corazón lata a un ritmo más rápido y lo mantenga así por cierto tiempo.

¿Qué tan fuerte necesita ser el ejercicio?

El ejercicio no tiene que hacerse de una forma muy fuerte para que sea provechoso. Al contrario, si usted hace ejercicio con demasiada fuerza, le hará menos provecho que si lo hace de una forma moderada.

Más que nada, fíjese cómo se siente. Si siente que se está esforzando demasiado, haga el ejercicio más despacio. Así será menos probable que se lastime y disfrutará mucho más del ejercicio.

Haga la "prueba de hablar y cantar" para determinar su mejor ritmo para hacer ejercicio:

- Si no puede hablar y hacer ejercicio al mismo tiempo, se está esforzando demasiado.
- Si puede hablar mientras hace ejercicio, lo está haciendo bien.
- Si puede cantar mientras hace ejercicio, podría esforzarse un poco más.

El ejercicio da más beneficios cuando uno puede hablar pero no cantar durante la actividad.

Ritmo cardíaco ideal

Edad	Número de latidos en 10 segundos
20	20 - 27
25	20 - 26
30	19 - 25
35	19 - 25
40	18 - 24
45	18 - 23
50	17 - 23
55	17 - 23
60	16 - 22
65	16 - 21
70	15 - 20

El ritmo cardíaco ideal se encuentra entre el 60 y el 80 por ciento del ritmo máximo (para calcular el ritmo cardíaco máximo, reste su edad al número 220).

El ritmo cardíaco ideal

Otra manera de medir el esfuerzo al hacer ejercicio es tomándose el pulso, o sea el ritmo cardíaco. La mayoría de los beneficios aeróbicos se obtienen cuando este ritmo se encuentra a un nivel situado entre el 60 y el 80 por ciento de su ritmo cardíaco máximo. Este es su ritmo cardíaco ideal. Después de 10 minutos de ejercicio, deténgase y tómese el pulso durante 10 segundos (vea la página 23). Compare el número de latidos con los números que se encuentran en la tabla en la página 282. Ajuste la intensidad de su ejercicio de manera que su ritmo cardíaco se encuentre entre los dos números indicados para su edad. Sin embargo, tome en cuenta que la tabla sirve sólo de guía. Cada persona es diferente de modo que usted debe también guiarse por la manera como se sienta.

¿Qué tan seguido y por cuánto tiempo debo hacer ejercicio?

Se ha demostrado que, para mejorar la condición física, es necesario hacer ejercicio 30 minutos al día casi todos los días. No obstante, puede ser más fácil tomarlo por costumbre si se hace todos los días.

El ejercicio aeróbico no necesariamente es más provechoso cuando se hace más intensamente. Pero sí lo es cuando se hace por más tiempo. Uno puede mejorar su condición con tan solo 10 minutos de ejercicio aeróbico al día, pero los beneficios serán mayores si uno hace ejercicio por más tiempo. Esto es cierto hasta para un máximo de una hora de ejercicio al día. Más de eso puede ser menos provechoso y puede traer consigo más riesgos de lastimarse.

¿Está usted listo para empezar?

- Siempre es mejor hacer por lo menos un poco de actividad física que no hacer nada. Recuerde que el punto no es correr un maratón o entrenar para las olimpiadas. Si **hoy mismo** usted da una caminata de cinco minutos, pues ¡ya empezó su programa de ejercicio!
- De allí en adelante, usted puede encontrar formas de hacer un poco más de actividad cada día. Puede caminar un poco, trabajar en el jardín, andar en bicicleta, bailar, nadar, usar escaleras en vez de ascensores, jugar al fútbol, etc.
- A algunas personas les gusta ir apuntando en su calendario todas las actividades que hacen. De esa manera pueden ir reconociendo sus logros y se animan más.

Calentamiento y enfriamiento de los músculos

Durante los primeros cinco minutos de su rutina, haga el ejercicio despacio y con calma. Así sus músculos podrán calentarse como es debido.

Cuando vaya a terminar, no acabe su rutina de golpe. Si ha estado corriendo o caminando rápidamente, baje el paso poco a poco. Luego haga unos cuantos ejercicios de estiramiento para mejorar su flexibilidad. Vea la página 284.

Beba agua extra antes y después de hacer ejercicio.

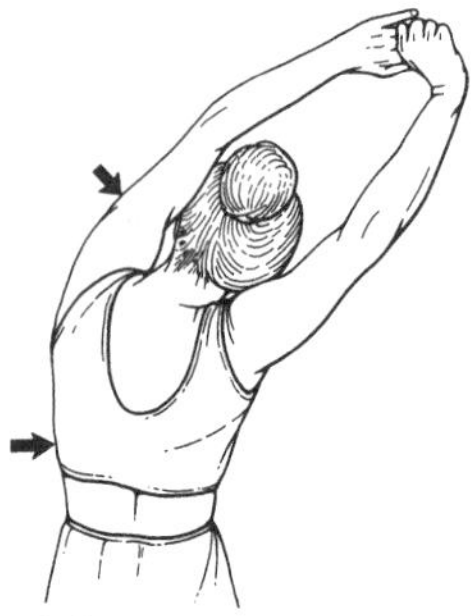

del costado

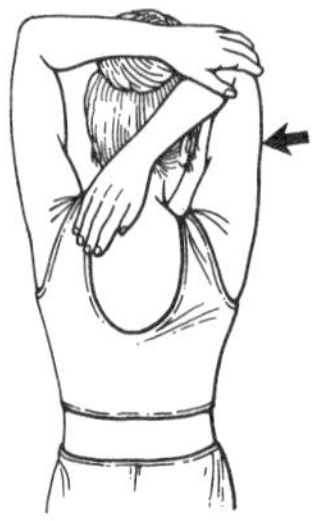

de los tríceps

de la pantorrilla

de la parte trasera del muslo

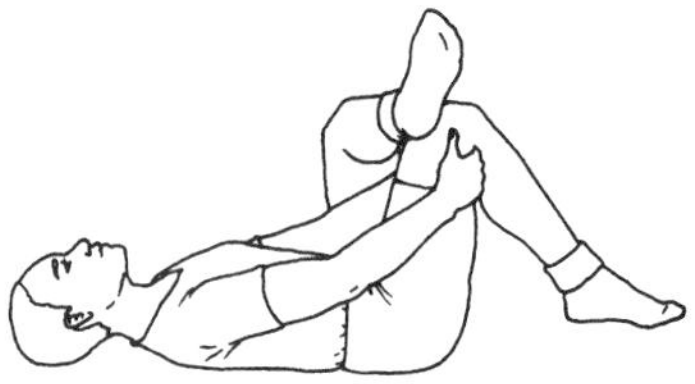

de la cadera

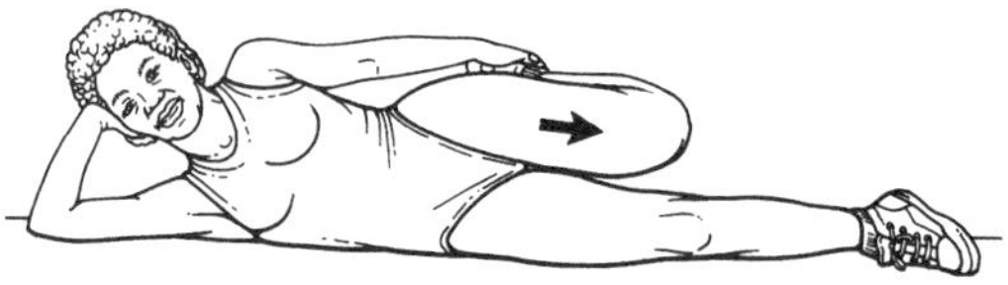

de los cuádriceps

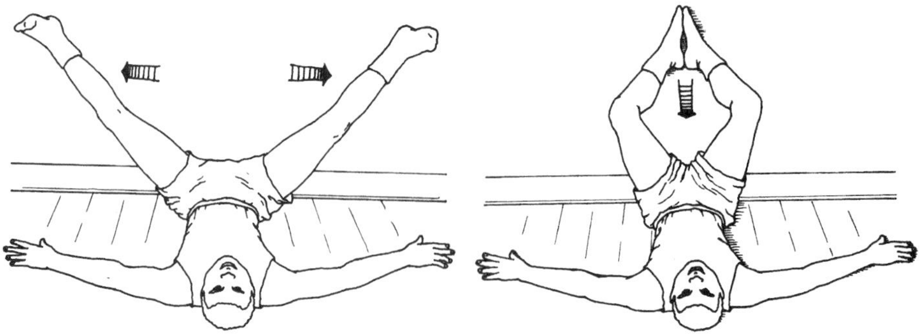

de la ingle

Ejercicios de estiramiento

Fortalecimiento de los músculos

El fortalecer sus músculos mejorará su habilidad para trabajar y hacer actividades físicas. También le ayudará a no cansarse. Los ejercicios para fortalecer los músculos también le ayudarán a mejorar su postura y a tener más energía.

El entrenamiento con pesas libres, equipo de entrenamiento de pesas, o con tiras baratas de hule puede fortalecer los músculos en poco tiempo.

Hay otros ejercicios sencillos y seguros que sirven para fortalecer los músculos. Algunos ejemplos son las sentadillas con las rodillas dobladas, las planchas o lagartijas, el ejercicio de alzar la barbilla hasta una barra alta, el de levantar la pierna de un lado, y otros ejercicios de calistenia que fortalecen los músculos de la barriga, del cuello, de los brazos, de los hombros y de las piernas.

Flexibilidad

El estirarse sirve para mejorar el alcance de los movimientos y para tener los músculos menos tiesos y adoloridos. Es importante estirarse sobre todo cuando uno está acabando de hacer ejercicio y los músculos todavía están calientes. Vea los dibujos de estiramiento en la página 284.

- Haga cada ejercicio de estiramiento lentamente y poco a poco. Mantenga una tensión constante en el músculo.
- Relájese y sostenga cada ejercicio hasta contar a 20.
- Tome aire primero y suéltelo al estirarse, para que sus músculos se relajen aún más. Si siente dolor es porque se ha esforzado demasiado o porque está haciendo algo mal.

Haga un poco de estiramiento a diario. Puede hacerlo en cualquier momento. Por ejemplo, en vez de tomarse un descanso para beber café, haga unos cuantos ejercicios.

Cómo vencer las barreras al ejercicio

Hay seis barreras que se les presentan a muchas personas cuando piensan en hacer ejercicio. Aquí le sugerimos cómo vencer cada una de ellas.

1. ¿No tiene tiempo? Haga ejercicio por ratos cortos a lo largo del día entero. Por ejemplo, dé tres caminatas de 10 minutos en un día.

2. ¿Está muy cansado? Muchas veces, el cansancio se debe a la falta de ejercicio. El ejercicio da energía. Pruébelo.

3. ¿Le da vergüenza? A muchas personas les da vergüenza al principio. Esté orgulloso de que está cuidando su cuerpo.

4. ¿No tiene a nadie con quien hacer ejercicio? Es cierto que es más divertido hacer ejercicio con otras personas, pero si su compañero dejó de hacer ejercicio, búsquese a otra persona. Usted podría también hacerse miembro de un club deportivo, tomar alguna clase o seguir los ejercicios en un video.

5. ¿Está malo el clima? Parece que siempre hace demasiado calor o demasiado frío, o que hay mucha lluvia o demasiado viento, pero que el clima nunca está perfecto para hacer ejercicio. Muchas personas hacen ejercicio en cualquier clima. Pruebe diferentes actividades al aire libre y bajo techo.

Haga ejercicio con precaución

El ejercicio moderado no es peligroso para la mayoría de las personas. Pero para estar más seguro, comience lentamente y vaya haciendo ejercicio más fuerte poco a poco. No obstante, si contesta que sí a cualquiera de las siguientes preguntas, hable con su doctor antes de empezar un programa de ejercicio.

- ¿Tiene problemas del corazón?
- ¿Tiene dolores en el pecho que no le han diagnosticado?
- ¿Tiene alta la presión de la sangre?
- ¿Se siente mareado a menudo?
- ¿Tiene artritis u otro problema de los huesos o de las coyunturas que podría empeorar si no hace ejercicio correctamente?
- ¿Tiene diabetes? Usted querrá hablar con su doctor sobre cómo afectará el ejercicio sus dosis de insulina.

Los hombres mayores de 40 años que piensan empezar un programa de ejercicios pesados (como correr, andar rápido en bicicleta o nadar) quizás deban hablar con su doctor sobre los posibles riesgos del ejercicio, si:

- No han estado activos *o*
- Tienen dos o más de las condiciones que aumentan el riesgo de tener problemas del corazón. Esas condiciones son fumar, tener colesterol de más de 200, presión de la sangre más alta de 140/90, diabetes o historia familiar de problemas del corazón antes de los 45 años de edad.

6. ¿Es demasiado caro? Algunas formas de ejercicio sí pueden ser caras. Pero para estar en forma usted no necesita ser miembro de un club o de un gimnasio, ni comprar una bicicleta o unos tenis de la marca más cara. Hay muchas maneras sencillas y baratas de hacer ejercicio. Por ejemplo, en vez de manejar, camine.

Cómo fijar sus metas para estar en forma

¿Es usted tan fuerte y flexible, y está en tan buena forma física como le gustaría? De ser así, lo felicitamos. Esperamos que este capítulo le haya ayudado a reafirmar la importancia del ejercicio que usted ya hace. Sin embargo, si hay algo que quiera mejorar, le aconsejamos que trate de hacerlo poco a poco.

La única forma de caminar una gran distancia es paso a paso. La única forma de mejorar su condición física es también paso a paso.

- Primero decida qué aspecto de su condición física le gustaría mejorar (condición aeróbica, fortalecimiento o flexibilidad).
- Escoja una actividad que le agrade. Es más probable que no abandone algo que le guste hacer.
- Fíjese una meta que crea que puede alcanzar en un mes. Por ejemplo, decida que va a caminar por 10 minutos durante la hora del almuerzo, tres veces a la semana, o que va a hacer ejercicios de estiramiento por 5 minutos cada mañana.
- Comience hoy mismo. Tome apuntes de lo que haga.
- Cuando alcance su primera meta, ¡prémiese con algo agradable! Luego, fije una nueva meta.

Si usted es persistente, conseguirá lo que quiere. Cada pequeña meta que logre lo acercará más a la condición física que desea. Cuando la alcance, su nueva condición beneficiará mucho su vida entera.

La tensión y la angustia

Los cambios y las exigencias de su vida producen en usted reacciones físicas, mentales y emocionales. Al conjunto de estas reacciones se le llama tensión nerviosa o estrés.

El estrés o la tensión viene con las molestias de la vida diaria: los embotellamientos de autos, las colas, las discusiones tontas y otros problemas de poca importancia. La tensión también viene con las crisis y los cambios de la vida, como las enfermedades graves, problemas del matrimonio, el divorcio, el desempleo, el comienzo de un nuevo trabajo o la partida de los hijos de la casa.

Todos estos eventos lo pueden obligar a usted a hacer ajustes en su vida. A menos que usted pueda descargar con frecuencia el estrés y las tensiones, puede correr un peligro mucho mayor de contraer enfermedades físicas y mentales.

Dado a que usted no puede controlar muchos de los grandes eventos de su vida, trate de controlar las cosas que sí pueda. El hecho de que haya un gran cambio en su vida, no quiere decir que todo lo demás también tenga que cambiar. Siga haciendo las actividades que hacía antes de que sucediera el cambio.

No todo el estrés es dañino. El estrés positivo lo puede animar a hacer cosas creativas e ingeniosas. Pero cuando los cambios y las exigencias de la vida lo abruman, el estrés negativo es el que lo empieza a afectar. Esta sección contiene técnicas específicas que usted puede usar para controlar el estrés en su vida.

Cómo afecta el estrés al cuerpo

En cuanto una persona siente algo de estrés, ciertas glándulas del cuerpo sueltan sustancias químicas que, junto con las puntas de los nervios, producen las siguientes reacciones físicas:

- El corazón late más rápido para enviar sangre a los músculos y al cerebro.
- Sube la presión de la sangre.
- La respiración se vuelve más rápida.
- La digestión se vuelve más lenta.
- Se suda más.
- Las pupilas se ponen más grandes.
- La persona siente una corriente de fuerza física.

El resultado es que el cuerpo se pone tenso, alerta y listo para reaccionar. Para la gente primitiva, estas reacciones eran una ventaja porque las preparaban para luchar contra el peligro que las amenazaba o para huir de él. Hoy en día, nuestros cuerpos reaccionan de la misma manera, aunque esta reacción ya no es tan útil porque no simplemente podemos luchar o huir (aunque a veces nos gustaría hacerlo).

Nuestros cuerpos se mantienen en estado de alerta hasta que sienten que el peligro ha pasado. Cuando el peligro o la causa de la alarma desaparece, el cerebro les avisa a las glándulas y ellas dejan de producir las sustancias químicas que causaron la reacción. Entonces el cuerpo regresa a su estado normal.

Los problemas con el estrés suceden cuando el cerebro no avisa que ya todo está bien. Si el estado de alarma dura demasiado tiempo, usted comienza a sufrir de estrés o tensión constante. Esto puede producirle muchos problemas de salud.

Cómo reconocer el estrés

Puede ser difícil reconocer o admitir que el estrés está afectando su salud. Si usted puede aprender a estar pendiente de sus efectos y a actuar de inmediato para combatirlos, usted podrá controlar su estrés.

Las señas del estrés pueden incluir dolor de cabeza, cuello tieso, dolor de espalda, respiración rápida, palmas sudorosas o malestar del estómago. Además, usted puede enojarse y molestarse por cualquier cosa. Puede que pierda la paciencia más seguido y que le grite a su familia sin ninguna razón. Quizás tenga el pulso más rápido y se sienta nervioso o muy cansado todo el tiempo. Tal vez le cueste trabajo concentrarse.

Cuando le den estos síntomas, dese cuenta de que son señas de estrés y busque formas de combatirlos. A veces ayuda por lo menos entender por qué uno está de mal humor. Éste puede ser el primer paso para resolver el problema. A fin de cuentas, lo que más afecta su salud no es el estrés en sí, sino su manera de enfrentarse a él.

Cómo controlar el estrés

Algunas personas se tratan de relajar fumando, tomando alcohol o pastillas, o comiendo demasiado. Éstas cosas sólo empeoran la salud. En vez de recurrir a ellas, aprenda a controlar su estrés. Usted lo puede lograr usando el cuerpo para calmar la mente y la mente para calmar el cuerpo.

La tensión nerviosa afecta nuestros sentimientos y emociones. Al expresar estos sentimientos a otras personas, los podemos entender y controlar mejor. Las personas que se entienden bien con su pareja o con un buen amigo tienen alguien que les puede ayudar a controlar el estrés en sus vidas.

El llanto también puede aliviar las tensiones. Es una de las cosas que nos ayuda a mantener nuestra salud emocional. A algunas personas también les ayuda escribir o hacer trabajos manuales o artísticos (cerámica, pintura, etc.).

El ejercicio es la respuesta natural al estrés; es la reacción normal al impulso de luchar o huir. El caminar a buen paso aprovecha el pulso rápido y los músculos tensos causados por el estrés, y descarga la energía acumulada. Después de una caminata larga, el nivel de estrés será menor y más fácil de controlar.

El resto de este capítulo habla sobre otras técnicas que usted puede usar para resistir mejor el estrés, y para controlar mejor las cosas que le causan tensión en su vida, pero que usted no puede eliminar.

Técnicas para calmarse y relajarse

Además de las otras cosas que haga para controlar el estrés, algo que le será muy útil son las técnicas de relajación. Estas técnicas tienen el efecto contrario que la reacción de luchar o huir.

Mientras aprende las técnicas de relajación, es necesario que evite toda distracción. Quizás también necesite un poco de práctica para acostumbrarse a estas técnicas. Pero una vez que haya entrenado a su cuerpo y a su mente a relajarse (en dos o tres semanas), usted podrá hacerlo en cualquier momento que lo desee.

Los siguientes tres métodos de relajación y meditación son de los más sencillos y eficaces. Le recomendamos que los haga una o dos veces al día, como por 10 ó 20 minutos. Escoja un lugar donde no lo molesten ni lo distraigan.

Respiración en ondas

La meta de este ejercicio de respiración es aprender a usar los pulmones plenamente y a estar consciente del ritmo de su respiración. Esta técnica se puede hacer en cualquier posición, pero para aprenderla es mejor acostarse boca arriba, con las rodillas dobladas.

1. Póngase la mano izquierda sobre la barriga y la mano derecha sobre el pecho. Fíjese cómo se le mueven las manos cuando toma y cuando suelta aire.

2. Practique a respirar con la parte de abajo de los pulmones. Si lo hace bien, su mano izquierda subirá cuando usted tome aire, mientras que su mano derecha no se moverá. Siempre tome aire por la nariz y suelte aire por la boca.

3. Cuando usted haya llenado y vaciado la parte de abajo de sus pulmones de 8 a 10 veces, añada el segundo paso a su respiración: llene primero la parte de abajo de sus pulmones como antes, pero luego siga tomando aire para llenar también la parte de arriba. Cuando lo haga, su mano derecha subirá y la izquierda bajará un poco a medida que se le hunda la barriga.

4. Al soltar el aire lentamente por la boca, haga un sonido bajo (como ssshhh) mientras le bajan primero la mano izquierda y luego la derecha. Mientras suelta el aire, sienta como la tensión abandona su cuerpo y usted se relaja más y más.

5. Practique a tomar y soltar el aire de esta manera de tres a cinco minutos. Note cómo el movimiento de la barriga y del pecho es como de olas marinas que suben y bajan a cierto ritmo.

Practique este ejercicio todos los días, durante varias semanas, hasta que pueda realizarlo en casi cualquier lugar donde esté. Así tendrá usted una técnica de relajación instantánea en cualquier momento que la necesite.

ADVERTENCIA: Algunas personas se marean las primeras veces que tratan de respirar en ondas. Si usted comienza a hiperventilarse o se marea, respire más lentamente. Póngase de pie despacio.

Relajación progresiva de los músculos

El cuerpo reacciona a pensamientos o situaciones difíciles poniendo los músculos tensos o apretados, lo cual puede causar dolor o molestias. La relajación profunda de los músculos reduce la tensión del cuerpo, y también la ansiedad mental. Usted puede usar una cinta grabada que le ayude a recorrer todos los grupos de los músculos para relajarlos. O simplemente puede poner tenso y luego relajar cada grupo de músculos. La relajación progresiva de los músculos sirve para combatir los problemas de salud relacionados con el estrés y, a menudo, le ayuda a la gente a dormirse.

Instrucciones para relajar los músculos

Nota: Le recomendamos que grabe las siguientes instrucciones o que busque a alguien que pueda leerle las instrucciones lentamente.

Escoja un lugar donde pueda acostarse boca arriba y acomodarse a gusto, como un piso alfombrado, por ejemplo.

Apriete cada grupo de músculos de 4 a 10 segundos (hágalo con fuerza pero no hasta que le dé un calambre). Luego suelte la respiración, tomando entre 10 y 20 segundos, mientras relaja los músculos. En ciertos puntos (que indicamos en las instrucciones) repase cada grupo de músculos y relaje cada uno un poco más.

Cómo apretar los diferentes grupos de músculos

1. Haga puños con **las manos** y apriételos con fuerza.
2. Estire **las muñecas y los antebrazos** y doble las manos hacia atrás.
3. Haga puños con las manos, doble los codos y luego apriete los bíceps.
4. Encoja **los hombros**.

Revise que toda el área de los brazos y los hombros esté relajada.

5. Arrugue mucho **la frente**.
6. Para apretar **el área alrededor de los ojos**, ciérrelos lo más fuerte que pueda. (Quítese los lentes de contacto antes de empezar este ejercicio.)
7. Sonría de oreja a oreja para apretar **las mejillas y la quijada**.
8. Para apretar **el área alrededor de la boca**, cierre los labios con fuerza.

Revise que toda el área de la cara esté relajada.

9. Para apretar **la nuca**, empuje la cabeza con fuerza hacia atrás.
10. Para apretar **la parte delantera del cuello**, tóquese el pecho con la barbilla.

Revise que toda el área del cuello y de la cabeza esté relajada.

11. Para apretar **el pecho**, tome un respiro profundo, aguántelo y luego suelte el aire.
12. Levante **la espalda** del piso arqueándola.
13. Meta **el estómago** y haga como un nudo fuerte.

Revise que toda el área del pecho y del estómago esté relajada.

14. Apriete y junte **las nalgas**. Esto también aprieta **las caderas**.

15. Apriete **los muslos** con fuerza.

16. Para apretar **las pantorrillas**, doble las puntas de los pies hacia la cara, como si quisiera tocar con ellas la cabeza.

17. Luego doble las puntas de los pies y encoja los dedos hacia abajo.

Revise que toda el área de la cintura para abajo esté relajada.

Cuando haya terminado, vuelva en sí por completo contando al revés del cinco al uno.

La relajación

La relajación es lo opuesto a la reacción natural del cuerpo de ponerse tenso o apretado. Con la relajación, el corazón late más despacio, la respiración se vuelve más lenta, baja la presión de la sangre y se calma la tensión de los músculos.

Técnica de relajación (adaptada del Dr. Herbert Benson):

1. Siéntese, tranquilamente en una posición cómoda, con los ojos cerrados.

2. Comience a hacer los ejercicios de relajación progresiva de los músculos. (Vea la página 290.)

3. Fíjese cómo está respirando. Ya que se haya podido concentrar en la respiración, empiece a decir "uno" (o cualquier otra palabra o frase), en voz baja o en voz alta, cada vez que suelte el aire. Haga todo lo posible por respirar profundamente desde la barriga y no sólo desde el pecho.

En vez de concentrarse en repetir una palabra, usted puede fijar la mirada y concentrarse en cualquier objeto que no se mueva. O concéntrese en cualquier otra cosa que le dé resultado. Lo importante es que no deje que su mente se distraiga o se ponga a pensar en cosas que lo preocupan.

Siga concentrándose de 10 a 20 minutos. A medida que tenga pensamientos que lo distraigan, no les preste atención. Simplemente deje que se vayan de su mente.

4. Quédese sentado en silencio por varios minutos, hasta que esté listo para abrir los ojos.

5. Fíjese en cómo ha cambiado su respiración y su pulso.

No se preocupe si logra (o no) relajarse profundamente. Lo importante de este ejercicio es permanecer calmado y no dejar que sus pensamientos lo distraigan, pero que se vayan como olas en la playa.

Practique esta técnica de relajación, de 10 a 20 minutos, una o dos veces al día. Si quiere practicar después de comer, deje que pasen por lo menos dos horas antes de empezar. Cuando ya tenga una rutina, se le hará fácil relajarse con esta técnica.

18

Nutrición

En este capítulo le damos recomendaciones sobre cómo comer bien y cómo ayudar a sus hijos a acostumbrarse a comer bien también. Los niños aprenderán mejor por medio de su ejemplo, así que practiquen juntos a comer de un modo saludable.

Siete consejos para comer bien

(Recomendaciones para la dieta norteamericana, Departamento de Agricultura de los Estados Unidos, 1995)

1. Coma una buena variedad de alimentos.

2. Trate de lograr un equilibrio entre lo que come y la actividad física que hace, para llegar a un peso saludable o mantenerse allí. Vea la página 304.

3. Coma bastantes verduras, frutas y alimentos de granos. Vea la página 294.

4. Coma una dieta baja en grasas, grasas saturadas y colesterol. Vea las páginas 298 a 299.

5. No coma mucho azúcar. Vea la página 297.

6. No use demasiada sal (sodio). Vea la página 303.

7. No tome muchas bebidas alcohólicas porque tienen muchas calorías y no son nada nutritivas. Los hombres no deben tomar más de dos bebidas alcohólicas al día, y las mujeres no deben tomar más de una. Una bebida alcohólica equivale a 12 onzas de cerveza, 5 onzas de vino, o $1\frac{1}{2}$ onzas de alcohol destilado (vodka, ginebra, tequila, etc.).

Un plan básico para comer bien

Coma cada día una buena variedad de los alimentos que aparecen en la "Guía para la buena alimentación" (página 295). Coma más de los grupos de "panes y cereales" y "frutas y verduras" que de cualquier otro grupo. La mayoría de las personas que siguen este plan obtienen todas las vitaminas, los minerales y las otras sustancias nutritivas que sus cuerpos necesitan. Además, a estas personas no les cuesta mucho trabajo controlar su peso.

Panes, tortillas, cereales y almidones

Los alimentos con almidón son hidratos de carbono y tienen menos de la mitad de calorías por gramo que las grasas. Los alimentos con almidón que no han sido procesados (granos integrales, verduras) también son ricos en vitaminas, minerales, fibra y agua.

Al contrario de lo que la gente cree, el pan, las tortillas, las papas, el arroz y los fideos ¡no engordan! Estos tipos de alimentos sólo engordan cuando se les añaden grasas. En vez de ponerles crema o mantequilla a las papas, pruébelas con yogur descremado o con salsa (de jitomate, cebolla, cilantro y chile). A los fideos póngales salsas hechas con verduras frescas y tomates. No coma magdalenas, churros y otros productos de esa clase, sino pan y cereales integrales.

Frutas y verduras

Las frutas y las verduras frescas son buenas fuentes de vitaminas, minerales y fibra, y además contienen poca grasa. Varias frutas y verduras contienen mucha vitamina A y también C, sobre todo las naranjas y otras frutas cítricas, el bróculi, los camotes, el melón, la papaya, los mangos, los chiles, las zanahorias, la espinaca y otras verduras de hojas verdes. Por eso, el comer muchas frutas y verduras puede ayudar a proteger al cuerpo contra el cáncer, los derrames cerebrales (embolias) y las enfermedades del corazón.

Las frutas y las verduras son más nutritivas cuando están frescas y se comen crudas o poco cocidas. Cuando cocine las verduras, prepárelas al vapor o en el horno de microondas para que retengan más vitaminas.

Las frutas y las verduras como protección contra el cáncer

Las frutas y las verduras son una parte importante de la buena alimentación. Son bajas en grasas y contienen mucha fibra. Una dieta rica en fibra puede proteger al cuerpo contra el cáncer del colon. Las frutas y las verduras también contienen otras sustancias importantes: son fuentes excelentes de vitamina C, de carotenoides y de otros compuestos vegetales que son antioxidantes naturales. Se cree que dichos antioxidantes pueden ayudar a reducir el riesgo de padecer de varios tipos de cáncer. Las zanahorias, las verduras de hojas color verde oscuro, los camotes, los tomates, la papaya, los melones y el bróculi son buenas fuentes de carotenoides. La vitamina C se encuentra en las frutas cítricas (como las naranjas) y en los melones, las fresas, los chiles (ají), el bróculi y los tomates.

Los científicos siguen investigando otras sustancias que se encuentran en las frutas y las verduras para tratar de entender el papel que esas sustancias pueden jugar en la prevención del cáncer.

En cualquier caso, hay mucha evidencia de que todos debemos comer cinco o más porciones de frutas y verduras al día, para reducir nuestro riesgo de padecer de cáncer.

Guía para la buena alimentación

Los granos (panes, tortillas, cereales, arroz, fideos) forman la base de una dieta saludable. Los tamaños de las porciones son: 1 rebanada de pan, 1 onza de cereal, media taza de arroz o de fideos cocidos.

Coma bastantes frutas y verduras. Los tamaños de las porciones son: 3/4 de taza de jugo de fruta o jugo de verduras; media taza de frutas o verduras crudas, enlatadas o cocidas; una manzana o un plátano de tamaño mediano; 1 taza de espinacas crudas o verduras parecidas.

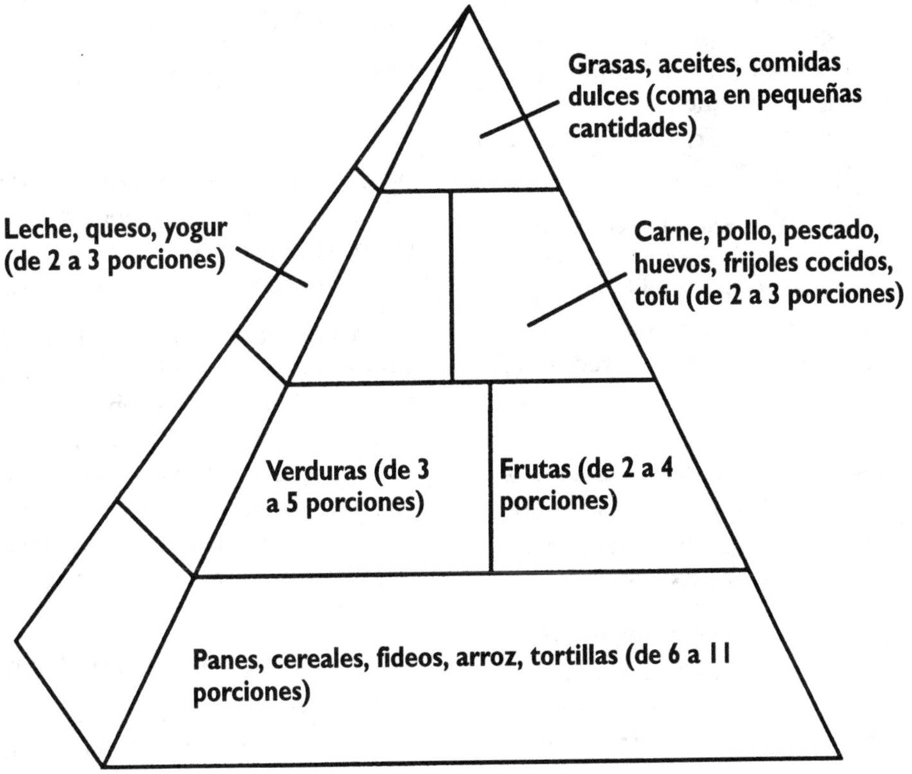

Pirámide de alimentos
(Departamento de Agricultura de los Estados Unidos)

Coma carne, pescado o pollo que no tengan mucha grasa y frijoles cocidos (como por ejemplo, frijoles de olla). Los tamaños de las porciones son: de 2 a 3 onzas de carne cocida sin gordo, pollo o pescado; media taza de frijoles cocidos; 1 huevo; 2 cucharadas de crema de cacahuate.

Use productos de leche descremados o bajos en grasa. Los tamaños de las porciones son: 1 taza de leche o yogur, de $1\frac{1}{2}$ a 2 onzas de queso, media taza de requesón.

Limite su consumo de los alimentos de la punta de la pirámide. Ejemplos: aceite para cocinar, mantequilla o manteca, bocadillos salados y grasosos, bebidas alcohólicas, dulces.

Fibra

Aunque la fibra no es una sustancia nutritiva, es importante para la salud del sistema digestivo. Hay dos tipos de fibra.

Los productos de granos integrales contienen un tipo de fibra que no se disuelve. Junto con los líquidos, este tipo de fibra estimula al colon para que mueva los excrementos por los intestinos. Sin fibra, los excrementos se mueven muy lentamente. Esto aumenta el riesgo de estreñimiento, cáncer del colon y de los intestinos, y diverticulosis (una condición dolorosa del intestino).

Las frutas, los frijoles, los chícharos (arvejas) y otras legumbres, y la avena contienen un tipo de fibra que sí se disuelve y que ayuda a bajar el nivel de colesterol. Esto a su vez reduce el riesgo de tener una enfermedad del corazón. La fibra de las legumbres también puede ayudar a mantener un buen nivel de glucosa en la sangre.

¿Necesita usted comer más fibra? Si sus excrementos son blandos y salen con facilidad, lo más probable es que usted coma suficiente fibra. Pero si sus excrementos son duros y difíciles de pasar, quizás le ayude comer más fibra y tomar más agua. Para mayor información sobre el estreñimiento, vea la página 70.

Para aumentar la fibra en su dieta:

- Coma por lo menos cinco porciones de frutas y verduras al día. Coma frutas que tienen cáscara y semillas que también se comen: higos, manzanas, peras, tunas, fresas, ciruelas y duraznos. Cuando coma bróculi o espárragos, cómase los tallos y no sólo las puntas.
- Coma panes, fideos, tortillas y cereales de granos integrales. El primer ingrediente de la etiqueta debe ser harina de trigo integral (*whole-wheat flour*, en inglés). Si nada más dice harina de trigo, eso quiere decir que el producto es de harina blanca, la cual casi no tiene fibra.

La cafeína

No hay evidencia definitiva de que sea dañino para una persona sana tomar un poco de cafeína regularmente (dos o tres tazas de café o de refresco al día).

La cafeína es un poco enviciante. Si usted de repente trata de bajar la cantidad que bebe, quizás sufra de dolores de cabeza. Es mejor bajar la cantidad poco a poco.

Los pequeños cambios pueden hacer una gran diferencia

Usted no tiene que cambiar toda su dieta de una sola vez. Empiece con un cambio fácil y apéguese a él. Luego vaya haciendo otros cambios poco a poco.

- Compre sólo pan integral.
- Compre sólo leche descremada o del 1% de grasa.
- Use menos aceite para cocinar.
- Coma pescado por lo menos dos veces a la semana.
- Cómase una verdura cruda en el almuerzo.
- Tómese un vaso extra de agua cada mañana.

- Coma más frijoles, lentejas y chícharos cocidos.
- Las palomitas de maíz son altas en fibra. Pero tenga cuidado de no añadirles aceite, mantequilla o sal.

Agua

Una forma fácil de mejorar su dieta es tomando más agua. Las personas activas necesitan como dos litros de agua al día. Las personas que hacen ejercicio regularmente, necesitan aún más agua. Si usted bebe otros líquidos, no necesita tanta agua, pero el agua sola es lo mejor.

Azúcar

¿Qué tiene de malo el azúcar? El azúcar proviene de un vegetal (remolachas o caña de azúcar), es bastante barato, sabe bien y no contiene grasas. ¿Puede ser tan malo el azúcar?

El mayor problema del azúcar es que no contiene vitaminas, minerales ni fibra. El azúcar no es más que cristales de puras calorías.

A usted no le hará daño comer un poco de azúcar (como el 10 por ciento de las calorías totales que come). Pero si come demasiado, o bien subirá de peso, o no comerá suficientes de los otros alimentos nutritivos que necesita. El azúcar también puede picar los dientes.

- Todos los azúcares son básicamente iguales. La miel y el azúcar moreno no son mejores que cualquier otro tipo de azúcar.

Dulcificantes o "azúcares" artificiales

Aunque los dulcificantes artificiales ayudan a evitar el azúcar, para perder peso es más importante comer menos grasas. No use alimentos endulzados artificialmente para poder comer más alimentos altos en grasas.

De que se sepa, el *aspartame* (NutraSweet) y la sacarina no causan ningún problema de salud, pero los efectos de su uso a largo plazo todavía no se conocen. No los use en exceso.

- Quizás usted coma ciertos productos que contienen azúcar sin darse cuenta. Lea las etiquetas del yogur con frutas, de las latas y de otros productos envasados. Busque ingredientes que terminan en "-ose" (en inglés), como *dextrose, fructose, sucrose, lactose* y *maltose*. Todas éstas son formas de azúcar. El almíbar (corn syrup) es otra forma común de azúcar.
- No coma muchos alimentos que contengan azúcar como uno de los primeros ingredientes.
- Escoja cereales que contengan seis gramos o menos de azúcar añadida por porción.
- A los postres que haga en casa, les puede poner menos azúcar: hasta la mitad de lo que pida la receta, sin que cambie la consistencia.
- Cómase una fruta dulce en vez de un postre con azúcar.

Grasas

El 34 por ciento de las calorías de la dieta promedio en los Estados Unidos provienen de grasas, mantequilla, margarina, manteca, crema, mayonesa o aceites. Las grasas tienen más del doble de calorías por gramo que los carbohidratos o las proteínas.

El Departamento de Agricultura de los Estados Unidos recomienda que menos del 30 por ciento de las calorías de la dieta de una persona provengan de grasas. El cambiar de una dieta que contenga 34 por ciento de grasas a una que contenga 30 por ciento, puede retrasar el desarrollo de enfermedades del corazón, reducir el riesgo de contraer cáncer y mejorar su dieta en general. Pero, ¿es eso suficiente?

Muchos científicos piensan que inclusive un 30 por ciento de grasas en la dieta es demasiado para que el corazón se mantenga saludable. Una dieta con un 20 por ciento de grasas será aún más eficaz para evitar problemas del corazón. Y una dieta con un 10 por ciento de grasas, junto con otros cambios de hábitos, podría inclusive revertir el estrechamiento de las arterias (arteriosclerosis). Sin embargo, puede ser muy difícil mantener una dieta con sólo un 10 por ciento de grasas.

Quizás usted quiera fijarse una meta de cuánta grasa incluir en su dieta, basándose en sus riesgos de tener problemas del corazón. Una clase o una cita con un especialista en nutrición puede ayudarle a planear sus comidas, para que usted pueda alcanzar su meta.

16 maneras sencillas de comer menos grasas:

Cuando coma carne:

1. Coma pollo, pavo y pescado que no contengan mucha grasa. Si come carne de res o de puerco, escoja cortes de carne con poca grasa, como lomo, bistec de tapa, filete o ternera sin gordo.

2. Quite todo el gordo que se vea en la carne antes de guisarla. Al pollo y al pavo les puede quitar el pellejo antes o después de guisarlos.

3. En vez de freír la carne, ásela u hornéela.

4. En una comida, coma sólo una porción de carne de dos o tres onzas.

5. A veces, en lugar de carne coma platillos hechos con frijoles y otras legumbres, tortillas, arroz y otros granos.

Cuando use productos de leche:

6. Compre leche descremada o leche del 1%.

7. Escoja quesos bajos en grasas, como el queso suizo, Jarlsberg, queso blanco o añejo, mozzarella o ricotta (requesón). Busque los quesos tipo cheddar o Monterey Jack descremados o bajos en grasas (*nonfat* y *low-fat*).

8. En vez de usar crema o crema agria use requesón y yogur descremados. También puede comprar crema agria y queso crema descremados.

Cuando cocine:

9. A las verduras cocínelas al vapor, saltéelas con menos de una cucharadita de aceite o cuézalas en vino o consomé desgrasado. Coma frijoles de olla (hervidos y sazonados) en vez de frijoles refritos.

La regla del 80-20

Si usted disfruta de buena salud, no tiene que comer una dieta perfecta. Si come alimentos sanos el 80 por ciento del tiempo, no le hará daño comer alimentos grasosos o altos en calorías el resto del tiempo.

10. Cocine en sartenes con cubiertas de teflón o añada el aceite ya que la sartén esté caliente. Así, necesitará usar menos aceite.

11. Dele sabor a las verduras con hierbas y especias, en vez de mantequilla y salsas grasosas, o pruebe los productos *Butter Buds* o *Molly McButter*.

12. Vea cómo salen algunas de sus recetas si les pone menos aceite del que piden. Quizás necesite aumentar otros líquidos. Use puré de manzana en vez de aceite o mantequilla cuando haga pasteles y galletas.

13. En general, es mejor que hierva, hornee o ase la comida en vez de freírla. Por ejemplo, en vez de huevos estrellados es mejor que coma huevos duros o tibios. Si quiere freír algo es mejor que use aceite vegetal en vez de manteca.

En general:

14. Trate de no comer galletas saladas o dulces, papas fritas, chicharrones y totopos, y margarinas hechas con aceite hidrogenado, aceite de palma o de coco, o mantequilla de cacao.

15. Coma muchos alimentos ricos en carbohidratos para llenarse (frutas, verduras, granos, panes, tortillas, fideos, papas, etc.).

16. A las ensaladas póngales sólo un poquito de jugo de limón, o aderezos y mayonesas sin grasa.

Colesterol

Para muchas personas, una dieta rica en grasas saturadas o colesterol causa un aumento del colesterol en la sangre. Para información sobre cómo reducir el colesterol en su dieta, vea la página 235.

Proteína

La proteína es importante para mantener sanos los músculos, los tendones, los huesos, la piel, el cabello, la sangre y los órganos internos. La mayoría de los adultos en este país comen toda la proteína que necesitan.

Aquí es raro que alguien tenga una dieta sin suficiente proteína. Si usted come productos de animales (leche, queso, huevos, pescado, carne) su dieta tendrá suficientes proteínas. Aunque no coma ningún producto animal, usted puede obtener toda la proteína que necesita, comiendo una buena variedad de verduras, legumbres, frutas, panes y cereales.

Vitaminas

Las vitaminas son elementos muy pequeños que no se ven y que no tienen calorías, pero que son muy necesarios para la buena salud. Existen 13 vitaminas diferentes.

Cómo leer las etiquetas del valor nutritivo de los alimentos

La etiqueta del Valor Nutritivo (*Nutrition Facts*, en inglés) en los envases de los alimentos puede ayudarle a seleccionar mejor los alimentos. Tomando la información de la etiqueta como referencia, usted puede reducir su consumo de grasas, colesterol y sodio y aumentar su consumo de fibra, vitaminas y minerales.

Estas etiquetas indican el total de calorías por porción del alimento y cuántas de las calorías provienen de la grasa. Para calcular qué porcentaje de las calorías provienen de las grasas, divida el número de las calorías derivadas de la grasa entre el número total de calorías. Luego multiplique el resultado por 100. Se recomienda que no más del 30 por ciento de las calorías que consuma provengan de las grasas. Sin embargo, no es necesario que cada uno de los alimentos que coma contenga menos de un 30 por ciento de calorías de grasa. Usted deberá tomar en cuenta el promedio en su dieta completa.

Otra manera fácil de hacer este cálculo es usando los datos sobre el "Porcentaje del valor nutritivo diario" (*% Daily Value*) en la etiqueta. Si suma todos los porcentajes de un cierto elemento nutritivo en su dieta (de todas las porciones de todos los alimentos que coma durante un día) y obtiene un número cerca del 100 por ciento, esto indicará que usted está comiendo suficiente de ese elemento. En cuanto a las calorías que provienen de las grasas, un resultado de 100 por ciento significa que usted está consumiendo un 30 por ciento o menos de calorías derivadas de la grasa.

El porcentaje del valor nutritivo diario se basa en una dieta de 2000 calorías. Si usted come más o menos de esa cantidad, tendrá que aumentar o reducir los porcentajes. Por ejemplo, si usted necesita 3000 calorías, está bien que la suma de todos los porcentajes alcance el 150 por ciento. En cambio, si sólo necesita 1500 calorías, el total puede ser el 75 por ciento.

Las vitaminas A, D, E y K se disuelven en la grasa y pueden permanecer almacenadas en el hígado o en los tejidos grasos del cuerpo durante bastante tiempo. Las otras nueve vitaminas se disuelven en agua y sólo se quedan en el cuerpo por un período corto de tiempo. Estas últimas son:

- La tiamina
- La riboflavina
- La niacina
- El ácido pantoténico
- La biotina
- La folacina (ácido fólico)
- La vitamina B_6
- La vitamina B_{12}
- La vitamina C

La mayoría de las personas pueden obtener todas las vitaminas que necesitan para estar sanas si comen una buena variedad de alimentos de la "pirámide de alimentos" de la página 295.

Si usted come menos de 1500 calorías al día, quizás deba tomar dosis bajas de vitaminas y minerales (vea el cuadro que aparece más abajo).

Si usted es una mujer con posibilidad de embarazarse (aunque esté usando métodos anticonceptivos), es importante que obtenga en su dieta o mediante pastillas suficiente ácido fólico (0,4 mg. al día). El ácido fólico ayuda a prevenir ciertos defectos de nacimiento, sobre todo la espina bífida. Ejemplos de alimentos ricos en ácido fólico son las naranjas, las nueces, los frijoles, las verduras de hojas verdes, el pan y los cereales enriquecidos. Como alternativa, usted podría tomar cada día multivitaminas que incluyeran 0,4 mg. de ácido fólico. Es importante que comience a tomar el ácido fólico por lo menos un mes antes de la concepción y siga tomándolo durante los primeros tres meses del embarazo.

Minerales

Los minerales ayudan a controlar el equilibrio de agua en el cuerpo, además de formar parte de algunas hormonas, enzimas y vitaminas. Nuestros cuerpos controlan el reparto de los minerales entre los sistemas que los necesitan para que éstos funcionen bien. La mejor manera de obtener todos los minerales que usted necesita es comiendo una buena variedad de alimentos.

Guía de vitaminas y minerales para el consumidor

Las investigaciones actuales indican que las vitaminas que uno obtiene de los alimentos pueden ayudar a evitar algunas enfermedades. Pero todavía no se sabe si las pastillas de vitaminas hacen lo mismo. Sin embargo, si decide tomar vitaminas y minerales, quizás los siguientes consejos le sean de ayuda:

- Compre pastillas que tengan un buen balance de vitaminas y minerales en vez de una sola vitamina o mineral, a menos que se lo haya recetado un doctor. Un exceso de cualquier vitamina o mineral puede ser tóxico y afectar la capacidad del cuerpo de usar otras vitaminas y minerales.
- Escoja pastillas que provean aproximadamente el 100 por ciento de la cantidad recomendada (*RDA*, en inglés) de cada vitamina y mineral.
- No tome mucho más del 100 por ciento de la cantidad recomendada de ninguna vitamina o mineral. Esto es importante sobre todo para los minerales y las vitaminas A, D, E y K. Como el cuerpo almacena los minerales y esas vitaminas en particular, las dosis muy grandes se pueden acumular hasta alcanzar niveles tóxicos.
- No tome vitaminas y minerales en pastillas para compensar por una mala dieta. Es importante comer bien.
- Las vitaminas caras, de marcas conocidas, o las que venden de casa en casa, no son mejores que las de marca genérica, o las de la marca de una tienda.
- Fíjese en la fecha de vencimiento.

Hasta la fecha, se han encontrado 60 minerales en el cuerpo. De éstos, 22 son esenciales para la salud. Los que mejor entendemos son el calcio, el sodio y el hierro.

Calcio

El calcio es el mineral que más se necesita para tener huesos fuertes. Es especialmente importante para el crecimiento de los niños y para las mujeres, sobre todo en los años cuando es más fácil fortalecer los huesos, o sea entre la adolescencia y el comienzo de la década de los 30 años de edad. El calcio también ayuda a las mujeres a evitar la osteoporosis, que puede dar después de la menopausia. Vea la página 115.

Los niños de 1 a 3 años de edad necesitan 500 mg. de calcio al día, mientras que los niños de 3 a 9 años necesitan 800 mg. Los niños y jóvenes de 10 a 18 años necesitan 1300 mg. de calcio diariamente. De los 19 a los 50 años de edad, los adultos necesitan 1000 mg., y después de los 50 años, 1200 mg. de calcio al día. Las mujeres embarazadas o que estén dando pecho necesitan 1300 mg. de calcio al día.

Una taza de leche descremada, de yogur descremado o de yogur semidescremado contiene de 300 a 400 mg. de calcio. Otras buenas fuentes de calcio son los jugos de frutas enriquecidos con calcio, el bróculi, las verduras de hojas verdes, los frijoles, las tortillas, el tofu y el queso. Para obtener 1000 mg. de calcio, coma tres o cuatro porciones de los alimentos más ricos en calcio (leche, yogur, queso o jugo de naranja enriquecido con calcio). Usted necesitará tomar cuatro o más porciones de estos alimentos para obtener 1200 a 1300 mg. de calcio.

Problemas para digerir leche

Algunas personas no pueden digerir bien el azúcar de la leche, llamada lactosa, porque sus cuerpos no producen suficiente lactasa (la sustancia que ayuda en esa digestión). Después de tomar leche o de comer sus productos, la persona puede sentirse inflada y tener gases, calambres y diarrea.

Si usted tiene este problema, quizás estos consejos le ayuden:

- Coma productos de leche sólo en pequeñas cantidades.
- Beba leche solamente con comidas.
- A muchas personas el queso no les causa síntomas porque al ser procesado, el queso pierde la mayor parte de la lactosa. Vea si a usted le cae bien el queso.
- Los yogures hechos con cultivos activos causan menos molestias. (Busque las palabras *active cultures* en la etiqueta.)
- Compre leches especiales o tabletas de enzimas (como Lactaid y Dairy Ease). Se consiguen en muchos supermercados.
- Si no puede tolerar leche en ninguna forma, incluya en su dieta otros alimentos ricos en calcio. Vea la información a la izquierda.
- Si el problema es grave, puede que usted necesite tomar pastillas de calcio. Consulte a su médico.

Aunque es mejor obtener el calcio de los alimentos, las pastillas de dosis bajas de calcio también pueden ayudar a mantener los huesos fuertes. Una tableta de 500 mg. de Tums (marca registrada de carbonato de calcio) provee como 200 mg. de calcio. Unas cuantas tabletas de Tums al día pueden ayudar a un adulto a obtener todo el calcio que necesita. Pero no se debe dejar de comer los alimentos ricos en calcio que ya mencionamos.

Sodio

La sal es la fuente más conocida de sodio. Como el 40 por ciento de la sal es sodio puro. Algunos alimentos que no saben salados también pueden tener sodio, como el queso tipo *cheddar* y las comidas enlatadas o envasadas. El sodio también es uno de los ingredientes principales del polvo para hornear, del bicarbonato de sodio y del glutamato monosódico (*MSG*, en inglés), que se encuentra en algunas comidas chinas y en productos envasados.

La mayoría de las personas consumen mucho más sodio del que necesitan. Nuestros cuerpos sólo necesitan 500 mg. de sodio al día. Cualquier cantidad mayor de 2500 mg. al día probablemente es excesiva.

A algunas personas, el exceso de sodio les produce presión alta. Las demás personas no son sensibles al sodio, así que la sal probablemente no les cause problemas. Vea la página 236.

Sustituto para la sal

Mezcle y ponga en un salero:

$\frac{1}{2}$ cucharadita de pimienta roja

$\frac{1}{2}$ cucharadita de polvo de ajo

1 cucharadita de cada uno de los siguientes ingredientes:

Albahaca (*basil*)

Pimienta negra (*black pepper*)

Macís o macia (*mace*)

Mejorana (*marjoram*)

Polvo de cebolla (*onion powder*)

Perejil (*parsley*)

Salvia (*sage*)

Ajedrea (*savory*)

Tomillo (*thyme*)

Si quiere comer menos sal o sodio:

- Cuídese de las salsas y condimentos ya preparados, de las comidas congeladas, las sopas enlatadas y los aderezos para ensalada. Por lo general, todos estos productos contienen mucho sodio. Los productos marcados *"low sodium"* (bajos en sodio) contienen menos de 140 mg. de sodio por porción.
- Coma bastantes frutas y verduras frescas o congeladas. Estos alimentos tienen muy poco sodio.
- No ponga el salero en la mesa, o use un salero que suelte muy poca sal. Otra alternativa es usar un poco de Lite Salt (marca registrada) u otro sustituto de sal.
- Mida siempre la sal en las recetas y use la mitad de lo que se pida.

Hierro

Se necesitan cantidades pequeñas de hierro para producir hemoglobina, la sustancia que acarrea el oxígeno en la sangre. Los adultos necesitan aproximadamente de 10 a 15 mg. de hierro al día. Las personas que pierden sangre debido a úlceras o reglas muy fuertes, o que toman regularmente aspirina, anticoagulantes o medicinas para la artritis, pueden necesitar más hierro. Una prueba de sangre económica puede determinar si usted necesita más hierro.

Para aumentar el hierro en su sangre:

- La vitamina C le ayuda a absorber más hierro de los alimentos. Beba un vaso de jugo de naranja o de otra fruta cítrica y coma un plato de cereal enriquecido con hierro. Este tipo de cereal contiene por lo menos 25 por ciento de la cantidad de hierro recomendada para un día.
- Coma carne, pollo o pescado junto con las verduras y los granos. El hierro de las carnes mejora la absorción del hierro que se encuentra en las plantas.

Pastillas de hierro

Las mujeres que tienen reglas y comen menos de 1500 calorías al día, tal vez necesiten tomar pastillas de vitaminas y minerales con hierro (muy pocos hombres necesitan tomarlas). Para la mayoría de las mujeres, no es peligroso tomar 20 mg. o menos de sulfato ferroso (u otra forma ferrosa de hierro) al día. Sin embargo el hierro en exceso puede causar diferentes problemas médicos u ocultar problemas que se estén desarrollando. No tome más de 20 mg. sin consultar a su doctor. Tome las pastillas con jugo de naranja u otro jugo cítrico. Mantenga las pastillas de hierro fuera del alcance de los niños.

Anemia debida a falta de hierro

Cualquier pérdida crónica de sangre agota el depósito de hierro en el cuerpo y produce anemia. La palidez y el cansancio son dos señas de este tipo de anemia. Se necesita una prueba de sangre para confirmar el diagnóstico, y quizás se necesiten pruebas adicionales para encontrar la causa de la pérdida de sangre.

Un peso saludable

Hay gente de todas formas y tamaños. La forma y el tamaño de su cuerpo dependerá de factores como la herencia, el ejercicio y los alimentos que usted coma.

Préstele atención a su salud, no a cuánto pesa

El comer bien y disfrutar de las actividades físicas sin preocuparse demasiado por el tamaño de su cuerpo son claves para la buena salud. Aunque el sobrepeso sí aumenta sus riesgos de tener una enfermedad del corazón, diabetes o un derrame cerebral, es más importante crearse hábitos saludables que tratar de tener un peso determinado o un cuerpo con cierta forma.

Si usted come alimentos nutritivos, bajos en grasas y hace más actividades físicas regularmente, quizás pierda algo de peso. Además, tendrá algunos hábitos saludables que podrá mantener toda la vida.

El ejercicio ayuda

El ejercicio hecho regularmente da fuerza, energía y una sensación de bienestar general. Además, el ejercicio le puede ayudar a mantenerse a un peso saludable.

Hasta los pequeños esfuerzos por hacer algo de ejercicio cada día, o cada otro día, pueden tener un gran efecto en su vida. Escoja un ejercicio que le guste para que lo pueda seguir haciendo por mucho tiempo. Incluso una caminata de cinco minutos al día es un buen comienzo. Vaya haciendo más ejercicio, según pueda.

El ejercicio da fuerza

Cuando usted esté adelgazando, el ejercicio le ayudará a formar músculos sin grasa. Uno de los problemas principales con las "dietas" es que si uno no hace ejercicio cuando está a dieta, perderá tanto grasa como músculo. Las personas que están a dieta, muchas veces se sienten débiles y cansadas. Si usted quiere perder peso, incluya en su plan un programa regular de ejercicio.

Nunca pase hambre

Quizás usted piense que una buena manera de perder peso es saltándose una comida. No lo es. Si usted pasa hambre, aunque sea por unas cuantas horas, es probable que coma más después. Tómese su tiempo para saborear la comida y coma tranquilamente.

Trate de comer menos grasas, no necesariamente menos calorías

Coma una buena variedad de alimentos nutritivos y bajos en grasas. Trate de comer más frutas y verduras y menos grasas, en vez de contar calorías. Para consejos sobre cómo comer menos grasas, vea la página 298.

Pídale a sus amigos su apoyo

Lo que sus familiares y amigos acostumbran comer, también afecta lo que usted come. Pídale a sus familiares y amigos que:

- Lo animen a usted a respetarse a sí mismo sin importar cuánto pese.
- En las fiestas incluyan una variedad de alimentos nutritivos y de actividades que todos puedan disfrutar.
- Incluyan en las comidas platillos bajos en grasas. Y también sirvan agua y bocadillos bajos en grasas.
- Sirvan porciones pequeñas y no insistan en que coma más.
- Lo acompañen a caminar, a nadar o a hacer otra actividad divertida.

Sea positivo y optimista

Tenga orgullo de sí mismo y de todos sus esfuerzos por comer bien y hacer ejercicio. Recuerde que lo importante no es su apariencia ni su peso, sino el hecho de que lleve una vida sana.

Nutrición para los niños

Los productos incluidos en la Pirámide de alimentos (página 295) sirven para toda la familia. Al preparar una comida o bocadillos, use alimentos nutritivos. Luego deje que sus hijos decidan cuánto quieren o incluso si desean comer. Este es un buen sistema, ya que permite que los niños descubran cuánto necesitan comer para sentirse satisfechos y alivia un poco la preocupación de los padres.

Cree un ambiente al tamaño de su niño

Imagínese cómo sería comer en la mesa de un gigante. Así es como un niño se siente cuando come en una mesa grande para adultos, sentado en una silla para adultos.

- Consígale una sillita a su niño que lo ponga a una buena altura en la mesa y dele cubiertos para niños. Pero déjelo que coma con los dedos hasta que pueda agarrar fácilmente los cubiertos.
- Dele platos chicos y porciones más pequeñas (una cucharada por cada año de edad es una buena norma). Deje que el niño pida más comida si la quiere.

Bocadillos nutritivos

Los niños pequeños tienen estómagos pequeños, pero necesitan muchas calorías. Por eso deben comer bocadillos nutritivos entre comidas.

- Algunos bocadillos buenos son las frutas y los jugos de fruta, las zanahorias y otras verduras crudas servidas con aderezo sin grasa, el cereal, el yogur, el queso y la sopa.
- Sirva las comidas y los bocadillos a un horario regular. No les dé bocadillos a los niños muy cerca de la hora de comer para que no les quiten el hambre.
- Cuando les dé galletas y otros postres a sus niños, escoja los que tengan menos grasas y sean más nutritivos. Dos buenos ejemplos son las galletas de higo y las de avena con pasitas.

Alergias a alimentos

Menos del uno por ciento de los adultos tienen verdaderas alergias a alimentos. Casi todas las malas reacciones se deben a intolerancias a ciertos alimentos, reacciones a aditivos en las comidas, o a envenenamiento con la comida. La mayoría de las verdaderas alergias son a legumbres, nueces, mariscos, huevos, trigo o leche. Una reacción alérgica a un alimento puede producir un choque alérgico. Vea la página 129.

Piense en amamantar a su bebé por lo menos durante los primeros seis meses, si alguno de los padres padece de alergias de cualquier tipo, incluyendo fiebre del heno. Los niños alimentados con leche de pecho padecen de menos alergias a alimentos que los bebés alimentados con biberón. Si usted va dándole nuevos alimentos sólidos a su bebé, de uno en uno y poco a poco, será más fácil hallar cualquier alergia que tenga. Los niños con frecuencia superan sus alergias a alimentos más o menos a los seis años de edad. Si su niño era alérgico a algún alimento cuando era más pequeño, trate de volver a dárselo cuando sea un poco mayor (a menos que la reacción haya sido muy fuerte).

19

La salud mental

Los problemas de la salud mental son bastante parecidos a los problemas de la salud física. Algunos se pueden evitar; otros se quitan solos con un poco de cuidado y tratamiento en casa; y algunos requieren atención profesional.

Este capítulo está organizado en dos secciones. La primera sección titulada "El cuidado propio" habla sobre algunos problemas comunes de la salud mental y emocional. También describe lo que usted puede hacer en casa y cuándo debe conseguir ayuda profesional. La segunda sección, "El bienestar mental", describe cómo puede usted usar su mente y sus emociones para reforzar el sistema de defensas de su cuerpo y mejorar su salud.

El cuidado propio

La ciencia médica está descubriendo que los problemas de la salud mental muchas veces tienen una causa física. Ya no se piensa que los problemas psicológicos sean debilidades o defectos del carácter.

Hoy en día, sabemos que los problemas mentales pueden empezar cuando un estrés emocional (como la muerte de un ser querido) causa cambios químicos en el cerebro. Aunque algunas personas pueden aguantar más estrés que otras, las enfermedades mentales pueden afectar a cualquiera.

Como la causa de los problemas de la salud mental es tanto física como psicológica, muchas veces se necesitan tanto el cuidado en casa como la atención profesional. La meta es reducir el estrés y reponer el equilibrio químico normal en el cerebro.

Cuándo y cómo conseguir ayuda profesional

Este capítulo no habla sobre todos los problemas de la salud mental. Si usted tiene síntomas emocionales que le preocupan y que no mencionamos aquí, llame a su profesional de la salud. En general, es una buena idea conseguir ayuda profesional cuando:

- Un síntoma se vuelve agudo o empieza a interferir en su vida diaria.

Cómo encontrar la psicoterapia apropiada

He aquí algunos consejos que le pueden ayudar a encontrar la psicoterapia que sea más adecuada para usted.

- Pídale a alguien de confianza que le dé una referencia.
- Consulte a los especialistas de salud mental para que le ayuden a determinar cuál es su verdadero problema y a hacer un plan para resolverlo.
- Insista en la importancia de incluir en el plan un tratamiento para seguir en casa.
- Pregunte si tiene la opción de asistir a un grupo de psicoterapia.
- Cultive amistades especiales. También únase a un grupo de apoyo, o a uno de los grupos de asesoramiento en que los compañeros se aconsejan entre sí. El comprender y aceptar sus problemas pueden ayudarle a resolverlos.
- Pruebe un programa del tipo de Alcohólicos Anónimos, si lo que tiene es un vicio (alcohol, drogas, etc.). Estos programas generalmente son gratis, eficaces y existen en casi todas las comunidades.

- Un síntoma que interfiere en su vida se convierte en un hábito que usted no puede cambiar por sí mismo.
- Los síntomas se vuelven numerosos, afectan todas las áreas de su vida y no responden a sus cuidados en casa.
- Usted está pensando en el suicidio.

Hay muchas personas y recursos que le pueden ayudar a resolver sus problemas mentales.

Su médico de familia: Los problemas mentales pueden tener causas físicas. Su doctor puede repasar su historia médica y sus medicinas para buscar alguna clave. Él o ella entonces puede darle consejos, recetarle una medicina o recomendarle otros recursos.

Los psiquiatras: Los psiquiatras son médicos que se especializan en enfermedades mentales. Estos médicos dan consejos, recetan medicinas y recomiendan tratamientos médicos.

Los psicólogos, trabajadores sociales y consejeros: Estos profesionales tienen entrenamiento especial para ayudar a las personas a resolver sus problemas emocionales. Ellos ayudan a las personas a identificar, entender y superar emociones y pensamientos molestos o inquietantes.

Los curas y pastores: Muchas personas consultan a su cura u otro líder religioso de su comunidad cuando tienen grandes angustias o inquietudes. Muchas personas dedicadas a la vida religiosa tienen entrenamiento profesional para tratar problemas mentales, pero otras no.

Los grupos de apoyo: A menudo uno se siente mejor hablando con otras personas que están en su misma situación.

El abuso del alcohol y de las drogas

El uso excesivo o abuso de las bebidas alcohólicas y de otras drogas es un problema bastante común, que es muy caro y que puede causar o empeorar muchos problemas médicos.

El abuso del alcohol

Una persona tiene un **problema con el alcohol** si el beber afecta su salud o su vida diaria. Una persona se vuelve **alcohólica** cuando su cuerpo o su mente empieza a depender del alcohol.

El tomar alcohol en exceso y a largo plazo daña el hígado, los nervios, el corazón, el cerebro y el estómago. También aumenta la presión de la sangre y causa problemas sexuales y cáncer. El abuso del alcohol también puede hacer que la persona se vuelva violenta, se accidente, se aparte de los demás y tenga dificultades en la casa, en el trabajo o con la ley.

Las personas que tienen un problema con el alcohol pueden negar que tienen ese problema. Necesitan beber más y más cada vez para poder emborracharse. A veces pierden el conocimiento y tienen cambios en la personalidad. Los alcohólicos a veces beben a escondidas o a prisa, solos o a cualquier hora del día. Cuando dejan de beber, les pueden dar temblores. También pueden tener problemas en el trabajo, con sus familias o con la ley por beber.

No toda la gente abusa del alcohol de la misma manera. Algunas personas se emborrachan todos los días. Algunas beben mucho a ciertas horas o en ciertos días, como los fines de semana. Otras pueden pasar mucho tiempo sin tomar y luego se emborrachan por semanas o meses.

Una persona que tiene una dependencia física del alcohol puede tener muchos problemas si deja de tomar de repente (como temblores, sudores, alucinaciones, convulsiones y delirio). Cuando el abuso del alcohol se convierte en un vicio, se vuelve muy difícil dejarlo sin ayuda. A veces hay que internar al alcohólico en el hospital para hacerle una desintoxicación médica.

El abuso de las drogas

El **abuso de las drogas** incluye tanto el uso de marihuana, cocaína, heroína u otras drogas ilegales como el abuso de medicinas recetadas por los médicos. Algunas personas empiezan a usar drogas para sentirse bien, o para escaparse de sus tensiones y problemas emocionales.

Los tranquilizantes, los sedantes, los analgésicos (calmantes para el dolor) y las anfetaminas son las medicinas que más se abusan (a veces sin darse cuenta).

Una persona se vuelve adicta cuando su cuerpo o su mente "necesita" una droga o una medicina. Quizás usted no se dé cuenta de que se ha enviciado con una droga hasta que trate de dejarla de repente. Eso le puede causar síntomas molestos, como dolores de los músculos, diarrea o depresión. En ese caso, será necesario ir reduciendo la dosis de la droga poco a poco, hasta que pueda dejar de tomarla por completo.

Señas del uso de drogas

- Ojos rojos, dolor de garganta, tos seca y cansancio (suponiendo que no tenga alergias).
- Cambios notables en los hábitos de dormir o de comer.
- Cambios de humor, hostilidad o comportamiento abusivo.
- Problemas en el trabajo o en la escuela; muchas ausencias.
- Pérdida de interés en sus actividades favoritas.
- La persona se aparta de los demás o cambia de amigos.
- La persona roba, miente y tiene malas relaciones con su familia.

¿Está usted enviciado?

Muchas personas negarán que tienen un problema con el alcohol, las drogas o las medicinas. Las preguntas del cuadro de la página 311, "¿Tiene usted un vicio dañino?" pueden ayudarle a reconocer un problema, ya sea en sí mismo o en otra persona.

Si contesta que sí a dos o más preguntas, hay la posibilidad de que tenga un problema con el alcohol, las drogas o las medicinas. Debe consultar a un profesional de la salud.

Prevención

- Fíjese si está muy tenso o nervioso. Trate de entender y resolver las causas de la depresión, la ansiedad o la soledad. No use alcohol ni drogas para escaparse de sus problemas.
- Si toma bebidas alcohólicas, piense en dejar de beber o beber con moderación: menos de dos bebidas alcohólicas al día para los hombres y menos de una bebida alcohólica para las mujeres. Una bebida alcohólica equivale a 12 onzas de cerveza, 5 onzas de vino o $1\frac{1}{2}$ onzas de vodka, tequila u otro licor fuerte.
- Sirva bebidas que no sean alcohólicas en las fiestas y las comidas.
- Pregúntele a su farmacéutico (boticario) o a su doctor si alguna de las medicinas que está tomando podría ser enviciadora. Tenga cuidado sobre todo con los analgésicos, los tranquilizantes, los sedantes y las píldoras para dormir. Siga las instrucciones y nunca tome más de la dosis recomendada.
- No use regularmente medicinas para dormir, perder peso o calmarse los nervios, sin la supervisión cuidadosa de su médico. Busque soluciones que no requieran medicamentos.
- No deje de tomar ninguna medicina de repente, a menos que su médico se lo recomiende. Algunas medicinas provocan síntomas muy graves si uno deja de tomarlas de repente.
- No beba alcohol cuando esté tomando medicinas. El alcohol puede reaccionar con muchas medicinas y causar complicaciones serias.

Tratamiento en casa

- Reconozca las primeras señas del enviciamiento con el alcohol, a las drogas o a las medicinas. Vea la página 311.

- Vaya a una junta de Alcohólicos Anónimos (un grupo dedicado a ayudar a sus miembros a dejar el alcohol).
- Si a usted le preocupa la manera en que otra persona bebe o usa drogas o medicinas:
  - Nunca ignore el problema. Hable de él como de cualquier otro problema médico.
  - Ayude a la persona a apreciarse a sí misma y a reconocer lo que vale como persona. Ayúdela a ver cómo puede triunfar en la vida, sin la necesidad del alcohol ni de las drogas. Muéstrele que lo apoyará en sus esfuerzos por cambiar.
  - Pregúntele si aceptaría ayuda. No se desanime si le dice que no la primera vez. Siga preguntándole.

¿Tiene usted un vicio dañino?

Responda honestamente a las siguientes preguntas. Conteste que "sí" si la frase describe algo que sea cierto para usted en relación al alcohol o a las drogas (incluyendo medicinas, drogas ilegales y cualquier sustancia que afecte su estado de ánimo).

1. ¿Ha decidido alguna vez dejar de tomar bebidas alcohólicas o de usar drogas más o menos por una semana, pero sólo lo pudo hacer por unos cuantos días?
2. ¿Le molestan los consejos de otras personas que tratan de hacer que usted deje de usar o use menos alcohol y drogas?
3. ¿Ha tratado alguna vez de controlar su uso de alcohol o drogas cambiando de un tipo de bebida o droga a otro?
4. ¿Envidia a personas que pueden tomar alcohol o usar drogas sin meterse en líos?
5. ¿Ha perjudicado su uso de alcohol o drogas sus relaciones familiares, su trabajo, su seguridad al manejar, o cualquier otro aspecto de su vida?
6. ¿Ha estado ausente del trabajo por tomar alcohol o usar drogas alguna vez durante el año pasado?
7. ¿Se dice a sí mismo que puede dejar el alcohol o las drogas cuando usted quiera?
8. ¿A veces se emborracha mucho o usa muchas drogas?
9. ¿Ha perdido el conocimiento alguna vez por tomar alcohol o usar drogas?
10. ¿Ha sentido alguna vez que su vida sería mejor si usted no tomara alcohol o usara drogas?

Si responde que "sí" a dos o más de estas preguntas, quizás tenga usted un problema con el alcohol o las drogas. De ser así, hable con un profesional de la salud.

Si alguna vez la persona acepta, busque ayuda ese mismo día. Llame a un profesional de la salud o a Alcohólicos Anónimos para hacer una cita de inmediato.

- Asista a algunas reuniones de *Al-Anon*, que es un grupo de apoyo para los familiares y los amigos de las personas alcohólicas. Infórmese sobre este programa.

Cuándo llamar a Kaiser Permanente

- Si contesta que "sí" a dos o más preguntas del cuadro en la página 311 ("¿Tiene usted un vicio dañino?").
- Si reconoce que tiene un problema con el alcohol, las drogas o alguna medicina y está dispuesto a aceptar ayuda. Hay una variedad de programas de tratamiento útiles.

La ira y la hostilidad

La ira (el enojo) le avisa al cuerpo que se prepare para una pelea. Cuando usted se enoja, el cuerpo descarga adrenalina y otras hormonas en la sangre. También sube la presión de la sangre.

La hostilidad es estar preparado para pelear todo el tiempo. La hostilidad continua mantiene alta la presión y puede aumentar su riesgo de un ataque al corazón y de otras enfermedades. El ser hostil también lo aparta de otras personas.

Tratamiento en casa

- Fíjese cuándo empieza a enojarse. No ignore su ira hasta que explote.
- Halle la causa de su ira.
- Exprese su ira de una manera saludable:
  - Cuente hasta 10. Dese un poco de tiempo para dejar que le baje el nivel de adrenalina.
  - Vea si le ayuda gritar en un lugar donde nadie lo oiga.
  - Salga a caminar o a correr un poco.
  - Hable con un amigo.
  - Dibuje o pinte un cuadro para descargar su enojo.
  - Escriba en un diario.
- Use frases que empiecen con "yo" y no con "tú", para hablar de lo que le molesta. Por ejemplo, diga: "Yo me enojo cuando no consigo lo que necesito", en vez de decir: "Tú haces que me enoje cuando no tomas en cuenta mis necesidades".
- Perdone y olvide. El perdonar ayuda a bajar la presión de la sangre y a aflojar los músculos para así poder sentirse más relajado.
- Quizás le ayude leer libros sobre la ira.
- Para mayor información sobre la ira o el enojo y el comportamiento violento, vea la página 321.

Cuándo llamar a Kaiser Permanente

- Si su enojo ha causado o podría causar que haga algo violento o que se lastime a usted mismo o alguien más.
- Si el enojo o la hostilidad afecta su trabajo o sus relaciones con su familia o con sus amigos.

Tensión nerviosa en el trabajo

La tensión nerviosa en el trabajo puede causar ansiedad, ira y depresión que afecten su salud y su calidad de vida. Si el ambiente de su trabajo o sus responsabilidades le están causando estos sentimientos negativos, no permita que sus emociones guíen sus acciones. He aquí algunos consejos:

- Verifique varias veces los hechos antes de actuar.
- Infórmese de sus derechos. No tolere el abuso.
- Hable con su patrón y trate de resolver los problemas.
- Utilice los recursos adecuados: su sindicato, el departamento de personal de su compañía, el Programa de Asistencia para Empleados o la Comisión de Oportunidad Equitativa de Empleo.

Cuándo llamar a Kaiser Permanente

- Si tiene deseos de hacerse daño a sí mismo, a las personas con quien trabaja o a alguna otra persona.
- Si tiene problemas para dormir, comer o hacer sus actividades diarias.
- Si los problemas relacionados con el trabajo empiezan a afectar su vida fuera del trabajo.

Angustia, ansiedad o "susto"

Es normal sentirse a veces preocupado, angustiado y nervioso. Todas las personas se preocupan o se angustian de vez en cuando. Sin embargo, no es normal que la angustia lo abrume e interfiera con su vida diaria.

Las señas de la angustia pueden ser físicas y emocionales.

Señas físicas

- Temblores o sacudidas
- Tensión y dolores de los músculos
- Inquietud o desasosiego
- Cansancio
- Insomnio
- Jadeo o latidos rápidos del corazón
- Manos frías y húmedas, sudores

Señas emocionales

- Sentirse agitado y nervioso
- Preocuparse demasiado
- Temer que algo malo vaya a pasar
- No poder concentrarse
- Sobresaltarse o asustarse a menudo
- Estar irritable, agitado o nervioso
- Estar triste todo el tiempo

Es normal asustarse o ponerse nervioso en ciertas situaciones. Pero esos sentimientos deben desaparecer cuando la situación que los provoque se resuelva.

Muchas personas, incluyendo niños y jóvenes, tienen trastornos de angustia sin que se pueda hallar la causa que los produzca.

Dos tipos comunes de trastornos de angustia son las fobias y las crisis de angustia. Las fobias son miedos irracionales e incontrolables a lugares, objetos o situaciones comunes y corrientes. Las crisis de angustia son episodios repentinos de miedo y ansiedad intensos. Generalmente no se puede identificar la causa del pánico. Algunas de las señas físicas que pueden dar con una crisis de angustia son: hiperventilación, temblores, latidos fuertes del corazón y una sensación de desmayo. El cuidado en casa, junto con el tratamiento profesional, pueden ayudar a controlar estos trastornos.

Tratamiento en casa

Los siguientes consejos le ayudarán a calmar las angustias comunes. También se pueden combinar con la atención médica en casos más difíciles.

- Reconozca y acepte las angustias que le causen situaciones o temores específicos. Luego dígase a sí mismo: "Está bien, ya sé cuál es el problema. Ahora voy a resolverlo".
- Cuídese bien el cuerpo:
  - Haga ejercicio o reciba masajes para calmar la tensión.
  - Practique técnicas de relajación. Vea la página 289.
  - Descanse lo suficiente. Si tiene problemas para dormir, vea la página 319.

¿Tristeza o depresión?

Si ha tenido cuatro o más de los siguientes síntomas casi todos los días, por más de dos semanas, quizás tenga usted depresión:

- Tristeza, ansiedad o desesperación
- Falta de interés o de gusto en sus pasatiempos o actividades usuales
- Cambios de apetito, o ganancia o pérdida de peso sin ninguna explicación
- Dolores frecuentes de espalda o de cabeza, problemas del estómago u otros malestares que no se quitan con tratamiento
- Insomnio o mucho sueño
- Fatiga, cansancio y falta de energía
- Inquietud o irritabilidad
- Sentimientos de inutilidad o de culpa
- Incapacidad para concentrarse, recordar cosas o tomar decisiones
- Pensamientos frecuentes sobre el suicidio o la muerte

Para los casos leves de depresión, puede bastar el tratamiento en casa (vea la página 316). No obstante, si existe el riesgo de que la persona se suicide, o si el tratamiento en casa no ayuda a levantarle el ánimo en dos semanas, llame a un profesional de la salud. Con asesoramiento profesional y medicinas, además del tratamiento en casa, se pueden tratar con éxito la mayoría de los casos de depresión.

- No fume, no coma chocolate y evite las bebidas con alcohol o cafeína. Todas estas cosas empeorarán sus angustias.
- Mantenga su mente ocupada:
  - Haga algo que le agrade, como ir a una película divertida o dar una caminata.
  - Planifique su día. El tener demasiado o muy poco que hacer puede causarle angustia.
- Apunte sus síntomas y hable sobre sus preocupaciones con un amigo. El confiar en otras personas a veces calma la tensión.
- Ayude a los demás. El apartarse de los demás hace que las cosas parezcan peores de lo que son.

Cuándo llamar a Kaiser Permanente

- Si sus angustias interfieren con su vida diaria.
- Si sus síntomas son agudos y no le hace efecto una semana de tratamiento en casa.
- Si le dan crisis fuertes y repentinas de angustia o de miedo con síntomas físicos (temblores, sudores) sin que haya una razón aparente de sus temores.
- Si tiene miedos muy fuertes e irracionales a lugares, objetos o situaciones comunes que afectan su vida diaria.
- Si sufre de pesadillas o recuerdos de eventos traumáticos.
- Si no puede estar seguro de que ha hecho ciertas cosas (como por ejemplo, haber apagado la estufa) aunque las revise varias veces. También llame si tiene hábitos compulsivos que están afectando sus actividades diarias.

Depresión

La mayoría de las personas sufren de depresión en algún momento en su vida. Hay varios grados de depresión. Puede ser desde un problema leve hasta una enfermedad que amenaza la vida. La depresión generalmente es curable. A muchas personas, el tratamiento les puede cambiar la vida por completo.

La ciencia médica está entendiendo cada vez mejor la depresión. La depresión activa afecta el cuerpo, la mente y el comportamiento social. La mayoría de los casos serios de depresión se deben a un desequilibrio de las sustancias químicas (neurotransmisores) en el cerebro. Hay muchas cosas que pueden provocar dicho desequilibrio:

- Pérdida de un ser querido o de algo que se estima mucho
- Tensión crónica o un evento que cause mucha tensión
- Enfermedad grave
- Reacciones a medicinas
- Alcoholismo, abuso de drogas, demencia (locura) y otros problemas de la salud mental
- El período después de dar a luz

Algunas personas, por herencia, corren un mayor riesgo de padecer de desequilibrios químicos en el cerebro. Por fortuna, hay tratamientos eficaces para éstas y otras personas que pueden sufrir de depresión.

Depresión de invierno

Ha ido aumentando la evidencia de que la falta de sol durante el invierno puede causarles depresión a algunas personas. Algunas señas de este tipo de depresión son los períodos de tristeza, cambios en los hábitos de dormir, fatiga crónica y ganas de comer dulces y comidas ricas en almidones. Si usted nota que le dan estas señas en el invierno, quizás le sirva hacer lo siguiente:

- Cuando haya sol, salga y póngase en el sol un rato. (Protéjase la piel; lo importante es que los ojos estén expuestos al sol.)
- Si puede, vaya de vacaciones a algún lugar soleado.
- A algunas personas les sirve la terapia de luz. Ésta consiste en sentarse, de 15 minutos a tres horas al día, frente a luces fluorescentes especiales. Muchas veces la depresión se empieza a quitar después de la primera semana de tratamientos diarios.

Los Institutos Nacionales de la Salud (*National Institutes of Health*) recomiendan que la terapia de luz sea supervisada por un profesional médico, porque todavía es un método nuevo para tratar la depresión de invierno.

Todo el mundo se pone triste de vez en cuando. Para decidir qué hacer, quizás le ayude entender qué tan profunda es su tristeza. La sección llamada "¿Tristeza o depresión?" de la página 314, puede ayudarle a decidir si sufre o no de depresión.

El estar triste no siempre quiere decir que usted vaya a tener una depresión muy fuerte. Las malas noticias y las decepciones pueden hacer que usted se ponga triste, quizás por varios días. Esto es normal, siempre y cuando la tristeza no se vuelva permanente. El pesar o la pena también pueden causar una tristeza normal. Vea la página 317.

Tratamiento en casa

La mayoría de la gente se recupera de la depresión, o al menos se mejora. Quizás pueda curarse con sus propios cuidados en casa. Y aún en los casos más serios, los cuidados en casa pueden reforzar el tratamiento profesional.

- A la primera seña de depresión, hable con un familiar o con un amigo de confianza. Cuando uno se siente deprimido, puede perder la capacidad de verse claramente a sí mismo. Su amigo o familiar puede ayudarle a ser más realista.
- Piense qué es lo que podría estar causando o empeorando su depresión:
    - Podría deberse a alguna medicina? Repase con un farmacéutico o un doctor todas las medicinas que esté tomando, sean de receta o no.
- Sea activo. Muchas veces ayuda entretenerse y distraerse con el trabajo, los pasatiempos o lo que sea. Lo importante es no estar sin hacer nada.

La pena

La pena (pesar o aflicción) es un proceso natural que le permite a la persona adaptarse a un cambio o a una pérdida importante. La pena puede expresarse física o emocionalmente y puede tener algunos de los mismos síntomas que la depresión. Los siguientes consejos pueden ayudar a facilitar el proceso de la pena:

- No trate de evitar su pena. Piense en sus recuerdos, escuche música nostálgica y lea cartas viejas. Tómese todo el tiempo que necesite.
- No se aguante el llanto. Si puede, solloze.
- Hable sobre su pena con un amigo. Si su amigo le dice "que ya es tiempo de que olvide su pena", hable con alguien que sea más comprensivo. Un cura o un pastor también le puede ayudar a comprender y a aceptar su pérdida.
- Si usted quiere hablar abiertamente sobre su pérdida con sus amigos, avíseles. Así ellos podrán mencionarla sin sentirse mal.

- Haga ejercicio con regularidad. Por lo menos, dé caminatas largas. Éstas ayudan a aclarar la mente.
- Trate de reírse. La risa, como el ejercicio, puede ayudarle a sentirse mejor.
- Estímese más a sí mismo. Vea la sección sobre el bienestar mental en este capítulo.
- Convénzase de que no siempre estará deprimido. Luego busque señas de que ya se le está pasando la depresión.
- Rodéese de personas alegres y optimistas.

Cuándo llamar a Kaiser Permanente

Como la depresión puede tener varias causas a la vez, muchas veces lo mejor para curarla es combinar el cuidado en casa con un tratamiento médico profesional. El tratamiento más común combina sesiones de psicoterapia con medicinas. En los casos muy graves, puede ser necesario internar a la persona.

Llame a Kaiser Permanente:

- Si siente deseos de suicidarse.
- Si sospecha que está muy deprimido. Vea "¿Tristeza o depresión?" en la página 314.
- Si sospecha que está deprimido y no se ha mejorado con dos semanas de tratamiento en casa.
- Si sigue sufriendo de pena sin sentirse mejor por más de cuatro semanas.

Trastornos de la alimentación

En nuestra sociedad a veces parece que es importantísimo ser delgado. Por eso, muchos de nosotros hemos tratado de perder peso poniéndonos a dieta o saltándonos comidas. A diferencia de las dietas, los trastornos de la alimentación son problemas médicos, y las personas que los padecen pierden la habilidad de comer de un modo normal.

La **anorexia nerviosa** es un trastorno en que la persona se impone a sí misma una dieta muy estricta. Afecta más que nada a las jóvenes. Las señas incluyen negarse a comer, gran pérdida de peso, una imagen distorsionada del cuerpo (la muchacha piensa que está gorda cuando en realidad está muy delgada), una preocupación constante con la comida, falta de dignidad y un exceso de ejercicio físico.

La **bulimia nerviosa** es un trastorno en que la persona primero come muchísimo y luego se purga, haciéndose vomitar o abusando de laxantes y diuréticos. La persona generalmente come mucho, no porque tiene hambre, sino porque está angustiada o nerviosa. Otras señas incluyen: piel reseca y pelo quebradizo, nodos hinchados bajo la quijada de tanto vomitar, depresión y cambios de humor, una imagen distorsionada del cuerpo y el afán por mantener su problema en secreto.

Mientras que las personas que padecen de anorexia nerviosa se ven muy flacas y enfermizas, la mayoría de las personas que sufren de bulimia se mantienen a un peso normal y se ven sanas. Generalmente, las personas con anorexia niegan que tienen un problema; las personas con bulimia saben que tienen un problema, pero lo esconden.

Un tercer trastorno consiste en **comer en exceso de un modo compulsivo**. La persona consume miles de calorías de una sola vez, rápidamente y sin disfrutar la comida. Como la persona no se purga después de dar cada comilona, sube mucho de peso.

Al parecer los trastornos alimenticios tienen causas emocionales y psicológicas. Además, estos trastornos parecen ser de familia, así que quizás también se deban en parte a un factor hereditario.

Los trastornos alimenticios requieren tratamiento profesional. Si la persona no recibe tratamiento médico, puede tener problemas de salud muy graves o incluso morir. El tratamiento generalmente incluye terapia alimenticia, psicoterapia individual, terapia familiar y medicamentos. En casos muy graves, puede ser necesario internar a la persona.

Prevención

- Enséñeles a sus hijos a comer bien y a hacer ejercicio. Sea usted el primer ejemplo en casa y asegúrese de que también tengan buenos ejemplos en la escuela.
- Ayude a los jóvenes a tener dignidad y confianza en sí mismos. Acéptelos como son.
- Tenga cuidado cuando anime a una persona joven a perder peso. Muéstrele que usted la quiere y la aprecia sin importar cuánto pese.
- No les ponga metas que no sean realistas a sus hijos. Sus esfuerzos por alcanzarlas podrían producirles un trastorno alimenticio.
- Esté consciente de las tensiones que tengan sus hijos. Esté disponible para que ellos puedan hablar con usted sobre cualquier problema.

Cuándo llamar a Kaiser Permanente

Si nota cualquiera de estas señas:

- La persona se valora según lo que pesa.
- Tiene una imagen distorsionada de su cuerpo y temores irracionales de subir de peso.

- Baja o sube mucho de peso sin razón.
- Siempre está siguiendo una dieta muy restricta.
- Tiene rutinas obsesivas de ejercicio, sobre todo si resultan en lesiones.
- Se aparta de su familia y sus amigos.
- Si usted se está haciendo vomitar o está tomando demasiados laxantes.

Problemas para dormir

La palabra insomnio puede describir diferentes cosas:

- Tener problemas para dormirse (tardar más de 45 minutos en quedarse dormido).
- Despertarse con frecuencia sin poder dormirse de nuevo.
- Despertarse muy temprano.

Tenga en cuenta que ninguna de estas cosas es un problema, a menos que usted se sienta cansado todo el tiempo. Si usted no tiene mucho sueño de noche o se despierta muy temprano, pero se siente descansado y alerta, no tiene de qué preocuparse.

El insomnio pasajero, que dura unas cuantas noches o unas cuantas semanas, generalmente se debe a una situación que causa tensión o angustia. El insomnio que dura meses o años, se puede deber a angustias generales, medicinas, dolor crónico, depresión u otras condiciones físicas.

El apnea es un trastorno del sueño que generalmente se produce cuando las vías respiratorias de la nariz y de la boca quedan bloqueadas. Cuando esto sucede, la persona puede dejar de respirar durante 10 segundos o más. Las personas que padecen de apnea suelen roncar muy fuerte y se sienten muy cansadas durante el día. No se dan cuenta de que se despiertan durante la noche, pero su sueño es muy intranquilo. Este problema afecta tanto a los niños como a los adultos.

Prevención

- Haga ejercicio con regularidad, pero evite el ejercicio pesado durante las dos horas antes de acostarse.
- No beba alcohol ni fume antes de acostarse. Tome poca cafeína, y nunca la tome después del mediodía.
- Tome un vaso de leche tibia a la hora de acostarse.
- No tome más de un vaso de líquido antes de acostarse.

Tratamiento en casa

- No tome pastillas para dormir. Pueden causarle confusión durante el día, pérdida de la memoria y mareos. El uso a largo plazo de estas medicinas de hecho empeora el insomnio en muchas personas.
- Pruebe el siguiente programa por dos semanas.
  1. Durante las horas antes de acostarse, realice actividades que lo relajen (por ejemplo, dese un baño de agua tibia, lea o haga algún ejercicio de estiramiento).
  2. Use su cama únicamente para dormir. No coma, no vea televisión, ni tampoco lea en su cama.

3. Duerma solamente a la hora de acostarse. No tome siestas. (No obstante, las siestas son buenas si usted no tiene problemas para dormir.)
4. No se acueste hasta que tenga sueño.
5. Levántese de la cama y sálgase del cuarto siempre que esté acostado y despierto por más de 15 minutos.
6. Repita los pasos 4 y 5 hasta que sea hora de levantarse.
7. Levántese a la misma hora cada día, aunque tenga mucho sueño.

- Repase con un farmacéutico todas las medicinas que esté tomando, sean de receta o no. Así usted podrá determinar si su problema se debe a algún medicamento.
- Lea la sección sobre la angustia en la página 313.

Cuándo llamar a Kaiser Permanente

- Si sospecha que alguna medicina le está causando sus problemas para dormir.
- Si usted o su pareja ronca muy fuerte y tiene mucho sueño durante el día.
- Si alguien tiene muchos episodios de apnea (deja de respirar, toma aire con dificultad y se ahoga mientras duerme).
- Si su niño ronca, respira con dificultad al dormir, duerme mal y se despierta a menudo, o tiene mucho sueño durante el día.
- Si el problema no mejora con un mes de tratamiento en casa.

Suicidio

Si usted está muy deprimido o agobiado, quizás a veces piense en quitarse la vida. No es grave pensar en el suicidio de vez en cuando. Pero su problema es muy serio si sigue pensando en el suicidio, o si ha hecho planes para suicidarse.

Muchas veces, las personas que piensan en suicidarse no están seguras si escoger entre la vida o la muerte. Estas personas pueden decidir que quieren vivir si reciben ayuda.

Prevención

Cuando ocurre una crisis en la vida de una persona, o cuando usted o una persona conocida se sienta deprimido, esté pendiente de las siguientes señas de peligro:

- La persona le dice sus intenciones. Un 80 por ciento de las personas que se suicidan le mencionan a alguien lo que piensan hacer.
- La persona piensa mucho en la muerte. Quizás hable, lea, dibuje o escriba sobre la muerte.
- Ha tratado de suicidarse antes. Una persona puede llegar a suicidarse después de fallar algunas veces.
- Regala sus cosas de valor.
- La persona está deprimida y se aparta de los demás. Vea la página 315.

Si usted o una persona conocida tiene deseos de quitarse la vida, debe evitar tomar alcohol.

Tratamiento en casa

- Use su juicio y un método directo para decidir si el riesgo es alto. Pregúntese esto a sí mismo o a la persona que quizás vaya a suicidarse:
  - ¿Siente que no hay otro remedio?
  - ¿Tiene un plan para suicidarse?
  - ¿Cómo y cuándo piensa hacerlo?
- Haga arreglos para que una persona de confianza se quede con usted o con la persona que esté en peligro, hasta que haya pasado la crisis.
- Anime a la persona a que consiga ayuda profesional.
- No discuta con la persona ni la desafíe. Por ejemplo, no le diga que las cosas no están tan mal como ella piensa o que ella no es el tipo de persona que se suicida.
- No ignore las señas de peligro, pensando que usted o la otra persona se mejorarán solas.
- Hable con la persona de una manera práctica. Sea comprensivo y tenga compasión.

Cuándo llamar a Kaiser Permanente

- En situaciones urgentes de vida o muerte, llame al 911 u otros servicios de emergencia.
- Llame a su doctor o a la línea telefónica de prevención de suicidios (*Suicide Prevention Hotline*, en inglés); busque el número en la sección amarilla de su directorio telefónico:
  - Si está pensando en suicidarse.
  - Si sospecha que un conocido suyo ha hecho planes para suicidarse.

La violencia

El enojo y las discusiones son partes normales de las relaciones sanas entre las personas. No obstante, el enojo que tiene resultados violentos, como amenazas o golpes, no es normal ni sano. El lenguaje abusivo y el abuso físico y sexual no son una parte aceptable de ninguna relación humana.

El comportamiento violento muchas veces comienza con amenazas o incidentes más o menos leves. Pero con el tiempo, puede volverse mucho más serio y acabar lastimando a alguien. Al parecer, el comportamiento violento es generalmente algo que se aprende de otras personas. Por eso es importante enseñarles a sus niños que la violencia no es una buena manera de resolver problemas.

Prevención

- Busque maneras pacíficas de resolver sus conflictos. No tiene nada de malo discutir las cosas; inclusive es saludable, siempre y cuando la discusión no se vuelva violenta. Para mayor información sobre cómo controlar la ira, vea la página 312.
- No les pegue a sus niños cuando los regañe. Así ellos aprenderán que la violencia no es ningún modo de resolver las cosas. Si a usted le gustaría saber más sobre cómo castigar a sus niños sin violencia, asista a una clase de orientación para los padres.

Para evitar la violencia con pistolas y otras armas:

- Asegúrese de que nadie en su casa tenga la oportunidad de usar un arma de cualquier tipo a menos que sepa cómo usarla sin peligro.

- Para guardar un arma de fuego, descárguela y luego enciérrela bajo llave. Guarde las balas bajo llave en otro lugar.
- No guarde armas de fuego u otras armas en una casa donde haya niños o donde viva alguien que tenga un problema con el alcohol o las drogas. Tampoco las tenga donde viva una persona violenta o alguien que haya amenazado con suicidarse.

Si un familiar u otra persona lo ha amenazado a usted o a sus hijos:

- Confíeselo a alguien: un amigo de confianza, un cura o un profesional de salud.
- Sepa dónde puede conseguir ayuda en una crisis. Su centro YMCA, el departamento de policía o su hospital local pueden darle información sobre refugios y casas de amparo.
- Esté pendiente de las señales de peligro, como amenazas o borracheras. Así quizás usted podrá evitar una situación peligrosa. Si no puede predecir cuándo va a ocurrir la violencia, tenga un "plan de salida" que pueda usar en una emergencia.

Cuándo llamar a Kaiser Permanente

- Si usted o alguien de su familia es víctima de abuso o de violencia. El abuso físico es un crimen, no importa quién lo cometa.
- Si a usted le preocupa su comportamiento violento, o el de un familiar o de un amigo.

En la sección amarilla de su directorio telefónico, usted podrá encontrar recursos para las víctimas de diferentes tipos de abuso.

El bienestar mental

La clave del bienestar mental es apreciarse a uno mismo. Quizás usted haya oído que algunas personas se enferman simplemente por creer que están enfermas. La evidencia que se tiene hasta ahora sugiere que lo mismo puede ser cierto con respecto a la salud. Es decir, que lo que uno piensa afecta la salud y el bienestar, ya sea de un modo positivo o negativo.

La conexión entre la mente y el cuerpo

La ciencia médica está haciendo descubrimientos importantes sobre la forma en que las esperanzas, las emociones y los pensamientos afectan la salud. Los investigadores han encontrado que una de las funciones del cerebro es producir sustancias que pueden mejorar la salud. Su cerebro puede producir calmantes naturales para el dolor, gammaglobulina para fortalecer el sistema de defensas del cuerpo e interferón para combatir las infecciones, los virus y hasta el cáncer.

El cerebro puede combinar éstas y otras sustancias y producir una gran variedad de remedios hechos justo para el malestar que tenga. Las sustancias que el cerebro produce dependen, en parte, de sus pensamientos y emociones.

En otras palabras: su estado mental afecta cómo funciona su sistema de defensas. Por lo tanto, afecta también la habilidad de su cuerpo de curarse a sí mismo. Su nivel de optimismo y su actitud hacia el futuro, pueden afectar lo que sucede dentro de todo su cuerpo.

Pensamientos positivos

Las personas felices y optimistas en general disfrutan más la vida pero, ¿son además más saludables? A menudo sí lo son.

El optimismo es un recurso para curarse. Las personas optimistas tienen mejores probabilidades de vencer el dolor y las dificultades que tengan durante un tratamiento médico. Por ejemplo, después de una operación de "bypass" en el corazón, los pacientes optimistas generalmente se recuperan más pronto y tienen menos complicaciones que las personas menos esperanzadas.

En cambio, el pesimismo parece empeorar los problemas de salud. Una investigación a largo plazo demostró que las personas que ya eran pesimistas cuando iban a la universidad, sufrían de más enfermedades hasta los 60 años de edad.

Al parecer, nos volvemos optimistas o pesimistas desde muy jóvenes. Sin embargo, aunque su propia actitud tienda a ser pesimista, usted puede mejorar su bienestar apoyando su sistema de defensas con la mente.

Cómo reforzar el sistema inmunológico

El sistema de defensas de su cuerpo (o sistema inmunológico) reacciona a sus pensamientos, emociones y acciones. Además de mantenerse en buena forma, comer bien y controlar el estrés en su vida, las tres recomendaciones siguientes ayudarán a que su sistema de defensas funcione mejor.

1. Sea optimista y tenga muchas esperanzas de estar sano o de curarse.

Sus esperanzas y deseos de curarse pueden afectar los resultados de cualquier tratamiento médico. La eficacia de un tratamiento muchas veces depende de lo que usted *espere* de él.

El efecto del placebo demuestra que las esperanzas y el optimismo afectan la salud. Un placebo es una medicina o un tratamiento que en sí no hace efecto, pero que hace provecho porque el paciente tiene fe en él. En promedio, el 35 por ciento de los pacientes que reciben placebos se alivian aunque no han recibido medicinas verdaderas.

Sus esperanzas y su optimismo pueden reforzar su sistema inmunológico. Para ser optimista:

- No hable mal de sí mismo ni de su condición. Diga cosas que estimulen su recuperación.
- Escríbale una carta a su enfermedad. Dígale que ya no la necesita y que su sistema de defensas ya está listo para deshacerse de ella.
- Hágase una serie de afirmaciones. Una afirmación es una declaración fuerte y positiva que usted hace sobre sí mismo, como por ejemplo: "Soy una persona hábil", o "Mis coyunturas son fuertes y flexibles".
- Imagínese a usted mismo aliviándose y ya sano. Fórmese imágenes mentales que refuercen sus afirmaciones.
- Anime y apoye a su sistema inmunológico para que siga luchando.

2. Cultiva su buen humor, sus amistades y su cariño.

Las emociones positivas fortalecen el sistema inmunológico. Por suerte, casi todo lo que lo hace sentirse bien, también lo ayuda a mantenerse sano.

- Ríase. Un poco de humor hace que la vida sea más sana y agradable. La risa aumenta la creatividad, reduce el dolor y acelera el proceso de recuperación. Junte una colección de videos cómicos, chistes y fotografías graciosas. Tenga la colección a mano y manténgala bien surtida.
- Pase tiempo con sus familiares y amigos. Las personas que tienen relaciones de confianza con familiares o amigos se recuperan más rápidamente de las enfermedades. También corren menos riesgo de padecer de varias enfermedades, incluyendo la artritis y la depresión.
- Haga trabajo voluntario. Las personas que hacen trabajo voluntario viven más tiempo y disfrutan más de la vida que otras personas. Al ayudar a los demás, nos ayudamos a nosotros mismos.
- Dedique algo de su tiempo a cuidar una planta o a estar con un animal. Las plantas y los animales pueden ser una buena forma de psicoterapia. Cuando se acaricia a un animal, baja la presión de la sangre y el corazón late más despacio. Los animales y las plantas pueden ayudarle a usted a sentir que algo o alguien lo necesita.

3. Tenga fe.

Si usted cree en un poder o una fuerza mayor, pídale apoyo en su lucha por curarse. La fe, el rezo y las creencias espirituales pueden jugar un papel importante en el proceso de recuperación. Su sentido de bienestar espiritual puede ayudarle a vencer sus problemas personales y a aceptar situaciones o cosas que no pueda cambiar. Use imágenes espirituales en sus afirmaciones y para darse esperanzas, si eso le ayuda.

Resistencia a las enfermedades

Algunas personas parecen tener más protección contra las enfermedades que otras. Sus sistemas de defensas parecen ser más eficientes. Los investigadores que han estudiado a estas personas han notado tres cualidades importantes de sus personalidades:

1. Estas personas se entregan plenamente a su vida y la de su familia, a su trabajo y a sus valores o principios morales.

2. Estas personas sienten que tienen control sobre sus vidas.

3. Estas personas, por lo general, toman los cambios en sus vidas como un reto y no como una amenaza.

Cómo crear una personalidad resistente

¿Puede usted aprender a tener más dedicación y control, y a aceptar los retos de la vida? Al parecer, sí es posible, sobre todo si empieza usted a una edad muy joven. Usted puede ayudar a sus niños a volverse resistentes y fuertes, así:

- Apoye y acepte a sus hijos cómo son. Entre más aceptado se sienta un niño, mejor podrá relacionarse con otras personas y hacer compromisos.

- Deles continuamente tareas y responsabilidades que no sean ni muy fáciles ni muy difíciles. Las experiencias tanto con el éxito como con el fracaso seguido del éxito, les ayudarán a desarrollar un sentido de control sobre la vida.
- Anime a los niños a aprovechar los cambios como oportunidades para desarrollarse, en vez de tomarlos como pérdidas. Haga hincapié en el lado positivo de los cambios y enséñeles que algunas pérdidas son una parte natural de la vida.

Los adultos también pueden desarrollar este tipo de resistencia.

Cómo evitar los sentimientos de culpa

No tiene caso sentirse culpable por estar enfermo. Es cierto que podemos hacer muchas cosas para tratar de evitar diferentes males y enfermedades y para mejorar nuestras posibilidades de recuperación. Pero por otro lado, hay enfermedades que dan y persisten a pesar de todo lo que hagamos. Trate de no sentirse culpable, sobre todo cuando siga los consejos que damos en este capítulo para mejorar su bienestar mental. Si lo que hace le ayuda, excelente. Sin embargo, si su enfermedad continúa a pesar de sus mejores esfuerzos, no se culpe a sí mismo. Hay cosas que no se pueden cambiar. Haga todo lo que pueda y ya.

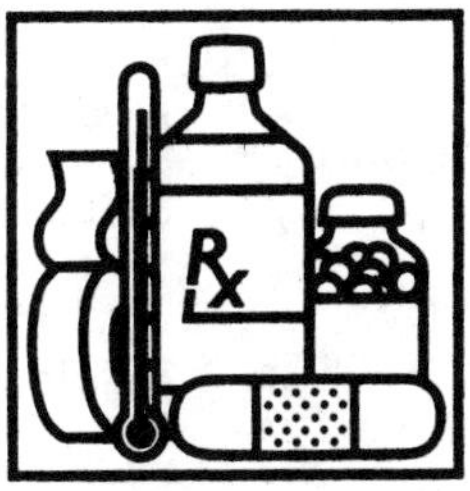

20

Su centro de salud en casa

Se hacen más tratamientos médicos en casa que en cualquier otro lugar. Usted podrá cuidar mejor de su salud y la de su familia si tiene en casa la información, las medicinas, las provisiones y los instrumentos apropiados.

Guarde todas sus provisiones médicas en un solo lugar, como por ejemplo, en un cajón grande. Para saber qué necesita para estar bien equipado, consulte las listas de instrumentos y materiales que aparecen en este capítulo.

Advertencia: Si hay niños pequeños en su casa, mantenga las provisiones fuera de su alcance o guárdelas bajo llave, o en un cajón con pasador a prueba de niños.

Manténgase informado sobre los planes de preparación y respuesta en caso de desastre del área donde viva y tenga todo lo que necesite a mano.

Instrumentos para el cuidado médico en casa

Estos instrumentos constituyen el equipo básico de su centro de salud en casa.

Compresas frías

Una compresa fría es un sobre de plástico lleno de una gelatina que es blanda aún a temperaturas muy frías. Es buena idea comprar dos compresas frías y guardarlas en el congelador. Úselas para chichones, moretones, lastimaduras de la espalda o de los tobillos, dolores en las coyunturas o cualquier otro problema que requiera ponerse hielo. Las compresas frías son más convenientes que el hielo y quizás sean unas de las cosas que más use para tratar problemas médicos en casa.

Usted puede hacer su propia compresa fría:

- En una bolsa de plástico gruesa para congelar (de 1 galón) ponga 2 tazas de alcohol de curaciones y 6 tazas de agua.
- Selle la bolsa, métala en otra bolsa y selle esa también. Márquela por fuera así: "Compresa fría: no se debe comer" y métala en el congelador.

Otra cosa que puede usar como compresa fría es una bolsa de chícharos u otras verduras congeladas.

Humidificador y vaporizador

Los humidificadores y los vaporizadores hacen más húmedo el aire, para que a usted se le reseque menos la boca, la garganta y la nariz. Los humidificadores producen vapor frío y los vaporizadores vapor caliente.

Un humidificador tiene varias ventajas: no quema, produce partículas pequeñísimas de agua que entran mejor en las vías respiratorias y el vapor frío es más agradable que el vapor caliente.

Por otra parte, los humidificadores son muy ruidosos, producen partículas que pueden ser irritantes y hay que limpiarlos y desinfectarlos regularmente. Esto es importante sobre todo para las personas que son alérgicas al moho.

El vapor caliente de un vaporizador no contiene partículas irritantes, y se pueden mezclar medicamentos como Vicks VapoRub con el agua para facilitar la respiración. Además, el vapor caliente puede ser cómodo cuando uno tiene catarro. Pero si alguien riega el agua caliente por accidente o se acerca demasiado al vaporizador, se puede quemar.

La humedad en el aire puede ayudar a aliviar una garganta áspera o una tos seca, y a facilitar la respiración de alguien que tenga la nariz tapada. Además, hará que el ambiente de su casa sea más agradable, sobre todo en el invierno, cuando el aire es más seco.

Cuchara especial para dar medicina

Estas cucharas son tubos transparentes con marcas que señalan las dosis más comunes. Con este tipo de cuchara es más fácil dar la dosis correcta de una medicina líquida. Aunque estas cucharas son convenientes para cualquier persona, son sobre todo útiles para los niños pequeños. La forma de tubo y el borde ancho de la cuchara ayudan a darle la medicina al niño sin derramarla. Usted puede comprar una en cualquier farmacia.

Instrumentos para el cuidado médico en casa

En cada hogar debe haber:

- Manguito para medir la presión de la sangre*
- Compresas frías*
- Espejo dental
- Gotero
- Cojín eléctrico
- Humidificador o vaporizador*
- Cuchara especial para dar medicina*
- Cortaúñas
- Linterna de bolsillo*
- Tijeras
- Estetoscopio*
- Termómetro*
- Pincitas

Para niños menores de seis años de edad, añada:

- Perilla para aspirar
- Termómetro rectal*
- Otoscopio*

*Estos instrumentos se describen en este capítulo

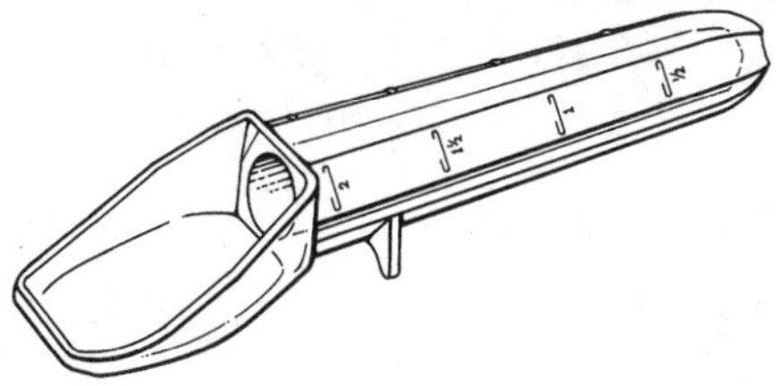

Cuchara para dar medicinas

Otoscopio

Un otoscopio es un aparatito con una luz, que se usa para ver dentro del oído. Con un poco de práctica, usted puede aprender a usar un otoscopio para encontrar infecciones del oído. Hay otoscopios económicos que cualquiera puede comprar, pero éstos no iluminan tan bien el oído como los otoscopios que usan los médicos. Uno de estos productos es el llamado Earscope, que cuesta aproximadamente $26.95 y se consigue de la compañía Notoco, P.O. Box 300, Ferndale, CA 95536. Su número de teléfono es (707) 786-4400.

Linterna de bolsillo

Una linterna de bolsillo tiene una lucecita muy fuerte que se puede dirigir fácilmente al área deseada. Es útil para hacer exámenes físicos y es más fácil de manejar que una linterna normal.

Estetoscopio y manguito para medir la presión de la sangre

Si usted tiene la presión alta, es buena idea que tenga tanto un estetoscopio como un manguito para medir la presión (esfigmomanómetro). Así podrá revisarse regularmente la presión de la sangre.

Cuando compre un estetoscopio, consiga uno con el diafragma plano en vez de acampanado. Es más fácil oír por un diafragma plano.

Hay muchos tipos de manguitos para medir la presión. Si le cuesta trabajo ver el marcador de un manguito común y corriente, busque uno que tenga una columna de mercurio, o consiga un modelo electrónico digital. Pídale a su farmacéutico que le recomiende un modelo particular y que le enseñe cómo usarlo.

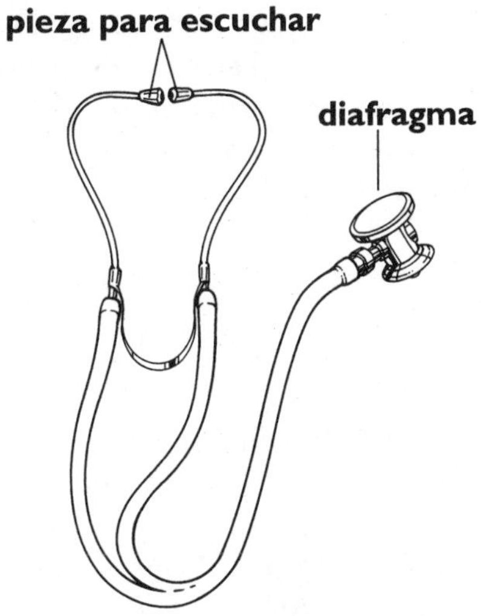

Estetoscopio

Termómetro

Compre un termómetro que sea fácil de leer. Los termómetros electrónicos digitales son exactos y fáciles de leer. Las tiritas para tomar la temperatura son muy convenientes y seguras, pero no son tan exactas como los termómetros; éstas sólo deben usarse para tomar la temperatura en la axila. Los termómetros que miden la temperatura en el oído son rápidos, fáciles de usar y pueden ser bastante exactos, pero son caros. Los termómetros para el recto (con la punta agrandada) son útiles para los niños menores de seis años de edad, o para cualquier persona que no pueda usar un termómetro oral en la boca. Vea cómo tomar la temperatura en la página 21.

Materiales para el cuidado en casa

Vea la lista de "Materiales para el cuidado en casa" en el cuadro a la derecha. La lista contiene las provisiones que usted querrá tener a mano en su centro de salud en casa. Estos productos son baratos, fáciles de usar y generalmente se pueden comprar en cualquier farmacia.

Materiales para el cuidado en casa

Tenga a la mano:

- Curitas de diferentes tamaños
- Tela adhesiva (de una pulgada* de ancho)
- Parches de tipo mariposa
- Gasas esterilizadas (cuadros de dos pulgadas)
- Venda elástica ("Ace") (de tres pulgadas de ancho)
- Rollo de gasa (de dos pulgadas de ancho)
- Bolitas de algodón
- Alfileres de gancho o "seguros"
- Tabletas dentales (que muestran si se ha limpiado bien los dientes) y seda dental

* Una pulgada es más o menos $2\frac{1}{2}$ cm.

Medicinas y productos que se compran sin receta médica

Hay muchos medicamentos que se pueden comprar sin receta médica. Pero, no crea que todos esos medicamentos son seguros. A veces pueden reaccionar con otros remedios y pueden causar problemas de salud graves.

Algunos medicamentos están indicados solamente para jóvenes y adultos. Asegúrese de leer atentamente las instrucciones incluidas en el envase de la medicina, o pregúntele al farmacéutico si los bebés o los niños pequeños pueden usar algún producto en particular.

Lea cuidadosamente la etiqueta de cualquier medicina que compre sin receta, sobre todo si también toma medicinas de receta para otros problemas de salud. Pídale a su farmacéutico que le ayude a encontrar la medicina más apropiada para usted.

Algunos de los medicamentos comunes que se compran sin receta son los:

- Antiácidos y reguladores de ácido
- Antidiarreicos (contra la diarrea)
- Remedios para el catarro y las alergias
- Productos abultantes y laxantes o purgantes
- Calmantes para el dolor

Estas medicinas pueden ser muy útiles cuando se usan de la manera debida, pero también pueden crear problemas serios si se toman mal. Los siguientes consejos le ayudarán a usar estas medicinas de una forma sensata

Productos para el cuidado en casa que se compran sin receta

Problema	Producto (ejemplo)	Comentarios
Alergias	Antihistamínico (Chlor-Trimeton, Benadryl)	Útil para alergias y comezón. Vea la pág. 335.
Catarros	Descongestionante	Vea las precauciones en la pág. 334.
Estreñimiento	Laxante o producto abultante (Metamucil)	Evite uso a largo plazo o habitual de laxantes. (Los productos abultantes se pueden usar regularmente.) Vea la pág. 336.
Tos sin flema (seca)	Jarabe que calma la tos (Vicks Dry Hacking Cough)	Alivia la tos seca. Vea las pág. 142 y 334.
Tos con flema	Jarabe expectorante (Vicks 44E)	Ayuda a aguar y a sacar el moco. Vea precauciones en la pág. 335.
Rozadura de pañal	Crema protectora (A & D Ointment, Desitin)	Protege la piel contra la orina y el excremento. Vea la pág. 220.
Diarrea	Antidiarreico (Pepto Diarrhea Control)	Evite el uso a largo plazo. Vea la pág. 333.
Piel seca	Crema lubricante (Vaseline Intensive Care)	Vea también la pág. 197.
Acidez (agruras)	Antiácido (Tums, Maalox) o regulador de ácido (Pepcid AC, Tagamet HB)	Evite el uso a largo plazo. Vea la pág. 332.
Comezón	Crema con hidrocortisona (Cortaid)	Los antihistamínicos también ayudan. Vea la pág. 335.
Dolor, fiebre e inflamación	Aspirina, ibuprofen o naproxen	Ayudan a aliviar la hinchazón y el dolor. Pueden causar malestares del estómago. Vea las pág. 336 a 338.
Dolor y fiebre	Acetaminofeno (Tylenol)	Irrita menos el estómago. Seguro para los niños. Vea la pág. 338.
Envenenamiento	Jarabe de ipecacuana	Para provocar vómitos, en casos de envenenamiento. Vea la pág. 338.
Raspones, infecciones de la piel	Pomada antibiótica (Bacitracin, Polysporin)	Puede causar reacción alérgica local. Mantenga en un lugar fresco y seco. Tírela cuando caduque.

y segura. En algunos casos, tal vez descubra que no necesita tomar ninguna medicina. El cuadro de la página 331 presenta algunos problemas médicos comunes y los productos para tratarlos, que se consiguen sin receta.

Antiácidos y reguladores de ácido

Los antiácidos se toman para aliviar la acidez o las agruras causadas por un exceso de ácido en el estómago. Aunque los antiácidos no son peligrosos cuando se toman de vez en cuando, pueden causar problemas si se toman regularmente.

Hay varias clases de antiácidos. Aprenda qué ingredientes tiene cada tipo de antiácido para tratar de evitar los malos efectos.

- Algunos antiácidos, como el Alka-Seltzer y Bromo-Seltzer, contienen bicarbonato de sodio. Evite estos antiácidos si tiene alta la presión de la sangre o si le han recomendado que no coma mucha sal, porque estos productos contienen bastante sal. Si se toman con mucha frecuencia, estos antiácidos pueden interferir con las funciones de los riñones o del corazón.
- Los antiácidos de carbonato de calcio (Tums, Alka-Mints) a veces también se usan como suplementos de calcio (vea la página 303). Sin embargo, estos productos pueden causar estreñimiento.
- Los antiácidos hechos con aluminio (Amphojel) son menos fuertes y tardan más en hacer efecto que otros productos. También pueden causar estreñimiento. Algunos pueden robarle calcio al cuerpo y por eso no los deben tomar mujeres que ya no tienen la regla. Si usted tiene problemas de los riñones, consulte a su doctor antes de tomar un antiácido con aluminio.
- Los antiácidos hechos con magnesio (Phillips' Milk of Magnesia) pueden causar diarrea.
- Los antiácidos hechos con aluminio y magnesio (Maalox, Di-Gel, Mylanta, Riopan) no causan estreñimiento o diarrea tanto como los antiácidos de puro aluminio o de puro magnesio.

Los reguladores de ácido reducen la cantidad de ácido que produce el estómago. Existen varios tipos de reguladores de ácido que pueden comprarse sin receta médica. Cada uno de ellos tiene indicaciones un poco diferentes. Siga las instrucciones del envase con cuidado.

Precauciones con los antiácidos y con los reguladores de ácido

- En vez de tomar antiácidos regularmente, trate de eliminar lo que le está causando la acidez. Vea Acidez en la página 75.
- Consulte a su doctor o a su farmacéutico antes de tomar un antiácido si está tomando otras medicinas. Los antiácidos pueden afectar la absorción y la acción de algunos medicamentos, como los antibióticos, la digitalis (una medicina para las enfermedades del corazón) y los anticoagulantes (como Coumadin). También consulte a su médico si tiene úlceras o problemas de los riñones.
- Si padece de problemas de los riñones o del hígado, deberá tener precaución al usar reguladores de ácido. La acción combinada de los riñones y del hígado hace que el cuerpo elimine la droga. Si estos

órganos no están funcionando como deben, es posible que el cuerpo acumule una cantidad demasiado alta de la medicina.

Antidiarreicos (contra la diarrea)

Hay dos tipos de medicinas antidiarreicas: las que espesan los excrementos y las que calman los espasmos (torcijones) del intestino.

Los productos que espesan los excrementos (Kaopectate) contienen arcilla o pectina de frutas y absorben las bacterias y los venenos en el intestino. Aunque no son peligrosos y no los absorbe el cuerpo, estos antidiarreicos también absorben bacterias que se necesitan para la digestión. No se recomienda su uso continuo.

Los productos antidiarreicos antiespasmódicos calman los espasmos (torcijones) del intestino. La loperamida (Imodium A-D, Pepto Diarrhea Control) es un ejemplo de este tipo de medicamento. Los productos de marca Donnagel y Parepectolin contienen ingredientes tanto para espesar el excremento como para calmar los torcijones.

Precauciones con los antidiarreicos

- La diarrea le ayuda al cuerpo a deshacerse de una infección. Por eso, trate de no usar un antidiarreico durante las primeras seis horas de diarrea. Después, úselo sólo si no hay otras señas de enfermedad, como fiebre, y si la diarrea le sigue causando calambres y dolor.
- Asegúrese de tomar suficiente medicina. Tome un antidiarreico hasta que el excremento se le espese, y luego deje de tomarlo de inmediato para evitar estreñirse.
- Reponga los líquidos que el cuerpo haya perdido. Es fácil que se deshidrate una persona que tiene diarrea, sobre todo si es un bebé, un niño o una persona mayor. En la página 72, se explica cómo hacer una bebida de rehidratación en casa.

Remedios para el catarro y las alergias

En general, si toma medicinas para el catarro, se mejorará en una semana. Si no toma nada, también se mejorará en una semana. Muchas veces, el descanso y los líquidos son el mejor tratamiento para el catarro (vea la página 140). Los antibióticos no ayudan. Por otro lado, ciertos medicamentos sí ayudan a aliviar algunas de las molestias del catarro, como la nariz tapada y la tos.

Los síntomas de alergia, sobre todo el escurrimiento de la nariz, muchas veces se mejoran con antihistamínicos. Muchas medicinas para el catarro también contienen antihistamínicos, a menudo junto con un descongestionante. Sin embargo, todavía hay dudas sobre la eficacia de los antihistamínicos para tratar las molestias del catarro.

Descongestionantes

Los descongestionantes bajan la hinchazón dentro de la nariz y facilitan así la respiración. Los descongestionantes también ayudan a que pare el escurrimiento de la nariz y el goteo nasal, que a veces causan dolor de garganta.

Los descongestionantes vienen en pastillas o en gotas o sprays para la nariz. Los descongestionantes en pastillas (como Sudafed) por lo general son más eficaces y dan alivio por más tiempo, pero también tienen más efectos secundarios.

Los sprays y las gotas dan alivio rápido pero pasadero. El Neo-Synephrine (fenilefrina) es un buen spray. Una ventaja de los sprays y las gotas es que es menos probable que reaccionen con otras medicinas.

Precauciones con los descongestionantes

- No les dé medicinas para el catarro ni pastillas o jarabes descongestionantes a bebés menores de 6 meses. Hasta ahora no se ha comprobado que las medicinas para el catarro que se compran sin receta sean eficaces para los niños menores de cinco años.
- No use gotas o sprays medicinales para la nariz por más de tres días, o más de tres veces al día. El uso continuo de estos productos puede hacer que la nariz se hinche más por adentro que antes de usar las gotas.
- Beba más líquido de lo normal cuando esté tomando medicinas para el catarro.
- Los descongestionantes pueden causarles trastornos a las personas que tienen ciertos problemas de la salud, como problemas del corazón, presión alta de la sangre, glaucoma, diabetes y una tiroides hiperactiva. Los descongestionantes también pueden reaccionar con los antidepresivos, los medicamentos para la presión alta y otras medicinas. Lea con cuidado el paquete del descongestionante y pídale a su farmacéutico o a su médico que le ayude a escoger el que sea más apropiado para usted.

Gotas salinas para la nariz

Los sprays salinos que se compran sin receta (NaSal, Ocean) están esterilizados y son baratos y fáciles de usar. Mantienen húmedos los tejidos de la nariz para que puedan filtrar el aire. Además, estos sprays no causarán que se hinche la nariz por dentro.

También es fácil hacer gotas para la nariz en casa. Mezcle $\frac{1}{4}$ cucharadita de sal en 1 taza de agua tibia (si les pone demasiada sal, las gotas le secarán las membranas de la nariz).

Ponga la solución en un frasco limpio con un gotero (que se puede comprar en las farmacias). Use las gotas según las necesite. Haga una solución nueva cada tres días y tire la que le haya sobrado.

Para ponerse las gotas, acuéstese boca arriba con la cabeza colgando de un lado de la cama. Esto ayuda a que las gotas entren más fácilmente. Procure que el gotero no le toque la nariz.

Medicinas para la tos

La tos le ayuda al cuerpo a sacar flema, mocos y sustancias ajenas de las vías respiratorias. La tos con frecuencia es provechosa y a veces es mejor no tratar de evitarla. Algunas veces, sin embargo, la tos puede ser tan fuerte que dificulta la respiración o impide a la persona descansar.

El agua y otros líquidos, como los jugos de fruta, probablemente son los mejores jarabes para la tos. Estos líquidos ayudan a calmar la irritación de la garganta y también a humedecer y a aguar el moco para que la tos lo pueda expulsar más fácilmente.

Usted puede hacer un jarabe para la tos en casa. Simplemente mezcle una parte de jugo de limón con dos partes de miel de abeja. Usted puede usar este jarabe tanto como lo necesite y se lo puede dar a niños mayores de un año. Vea también la página 142.

Hay dos tipos de medicinas para la tos. Los **expectorantes** ayudan a aguar el moco para que salga más fácilmente con la tos. Los jarabes Robitussin y Vicks 44E son de este tipo, al igual que otros productos que contienen guaifenesina.

El otro tipo de jarabe **calma la tos**. Se recomienda más para la tos seca, sin flema, que no deja dormir. Busque medicinas que contengan dextrometorfán, como el Robitussin-DM o Vicks Dry Hacking Cough. No se trate de quitar mucho una tos con flema (a menos que no lo deje dormir bien).

Precauciones con los jarabes para la tos

- Las medicinas para la tos pueden causarles trastornos a las personas con problemas como el asma, los problemas del corazón, la presión alta y el agrandamiento de la próstata. Estas medicinas también pueden reaccionar con los sedantes, algunos antidepresivos y otros medicamentos. Lea con cuidado el paquete y pídale a su farmacéutico o a su médico que le ayude a escoger un buen jarabe para la tos.
- Sea cuidadoso al usar el jarabe si tiene problemas respiratorios crónicos, ya que los jarabes que calman la tos pueden dificultar la respiración. Tenga cuidado cuando les dé este tipo de jarabe a las personas muy delicadas o de edad avanzada.
- Lea la etiqueta del envase para que sepa qué ingredientes está tomando. Algunas medicinas para la tos contienen bastante alcohol y otras contienen codeína. Hay muchas selecciones. Pídale a su farmacéutico que le aconseje.

Antihistamínicos

Los antihistamínicos secan las membranas mucosas y muchas veces se usan para tratar los síntomas de una alergia y la comezón.

Si la nariz le escurre a causa de una alergia, un antihistamínico puede ayudarle. Pero para las molestias del catarro, el tratamiento casero y quizás un descongestionante (vea la página 333) le servirían más. Por lo general, es mejor tomar medicinas para el catarro y las alergias que sólo contengan un ingrediente activo. Por ejemplo, el Chlor-Trimeton (clorfeniramina) y el Benadryl (difenhidramina) son productos que contienen sólo un antihistamínico. Los productos como Dristan, Coricidin y Triaminic contienen tanto un descongestionante como un antihistamínico.

Precauciones con los antihistamínicos

- No les dé antihistamínicos a bebés menores de cuatro meses de edad. Consulte a su médico antes de dárselos a bebés entre cuatro meses y un año de edad.
- Si usa antihistamínicos cuando tiene la nariz tapada por un resfriado, a menudo sólo logrará que el moco se espese y que sea aún más difícil que salga.

- Tome más agua y líquidos cuando esté usando medicinas para las alergias.
- Los antihistamínicos pueden causarle problemas a las personas con ciertas enfermedades, como por ejemplo, asma, glaucoma, epilepsia o próstata agrandada. También pueden reaccionar con ciertas medicinas, como algunos antidepresivos, sedantes y tranquilizantes. Lea el paquete con cuidado y pídale a su médico o a su farmacéutico que le ayude a escoger un antihistamínico que no le vaya a causar problemas.
- Puede que los antihistamínicos le den sueño, pero a medida que los use más, se les irá quitando ese efecto. Si después de una semana le siguen produciendo mucho sueño o no le ayudan a controlar sus alergias, llame a su médico y pregúntele qué le aconseja.
- Hay antihistamínicos que no dan sueño. Se compran sólo con receta médica y son más peligrosos.

Productos abultantes y laxantes

Hay dos tipos de productos para aliviar o evitar el estreñimiento.

Los productos como el salvado de trigo (*bran*, en inglés) y zaragatona (*psyllium*, en inglés) no son laxantes, pero ayudan a aliviar el estreñimiento porque **abultan y ablandan** el excremento para que salga más fácilmente. El uso regular de estos productos no es peligroso, e incluso los hace más eficaces.

Los **laxantes** (como Correctol, Ex-Lax, Senokot, Dulcolax) estimulan los intestinos para que pasen el excremento más rápidamente. No se recomienda usar laxantes regularmente.

Hay muchas otras formas de curar el estreñimiento, como por ejemplo, tomando más agua. Vea la página 70.

Precauciones con los laxantes

- Tome cualquier laxante o producto abultante con mucha agua u otros líquidos.
- No tome laxantes regularmente. El uso excesivo de los laxantes debilita el intestino grueso, lo que causa que la persona tenga que usar el laxante cada vez más. Si usted necesita tomar algo para obrar con regularidad, use un producto abultante (vea la sección anterior).
- El uso regular de ciertos laxantes (como Correctol, Ex-Lax, Feen-a-Mint) puede hacer que el cuerpo no absorba bien la vitamina D y el calcio, lo cual, a su vez, puede debilitar los huesos.

Analgésicos o calmantes para el dolor

Existen muchos tipos de calmantes para el dolor. La mayoría de ellos contienen aspirina, ibuprofen o acetaminofeno. Estos tres componentes, así como el ketoprofen (Orudis) y el naproxen (Aleve), alivian el dolor y bajan la fiebre. La aspirina, el ibuprofen, el ketoprofen y el naproxen también sirven para calmar la inflamación. Los productos de marcas genéricas tienen el mismo contenido químico que los de marcas conocidas, con frecuencia cuestan menos y por lo general funcionan igual de bien.

La **aspirina** se usa mucho para aliviar el dolor y bajar la fiebre en los adultos. También alivia las comezones leves y reduce la hinchazón y la inflamación. La mayoría de las pastillas de aspirina contienen 325 mg.

Aunque la aspirina nos parece conocida y segura, es una medicina muy potente.

Precauciones con la aspirina

- Los envenenamientos en niños se deben más a la aspirina que a ninguna otra medicina. Guarde todas las aspirinas fuera del alcance de los niños, sobre todo las aspirinas para bebé.
- La aspirina puede irritar el estómago, y causar hemorragias o úlceras. Si la aspirina le cae mal en el estómago, pruebe una marca de pastillas cubiertas con una sustancia que proteja el estómago, como Ecotrin. Hable con su doctor o farmacéutico para encontrar la marca que sea mejor para usted.
- La aspirina aumenta el riesgo en los niños de contraer el síndrome de Reye. No les dé aspirina a los niños y jóvenes menores de 20 años de edad, a menos que se lo recomiende un doctor.
- Algunas personas son alérgicas a la aspirina. (También pueden ser alérgicas al ibuprofen.)
- Tire la aspirina a la basura si empieza a oler a vinagre.
- No tome aspirina si sufre de gota o si toma anticoagulantes.
- No tome aspirina para curarse los malestares después de una borrachera. La aspirina tomada junto con el alcohol puede irritar el estómago.
- Si toma dosis muy grandes, se puede envenenar con la aspirina. Deje de tomar aspirina y llame a un profesional de la salud si le da alguno de los siguientes síntomas de envenenamiento:
  - Zumbido en los oídos
  - Problemas de la vista
  - Náusea
  - Mareos
  - Respiración rápida y profunda

Otros usos de la aspirina

Además de aliviar el dolor y la inflamación, la aspirina sirve para tratar muchos otros problemas de salud. Sin embargo, dado a que la aspirina puede tener efectos secundarios y reaccionar con otros tratamientos, **no se debe usar para los siguientes problemas sin la atención de su médico.**

- **Ataques al corazón y derrames cerebrales:** Dosis bajas de aspirina tomadas con regularidad ayudan a prevenir ataques al corazón y derrames cerebrales en personas que corren un alto riesgo de padecerlos. Se ha comprobado que puede ser eficaz una dosis de tan solo 30 mg. al día. La aspirina también puede ser una medida de primeros auxilios para un ataque al corazón. Una media tableta masticada puede ayudar.
- **Cáncer del colon y del estómago:** Algunas investigaciones han demostrado que una aspirina al día puede reducir el riesgo de cánceres del sistema digestivo.
- **Jaquecas o migrañas:** Una pequeña dosis de aspirina tomada regularmente puede hacer que las jaquecas den con menos frecuencia.

Otros calmantes para el dolor

El **ibuprofen** (como Advil y Nuprin), el **ketoprofen** (Orudis) y el **naproxen** (Aleve) son otras medicinas antiinflamatorias sin esteroides. Al igual que la aspirina, estos medicamentos alivian el dolor y bajan la fiebre y la inflamación. Y también al igual que la aspirina, pueden producir náusea, irritación del estómago y acidez. Si una persona que toma anticoagulantes usa ibuprofen o naproxen, debe hacerlo con precaución.

Si usa el ibuprofen en forma líquida, tome las dosis indicadas en la etiqueta. Si usa tabletas, la dosis es una o dos tabletas de 200 mg., tres veces al día, para los adultos y los niños mayores de 12 años de edad. Si usa el ketoprofen o el naproxen, siga las instrucciones del envase.

El **acetaminofeno** (como el Tylenol) baja la fiebre y alivia el dolor. No sirve para bajar la inflamación, como la aspirina y el ibuprofen, pero tampoco causa malestar del estómago ni otros efectos secundarios.

Si usa acetaminofeno líquido, tome la dosis indicada en la etiqueta. Si usa las tabletas, tómelas cada cuatro horas, según las necesite. La dosis depende del peso de la persona:

- 12 libras (5 kilos) o menos: consulte a su médico.
- 13 a 23 libras (6 a 10 kilos): 60 a 80 mg.
- 24 a 35 libras (11 a 15 kilos): 160 mg.
- 36 a 47 libras (16 a 21 kilos): 240 mg.
- 48 a 59 libras (22 a 26 kilos): 320 mg.
- 60 a 71 libras (27 a 32 kilos): 400 mg.
- 72 a 95 libras (33 a 43 kilos): 480 mg.
- Adultos: 500 a 1000 mg. (un máximo de 4000 mg. al día)

Mire la etiqueta para saber cuántos miligramos hay en cada pastilla y no tome más de la dosis indicada. Las personas que toman más de tres bebidas alcohólicas al día deben hablar con su doctor acerca del uso del acetaminofeno. El uso excesivo de acetaminofeno puede empeorar el daño al hígado producido por el alcohol.

Jarabe de ipecacuana

El jarabe de ipecacuana es un remedio que se usa para provocar vómitos cuando alguien ha tomado un veneno.

En la mayoría de los casos de envenenamiento, lo mejor es sacar el veneno del estómago de la víctima lo más pronto posible. El jarabe de ipecacuana es muy eficaz para esto.

Sin embargo, no hay que provocar vómitos en todos los casos. *No use* jarabe de ipecacuana si la persona se ha tragado cualquiera de estas sustancias:

- Sustancias alcalinas como la lejía, los detergentes de lavaplatos y los líquidos para limpiar.
- Productos de petróleo como el kerosén, la gasolina, los productos para pulir muebles, las pinturas de aceite u óleo, etc. Dé agua para diluir el veneno, pero no haga que la persona vomite.

Para todo caso de envenenamiento, llame de inmediato a su doctor, departamento de emergencia, o centro de control para los envenenamientos.

Dosis para el jarabe de ipecacuana

No les dé ipecacuana a los niños menores de un año de edad. A los niños mayores de un año, deles 1 cucharada. Inmediatamente después, deles por lo menos 12 onzas de agua (como taza y media). Esto es muy necesario para provocar el vómito. Trate de mantener a la persona caminando.

Venenos

NO provoque el vómito si la persona se ha envenenado con:

- Detergente para lavaplatos
- Gasolina, kerosén, nafta
- Drano (limpiador de cañerías)
- Limpiador de horno
- Pinturas de óleo o de aceite
- Productos para pulir muebles
- Líquidos para limpiar
- Anticongelante para autos

Provoque el vómito si se ha envenenado con:

- Jabón líquido para lavar platos
- Alimento para plantas
- Aspirina u otras medicinas
- Tinta
- Acetona o quitaesmalte para uñas
- Veneno para ratas

Si la persona no vomita en 20 minutos, vuelva a darle la misma dosis de ipecacuana y agua. Repita sólo una vez. Cuando la persona vomite, haga que se acueste de lado, con la boca más abajo que el pecho, para que el vómito no le vaya a entrar por las vías del aire. Si la persona se agacha sobre el excusado (inodoro), asegúrese de que tenga el pecho más abajo que el estómago.

El jarabe de ipecacuana produce vómitos muy violentos. Por eso no debe usarse en las siguientes situaciones:

- Si la víctima tiene más de cinco meses de embarazo.
- Si la persona ha padecido de enfermedades del corazón.
- Si la víctima es un bebé menor de 12 meses de edad.
- Si es posible que la persona se atragante con el vómito o lo aspire (de modo que le llegue a los pulmones):
  - Personas mayores de 65 años de edad
  - Personas que han tomado Valium o cualquier otra medicina que pueda causarles la pérdida del conocimiento
  - Personas que están borrachas
  - Personas que tienen mucho sueño

Tenga a la mano un envase de jarabe de ipecacuana y reemplácelo cada cinco años si no lo usa. Una vez abierto, usted podrá usarlo durante un año.

Medicinas de receta

Hay miles de medicinas de receta que se usan para tratar cientos de problemas diferentes. Su médico y su farmacéutico son las mejores fuentes de información sobre sus medicinas recetadas.

Existe mucha información sobre cada tipo de medicina recetada. Aquí sólo hablamos de dos tipos comunes de medicamentos: los antibióticos y los tranquilizantes leves y pastillas para dormir.

Antibióticos

Los antibióticos son medicinas de receta que matan a las bacterias. Estas medicinas sólo son eficaces contra las bacterias y no tienen ningún efecto contra los virus. Los antibióticos no curan el catarro, la gripe ni ningún otro tipo de enfermedad viral. A menos que tenga una infección causada por bacterias, es mejor que no tome antibióticos, ya que éstos a veces producen malas reacciones, incluyendo:

- **Efectos secundarios,** incluyendo las **reacciones alérgicas.** Algunos de los efectos secundarios comunes de los antibióticos son: náuseas, diarrea y un aumento en la sensibilidad a la luz del sol. La mayoría de los efectos secundarios son leves, pero algunos pueden ser graves. Por ejemplo, una reacción alérgica puede incluso causar la muerte. Si usted tiene una reacción inesperada a un antibiótico, avísele a su médico antes de que le recete otro.
- **Infecciones secundarias.** Los antibióticos matan a casi todas las bacterias que son sensibles a ellos, incluyendo las bacterias que ayudan al cuerpo. Si el cuerpo pierde las "buenas" bacterias que necesita, la persona puede tener malestares del estómago, diarrea, infecciones vaginales u otros problemas.
- **Resistencia a los antibióticos.** Las bacterias se vuelven resistentes a los antibióticos que se usan con frecuencia, sobre todo si sólo se toma una parte de la dosis recetada. Esto hace que las bacterias más fuertes sobrevivan y se reproduzcan. Muchas bacterias comunes se han desarrollado variedades resistentes a los antibióticos, las cuales son muy difíciles de curar.

Cuando usted y su profesional de la salud decidan que necesita usar un antibiótico, siga las instrucciones con cuidado:

- Tome toda la dosis por el número de días que se le recete, a menos que le den efectos secundarios inesperados (si le sucede eso, llame a su profesional de la salud). Los antibióticos matan bastante rápido a muchas bacterias, así que quizás usted se sienta mejor en unos cuantos días. No obstante, si deja de tomar la medicina antes de lo debido, las bacterias más débiles habrán muerto, pero quizás las más fuertes sobrevivan y se reproduzcan de nuevo.

Guías para el uso de medicinas

He aquí algunos consejos básicos para tomar medicinas de todo tipo:

- Use medicinas sólo si no le ayudan otros métodos y tratamientos.
- Conozca las ventajas y los efectos secundarios de una medicina antes de tomarla.
- Use la dosis más pequeña que le haga efecto.
- Nunca tome una medicina que haya sido recetada para otra persona.
- Siga al pie de la letra las instrucciones de la medicina o avísele a su doctor por qué no lo hizo.
- Guarde las medicinas en sus envases originales, con las tapas bien cerradas y en el lugar indicado en las instrucciones.
- No tome medicinas delante de los niños pequeños, porque ellos imitan todo lo que ven. No exagere lo "rico" que saben las medicinas para niños. Guarde las vitaminas para niños fuera del alcance de los niños.

- Asegúrese de que entienda cualquier instrucción especial sobre cómo tomar la medicina. Este tipo de instrucciones debe aparecer en la etiqueta, pero confírmelo con su doctor y su farmacéutico.
- Guarde los antibióticos en un lugar fresco y seco. Fíjese bien si necesitan refrigerarse.
- Nunca le dé a nadie un antibiótico que haya sido recetado para otra persona.
- No tome un antibiótico que le hayan recetado para otra enfermedad sin consultar primero a un profesional de la salud.

Tranquilizantes leves y pastillas para dormir

Los tranquilizantes leves como el Valium, Librium, Xanax y Tranxene; y las pastillas para dormir como el Dalmane, Restoril y Ambien se recetan bastante. Sin embargo, eso no quiere decir que no causen problemas. Algunos de sus efectos son la pérdida de la memoria, el enviciamiento y la torpeza, que a su vez puede hacer que la persona se caiga y se lastime.

Los tranquilizantes leves pueden ser eficaces por temporadas cortas. Pero su uso a largo plazo es peligroso debido a la posibilidad de enviciamiento y deterioro mental. Además su utilidad es dudable.

Las pastillas para dormir pueden ayudar por unos cuantos días o inclusive por unas cuantas semanas, pero su uso por más de un mes muchas veces causa más problemas de los que resuelve. Para otros métodos, vea la página 319.

Si usted ha estado tomando tranquilizantes leves o pastillas para dormir por algún tiempo, pregúntele a su doctor si le convendría dejar de usarlas o tomar menos. Avísele sin falta si estas medicinas le han causado torpeza, mareos o pérdida de la memoria.

Problemas con las medicinas

Las medicinas pueden causar malas reacciones de diferentes tipos.

Efectos secundarios: Reacciones esperadas pero molestas a una medicina. Por lo general son leves, pero pueden ser graves.

Alergias: Algunas personas tienen reacciones muy fuertes, a veces de vida o muerte a ciertas medicinas (choque alérgico). Para las señas de una reacción alérgica, vea la página 129.

Reacciones entre medicinas: Éstas suceden cuando dos o más medicinas compradas con o sin receta se mezclan en el cuerpo y causan una mala reacción. Los síntomas pueden ser graves y, a veces, se puede pensar por error que se deben a una nueva enfermedad.

Reacciones con alimentos: Suceden cuando las medicinas reaccionan con los alimentos. Algunas medicinas son más eficaces cuando se toman con alimentos, pero otras deben tomarse con el estómago vacío. Algunas reacciones entre medicinas y alimentos pueden causar síntomas graves.

Sobredosis de medicinas: La dosis completa de una medicina para un adulto puede ser más de lo que necesita una persona que no pesa mucho o que es mayor de 60 años. Es muy peligroso tomar una dosis demasiado grande de una medicina.

Adicción: Si se toman a largo plazo algunas medicinas pueden ser enviciantes y pueden producir reacciones agudas si la persona deja de tomarlas repentinamente. Los narcóticos, los tranquilizantes y los barbitúricos deben usarse con precaución para evitar enviciarse. Vea la página 309.

Reacciones negativas a las medicinas

Los efectos secundarios, las reacciones entre dos o más medicinas o entre una medicina y un alimento, el uso excesivo de medicinas y el enviciamiento pueden causar:

- Náusea, indigestión o vómito
- Estreñimiento, diarrea, incontinencia (no poder controlar la orina) o dificultades para orinar
- Resequedad de la boca
- Dolor de cabeza, mareo, zumbido en los oídos o visión borrosa
- Confusión, olvidos, desorientación o extravío, sueño o depresión
- Dificultades para dormir, irritabilidad o nerviosismo
- Dificultades para respirar
- Salpullido (ronchas), moretones y hemorragias

No suponga que cualquier síntoma es un efecto secundario normal que usted tiene que aguantar. Llame a su médico o a su farmacéutico siempre que sospeche que una medicina le está cayendo mal o lo está enfermando.

Cómo ahorrar dinero en la compra de medicamentos

Los medicamentos, ya sean de receta o no, pueden ser muy caros. He aquí algunas sugerencias que le ayudarán a ahorrar en la compra de medicinas:

- Compre los productos genéricos de las medicinas sin receta. Tienen el mismo contenido químico que las medicinas de marcas conocidas, pero generalmente cuestan menos. Pregunte a su médico si los medicamentos que le ha recetado están disponibles como productos genéricos y si éstos son indicados para usted.
- Compare los precios de las medicinas en diferentes farmacias, ya que a veces existen grandes diferencias. Sin embargo, si ya conoce a un farmacéutico y le tiene confianza, quizás valga la pena pagar un poco más por comprar en su farmacia.
- Pida a su médico que le dé muestras de las medicinas que le recete por primera vez, o pida al farmacéutico que le dé sólo el medicamento necesario para la primera semana. De esta manera, si le cambian el medicamento más tarde, usted no habrá pagado el costo de la receta completa.
- Si usa un medicamento caro regularmente, quizás sea buena idea comprarlo por medio de una farmacia por correo que cobre menos. La única desventaja de este método es que usted no conocerá al farmacéutico de su área.

Pruebas médicas que se pueden hacer en casa

Hoy en día, se pueden comprar paquetes para hacer muchas de las pruebas de laboratorio comunes en casa. Estas pruebas, cuando se combinan con consultas regulares con su profesional de la salud, pueden ayudarle a mantenerse al tanto de su salud y, en algunos casos, a detectar problemas cuando apenas estén empezando.

Las pruebas médicas diseñadas para usarse en casa necesitan ser muy exactas (menos del cinco por ciento de resultados erróneos) para que las apruebe la oficina de Administración de Alimentos y Medicinas (*FDA*, en inglés). Sin embargo, para que estas pruebas den resultados exactos, hay que usarlas correctamente. Siga las instrucciones del paquete al pie de la letra. Si tiene preguntas o dudas, consulte a su farmacéutico o busque en la etiqueta el número de teléfono de la compañía para llamar sin cargo (por lo general, el número empieza con 1-800).

Las pruebas médicas que se usan en casa pueden ser especialmente útiles si usted tiene un problema crónico que necesita revisarse con frecuencia, como diabetes, asma o presión alta de la sangre. Pregúntele a su doctor qué pruebas le recomendaría que se hiciera en casa. A continuación describimos algunas de las pruebas más comunes.

Chequeos en casa del azúcar en la sangre

Si usted tiene diabetes, puede ser que ya se revise en casa el azúcar en la sangre, usando una lanceta para picarse el dedo y una tirita para hacer la prueba o un monitor electrónico.

Esta prueba siempre debe usarse bajo la supervisión de un médico. Nunca ajuste su dosis de insulina en base a una sola prueba anormal, a menos que su doctor se lo haya aconsejado específicamente.

Botiquín de medicinas

Si revisa el cajón donde guarda sus medicinas, es probable que encuentre los rastros de las enfermedades que haya tenido años atrás. Tomando en cuenta que usted no debe darle a nadie un antibiótico recetado para otra persona y que las medicinas pierden sus efectos después de años, tire a la basura cualquier medicina que:

- Le recetaron para una enfermedad en particular que ya no tiene.
- Haya caducado (busque en la etiqueta la fecha de caducidad).
- No tenga etiqueta.

Consulte a su médico si le dan síntomas de tener un nivel anormal de azúcar en la sangre, aunque su prueba sea normal. Vea la página 232.

Chequeo en casa de la presión de la sangre

Si tiene la presión alta, es importante que se la revise con frecuencia. Usted puede hacerlo fácilmente en casa si alguien le enseña cómo.

Revisándose la presión en casa, cuando usted esté tranquilo, podrá notar cualquier cambio que se deba a los tratamientos que siga usted en casa y a las medicinas que tome.

- No cambie las dosis de sus medicinas en base a las lecturas de presión que se haga en casa, sin antes consultar a su médico.
- Revísese la presión a diferentes horas durante el día, para ver cómo le afectan el reposo y las actividades. Además, para que

tenga lecturas regulares que pueda comparar, tómese la presión a la misma hora del día, todos los días. Por lo general, la presión de la sangre está a su nivel más bajo en la mañana y sube durante el día.

- Para obtener la lectura más exacta que sea posible, siéntese tranquilo por cinco minutos antes de tomarse la presión.
- Una vez al año, calibre el aparato para tomar la presión comparándolo con el aparato en el consultorio de su médico.

Pruebas que se usan en casa para detectar sangre en el excremento

Esta prueba se hace porque la sangre en el excremento puede ser una de las señas del cáncer del colon o de otros problemas. La desventaja es que esta prueba no es muy exacta y puede dar resultados equivocados. Si necesita hacerse una prueba que detecte el cáncer del colon, su doctor le puede recomendar una prueba más exacta llamada sigmoidoscopia flexible. Vea la página 20.

Pruebas de embarazo que se usan en casa

Este tipo de pruebas son confiables y requieren sólo de algunos pasos. Siga las instrucciones del paquete y avísele a su doctor si la prueba indica que está embarazada. Vea la página 245.

Expedientes médicos caseros

Es buena idea que guarde usted en casa un expediente médico para todos los miembros de su familia. Usted puede apuntar la información en una carpeta o en un cuaderno que pueda dividir en secciones: una para cada miembro de su familia. Apunte en la primera hoja de cada sección, la siguiente información para cada miembro de su familia:

- Condiciones crónicas que le hayan diagnosticado: artritis, asma, diabetes, presión alta, etc.
- Cualquier alergia que tenga a medicinas, alimentos o insectos.
- Información que sería importante en una emergencia: ¿Tiene la persona un marcapasos, un audífono (aparatito para oír), diabetes, epilepsia, o es la persona sorda o ciega?
- El nombre y el número de teléfono de su médico principal.

Otros datos importantes que se deben incluir en otras hojas:

- Una lista al día de sus medicinas. Anote el nombre y la dosis de la medicina, las instrucciones, por qué la toma, el nombre del doctor y la fecha en que fue recetada.
- Registros de vacunas: vacunas infantiles, tétano, gripe (influenza) y pulmonía.
- Resultados de diferentes pruebas: presión de la sangre, colesterol, condición de la vista y de la audición (qué tan bien oye).
- Datos sobre todas las enfermedades y lesiones importantes, como pulmonía, bronquitis, fracturas (huesos rotos) o infecciones graves.
- Datos sobre cualquier operación o estancia en el hospital.
- Una lista de todas las enfermedades importantes que hayan tenido en su familia: problemas o enfermedades del corazón, derrame cerebral, cáncer, diabetes, etc.

Índice (español - inglés)

Este manual tiene dos índices (o sea, dos listas de temas). El primer índice incluye todos los temas del libro en orden alfabético. Junto a cada tema aparece su nombre en inglés y también los números de las páginas donde se puede encontrar información acerca del tema.

El segundo índice es igual al primero, excepto que la lista aparece en inglés, con los nombres en español en paréntesis. Este índice es principalmente para ayudar a que los proveedores que no hablan español puedan asistirle a usted a encontrar información en este manual.

A

Abdominal, dolor (*Abdominal pain*)
entre comidas y por la noche (*between meals and at night*), 84
con fiebre (*with fever*), 69
con hinchazón (*with bloating*), 79
en la parte baja derecha del abdomen (*in lower right abdomen*), 69
Abdominales, problemas (*Abdominal problems*)
acidez (agruras o indigestión) (*heartburn or indigestion*), 75
almorranas (*hemorrhoids*), 76
apendicitis (*appendicitis*), 69
calambres de la regla (*menstrual cramps*), 252
cólicos (*colic*), 217
constipación (*constipation*), 70
contusiones abdominales (*blunt abdominal wounds*), 30
cuadro (*chart*), 68
desaldillados (*hernias*), 77
deshidratación (*dehydration*), 72
diarrea (*diarrhea*), 74
diarrea en los niños (*diarrhea in children*), 221
envenenamiento (intoxicación) con alimentos (*food poisoning*), 82
estreñimiento (*constipation*), 70
hemorroides o almorranas (*hemorrhoids*), 76
hernias o desaldillados (*hernias*), 77
infecciones de las vías urinarias (*urinary tract infection*), 256
infecciones intestinales (*stomach flu*), 82
infecciones intestinales en los niños (*stomach flu, in children*), 221
intoxicación con alimentos (*food poisoning*), 82
náusea (*nausea*), 80
oxiuros o lombrices intestinales (*pinworms*), 227
pérdida del control para orinar (*urinary incontinence*), 85
síndrome del intestino delicado (*irritable bowel syndrome*), 78
tieso o sensible (*rigid or tender*), 30
úlceras (*ulcers*), 84
vómitos (*vomiting*), 80
vómitos en los niños (*vomiting, in children*), 221
Abeja, piquetes de (*Bee stings*), 47
Abrasiones o raspones (*Abrasions or scrapes*), 59
Abuso (*Abuse*)
del alcohol o de las drogas (*drug or alcohol*), 309
físico o emocional (*physical or emotional*), 321
sexual (*sexual*), 321
Acetaminofeno (*Acetaminophen*), 338
Acidez o indigestión (*Heartburn or indigestion*), 75
Acné (*Acne*), 191
Adenoidectomía (*Adenoidectomy*), 154
Adenoiditis (*Adenoiditis*), 153
Adicción (*Addiction*), 342
Adrenalina, jeringa de (*Epinephrine kit*)
para alergias (*for allergies*), 129
para piquetes de abeja (*for bee stings*), 49
Advil, 337
Aeróbicos, ejercicios (*Aerobic exercise*), 282
Afirmaciones (*Affirmations*), 323
Aflicción (*Grief*), 317
Agotamiento por calor (*Heat exhaustion*), 44
Agrandamiento de la próstata, no causado por cáncer (*Benign prostatic hypertrophy*), 268

Agruras (*Heartburn*), 75
Agua (*Water*), 297
Agua en el oído, cómo sacar (*Water in the ear, how to remove*), 170
Aguamala, piquete de (*Jellyfish sting*), 49
Ahogo, vea Respiración de boca a boca (*Drowning, see Rescue breathing*), 55
Al-Anon, 312
Alcohol, problemas con el (*Alcohol problems*), 309
Alcohol, uso moderado del (*Alcohol, moderate use of*), 310
Alcohólicos Anónimos (*Alcoholics Anonymous*), 308, 311
Alergias (*Allergies*), 127
  a alimentos (*food*), 306
  amamantamiento y (*breast-feeding and*), 129
  anafilaxis (*anaphylaxis*), 129
  antihistamínicos y (*antihistamines and*), 335
  asma y (*asthma and*), 132
  eczema y (*eczema and*), 193
  inmunoterapia (*immunotherapy*), 130
  inyecciones contra las (*shots*), 130
  jeringa de adrenalina para (*epinephrine kit*), 129
  a leche (*milk*), 302
  a medicinas (*to medications*), 341
  a piquetes de insectos y (*insect stings and*), 47
  salpullidos y (*rashes and*), 204
  urticaria, ronchas con comezón y (*hives and*), 201
Alérgica, reacción (*Allergic reaction*), 48, 129
Aleve, 337
Algodoncillo (*Yeast infection*), 200
Aliento, mal (*Bad breath*), 182
Alimentación, guía para la buena (*Nutrition guidelines*), 295
Alimentación, trastornos de la (*Eating disorders*), 317
Alimentos, alergias a (*Food allergies*), 306
Alimentos, envenenamiento con (*Food poisoning*), 82
Alimentos, manejo de, para prevenir intoxicación (*Food handling, to prevent food poisoning*), 82
Alka-Mints, 332
Alka-Seltzer, 332
Almorranas (*Hemorrhoids*), 76
Alpha-Keri, 48
Alquitrán, productos con, para la psoriasis (*Tar products, for psoriasis*), 199
Amamantamiento o dando pecho (*Breast-feeding*), 210
Ambulancia, servicios de, razones para llamar (*Ambulance services, reasons to call*), 11
Amígdalas o "anginas" (*Tonsils*)
  capa que cubre las (*coating on*), 150, 152
  lugar donde están las (*location of*), 153
Amigdalectomía (*Tonsillectomy*), 154
Amigdalitis (*Tonsillitis*), 153
Amosan, 181
Amphojel, 332
Ampollas (*Blisters*), 194
  dentro de la boca (*inside mouth*), 181
  congelación de la piel y (*frostbite and*), 41, 42
  en los genitales (*on genitals*), 274
  en el labio o la boca (*on lip or mouth*), 182
  quemaduras y (*burns and*), 32
Anafilaxis (*Anaphylaxis*), 129
Ana-Kit, 129
Analgésicos (*Pain relievers*), 336
Anbesol, 181
Anemia debida a falta de hierro (*Anemia*), 304
Angina de pecho (*Angina*), 138
Anginas (*Tonsils*), 153
Angustia (*Anxiety*), 287, 313
  crisis de (*panic attack*), 314
Anillo, cómo quitarse un (*Ring, removing*), 121
Animales, mordidas de (*Animal bites*), 28
Ano, vea Recto (*Anus, see Rectal*)
Anorexia (*Anorexia*), 318
Ansiedad (*Anxiety*), 313
  hiperventilación y (*hyperventilation and*), 45
Antiácidos (*Antacids*), 332
  acidez y (*heartburn and*), 76
  úlceras y (*ulcers and*), 84
Antibióticas, pomadas (*Antibiotic ointments*), 331
Antibióticos (*Antibiotics*), 339
  diarrea y (*diarrhea and*), 74
  efectos secundarios de los (*side effects of*), 340
  guía de uso (*guidelines for use*), 340, 341
  infecciones por bacterias y (*bacterial infections and*), 136
  infecciones repetidas de los oídos y (*recurrent ear infections and*), 168
  infecciones vaginales y (*vaginal infections and*), 259, 340
  náusea y vómitos y (*nausea and vomiting and*), 80

Anticonceptivas, píldoras (*Birth control pills*), 272, 273
acné y (*acne and*), 191
jaquecas y (*migraines and*), 177
presión alta de la sangre y (*high blood pressure and*), 237
reglas irregulares y (*irregular periods and*), 248, 253
sangrado entre reglas y (*bleeding between periods and*), 248
Anticonceptivos, métodos (*Birth control*), 271, 273, 274
cuadro (*chart*), 272
de emergencia (*emergency*), 273
durante la menopausia (*during menopause*), 249
Antidiarreicos (*Antidiarrheals*), 333
Antihistamínicos (*Antihistamines*), 335
para la comezón (*for itching*), 198
Antiinflamatorios (*Anti-inflammatories*), 336, 337
acidez y (*heartburn and*), 76
presión alta de la sangre y (*high blood pressure and*), 237
úlceras y (*ulcers and*), 84
Anzuelo, cómo quitar un (*Fishhook removal*), 40
Apendicitis (*Appendicitis*), 69
Aquiles, inflamación del tendón de (*Achilles tendinitis*), 110
Arañas, piquetes de (*Spider bites*), 47
Artificiales, lágrimas (*Artificial tears*), 160
Artritis (*Arthritis*), 103
dolor de quijada y (*jaw pain and*), 188
problemas de espalda y (*back problems and*), 89
tipos de (*types of*), 104
Asientos de seguridad para niños (*Child car seats*), 43, 210
Asma (*Asthma*), 132
inhaladores para el (*inhalers for*), 133, 134
Aspirina (*Aspirin*), 336
moretones y (*bruises and*), 31
sangrados de la nariz y (*nosebleeds and*), 50
tinnitus o zumbido en los oídos y (*tinnitus and*), 169, 337
úlceras y (*ulcers and*), 84
Astillas, cómo sacar (*Splinters, removing*), 60
Ataque al corazón (*Heart attack*), 26, 138, 139
Atleta, pie de (*Athlete's foot*), 199
Atora en algo, parte del cuerpo se, qué hacer si una (*Trapped limbs, freeing*), 41
Atragantamiento (*Choking*), 34
maniobra de Heimlich (*Heimlich maneuver*), 35
prevención (*prevention*), 35
primeros auxilios para el (*first aid for*), 35
Avena (*Aveeno Colloidal*), 198
Avispa, piquetes de (*Wasp stings*), 47
Axilar, cómo tomar la temperatura (*Axillary temperature, how to take*), 22
Azúcar (*Sugar*), 297
en la sangre (*in the blood*), 231, 343
"Azúcares" artificiales, o dulcificantes (*Artificial sweeteners*), 297

B

Babeo, mucho (*Drooling, excessive*), 151
Bacitracin, 331
Bacteriana, vaginosis (*Bacterial vaginosis*), 258
Bacterias, infecciones por (*Bacterial infections*), 135
Barriga, dolor en la, vea Abdominales, problemas (*Stomach cramps, see Abdominal problems*)
durante ejercicios (*during exercise*), 115
Bebés, vea Niños, la salud de los (*Babies, see Infant and child health*)
Benadryl, 331
Benzoílo, peróxido de (*Benzoyl peroxide*), 193
Berrinches o rabietas (*Temper tantrums*), 212
Betadine, 226
Blistex, 183
Boca, problemas de la, vea también Dientes, problemas de los (*Mouth problems, also see Dental Problems*)
capa blanca en las mejillas (*white coating on cheeks*), 200
cuadro (*chart*), 182
encías que sangran (*bleeding gums*), 184, 187
líquido agrio o amargo en la (*sour or bitter fluid in*), 75
llagas de fiebre (*fever blisters*), 182
llagas raras (*unusual sores*), 182, 278
llaguitas o fuegos (*canker sores*), 181
mal aliento (*bad breath*), 182
moniliasis o algodoncillo (*thrush*), 200
"Bochornos" (*Hot flashes*), 249
Borrosa, visión, con dificultad al tragar (*Blurred vision, with difficulty swallowing*), 83
Botulismo (*Botulism*), 82
Bromo-Seltzer, 332
Bronquitis (*Bronchitis*), 136

Buena condición física, vea también Ejercicio (*Fitness, also see Exercise*), 281
metas, cómo fijar (*setting goals*), 286
plan personal para estar en forma (*personal fitness plan*), 282
"Buen Samaritano," ley del (*Good Samaritan law*), 28
Bulimia (*Bulimia*), 318
Bultos o bolitas (*Lumps*)
en el ano (*on anus*), 76
en el escroto o testículos (*in scrotum or on testes*), 265
en la ingle o escroto (*in groin or scrotum*), 78, 265
en el seno (*in breast*), 240, 242
Bursitis (*Bursitis*), 107

C

"Caballo, dolor de", vea Calambres musculares (*Charley horse, see Muscle cramps*), 114
Cabeza, dolor de (*Headache*)
cafeína y (*caffeine and*), 178
cómo llevar un registro de sus dolores de cabeza (*tracking symptoms*), 177
con debilidad, entumecimiento, problemas del habla o de la visión en un lado (*with one-sided weakness, numbness, speech or vision problems*), 173
dolor de cuello y (*neck pain and*), 98, 146, 178
dolor de quijada y (*jaw pain and*), 178, 188
dolor en la cara y (*facial pain and*), 148, 149
encefalitis y (*encephalitis and*), 146
fiebre, cuello tieso, vómitos y (*fever, stiff neck, vomiting and*), 146
golpes o heridas en la cabeza y (*head injuries and*), 44
jaquecas o migrañas (*migraines*), 176
en un lado (*one-sided*), 176
meningitis y (*meningitis and*), 146
en niños (*in children*), 175
posibles causas (cuadro) (*possible causes*), 174
con problemas de la visión (*with visual disturbances*), 173, 176
repentino y fuerte (*sudden and severe*), 173, 176
repetitivos (*recurring*), 176
síntomas de emergencia (*emergency symptoms*), 173
tensión y (*tension and*), 178
vómitos y (*vomiting and*), 146, 176
Cabeza, golpes o heridas en la (*Head injuries*), 42
Cabeza, piojos en la (*Head lice*), 203
Cabeza, tiña de la (*Ringworm*), 199
Cadera, dolor de (*Hip pain*), 110
vea también Artritis (*also see Arthritis*), 103
Cafeína (*Caffeine*), 296
Cafeína, dolores de cabeza por falta de (*Caffeine withdrawal, headaches and*), 178
Calambres (*Cramps*)
de la barriga (*stomach*), 78, 82, 115
con ejercicio (*with exercise*), 114, 115
musculares (*muscle*), 114
pierna (*leg*), 114
de la regla (*menstrual*), 252
Calamina, loción de (*Calamine lotion*), 205
Calcio (*Calcium*), 302
osteoporosis y (*osteoporosis and*), 116
Calendario, método anticonceptivo del ritmo (*Calendar method*), 272, 274
Calentura, vea Fiebre (*see Fever*)
Calmantes (*Pain relievers*), 336
Calor, agotamiento por (*Heat exhaustion*), 44
Calor, salpullido por (*Sweat rash*), 228
Calor o bochornos, ataques de (*Hot flashes*), 249
Callos (*Corns and calluses*), 208
Cama, orinarse en la (*Bed-wetting*), 214
Campho-Phenique, 183
Canal externo del oído, infecciones del (*Swimmer's ear*), 166, 170
Cáncer (*Cancer*)
aspirina y el (*aspirin and*), 337
de la cérvix (*cervical*), 243
del intestino grueso (*colon*), 20
de la matriz (*endometrial*), 251
de la piel (*skin*), 206
de la próstata (*prostate*), 269
del recto (*rectum*), 20
del seno (*breast*), 240
de los testículos (*testicular*), 265
tratamiento con hormonas y (*hormone therapy and*), 251
verduras y (*vegetables and*), 294
Cankaid, 181
Capuchón cervical (*Cervical cap*), 272, 273
Cara, dolor de, con fiebre (*Facial pain, with fever*), 148, 149
Cardiólogo (*Cardiologist*), 13
Cardiopulmonar, resucitación, vea RCP (*Cardiopulmonary resuscitation, see CPR*), 55
Caries, vea Picaduras de dientes (*Cavities, see Tooth decay*), 183
Carpo, síndrome del túnel del (*Carpal tunnel syndrome*), 110

Caspa (*Dandruff*), 197
Catarros (resfriados) (*Colds*), 140
  "catarro alérgico" (*hay fever*), 129
  remedios para los (*medications for*), 333
  vértigo y (*vertigo and*), 165
Centígrados, temperaturas equivalentes en grados Fahrenheit y (*Centigrade-Fahrenheit conversion chart*), 21
Cepillando los dientes (*Brushing teeth*), 185
Cera de los oídos (*Earwax*), 168
Cérvix, cáncer de la (*Cervical cancer*), 243, 244
  VHP y (*HPV and*), 275
Cérvix, tapa de hule o capuchón para la (*Cervical cap*), 272, 273
Cesárea, nacimientos por (*Cesarean deliveries*), 247
Chlor-Trimeton, 331
Ciática (*Sciatica*), 89
Cigarro, vea Fumar (*Cigarettes, see Smoking*)
Cintura o de espalda, dolor de (*Low back pain*), 87, 257, 267
Cinturones de seguridad (*Seat belts*), 43
Circuncisión (*Circumcision*), 211
Cirugía (*Surgery*)
  para el agrandamiento de la próstata (*for enlarged prostate*), 268
  amigdalectomía y adenoidectomía (*tonsillectomy and adenoidectomy*), 154
  de la espalda (*back*), 97
  nacimiento por cesárea (*cesarean delivery*), 247
  preguntas que hacer (*questions to ask*), 2, 10
  timpanostomía (*tympanostomy*), 168
  tubitos en los oídos (*ear tubes*), 168
Cistitis (*Cystitis*), 256
Clamidia (*Chlamydia*), 274
Codo, dolor de (*Elbow pain*), 108
Colesterol (*Cholesterol*), 234
  bueno (*HDL*) y malo (*LDL*) (*good and bad*), 235
  cómo reducir el (*how to reduce*), 235
  pruebas, frecuencia de (*tests, frequency of*), 235
Cólicos (*Colic*), 217
Columna, vea también Espalda (*Spine, also see Back*), 87
Comezón (*Itching*), 198
  cuero cabelludo (*scalp*), 197, 199
  genitales (*genitals*), 199, 256, 258, 274
  oídos (*ears*), 170
  recto (*rectal*), 76, 227
Comer muchísimo (*Binge eating*), 318
Comportamiento en los niños (*Temperament, in children*), 212
Compresas frías (*Cold pack*), 123, 327
Compulsión, comer en exceso en modo de (*Compulsive overeating*), 318
Condones (*Condoms*), 272, 273, 278
  enfermedades de transmisión sexual y (*sexually transmitted diseases and*), 276, 278
  el SIDA y (*AIDS and*), 278
Confusión (*Confusion*)
  choque y (*shock and*), 60
  después de un golpe o herida en la cabeza (*following a head injury*), 43, 44
Congelación de la piel (*Frostbite*), 41
Conjuntivitis (*mal de ojo, llorona*) (*Conjunctivitis or pinkeye*), 160
Conmoción (*Shock*), 60
Conocimiento, pérdida del (*Unconsciousness*), 65
Constipación (*Constipation*), 70
Consumidor de servicios médicos, vea Médico, consumidor (*see Medical consumer*)
Contacto, lentes de (*Contact lenses*), 162
Contusiones abdominales (*Blunt abdominal wounds*), 30
Convulsiones por fiebre (*Convulsions, with fever*), 225
Corazón, ataque al (*Heart attack*), 138, 139; vea RCP (*see CPR*), 55
  aspirina y (*aspirin and*), 337
  señales de advertencia (*warning signs*), 26
Corazón, enfermedad del (*Heart disease*)
  aspirina y (*aspirin and*), 337
  ejercicio y (*exercise and*), 286
  factores riesgosos (*risk factors for*), 235
  hábitos de salud de hombres y (*men's health habits and*), 263
  revirtiendo el mal del corazón (*reversing*), 236
  tratamiento con hormonas y (*hormone therapy and*), 251
Corazón, latidos del, vea Pulso (*Heartbeat, also see Pulse*)
  latidos fuertes (*pounding or racing*), 287, 313
  rápidos (*rapid*), 45, 138
Cordón umbilical (*Umbilical cord*), 209
Coricidin, 335
Correctol, 336
Cortadas (*Lacerations or cuts*), 37
Cortaid, 331
Coyuntura, dolor de, vea Huesos, músculos y coyunturas, problemas de los (*Joint pain, see Bone, muscle, and joint problems*)
Crecimiento, dolores de (*Growing pains*), 114

Crup (*Croup*), 219
Cuello, problemas del (*Neck problems*), 98; vea también Lesiones de la médula espinal (*also see Spinal injuries*), 62
  dolor de cabeza debido a la tensión y (*tension headache and*), 178
  dolor de pecho y (*chest pain and*), 138
  dolor de quijada y (*jaw pain and*), 188
  ejercicios para evitar (*exercises to prevent*), 102
Cuello o nuca tiesa (*Stiff neck*), 98
  fiebre y (*fever and*), 146
Cuero cabelludo (*Scalp*)
  manchas pelonas en (*bald spots on*), 199, 204
  seborrea (*cradle cap*), 218
Cuerpo, mecánica del (*Body mechanics*), 91
Cuerpo y mente, conexión entre (*Mind-body connection*), 322
Cuidado propio (*Self-care*)
  instrumentos (*tools*), 327
  materiales (*supplies*), 330
Culebrilla o tiña de la cabeza (*Ringworm*), 199
Culpa (*Guilt*), 325
Curitas de tipo mariposa (*Bandages, butterfly*), 38

CH

Chancro (*Chancre*), 275
Charlatanería (*Quackery*), 13
Chequeos, frecuencia de (*Checkups, frequency of*), 19, 20
Choque alérgico (*Anaphylactic shock*), 129
Choque o conmoción (*Shock*), 60

D

Dairy-Ease, 302
Dar pecho, vea Amamantamiento (*Nursing, see Breast-feeding*), 210
Debilidad (*Weakness*), 124
  en la pierna o pie (*in leg or foot*), 89, 97
Decisiones, participar en la toma de (*Decision-making, shared*), 7
Dedo (*Toe or finger*)
  dedos engarrotados (*hammertoe*), 106
  dolor (*pain*), 104, 106
  hinchazón y dolor en el (*swelling and pain in*), 104, 106
  juanete (*bunion*), 106
  sangre bajo la uña (*nail, blood under*), 29
  trabado (*jammed*), 121
  uñas encarnadas (*nail, ingrown*), 202
Dedo "trabado" (*Turf toe*), 121
DEET, 48, 64
Dejar de fumar, cómo (*Quitting smoking*), 155, 156
Dentista, frecuencia de visitas al (*Dental visits, frequency of*), 185, 186
Depo-Provera, 272
Deportes, lesiones y (*Sports injuries*), 118
Deportistas, bebidas de, deshidratación y (*Sports drinks, dehydration and*), 72
Depresión (*Depression*), 315
Depresión de invierno (*Seasonal affective disorder*), 316
Derechos y responsabilidades como miembro de Kaiser Permanente (*Member rights and responsibilities*), 14
Dermatitis, vea Salpullidos (*Dermatitis, see Rashes*), 204
Dermatólogo (*Dermatologist*), 13
Derrame cerebral (*Stroke*), 26
  aspirina y (*aspirin and*), 337
Desaldillados, vea Hernias (*see Hernias*), 77
Descanso, hielo, compresión y alzamiento para lesiones de las coyunturas (*rest, ice, compression, elevation for joint injuries*), 122
Descongestionantes (*Decongestants*), 333
  presión alta de la sangre y (*high blood pressure and*), 237
Desecho (*Discharge*)
  del oído (*from ear*), 168, 170
  del ojo (*from eye*), 161, 162, 163
  del pene (*from penis*), 265, 274, 275
  del pezón (*from nipple*), 242
  vaginal, anormal (*vaginal, abnormal*), 258, 259, 274, 275
  vaginal, normal (*vaginal, normal*), 243
Desgano (*Lethargy*)
  deshidratación y (*dehydration and*), 74
  con dolor de cabeza, fiebre, cuello o nuca tiesa (*with headache, fever, stiff neck*), 146
  después de un golpe en la cabeza (*following head injury*), 43
Deshidratación (*Dehydration*), 72
  bebidas de rehidratación para la (*rehydration drinks for*), 72
Desitin, 220
Desmayos (*Fainting*), 65
Destellos (ojos) o moscas volantes (*Flashes, eyes*), 161
Diabetes (*Diabetes*), 231
  ejercicio y (*exercise and*), 232, 233, 286
  emergencias de (*emergencies*), 233, 234

Diafragma (*Diaphragm*), 272, 273
Diaparene, 220
Diarrea (*Diarrhea*), 74
antidiarreicos (*antidiarrheals*), 333
deshidratación y (*dehydration and*), 72
con fiebre (*with fever*), 74
negra o como alquitrán (*black or tarry*), 74
en niños (*in children*), 221
persistente (*persistent*), 78, 278
síndrome del intestino delicado y (*irritable bowel syndrome and*), 78
Diastólica, presión, de la sangre (*Diastolic blood pressure*), 24
Dientes, cuidado de los (*Dental care*)
cómo cepillar (*how to brush*), 185
fluoruro (*fluoride*), 185, 187
para niños (*for children*), 186
seda dental (*dental floss*), 185, 186
selladores (*sealants*), 187
tabletas reveladoras (*disclosing tablets*), 185
Dientes, problemas de los, vea también Boca, problemas de la (*Dental problems, also see Mouth problems*)
cómo cepillar (*how to brush*), 185
cuadro (*chart*), 182
dolor de la quijada (*jaw pain*), 187, 188
dolor de muela (*toothache*), 148, 187
encías que sangran (*bleeding gums*), 184, 187
gingivitis (*gingivitis*), 184
pérdida accidental de un diente (*accidental tooth loss*), 28
periodontitis o enfermedad de las encías (*periodontal or gum disease*), 184
picaduras (*tooth decay*), 183
placa (*plaque*), 183
síndrome de la coyuntura temporomandibular o molestias de la quijada (*TMJ syndrome*), 187
Dieta, vea también Nutrición (*Diet, also see Nutrition*)
guía (*guidelines*), 293, 295
para reducir el colesterol (*to lower cholesterol*), 235, 236
para revertir un mal del corazón (*to reverse heart disease*), 236
Dieta en exceso, vea Trastornos de la alimentación (*Dieting, excessive, see Eating disorders*), 317
Dificultad al tragar (*Difficulty swallowing*)
con dolor de garganta (*with sore throat*), 152
con visión borrosa (*with blurred vision*), 83
Difteria, vacuna de la (*Diphtheria vaccine*), 16
Di-Gel, 332
Digestión, problemas de la, vea Abdominales, problemas (*Digestive problems, see Abdominal problems*)
Disciplina en los niños (*Discipline, children*), 212
Disco, lastimadura de, vea Espalda, problemas de (*Disc injury, see Back problems*), 87, 89
DIU (dispositivo intrauterino) (*IUD or intrauterine device*), 248, 253, 272
Doctor (*Doctor*)
asociación con el (*partnership with*), 3
consultas por teléfono (*calling*), 5
encontrando a un médico que esté dispuesto a ser su socio (*finding the right*), 5
hacer decisiones con el (*sharing decisions with*), 7
preguntas para hacer (*questions to ask*), 5, 6
para problemas de la salud mental (*for mental health problems*), 308
tipos de (*types of*), 5, 6, 13
visita, prepararse para una (*preparing for a visit*), 2, 4
visitas, horario recomendado (*recommended schedule for visits*), 19, 20
Dolor (*Pain*)
abdominal, vea Abdominales, problemas (*abdominal, see Abdominal problems*)
de cabeza, vea Cabeza, dolor de (*head, see Headache*), 173
de cadera (*hip*), 110
de codo (*elbow*), 108
de coyuntura, vea Huesos, músculos y coyunturas, problemas de los (*joint, see Bone, muscle, and joint problems*)
de crecimiento (*growing pains*), 114
de cuello, vea Cuello, problemas del (*neck, see Neck problems*), 98
del escroto o ingle (*scrotum or groin*), 78
de la espalda, vea Espalda, problemas de (*back, see Back problems*), 87
en la espinilla (*Shinsplints*), 114
del estómago, vea Abdominales, problemas (*stomach, see Abdominal problems*)
de garganta (*throat*), 150, 153
de hombro (*shoulder*), 109
en las mejillas, dientes de arriba, o frente (*cheeks, upper teeth, or forehead*), 148
de muñeca (*wrist*), 108

de oído (*ear*), 166, 167, 168, 170
al orinar, en hombres (*during urination, in men*), 267, 268, 274, 275
al orinar, en mujeres (*during urination, in women*), 256, 274, 275
de pecho (*chest*), 138
de la pelvis/barriga, en hombres (*pelvic/lower abdominal, in men*), 267, 269
de la pelvis/barriga, en mujeres (*pelvic/lower abdominal, in women*), 252, 256, 259, 260
de pierna (*leg*), 114
de quijada (*jaw*), 188
del recto (*rectal*), 70, 76
de rodilla (*knee*), 110, 112
al tener relaciones sexuales (*during intercourse*), 249, 258, 259
Dolor de garganta (*Sore throat*), 150, 153
con salpullido (*with rash*), 152
Doméstica, violencia (*Domestic violence*), 321
Dormir, postura al, para evitar el dolor de espalda (*Sleeping posture, to prevent back pain*), 91
Dormir, problemas para (*Sleep problems*), 319
angustia y (*anxiety and*), 313
en los bebés (*in infants*), 213
pastillas para (*sleeping pills*), 341
DPT, vacuna contra difteria, pertusis, tétano (*diphtheria, pertussis, tetanus vaccine*), 16
Dristan, 335
Drogas, vea Medicinas (*Drugs, see Medications*)
Drogas, problemas con (*Drug problems*), 309
Drogas, señas del uso de (*Drug use, signs of*), 310
Dulcificantes (*Artificial sweeteners*), 297
Duodeno, úlceras del (*Duodenal ulcers*), 84

E

Earscope, 329
E. coli, 256
Eczema (*Eczema*), 193
Ejercicio, vea también Buena condición física (*Exercise, also see Fitness*)
aeróbico (*aerobic*), 282
beneficios del (*benefits of*), 281
cómo vencer las barreras al (*how to overcome barriers*), 285
estiramiento y (*stretching and*), 284, 285
estrés y (*stress and*), 288
para evitar problemas de la espalda (*to prevent back problems*), 92
para evitar problemas del cuello (*to prevent neck problems*), 102
flexibilidad (*flexibility*), 285
fortalecimiento de músculos (*muscle strengthening*), 285
después de una lesión (*after injury*), 119
precauciones (*cautions*), 286
Eléctricas, quemaduras (*Electrical burns*), 33
Electrolitos, bebidas de, para la deshidratación (*Electrolyte solution, for dehydration*), 72
Embarazo (*Pregnancy*), 245
acidez y (*heartburn and*), 75
náusea y vómitos del (*morning sickness*), 246
prueba de embarazo casera (*home test*), 245
visitas del (*prenatal visits*), 20, 246
Embolia (*Stroke*), 26
Emergencia, cuándo usar los servicios de (*Emergency services, when to use*), 10, 11
Emergencia, preparando una visita a la sala de (*Emergency room, preparing for visit*), 10
Emergencias, vea también Primeros auxilios (*Emergencies, also see First aid*)
agotamiento por insolación (*heat stroke*), 44
ataque al corazón (*heart attack*), 26, 138, 139
atragantamiento (*choking*), 34, 35
congelación de la piel (*frostbite*), 41
contusiones abdominales (*blunt abdominal wounds*), 30
choque (*shock*), 60
dolor de pecho (*chest pain*), 138
envenenamiento (*poisoning*), 53
golpes o heridas en la cabeza (*head injuries*), 42
hemorragias (*bleeding*), 37
hipotermia (*hypothermia*), 46
lesiones de la médula espinal (*spinal injuries*), 62
maniobra de Heimlich (*Heimlich maneuver*), 35
pérdida del conocimiento (*unconsciousness*), 65
protección legal y (*legal protection and*), 28
qué hacer en caso de (*dealing with*), 27
quemaduras (*burns*), 32
RCP (*CPR*), 55

respiración de boca a boca (*rescue breathing*), 55
suicidio (*suicide*), 320
Emocionales, problemas, vea Mental, salud (*Emotional problems, see Mental wellness*)
Encarnadas, uñas, o uñeros (*Ingrown toenails*), 202
Encefalitis (*Encephalitis*), 146
Encías, problemas de las (periodontitis) (*Gum or periodontal disease*), 184
Encías que sangran (*Gums, bleeding*), 184, 187
Endocrinólogo (*Endocrinologist*), 13
Enfermedad crónica de obstrucción pulmonar, ECOP (*Chronic obstructive pulmonary disease, COPD*), 136
Enfermera consejera (*Advice nurse*), 5, 6
Enfermeras especializadas (*Nurse practitioners*), 6
Engaños y charlatanería (*Quackery*), 13
Engarrotados, dedos (*Hammertoes*), 106
Entablillar, cómo, un hueso que pueda estar roto (*Splinting, for suspected fractures*), 120
Entumecimiento y hormigueo (*Numbness and tingling*)
en los dedos o manos (*in fingers or hands*), 111, 232
en las manos o pies (*in hands or feet*), 232
en la pierna o pie (*in leg or foot*), 89, 232
Envenenamiento (*Poisoning*), 53
con alimentos (*food*), 82
con plomo (*lead*), 53
EpiPen, 129
Epstein-Barr, virus, 151
Erección, problemas de (*Erection problems*), 265
diabetes y (*diabetes and*), 232
Eritema infeccioso (*Erythema infectiosum*), 230
Escalofríos (*Chills and fever*), 145, 147
Escarlatina, fiebre (*Scarlet fever*), 152
Escroto (*Scrotum*)
bulto en el (*lump in*), 78, 265
dolor o hinchazón en el (*pain or swelling in*), 78, 265
examen del (*exam*), 265
Esfigmomanómetro o manguito para medir la presión (*Sphygmomanometer or blood pressure cuff*), 24
Espalda, problemas de la (*Back problems*), 87
artritis y (*arthritis and*), 89
calambres de la regla y (*menstrual cramps and*), 252
ciática (*sciatica*), 89
cirugía para (*surgery for*), 97
con dolor al orinar, en hombres (*with painful urination, in men*), 267
con dolor al orinar, en mujeres (*with painful urination, in women*), 257
con dolor de pierna (*with leg pain*), 89
ejercicios para evitar (*exercises to prevent*), 92
ejercicios que deben evitarse (*exercises to avoid*), 95
con fiebre y escalofríos, en hombres (*with fever and chills, in men*), 267
con fiebre y escalofríos, en mujeres (*with fever and chills, in women*), 257
osteoporosis y (*osteoporosis and*), 116, 117
prevención (*prevention*), 90
primeros auxilios para (*first aid for*), 88
terapeutas físicas y (*physical therapy and*), 98
Espalda lesionada (*Back injuries*), 87; vea también Lesiones de la médula espinal (*also see Spinal injuries*), 62
Especialistas, lista de (*Specialists, list of*), 13
Espermicidas (*Spermicides*), 272, 279
Espinillas, vea Acné (*Pimples, see Acne*), 191
Espinillas, dolor de (*Shinsplints*), 114, 115
Espiritualidad (*Spirituality*), 324
Estacadas o pinchazos fuertes (*Puncture wounds*), 54
Estetoscopio (*Stethoscope*), 329
Estiramiento (*Stretching*), 92, 284, 285
Estómago, problemas del, vea Abdominales, problemas (*Stomach problems, see Abdominal problems*)
Estreñimiento (*Constipation*), 70
con dolor abdominal y fiebre (*with abdominal pain and fever*), 69
hemorroides y (*hemorrhoids and*), 76
laxantes (*laxatives*), 336
síndrome del intestino delicado y (*irritable bowel syndrome and*), 78
Estreptococos en la garganta (*Strep throat*), 150
amigdalectomía y (*tonsillectomy and*), 154
Estrés, 287; vea también Relajación (*Stress, also see Relaxation*)
cómo afecta el cuerpo (*effect on the body*), 287
cómo controlar el (*how to manage*), 288

cómo reconocer el (*how to recognize*), 288
dolores de cabeza y (*headaches and*), 178
trabajo y (*job-related*), 313
síndrome del intestino delicado y (*irritable bowel syndrome and*), 79, 80
Estrés, fracturas por (*Stress fractures*), 120
Estrógeno (*Estrogen*), 249
Estrógeno, tratamiento con puro (*Estrogen replacement therapy or ERT*), 250
Eustaquio, trompa de (*Eustachian tube*), 166
Exámenes médicos (*Medical exams*), vea también Pruebas médicas caseras (*also see Home medical tests*), 342
colesterol (*cholesterol*), 235
costos, reduciendo (*reducing costs*), 9
durante el embarazo (*during pregnancy*), 20
examen profesional del seno (*clinical breast exam*), 242
mamografías (*mammograms*), 242
preguntas que hacer (*questions to ask*), 2, 9
prueba de Papanicolaou y examen de la pelvis (*Pap test and pelvic exam*), 243
sigmoidoscopia flexible (*flexible sigmoidoscopy*), 20
Exámenes médicos caseros, vea Pruebas médicas caseras (*Home medical tests*), 342
Exámenes preventivos (*Exams, preventive*), 19
Excremento (*Bowel movements*)
antidiarreicos (*antidiarrheals*), 333
diarrea (*diarrhea*), 74
con dolor o difícil de pasar (*painful or difficult to pass*), 70, 76
estreñimiento (*constipation*), 70
irregular (*irregular*), 79
laxantes (*laxatives*), 336
moco en el excremento (*mucus in stool*), 79
negro o como alquitrán (*black or tarry*), 75, 76, 84
pérdida de control (*loss of control*), 70, 97
prueba para detectar sangre en el (*test for blood in*), 344
sangrando al obrar (*bleeding during*), 70, 76, 84
suelto y aguado (*loose and watery*), 74
Excusado, cómo entrenar a su niño a usar el (*Toilet training*), 213
Expectorantes (*Expectorants*), 335
Expedientes médicos caseros (*Home medical records*), 344
Extensión, ejercicios de (*Extension exercises*), 93
Eyacular, dolor al (*Ejaculation, painful*), 267

F

Factores riesgosos (*Risk factors*)
ataque al corazón (*heart attack*), 139
cáncer de la próstata (*prostate cancer*), 269
diabetes (*diabetes*), 232
ejercicio y (*exercise and*), 286
enfermedad del corazón (*heart disease*), 235
exámenes preventivos y (*preventive exams and*), 19
glaucoma (*glaucoma*), 164
osteoporosis (*osteoporosis*), 116
presión alta de la sangre (*high blood pressure*), 237
tratamiento con hormonas (*hormone therapy*), 251
Fahrenheit, temperaturas equivalentes en grados, y centígrados (*Fahrenheit-Centigrade conversion chart*), 21
Familia, doctor de (*Family doctor*), 5, 6
Familiar, historia médica, y exámenes de prevención (*Family medical history and preventive exams*), 19, 20
Fascitis plantar (*Plantar fasciitis*), 117
Fatiga (*Fatigue*), 124, 125; vea también Dormir, problemas para (*also see Sleep problems*), 319
crónica, síndrome de (*chronic fatigue syndrome*), 125
grave y persistente (*severe and persistent*), 125, 278
Fecal, incontinencia (*Fecal incontinence*), 70
Feen-a-Mint, 336
Ferina, tos (*Whooping cough*), 16
Fibra (*Fiber*), 296
el cáncer y la (*cancer and*), 294
estreñimiento y (*constipation and*), 70
Fiebre (*Fever*), 144, 223
en adultos (*in adults*), 144
convulsiones (*convulsions*), 225
con dolor abdominal (*with abdominal pain*), 69
con dolor al orinar, en hombres (*with painful urination, in men*), 267
con dolor al orinar, en mujeres (*with painful urination, in women*), 257
dolor de cabeza y cuello o nuca tiesa y (*headache and stiff neck and*), 146

dolor de garganta y (*sore throat and*), 150
dolor de garganta, nodos linfáticos hinchados, debilidad, dolor y (*sore throat, swollen lymph glands, weakness, pain and*), 125, 150, 151
dolor de músculos, debilidad, fatiga y (*muscle aches, weakness, fatigue and*), 125, 145, 150, 151
dolor de oído y (*earache and*), 166
dolor en la cara y (*facial pain and*), 148, 149
dolor en la espalda o cintura y (*low back or pelvic pain and*), 257, 267
escalofríos y (*chills and*), 145, 147
escarlatina (*scarlet fever*), 152
insolación y (*heat stroke and*), 44
en niños (*in children*), 223
persistente y sin explicación (*persistent and unexplained*), 125, 278
durante la regla (*during menstrual period*), 248, 253
tos que produce flema y (*productive cough and*), 136, 147
después de las vacunas infantiles (*following childhood immunizations*), 18
Fisiatra (*Physiatrist*), 13
Fisioterapeutas (*Physical therapists*), 98
Flebitis (*Phlebitis*), 114
Flema con color (*Phlegm, colored*), 135, 147
Flexibilidad (*Flexibility*), 285
Flexión, ejercicios de (*Flexion exercises*), 92
Flujo máximo, medidor de (*Peak flow meter*), 133
Fluoruro (*Fluoride*), 185, 187
Fobias (*Phobias*), 314
Fontanela o mollera (*Fontanelle or soft spot*)
abultada (*bulging*), 146
hundida (*sunken*), 73
Fracturas (*Fractures*), 120
cómo entablillar (*splinting*), 120
Fraude de salud (*Health fraud*), 13
Frías, compresas (*Cold pack*), 123, 327
Frutas y verduras (*Fruits and vegetables*), 294
"Fuegos" (*Canker sores*), 181
Fumar (*Smoking*)
acidez y (*heartburn and*), 75
asma y (*asthma and*), 132
bronquitis crónica y (*chronic bronchitis and*), 136
colesterol y (*cholesterol and*), 236
cómo dejar de (*quitting*), 155, 156
úlceras y (*ulcers and*), 84
Furúnculos (*Boils*), 195

G

Ganglios o nodos linfáticos hinchados (*Glands, swollen*), 152
Garganta, problemas de la (*Throat problems*)
amigdalitis (*tonsillitis*), 153
cuadro (*chart*), 128
dolor de (*sore throat*), 150, 153
estreptococos (*strep*), 150
líquido agrio o amargo en la (*sour or bitter fluid in*), 75
moco que escurre por la parte trasera de la garganta (*postnasal drip*), 129, 141, 149
ronquera (*hoarseness*), 147
Garrapata, piquetes de (*Tick bites*), 64
Gas con hinchazón abdominal (*Gas, with abdominal bloating*), 79
Gastroenteritis, vea Infecciones intestinales (*Gastroenteritis, see Stomach flu*), 82
en niños (*in children*), 221
Gastroenterólogo (*Gastroenterologist*), 13
Gatorade, y la deshidratación (*Gatorade, and dehydration*), 72
Gelusil, 75, 85
Genitales (*Genitals*)
del hombre (*male*), 264
llagas en los (*sores on*), 274, 275
de la mujer (*female*), 243, 244
verrugas (*warts*), 275
Geriatra (*Geriatrician*), 13
Giardia lamblia, 74
Ginecólogo (*Gynecologist*), 13
Gingivitis (*Gingivitis*), 184
Glaucoma (*Glaucoma*), 164
Gly-Oxide, 181
Golpes o heridas, vea también Primeros auxilios (*Injuries, also see First aid*)
abdominales (*abdominal*), 30
en la cabeza (*head*), 42
en el cuello (*neck*), 62, 99
en los deportes (*sports*), 118
entablillando (*splinting*), 120
espalda, problemas de la, y (*back problems and*), 87
huesos rotos (*broken bones*), 120
en la médula espinal (*spinal*), 62
en la rodilla (*knee*), 112
torceduras y músculos jalados (*sprains and strains*), 120
Gonorrea (*Gonorrhea*), 275
Gota (*Gout*), 104
Granito en el párpado, vea Orzuelos o perrillas (*Pimple on eyelid, see Styes*), 163
Grasas (*Fats*), 298

Gripe (*Flu*), 145
enfermedad de Lyme y (*Lyme disease and*), 64
infecciones intestinales (*stomach*), 82
inyección, frecuencia de la (*shot, frequency of*), 18, 145
Guaguana (*Scabies*), 203
Guía de pruebas (*Screening tests*), 19
examen del recto (*digital rectal exam*), 270
examen profesional del seno (*clinical breast exam*), 242
mamografía (*mammogram*), 242
para problemas con alcohol y drogas (*for alcohol and drug problems*), 311
prueba del Papanicolau (*Pap test*), 243
prueba del *prostate-specific antigen* (*PSA*) (*prostate-specific antigen test*), 270
sigmoidoscopia flexible (*flexible sigmoidoscopy*), 20
Gyne-Lotrimin, 260

H

Haemophilus influenzae tipo b, vacuna (*Haemophilus influenzae type b vaccine*), 18
HBV, virus de hepatitis B (*hepatitis B virus*), 17, 18, 275
HDL o colesterol bueno (*good cholesterol*), 234
tratamiento con hormonas y (*hormone therapy and*), 251
Heimlich, maniobra de (*Heimlich maneuver*), 34, 35
Helicobacter pylori, 84
Hemorragia fuerte, cómo controlar una (*Hemorrhage, see Stopping severe bleeding*), 37
Hemorroides (*Hemorrhoids*), 76
Heno, fiebre del, o "catarro alérgico" (*Hay fever*), 129
HEPA, filtros para alergias (*HEPA filter, for allergies*), 130
Hepatitis B (*Hepatitis B*), 17, 18, 275
Hernias (*Hernias*), 77
Herniado, disco, vea Espalda, problemas de la (*Herniated disc, see Back problems*), 87
Herpes, virus del (*Herpes virus*)
herpes genital (*genital herpes*), 274
llagas en la boca y (*cold sores and*), 183
varicela o viruela loca (*chickenpox*), 215
zoster (o herpes zona) (*zoster or shingles*), 200
Hib, vacuna (*Hib vaccine*), 18
Hibiclens, 226
Hidratos de carbono (*Carbohydrates*), 294
Hidrocortisona, crema con (*Hydrocortisone cream*), 331
para la comezón (*for itching*), 198
para la psoriasis (*for psoriasis*), 199
Hielo para lastimaduras (*Ice, for injuries*), 122
Hierro, pastillas de (*Iron supplements*), 304
Hinchazón (*Swelling*)
en las amígdalas (*in tonsils*), 153
en el escroto (*in scrotum*), 78, 265
en los nodos linfáticos (*in lymph nodes*), 152
en una pierna (*in one leg*), 115
Hipertensión (*Hypertension*), 236
Hiperventilación ("susto" con resuello) (*Hyperventilation*), 45
crisis de angustia y (*panic disorders and*), 314
Hipotermia (*Hypothermia*), 46
Histerectomía (*Hysterectomy*), 261
tratamiento con hormonas y (*hormone therapy and*), 250
Historia médica familiar (*Family medical history*), 19, 20
Hombre, salud del (*Men's health*)
agrandamiento de la próstata (*prostate enlargement*), 268
cáncer de la próstata (*prostate cancer*), 269
cáncer de los testículos (*testicular cancer*), 265
cómo examinarse los testículos (*testicular self-exam*), 265
enfermedades de transmisión sexual (*sexually transmitted diseases*), 274, 276
erección, problemas de (*erection problems*), 265
genitales, salud de los (*genital health*), 264
hernias o desaldillados (*hernias*), 77
impotencia, vea Erección, problemas de (*impotence, see Erection problems*), 265
infección de la próstata (*prostate infection*), 267
métodos anticonceptivos (*birth control*), 271, 272
Hombros, dolor de (*Shoulder pain*), 109
Hongos, infecciones de (*Fungal infections*), 199
infección de moniliasis o algodoncillo (*yeast infection*), 200, 259

infecciones de las uñas (*nail infections*), 200
medicina contra (*antifungal medications*), 201, 260
Hormigueo, vea Entumecimiento y hormigueo (*Tingling, see Numbness and tingling*)
Hormonas, tratamiento con (*Hormone therapy*), 250
Hospicio (*Hospice*), 11
Hospitalización (*Hospitalization*)
cómo mejorar su estancia en el hospital (*how to improve your stay in the hospital*), 12
reducir los costos (*reducing costs*), 10, 11, 12
Hostilidad (*Hostility*), 312
Huesos, músculos y coyunturas, problemas de los (*Bone, muscle, and joint problems*)
artritis o reumas (*arthritis*), 103
bursitis (*bursitis*), 107
calambres musculares (*muscle cramps*), 114
debilidad (*weakness*), 124
dedos engarrotados o en martillo (*hammertoes*), 106
dedo trabado (*turf toe*), 121
dolor de cadera (*hip pain*), 110
dolor de codo (*elbow pain*), 108
dolor de hombro (*shoulder pain*), 109
dolor de muñeca (*wrist pain*), 108
dolor de pierna (*leg pain*), 89, 114
dolor de quijada (*jaw pain*), 188
dolor en la espinilla (*shinsplints*), 114
dolores de crecimiento (*growing pains*), 114
fascitis plantar (*plantar fasciitis*), 117
fatiga (*fatigue*), 124, 125
flebitis (*phlebitis*), 114
fracturas (*fractures*), 120
fracturas por estrés (*stress fractures*), 120
huesos rotos (*broken bones*), 120
inflamación del tendón de Aquiles (*Achilles tendinitis*), 117
juanetes (*bunions*), 106
lesiones deportivas (*sports injuries*), 118, 120
músculos jalados (*strained muscles*), 120
osteoporosis (*osteoporosis*), 115
problemas de la espalda (*back problems*), 87
problemas de la rodilla (*knee problems*), 112
problemas del cuello (*neck problems*), 98
síndrome de la coyuntura temporomandibular o molestias de la quijada (*TMJ*), 187
síndrome del túnel del carpo (*carpal tunnel syndrome*), 110
tendinitis (*tendinitis*), 107
torceduras y músculos jalados (*sprains and strains*), 120
Humidificador (*Humidifier*), 328

I

Ibuprofen, 337
calambres de la regla y (*menstrual cramps and*), 253
fiebre y (*fever and*), 144, 224
úlceras y (*ulcers and*), 84
Ictericia (*Jaundice*), 275
Imodium A-D, 333
Impétigo (*Impetigo*), 226
Impotencia, vea Erección, problemas de (*Impotence, see Erection problems*), 265
Incontinencia (*Incontinence*), 85
fecal (*fecal*), 70
Indigestión (*Indigestion*), 75
Infección (*Infection*)
bacteriana (*bacterial*), 135
intestinal (*intestinal*), 82
intestinal, en niños (*intestinal, in children*), 221
nodos linfáticos hinchados y (*swollen glands and*), 152
del oído medio (*middle ear*), 166
próstata (*prostate*), 267
senos paranasales (*sinus*), 148
transmitidas por medio del sexo (*sexually transmitted*), 274, 276
vaginal (*vaginal*), 258, 259
vías urinarias (*urinary tract*), 256
viral, comparada a la bacteriana (*viral, compared to bacterial*), 135
Influenza, vea Gripe (*Influenza, see Flu*), 145
vacuna, frecuencia de (*vaccine, frequency of*), 18, 145
Ingle, tiña de la (*Jock itch*), 199
Inhalador para el asma (*Inhaler, for asthma*), 133, 134
Inmunodeficiencia adquirida, síndrome de (SIDA) (*Acquired immune deficiency syndrome or AIDS*), 276
Inmunodeficiencia humana, virus de (VIH) (*Human immunodeficiency virus or HIV*), 276
Inmunológico, sistema, sanando y el (*Immune system, healing and*), 322

Inmunoterapia para alergias (*Immunotherapy, for allergies*), 130
Insectos, piquetes de (*Insect stings*), 47
inmunoterapia para los (*immunotherapy for*), 130
Insectos, repelentes de (*Insect repellents*), 48, 64
Insolación (*Heat stroke*), 44
Insomnio (*Insomnia*), 319
Insulina (*Insulin*), 231
Internista (*Internist*), 5, 13
Intestinales, infecciones (*Stomach flu*), 82
en los niños (*in children*), 221
Intestino delicado, síndrome del (*Irritable bowel syndrome*), 78
Intestino grueso, examen del (*Flexible sigmoidoscopy*), 20
Intoxicación con alimentos (*Food poisoning*), 82
Intrauterino, dispositivo, o DIU (*Intrauterine device or IUD*), 248, 253, 272
Ipecacuana, jarabe de (*Syrup of ipecac*), 338
Ira y hostilidad (*Anger and hostility*), 312

J

Jalado, músculo (*Pulled muscle*), 120
en el pecho (*in chest*), 138
Jaquecas o migrañas (*Migraine headaches*), 176
Jaquecas repetitivas (*Cluster headaches*), 176
Jarabe de ipecacuana (*Syrup of ipecac*), 338
Juanetes (*Bunions*), 106

K

Kaiser Permanente, derechos y responsabilidades como miembro de (*Kaiser Permanente members' rights and responsibilities*), 14
Kaopectate, 333
Kegel, ejercicios (*Kegel exercises*), 86

L

Laberintitis (*Labyrinthitis*), 165
Lactaid, 302
Ladillas, vea Piojos (*Crabs, see Lice*), 203
Lado, dolor al, vea Calambres musculares (*Sideache, see Muscle cramps*), 114
Lágrimas artificiales (*Artificial tears*), 160
Laringitis (*Laryngitis*), 146
Laxantes (*Laxatives*), 336
precaución con la apendicitis (*caution with appendicitis*), 70
trastornos de la alimentación y (*eating disorders and*), 318
LDL o colesterol malo (*bad cholesterol*), 234, 235
Leche, problemas para digerir (*Lactose intolerance*), 302
Leche, productos de (*Dairy foods*), 295, 302
Lentes de contacto (*Contact lenses*), 162
Lesiones deportivas (*Sports injuries*), 118
Levantar, postura adecuada al (*Lifting, proper posture*), 91, 92
Liendres (*Nits*), 203
Linfáticos, nodos o ganglios hinchados (*Lymph nodes, swollen*), 152, 153
Linterna de bolsillo (*Penlight*), 329
Líquido en el oído (*Fluid in ear*), 166, 168
Loción protectora contra el sol (*Sunscreen*), 63
llagas de fiebre y (*cold sores and*), 183
Lombrices intestinales (*Pinworms*), 227
Lunares (*Moles*), 206
Lyme, enfermedad de (*Lyme disease*), 64
Lytren, 72

LL

Llagas de fiebre en la boca (*Cold sores*), 182
con bastante frecuencia (*increased frequency of*), 278
Llagas raras (*Unusual sores*), 182, 206, 278
Llaguitas o "fuegos" (*Canker sores*), 181
Llorona (*Conjunctivitis*), 160

M

Maalox, 85
Mal aliento (*Bad breath*), 182
Mal de ojo (*Pinkeye*), 160
Mamografía (*Mammogram*), 242
Manchas (ojos) o moscas volantes (*Floaters, eyes*), 161
Manchas pelonas (*Bald spots*), 204
Mandíbula o quijada, dolor de (*Jaw pain*), 188
dolor de cabeza debido a la tensión y (*tension headache and*), 178
con dolor de pecho (*with chest pain*), 138
o ruido en la quijada (*or noise in jaw*), 188
Maniobra de Heimlich (*Heimlich maneuver*), 35
Manos, dolor, entumecimiento o cosquilleo en las (*Hands, pain, numbness, or tingling in*), 111, 232

Mareos (*Dizziness*), 164
choque y (*shock and*), 60
dolor de pecho y (*chest pain and*), 138
Matriz, cáncer de la, tratamiento con hormonas y (*Uterine cancer, hormone therapy and*), 251
Mecánica del cuerpo (*Body mechanics*), 91
Medicinas (*Medications*)
abuso (*misuse of*), 309
acetaminofeno (*acetaminophen*), 338
para las alergias (*allergy remedies*), 333
alergias a (*allergies to*), 341
antiácidos (*antacids*), 332
antibióticos (*antibiotics*), 339
antidiarreicos (*antidiarrheals*), 333
antihistamínicos (*antihistamines*), 335
antiinflamatorias sin esteroides (*nonsteroidal anti-inflammatory drugs or NSAIDs*), 337
antiinflamatorios (*anti-inflammatories*), 336, 337
aspirina (*aspirin*), 336
para el catarro (*cold remedies*), 333
costos, reduciendo los (*reducing costs*), 10
cuchara especial para las (*medicine spoon*), 328
depresión y (*depression and*), 315, 317
descongestionantes (*decongestants*), 333
dormir, pastillas para (*sleeping pills*), 341
efectos graves de (*adverse effects of*), 341, 342
genéricas (*generic*), 342
guías para uso (*guidelines for taking*), 340
ibuprofen (*ibuprofen*), 337
jarabe de ipecacuana (*syrup of ipecac*), 338
laxantes (*laxatives*), 336
naproxen (*naproxen*), 337
preguntas a hacer (*questions to ask*), 2, 10, 342
presión alta de la sangre y (*high blood pressure and*), 237
problemas de erección y (*erection problems and*), 265
problemas de la próstata y (*prostate problems and*), 268
reacciones (*interactions*), 341, 342
receta (*prescription*), 339
resequedad en los ojos y (*dry eyes and*), 159
sin receta (*over-the-counter*), 330, 331
para la tos (*cough preparations*), 334
tranquilizantes (*tranquilizers*), 341
Medicinas antiinflamatorias sin esteroides (*Nonsteroidal anti-inflammatory drugs or NSAIDs*), 337
acidez y (*heartburn and*), 76
presión alta de la sangre y (*high blood pressure and*), 237
úlceras y (*ulcers and*), 84
Médico, consumidor (*Medical consumer*)
en asociación con el doctor (*partnership with doctor*), 3, 5
cómo encontrar a un médico que esté dispuesto a ser su socio (*finding the right doctor*), 5
formas de reducir costos (*ways to cut costs*), 9
información, cómo obtener por su cuenta (*doing your own research*), 8, 14
participar en la toma de decisiones (*shared decision-making*), 7
preguntas sobre cirugías (*questions about surgery*), 2, 10
preguntas sobre medicinas (*questions about medications*), 2, 10, 342
preguntas sobre pruebas médicas (*questions about medical tests*), 2, 9
servicios de emergencia (*emergency services*), 10, 11
Medidor de flujo máximo, para el asma (*Metered-dose inhaler, for asthma*), 133
Médula espinal, lesiones de la (*Spinal injuries*), 62
Medusa o aguamala, piquete de (*Jellyfish sting*), 49
Mejillas, dolor en los huesos de las (*Cheekbone, pain in*), 148
Melanoma (*Melanoma*), 206
Menarquía (*Menarche*), 253
Meningitis (*Meningitis*), 146
Menopausia (*Menopause*), 249
tratamiento con hormonas y (*hormone therapy and*), 250
Mental, salud (*Mental wellness*)
abuso (*abuse*), 321
adicción (*addiction*), 309, 342
afirmaciones (*affirmations*), 323
angustia (*anxiety*), 313
anorexia (*anorexia*), 318
ayuda profesional (*seeking professional help*), 307, 308
bulimia (*bulimia*), 318
comer en exceso o de modo compulsivo (*compulsive overeating*), 318
comportamiento violento (*violent behavior*), 321
crisis de angustia (*panic attack*), 314
cuidado propio (*self-care*), 307

culpa, evitando los sentimientos de (*avoiding guilt*), 325
depresión (*depression*), 315
depresión de invierno (*seasonal affective disorder*), 316
ejercicios de relajación (*relaxation exercises*), 289
espiritualidad (*spirituality*), 324
estrés o tensión (*stress*), 287
fobias (*phobias*), 314
insomnio (*insomnia*), 313, 319
ira y hostilidad (*anger and hostility*), 312
pena (pesar o aflicción) (*grief*), 317
pensamientos positivos (*positive thinking*), 323
problemas con el alcohol (*alcohol problems*), 309
problemas con las drogas (*drug problems*), 309, 310
problemas para dormir (*sleep problems*), 319
reforzando el sistema inmunológico (*boosting your immune system*), 323
resistencia (*hardiness*), 324
salud física y (*physical health and*), 322
suicidio (*suicide*), 320
trabajo, tensión nerviosa en el (*job stress*), 313
trastornos de la alimentación (*eating disorders*), 317
violencia doméstica (*domestic violence*), 321

Mente y cuerpo, conexión entre (*Mind-body connection*), 322
Metamucil, 71
Mezquinos, vea Verrugas (*see Warts*)
Micatin, 201
Midol, 255
Miedo, vea Angustia (*Fear, see Anxiety*), 313
Migrañas o jaquecas (*Migraine headaches*), 176
Minerales (*Minerals*), 301
Moco
flema que sale con sangre o con color (*sputum, bloody or colored*), 135, 147
en la garganta (*postnasal drip*), 129, 141, 149
método anticonceptivo del (*mucus method, birth control*), 272
Mollera o fontanela (*Soft spot or fontanelle*)
abultada (*bulging*), 146
hundida (*sunken*), 73
Moniliasis o algodoncillo (*Yeast infection*), 200, 259
Monistat 7, 260
Mononucleosis (*Mononucleosis*), 150
Mordidas o piquetes (*Bites or stings*)
de animales (*animal*), 28
de garrapatas (*ticks*), 64
de insectos y arañas (*insect and spider*), 47
de medusas o aguamalas (*jellyfish*), 49
de piojos y sarna (*lice and scabies*), 203
Moretones (*Bruises*), 31
Moro, ojo (*Black eye*), 31
Moscas volantes (*Floaters in eyes*), 161
Mosquitos, piquetes de (*Mosquito bites*), 47
Movimiento del cuerpo (*Body mechanics*), 91
Movimiento, fortalecimiento, otras actividades, para lesiones de coyunturas (*MSA or Movement, strength, alternate activities for joint injuries*), 121, 122
Mujer, la salud de la (*Women's health*)
amamantamiento (*breast-feeding*), 210
bochornos o ataques de calor (*hot flashes*), 249
calambres de la regla (*menstrual cramps*), 252
dolor durante las relaciones sexuales (*intercourse, painful*), 249, 259, 260
embarazo (*pregnancy*), 245
enfermedades de transmisión sexual (*sexually transmitted diseases*), 274, 276
histerectomía (*hysterectomy*), 261
hormonas, tratamiento con (*hormone therapy*), 250
incontinencia (*incontinence*), 85
infecciones de las vías urinarias (*urinary tract infections*), 256
infecciones por hongos (*yeast infections*), 259
mamografía (*mammogram*), 242
menopausia (*menopause*), 249
métodos anticonceptivos (*birth control*), 271, 272
métodos anticonceptivos durante la menopausia (*birth control during menopause*), 249
moniliasis (*yeast infections*), 259
nacimientos por cesáreas (*cesarean deliveries*), 247, 248
náusea y vómitos del embarazo (*morning sickness*), 246
orinar, pérdida del control para (*urinary incontinence*), 85
osteoporosis (*osteoporosis*), 115, 251
prueba del Papanicolaou y examen de la pelvis (*Pap test and pelvic exam*), 243
pruebas de embarazo caseras (*home pregnancy tests*), 245

reglas irregulares o que no vienen (*irregular or missed periods*), 248, 249, 253
sangrado entre reglas (*bleeding between periods*), 248
sangre en la orina (*blood in the urine*), 257
seno, examen profesional del (*clinical breast exam*), 242
senos, cómo examinarse los (*breast self-exam*), 240
síndrome premenstrual (*premenstrual syndrome*), 254
vaginitis (*vaginitis*), 258
Muñeca, dolor de (*Wrist pain*), 108, 110
Músculo, vea también Huesos, músculos y coyunturas, problemas de los (*Muscle, also see Bone, muscle, and joint problems*)
calambres (*cramps*), 114
dolor de cabeza debido a la tensión y (*tension headache and*), 178
dolores con salpullido (*aches, with rash*), 64
ejercicios de flexibilidad (*flexibility exercises*), 284, 285
ejercicios de fortalecimiento (*strengthening exercises*), 285
espasmos de los músculos alrededor de los ojos (*spasms, around eye*), 161
jalados (*pulled*), 120
relajación progresiva (*progressive relaxation*), 290
Mylanta, 332

N

Nacidos o furúnculos (*Boils*), 195
Nacimiento, ácido fólico y defectos de (*Birth defects, folic acid and*), 246
Nacimiento, marcas de (*Birthmarks*), 196
Naproxen, 337
Nariz, problemas de la (*Nose problems*)
alergias (*allergies*), 127
cuadro (*chart*), 128
que escurre o está tapada (*runny or stuffy*), 127, 140, 148
gotas de solución salina para la nariz (*saline nose drops*), 149, 334
medicinas para los (*medications for*), 333, 335
moco (*nasal discharge*), 127, 135, 140, 150
objeto en la nariz (*object in nose*), 52
sangrados (*nosebleeds*), 50
Náusea (*Nausea*), 80
agotamiento por calor y (*heat exhaustion and*), 44
apendicitis y (*appendicitis and*), 69
diarrea y (*diarrhea and*), 74
golpes o heridas en la cabeza y (*head injuries and*), 44
infecciones intestinales y (*stomach flu and*), 82
intoxicación con alimentos y (*food poisoning and*), 82
vómitos y (*vomiting and*), 80
vómitos del embarazo y (*morning sickness and*), 246
Neo-Synephrine, 334
Neurólogo (*Neurologist*), 13
Neurotransmisores, depresión y (*Neurotransmitters, depression and*), 315
Neutrogena, 194
Nicotina, parche de (*Nicotine patch*), 156
Niños, la salud de los (*Infant and child health*)
amamantamiento o dar pecho (*breast-feeding*), 210
asientos de seguridad para (*child car seats*), 210
berrinches o rabietas (*temper tantrums*), 212
circuncisión (*circumcision*), 211
cólicos (*colic*), 217
comportamiento (*behavior*), 212
convulsiones por fiebre (*fever convulsions*), 225
cordón umbilical (*umbilical cord*), 209
crup (*croup*), 219
cuadro de salpullidos (*rashes chart*), 216
deshidratación (*dehydration*), 72
diarrea (*diarrhea*), 221
dientes, cuidado de los (*dental care*), 186
disciplina (*discipline*), 212
dolores de cabeza (*headaches*), 175
dormir, hábitos de (*sleep habits*), 213
eritema infeccioso (*erythema infectiosum*), 230
excusado, cómo entrenar a su niño a usar el (*toilet training*), 213
fiebre (*fever*), 223
impétigo (*impetigo*), 226
infecciones de los oídos (*ear infections*), 166
marcas de nacimiento (*birthmarks*), 196
nutrición (*nutrition*), 305
ombligos (*bellybuttons*), 209
orinarse en la cama (*bed-wetting*), 214
oxiuros (*pinworms*), 227
rabietas (*temper tantrums*), 212
roséola (*roseola*), 229

rozadura de pañal (*diaper rash*), 220
salpullido por calor (*prickly heat or sweat rash*), 228
salpullidos de la niñez, cuadro (*childhood rashes, chart*), 216
sarampión, paperas y rubéola (*measles, mumps, rubella*), 17, 229
seborrea (*cradle cap*), 218
vacunas (*immunizations*), 16, 18, 19
varicela o viruela loca (*chickenpox*), 215
vómitos (*vomiting*), 221
Nix, 203
Nodos linfáticos hinchados (*Swollen lymph nodes*), 152
Nonoxynol-9, 279
Norplant, 272
Nuca tiesa (*Stiff neck*), 98, 146
Nuprin, 337
Nutrición (*Nutrition*)
agua (*water*), 297
alergias a alimentos (*food allergies*), 306
azúcar (*sugar*), 297
"azúcares" artificiales o dulcificantes (*artificial sweeteners*), 297
cafeína (*caffeine*), 296
calcio (*calcium*), 302
colesterol (*cholesterol*), 299
fibra (*fiber*), 296
frutas y verduras (*fruits and vegetables*), 294
grasas (*fats*), 298
guía (*guidelines*), 295
hierro (*iron*), 304
leche, problemas para digerir (*lactose intolerance*), 302
minerales (*minerals*), 301
para niños (*for children*), 305
panes y cereales (*breads and cereals*), 294
pirámide de alimentos (*Food Guide pyramid*), 295
proteína (*protein*), 299
sodio (*sodium*), 303
trastornos de la alimentación (*eating disorders*), 317
verduras (*vegetables*), 294
vitaminas (*vitamins*), 294, 299, 301

O

Objeto (*Object*)
en la nariz (*in the nose*), 52
en el oído (*in the ear*), 51, 170
en el ojo (*in the eye*), 52
Obstetra (*Obstetrician*), 13
Obstrucción pulmonar, enfermedad crónica de (ECOP) (*Chronic obstructive pulmonary disease or COPD*), 136
Oficina, visitas de, preparándose para las (*Office visits, preparing for*), 2, 4
Oftalmólogo (*Ophthalmologist*), 13
Oído, problemas del (*Ear problems*)
agua en el (*water in ear*), 170
cera del oído (*earwax*), 168
comezón en los oídos (*itchy ears*), 170
cuadro (*chart*), 165
dolor de oído (*earache*), 166, 170
gotas, cómo poner en los oídos (*inserting eardrops*), 171
infección del canal externo del oído (*swimmer's ear*), 170
infecciones de los oídos (*ear infections*), 166, 170
infecciones repetidas (*recurrent infections*), 168
laberintitis (*labyrinthitis*), 165
mareos (*dizziness*), 164
objeto en el oído (*object in ear*), 51
oído medio, infección del (*otitis media*), 166
oído tapado, sensación de tener el (*feeling of fullness in ear*), 166, 170
otitis externa (*otitis externa*), 170
otoscopio (*otoscope*), 329
tinnitus o zumbido en los oídos (*tinnitus*), 166, 169, 335
tubitos en los (*ear tubes*), 168
vértigo (*vertigo*), 164
zumbido o ruido en los oídos (*ringing or noise in ears*), 166, 169, 337
Ojos, problemas de los (*Eye problems*)
conjuntivitis (*conjunctivitis*), 160
cuadro (*chart*), 160
dolor en el ojo (*pain in eye*), 160, 162, 164
glaucoma (*glaucoma*), 164
gotas para los, cómo ponerse (*eyedrops, how to insert*), 162
infecciones (*infections*), 160
irritación por lentes de contacto (*contact lens irritation*), 162
lagañas o desecho (*discharge*), 161, 162, 163
con lagrimeo y comezón (*watery and itchy*), 127, 161
llorona (*conjunctivitis*), 160
mal de ojo (*pinkeye*), 160
moscas volantes, destellos y manchas (*flashers and floaters*), 161
objeto en el ojo (*object in eye*), 52
ojo moro (*black eye*), 31
ojos hundidos (*sunken eyes*), 73
orzuelos o perrillas (*styes*), 163

producto químico en el ojo (*chemical in eye*), 34
resequedad de los ojos (*dry eyes*), 159
rojo e irritado (*red and irritated*), 161, 162, 163
sangre en el ojo (*blood in eye*), 163
sensibilidad a la luz (*sensitivity to light*), 161, 162
tics (*twitches*), 161
Ombligos (*Bellybuttons*), 209
Omega-3, ácidos grasos de tipo (*Omega-3 fatty acids*), 236
Oncólogo (*Oncologist*), 13
Ondas, respiración en (*Belly breathing*), 289
Optimismo, salud y el (*Optimism, health and*), 323
Optometrista (*Optometrist*), 13
Orabase, 181
Orinar (*Urination*)
en la cama (*bed-wetting*), 214
de color de Coca Cola (*cola-colored*), 222
el chorro se vuelve menos fuerte, en hombres (*decreased force of stream, in men*), 268
dificultad para empezar y goteo después de, en hombres (*difficulty starting or dribbling after, in men*), 268
con dolor, en hombres (*painful, in men*), 267, 268
con dolor, en mujeres (*painful, in women*), 256
frecuente (*frequent*), 232, 256, 267
incontinencia (*incontinence*), 85
orina amarilla oscura (*dark yellow urine*), 73
orina menos (*reduced amounts of urine*), 73, 256, 267
pérdida del control para (*urinary incontinence*), 85
sangre en la orina (*blood in urine*), 222, 257
Ortopedista (*Orthopedist*), 13
Orzuelos o perrillas (*Styes*), 163
Osteoartritis (*Osteoarthritis*), 103, 104
Osteoporosis (*Osteoporosis*), 115
menopausia y (*menopause and*), 117, 249
tratamiento con hormonas (*hormone therapy and*), 251
Otitis externa, vea Infecciones del canal externo del oído (*see Swimmer's ear*), 170
Otitis media, vea Infecciones del oído medio (*see Middle ear infections*), 166
Otoscopio (*Otoscope*), 329
Oxiuros (lombrices intestinales) (*Pinworms*), 227
Oxy Sensitive, 193

P

PABA, 63
Pamprin, 255
Panes y cereales (*Breads and cereals*), 294
Pañal, rozadura o escaldadura de (*Diaper rash*), 220
Papanicolaou, prueba del (*Pap test*), 243
frecuencia (*frequency of*), 244
VHP y (*HPV and*), 275
Paperas (*Mumps*)
síntomas de (*symptoms of*), 229
vacuna (*vaccine*), 17
Parálisis infantil (*Polio*), 17
Parche de nicotina (*Nicotine patch*), 156
Parche de tipo mariposa (*Butterfly bandage*), 38
Párpado (*Eyelid*)
bultito en el, vea Orzuelos (*bump on, see Styes*), 163
hinchado, vea Infecciones de los ojos (*swollen, see Conjunctivitis*), 160
Pecho, dolor de (*Chest pain*), 138
angina de pecho (*angina*), 138
ardor detrás del esternón (*burning behind breastbone*), 75
dolor en la pared del pecho (*chest wall pain*), 138
que se extiende al brazo, al cuello o a la quijada (*radiating to arm, neck, or jaw*), 138
hiperventilación (*hyperventilation*), 45
con respiración corta (*with shortness of breath*), 138, 147
con tos y fiebre (*with productive cough and fever*), 136, 147
Pecho, problemas de la respiración y del (*Chest and respiratory problems*)
alergias (*allergies*), 127
amigdalitis (*tonsillitis*), 153
angina del pecho (*angina*), 138
asma (*asthma*), 132
ataque al corazón (*heart attack*), 138, 139
bronquitis (*bronchitis*), 136
catarros (*colds*), 140
crup (*croup*), 219
cuadro (*chart*), 128
dolor de garganta (*sore throat*), 150
dolor de pecho (*chest pain*), 138
estreptococos en la garganta (*strep throat*), 150
gripe (*flu*), 145

hiperventilación (*hyperventilation*), 45
infecciones bacterianas (*bacterial infections*), 135
influenza o gripe (*influenza or flu*), 145
laringitis (*laryngitis*), 146
nodos linfáticos hinchados (*swollen glands*), 152
pulmonía (*pneumonia*), 147
RCP (resucitación cardiopulmonar) (*CPR*), 55
resfriados (*colds*), 140
respiración de boca a boca (*rescue breathing*), 55
sinusitis (*sinusitis*), 148
tos (*coughs*), 142, 143
Pedialyte, 72
Pediatra (*Pediatrician*), 13
Pelo, problemas del (*Hair problems*)
caspa (*dandruff*), 197
culebrilla (*ringworm*), 199
manchas pelonas (*bald spots*), 204
piojos (*lice*), 203
seborrea (*cradle cap*), 218
Pelonas, manchas (*Bald spots*), 204
Peluza, vea Rubéola (*German measles, see Rubella*), 229
Pelvis, enfermedad inflamatoria de la (*Pelvic inflammatory disease*), 274, 275
Pelvis, examen de la (*Pelvic exam*), 243
Pena (*Grief*), 317
Pene, desecho del (*Penile discharge*), 274, 275
Pensamientos positivos (*Positive thinking*), 323
Pépticas, úlceras (*Peptic ulcers*), 84
Pérdida del conocimiento (*Unconsciousness*), 65
Pérdida del control para orinar (*Urinary incontinence*), 85
Período de no tener relaciones, método anticonceptivo (*Periodic abstinence, birth control*), 272, 274
Periodontitis (*Periodontal or gum disease*), 184
Períodos, vea Regla, molestias de la (*Periods, see Menstrual problems*)
Peróxido de benzoílo (*Benzoyl peroxide*), 193
Perrillas (*Styes*), 163
Pesadillas (*Nightmares*), 315
Pesar (*Grief*), 317
Pescado, el colesterol y el aceite de (*Fish oil, cholesterol and*), 236
Pesimismo, salud y el (*Pessimism, health and*), 323
Peso, pérdida de (*Weight loss*), 304; vea también Trastornos de la alimentación (*also see Eating disorders*), 317
que no se puede explicar (*unexplained*), 157, 232, 278
Phillips', Leche de magnesia (*Phillips' Milk of Magnesia*), 332
Picaduras de dientes (*Cavities*), 183
Pie, dolor de (*Foot pain*), 104, 106, 117
Pie de atleta (*Athlete's foot*), 199
Piel, cáncer de la (*Skin cancer*), 206
Piel, exámenes de la (*Skin test*)
para alergias (*for allergies*), 103
tuberculina (*tuberculin*), 19
Piel, problemas de la (*Skin problems*)
acné (*acne*), 191
ampollas (*blisters*), 194
astillas (*splinters*), 60
caliente, seca y roja (*hot, dry, and red*), 44
callos (*corns and calluses*), 208
cáncer (*cancer*), 206
caspa (*dandruff*), 197
color amarillento en la piel (*yellow skin*), 275
comezón (*itching*), 198
congelación de la piel (*frostbite*), 41
cortadas (*cuts*), 37
cuadro (*chart*), 192, 216
culebrilla (*ringworm*), 199
eczema (*eczema*), 193
enfermedad de Lyme (*Lyme disease*), 64
espinillas (*pimples*), 191
fresca, húmeda y pálida (*cold, clammy, and pale*), 44
furúnculos (*boils*), 195
herpes zoster (*shingles*), 200
ictericia (*jaundice*), 275
impétigo (*impetigo*), 226
infecciones de hongos (*fungal infections*), 199
lunares (*moles*), 206
llagas de fiebre (*cold sores*), 182
llagas raras (*unusual sores*), 182, 206, 278
manchas pelonas (*bald spots*), 204
marcas de nacimiento (*birthmarks*), 196
melanoma (*melanoma*), 206
nacidos o furúnculos (*boils*), 195
pie de atleta (*athlete's foot*), 199
piojos (*lice*), 203
piquetes de arañas (*spider bites*), 47
piquetes de garrapata (*tick bites*), 64
piquetes de insectos (*insect bites*), 47

piquetes de medusas o aguamalas (*jellyfish stings*), 49
plantas venenosas (*poison ivy, oak, sumac*), 204, 205
psoriasis (*psoriasis*), 199
quemaduras (*burns*), 32
quemaduras de sol (*sunburn*), 62
raspones (*scrapes*), 59
ronchas con comezón (*hives*), 201
roséola (*roseola*), 229
rozadura de pañal (*diaper rash*), 220
salpullido por calor (*sweat rash*), 228
salpullido por tocar (*contact dermatitis*), 204
salpullidos (*rashes*), 204, 216
sarna (*scabies*), 203
seborrea (*cradle cap*), 218
seca (*dry*), 197
tiña de la ingle (*jock itch*), 199
uñas encarnadas (*ingrown toenails*), 202
urticaria (*hives*), 201
varicela (*chickenpox*), 215
verrugas (mezquinos) (*warts*), 207
verrugas plantares (*plantar warts*), 207
Pierna, dolor de (*Leg pain*), 114
vea Ciática (*see Sciatica*), 89
Píldoras anticonceptivas (*Birth control pills*), 177, 253, 272
Pinchazos fuertes (*Puncture wounds*), 54
Pin-X, 228
Piojos (*Lice*), 203
Piquetes, vea Mordidas (*Stings, see Bites*)
Pistolas y armas, seguridad con las (*Firearm safety*), 321
Placa, picaduras de dientes y (*Plaque, tooth decay and*), 183
Placebo, efecto del (*Placebo effect*), 323
Planificación familiar natural, método anticonceptivo (*Natural family planning, birth control*), 272
Plantar, fascitis (*Plantar fasciitis*), 117
Plantares, verrugas, u "ojos de pescado" (*Plantar warts*), 207
Plantas venenosas (*Poison ivy, oak, sumac*), 204
Plomo, envenenamiento con (*Lead poisoning*), 53
Podiatra (*Podiatrist*), 13
Polio, vacuna (*Polio vaccine*), 17
Polysporin, 331
Pollo, cómo cocinarlo de una manera segura (*Poultry, safe handling and cooking*), 57, 82, 83
Postura (*Posture*)
para evitar problemas del cuello (*to prevent neck problems*), 99
para evitar problemas de la espalda (*to prevent back problems*), 90
Premenstrual, síndrome (*Premenstrual syndrome or PMS*), 254
Prepucio (*Foreskin*), 264
en bebés (*in babies*), 211
Presión, puntos de, hemorragias y (*Pressure points, bleeding and*), 37
Presión de la sangre (*Blood pressure*)
alta (*high*), 236
manguito para medir (*blood pressure cuff*), 24
Prevención, servicios de, vea Guía de pruebas (*Preventive services, see Screening and early detection*), 19
Primeros auxilios, vea también Emergencias (*First aid, also see Emergencies*)
abdominales, contusiones (*blunt abdominal wounds*), 30
agotamiento por calor (*heat exhaustion*), 44
ampollas (*blisters*), 194
anzuelo, cómo quitar un (*fishhook removal*), 40
astillas (*splinters*), 60
atorada, parte del cuerpo (*trapped limb*), 41
atragantamiento (*choking*), 34
congelación de la piel (*frostbite*), 41
conocimiento, pérdida del (*unconsciousness*), 65
convulsiones por fiebre (*fever convulsions*), 225
cortadas (*cuts*), 37
choque o conmoción (*shock*), 60
desmayos (*fainting*), 65
diente, pérdida accidental de un (*accidental tooth loss*), 28
espalda, problemas de la (*back problems*), 88
envenenamiento (*poisoning*), 53
estacadas o pinchazos fuertes (*puncture wounds*), 54
fracturas (*fractures*), 120
golpes o heridas en la cabeza (*head injuries*), 42
hemorragias o sangrados (*bleeding*), 37
hiperventilación (*hyperventilation*), 45
hipotermia (*hypothermia*), 46
insolación (*heat stroke*), 44
lesiones de la médula espinal (*spinal injuries*), 62
mareos (*dizziness*), 164
mordidas o piquetes de animales (*animal bites*), 28, 61

moretones (*bruises*), 31
objeto en el oído (*object in the ear*), 51
objeto en el ojo (*object in the eye*), 52
objeto en la nariz (*object in the nose*), 52
ojo moro (*black eye*), 31
piquetes de garrapata (*tick bites*), 64
piquetes de insectos (*insect stings*), 47
piquetes de medusa o aguamala (*jellyfish stings*), 49
pinchazos fuertes (*puncture wounds*), 54
producto químico en el ojo (*chemical in eye*), 34
quemaduras (*burns*), 32, 62
raspones (*scrapes*), 59
RCP (*CPR*), 55
respiración de boca a boca (*rescue breathing*), 55
sangrado (*bleeding*), 37
sangrados de la nariz (*nosebleeds*), 50
sangre bajo una uña (*blood under a nail*), 29
torceduras y músculos jalados (*sprains and strains*), 120
Problemas emocionales, vea Mental, salud (*Psychological problems, see Mental wellness*)
Progesterona (*Progesterone*), 249
Progestina (*Progestin*), 250
Progresiva, relajación muscular (*Progressive muscle relaxation*), 290
Prostaglandina (*Prostaglandin*), 252
Próstata, problemas de la (*Prostate problems*), 267
agrandamiento (*enlargement*), 268
cáncer (*cancer*), 269
examen del recto (*digital rectal exam*), 270
infección de la próstata (prostatitis) (*prostate infection*), 267
prostatodinia (*prostatodynia*), 267
prueba del *prostate-specific antigen* (*PSA*) (*prostate-specific antigen test*), 270
Prostatitis (*Prostate infection*), 267
Proteína (*Protein*), 299
Prueba de embarazo casera (*Home pregnancy test*), 245
Pruebas de detección temprana (*Tests for early detection*), 19
Pruebas médicas, vea Exámenes médicos (*Medical tests, see Medical exams*)
Pruebas médicas caseras (*Home medical tests*), 342
azúcar en la sangre (*blood glucose*), 232, 343
presión de la sangre (*blood pressure*), 24, 343
pruebas de embarazo (*pregnancy tests*), 245
sangre en el excremento (*blood in stool*), 344
Psicólogo (*Psychologist*), 13, 308
Psiquiatra (*Psychiatrist*), 13, 308
Psoriasis (*Psoriasis*), 199
Pulmones, vea Pecho, problemas de la respiración y del (*Lungs, see Chest and respiratory problems*)
Pulmonía (*Pneumonia*), 147
vacuna neumocócica (*immunization*), 18
Pulmonólogo (*Pulmonologist*), 13
Pulso (*Pulse*)
cómo tomar el (*how to take*), 23
débil y rápido (*weak and rapid*), 60
durante el ejercicio (*during exercise*), 282, 283
rápido, con dolor de pecho (*rapid, with chest pain*), 138
Puntos, ¿Son necesarios? (*Sutures, are they needed?*), 39

Q

Quemaduras (*Burns*), 32
eléctricas (*electrical*), 33
producto químico en el ojo (*chemical in eye*), 34
de sol (*sunburn*), 62
Quijada, molestias de la (*Jaw problems*), 187; vea también Mandíbula o quijada, dolor de (*also see Jaw pain*)
Químico, producto, en el ojo (*Chemical in eye*), 34

R

Rabia (*Rabies*), 28
Rabietas (*Temper tantrums*), 212
Raspones (*Scrapes*), 59
RCP (*CPR*), 55
guía rápida de referencia (*reference chart*), 57
Recto (*Rectal*)
bultito en el (*lump*), 76
comezón en el (*itching*), 76, 227
dolor en el (*pain*), 70, 76
examen del (*digital rectal exam*), 270
sangrado del (*bleeding*), 70, 76
Reflujo de ácido estomacal (*Reflux of stomach acid*)
acidez y (*heartburn and*), 75
dolor de garganta y (*sore throat and*), 150

Regla, molestias de la (*Menstrual problems*)
calambres (*cramps*), 252
irregulares o que no bajan (*irregular or missed periods*), 248, 249, 253
reglas con dolor (*painful periods*), 252
reglas fuertes (*heavy periods*), 249, 253
sangrado entre reglas (*bleeding between periods*), 248
síndrome premenstrual (*premenstrual syndrome or PMS*), 254
Rehidratación, bebidas de (*Rehydration drinks*), 72
Rehydralyte, 72
Relaciones sexuales con dolor (*Painful sexual intercourse*), 249, 259, 260
Relajación (*Relaxation*), 289
progresiva, de los músculos (*progressive muscle*), 290
respiración en ondas (*belly breathing*), 289
Resequedad de los ojos (*Dry eyes*), 159
Resfriados (*Colds*), 140
Resistencia (*Hardiness*), 324
Respiración, problemas de la (*Breathing problems*); vea también Pecho, problemas de la respiración y del (*also see Chest and respiratory problems*)
dificultad al respirar (*difficulty breathing*), 131, 132, 136, 147
hiperventilación (*hyperventilation*), 45
rápida, forzada, corta (*rapid, labored, shallow*), 147
respiración corta (*shortness of breath*), 103, 138, 147
respiración de boca a boca (*rescue breathing*), 55
tos y (*cough and*), 147, 278
Respiración, ritmo de la (*Respiration rate*), 23
Respiración de boca a boca (*Rescue breathing*), 55
Respiración en ondas (*Belly breathing*), 289
Respiratorias, infecciones (*Upper respiratory infections*)
catarros (*colds*), 140
gripe (*influenza*), 145
infecciones de los oídos (*ear infections*), 166
sinusitis (*sinusitis*), 148
Resucitación cardiopulmonar (*Cardiopulmonary resuscitation*), 55
Retirarse antes de eyacular, método anticonceptivo (*Withdrawal method, birth control*), 272
Reumas (*Arthritis*), 103
Reumatoide, artritis (*Rheumatoid arthritis*), 104
Reumatólogo (*Rheumatologist*), 13
Reveladoras, tabletas (*Disclosing tablets*), 185
Reye, síndrome de, aspirina y (*Reye syndrome, aspirin and*), 215
Rezo, el sanar y el (*Prayer, healing and*), 324
RID, 203
Ritmo, método anticonceptivo del (*Rhythm method of birth control*), 272
Robitussin, 335
Robitussin-DM, 335
Rodilla, problemas de la (*Knee problems*), 112
Ronchas con comezón (*Hives*), 201
Ronchas por calor (*Prickly heat or sweat rash*), 228
Ronquera (*Hoarseness*), 147
Roséola (*Roseola*), 229
Rozadura de pañal (*Diaper rash*), 220
Rubéola (*Rubella*)
embarazo y (*pregnancy and*), 245
seña de la (*symptom of*), 229
vacuna (*vaccine*), 17

S

Sal (sodio) (*Salt*), 303
Salicílico, ácido (*Salicylic acid*), 208
Saliva pegajosa (*Sticky saliva*), 73
Salpullido o ronchas por calor (*Prickly heat or sweat rash*), 228
Salpullidos (*Rashes*), 204; vea también Piel, problemas de la (*also see Skin problems*)
por calor (*prickly heat or sweat rash*), 228
cuadro de salpullidos de la niñez (*chart of childhood rashes*), 216
cuero cabelludo, vea Culebrilla (*scalp, see Ringworm*), 199
con dolor de garganta (*with sore throat*), 152
con dolor de músculos y fiebre (*with muscle aches and fever*), 64
enfermedad de Lyme y (*Lyme disease and*), 64
ingle, vea Tiña de la ingle (*groin, see Jock itch*), 199
labios de arriba, vea Impétigo (*upper lip, see Impetigo*), 226
morados, con fiebre (*purple, with fever*), 224
pies, vea Pie de atleta (*feet, see Athlete's foot*), 199

después del piquete de una garrapata (*after tick bite*), 64
plantas venenosas (*poison ivy, oak, sumac*), 204
durante la regla, con fiebre (*during menstrual period, with fever*), 253
roséola (*roseola*), 229
rozadura de pañal (*diaper rash*), 220
por tocar (*contact dermatitis*), 204
después de las vacunas infantiles (*following childhood immunizations*), 18
varicela (*chickenpox*), 215
Salud, fraude de (*Health fraud*), 13
Salud, hábitos de (*Health habits*), 15
Sangrado o hemorragia (*Bleeding*), 37
en lo blanco del ojo (*in white of eye*), 163
cómo parar (*how to stop*), 37
cortadas (*cuts*), 37
choque y (*shock and*), 60
de las encías (*gums*), 184, 187
golpes o heridas en la cabeza y (*head injuries and*), 42
de un lunar (*from a mole*), 207
del recto (*rectal*), 70, 76
entre reglas (*between periods*), 248
reglas con sangrado fuerte (*heavy menstrual periods*), 249, 253
sangrado de la nariz (*nosebleeds*), 50
sangre en la orina (*blood in urine*), 257, 267
úlceras (*ulcers*), 84
bajo la uña (*under a nail*), 29
Sangre, análisis de la, para detectar el VIH (*Blood test, for HIV infection*), 277
Sangre, azúcar en la, baja o alta (*Blood sugar, low or high*), 234
Sangre, presión de la (*Blood pressure*), 24, 236
alta (*high*), 236
cómo tomar la (*how to take*), 24, 343
manguito para medir la presión (*blood pressure cuff*), 24, 329
mareos y (*dizziness and*), 164
prueba, frecuencia de la (*test, frequency of*), 20, 24
Sangre en el excremento (*Blood in stools*), 70, 76, 80, 84
prueba para detectar (*blood in stool test*), 344
Sangre en el moco o flema (*Blood in sputum*), 134, 143
Sarampión (*Measles*)
señas de (*symptoms of*), 229
vacuna (*vaccine*), 17
Sarna (*Scabies*), 203
Sarro (*Tartar*), 185
Seborrea (*Cradle cap*), 218
Sebulex, 197
Sed (*Thirst*), 232
Seda dental, usando la (*Flossing teeth*), 185
instrumentos (*tools*), 186
Seguridad (*Safety*)
asientos de seguridad para niños (*child car seats*), 210
evitando la congelación de la piel (*preventing frostbite*), 41, 42
evitando el envenenamiento (*preventing poisoning*), 53, 54
evitando la hipotermia (*preventing hypothermia*), 46
evitando incendios (*fire prevention*), 32
seguridad con pistolas (*gun safety*), 321
Selladores dentales (*Sealants, dental*), 187
Seno, cáncer del (*Breast cancer*), 240
tratamiento con hormonas y (*hormone therapy and*), 251
Senos, salud de los (*Breast health*), 240
cómo examinarse los senos (*self-exam*), 240
examen profesional de los senos (*clinical breast exam*), 242
mamografía (*mammogram*), 242
Serosa, otitis media (*Serous otitis media*), 166
Sexual, abuso (*Sexual abuse*), 321
Sexual, enfermedades de transmisión (*Sexually transmitted diseases*), 274, 276
Sexual, salud (*Sexual health*)
clamidia (*chlamydia*), 274
condones (*condoms*), 272, 276, 278, 279
dolor con las relaciones sexuales (mujeres) (*painful intercourse, in women*), 249, 259, 260
enfermedades de transmisión sexual (*sexually transmitted diseases*), 274, 276
erección, problemas de (*erection problems*), 265
eyaculación con dolor (*painful ejaculation*), 267
gonorrea (*gonorrhea*), 275
hepatitis B (*hepatitis B*), 275
herpes genital (*genital herpes*), 274
infección VIH (*HIV infection*), 276
métodos anticonceptivos (*birth control*), 271, 272
órganos sexuales, salud de los (*genital health*), 243, 264

SIDA (*AIDS*), 276
sífilis (*syphilis*), 275
verrugas genitales (*genital warts*), 275
Sicólogo (*Psychologist*), 13, 308
SIDA (*AIDS*), 276
Sífilis (*Syphilis*), 275
Sigmoidoscopia flexible (*Flexible sigmoidoscopy*), 20
Silbido (*Wheezing*)
con alergias (*with allergies*), 131
con asma (*with asthma*), 132
con bronquitis (*with bronchitis*), 136
después de un piquete de insecto (*after insect sting*), 49
Sinusitis (*Sinusitis*), 148
Siquiatra (*Psychiatrist*), 13, 308
Sistólica, presión, de la sangre (*Systolic blood pressure*), 24
Skin-So-Soft, 48
Sodio (sal) (*Sodium*), 303
Sol, quemaduras de (*Sunburn*), 62
Sordera (*Hearing loss*), 166, 168, 170
Spec-T, 151
Star-Otic, 170
Sucrets, 151
Sudafed, 333
Sudores (*Sweating*)
agotamiento por calor y (*heat exhaustion and*), 44
angustia y (*anxiety and*), 313
deshidratación y (*dehydration and*), 72
dolor de pecho y (*chest pain and*), 138
sudores por la noche (*night sweats*), 278
Sueño, mucho, con dolor de cabeza, fiebre, y cuello o nuca tiesa (*Drowsiness, with headache, fever, stiff neck*), 146
Suicidio (*Suicide*), 320
Supresores o calmantes de la tos (*Suppressants*), 335
Surgilube, 250
"Susto", vea Angustia (*see Anxiety*)
Swim-Ear, 170

T

Talón, dolor del (*Heel pain*), 117
Td (tétano y difteria), vacuna (*Tetanus and diphtheria booster*), 16
Tegrin, 197
Temblores o escalofríos (*Shivering*), 46, 145, 147, 313
Temperatura, 21; vea también Fiebre (*Temperature, also see Fever*)
cómo tomar la (*how to take*), 21, 22, 23
cuadro de conversión (*conversion chart*), 21
demasiado baja (*too low*), 46
en los niños (*in children*), 223
Temperatura, método anticonceptivo de la (*Basal body temperature*), 272
Temporomandibular, síndrome de coyuntura (*Temporomandibular joint syndrome*), 187
Tendinitis (*Tendinitis*), 107
Aquiles (*Achilles*), 117
patelar (*patellar*), 113
Tensión, vea Estrés (*Tension, see Stress*)
dolor de cabeza debido a la (*headaches*), 178
Tensión nerviosa en el trabajo (*Job stress*), 313
Terapia física para los problemas de la espalda (*Physical therapy for back problems*), 98
Termómetro (*Thermometer*), 21, 23, 329
cómo leer el (*how to read*), 22
Testículos (*Testicles*)
cáncer de los (*testicular cancer*), 265
cómo examinarse los (*self-exam*), 265
Tétano (*Tetanus*), 16
Tics en el ojo (*Twitches, eye*), 161
Tímpano reventado (*Eardrum rupture*), 166
Timpanostomía (*Tympanostomy*), 168
Tinnitus o zumbido en los oídos (*Tinnitus*), 169, 337
Tiña de la cabeza (*Ringworm*), 199
Tiña de la ingle (*Jock itch*), 199
Today Personal Lubricant, 250
Torceduras y músculos jalados (*Sprains and strains*), 120
cuello (*neck*), 98
espalda (*back*), 87
lesiones deportivas (*sports injuries*), 118
Tos (*Coughs*), 142, 143
con bronquitis (*with bronchitis*), 136
con crup (*with croup*), 219
cuadro (*chart*), 143
con dolor de pecho (*with chest pain*), 136, 147
medicinas para la (*medicine for*), 334
que produce flema (*productive*), 135, 136, 142, 147
con pulmonía (*with pneumonia*), 147
seca y sin flema (*dry and hacking*), 142
sin razón (*unexplained*), 278
Tos ferina (pertusis) (*Pertussis vaccine*), 16
Toxoplasmosis, 247
Trabado, dedo (*Jammed toe or finger*), 121
Trabajo, tensión nerviosa en el (*Job stress*), 313

Tragar, dificultad o dolor al (*Swallowing, painful or difficult*), 152
con visión borrosa (*with blurred vision*), 83
Tranquilizantes (*Tranquilizers*), 341
Transmisión sexual, enfermedad de (*Sexually transmitted diseases*), 274, 276
Trastornos de angustia (*Anxiety disorders*), 314
Trastornos de la alimentación (*Eating disorders*), 317
Triaminic, 335
Trismo, vea Tétano (*Lockjaw, see Tetanus*), 16
Trompas, ligadura de (*Tubal ligation*), 272
Tuberculina, prueba de la (*Tuberculin skin test*), 19
Tubitos en los oídos (*Ear tubes*), 168
Tucks, 77
Tums, 303, 332
Tylenol, 338
Tyrobenz, 151

U

Úlceras (*Ulcers*), 84
Umbilical, cordón (*Umbilical cord*), 209
Uñas, problemas de las (*Nail problems*)
infecciones de hongos (*fungal infections*), 199
sangre bajo la uña (*blood under a nail*), 29
uñas encarnadas (*ingrown toenails*), 202
Uñeros (*Ingrown toenails*), 202
Urinarias, infecciones de las vías (*Urinary tract infections*), 256
Urólogo (*Urologist*), 13
Urticaria (ronchas con comezón) (*Hives*), 201

V

Vacunas (*Immunizations*), 16
para alergias (*immunotherapy*), 130
gripe (*influenza*), 18, 145
neumocócica (*pneumonia*), 18
reacciones a las (*reactions to*), 18
tétano (*tetanus*), 16
varicela (*chickenpox*), 17, 215
para viajar (*for foreign travel*), 18, 19
Vagina
desecho anormal de la (*discharge, abnormal*), 258, 259, 274, 275
desecho normal de la (*discharge, normal*), 243
infecciones en la (*infection*), 258, 259, 274
infecciones vaginales que se repiten (*recurrent vaginal infections*), 232
lubricantes (*lubricants*), 250
resequedad en la (*dryness*), 249
Vaginitis, 258
Vaginosis bacteriana (*Bacterial vaginosis*), 258
Vaporizador (*Vaporizer*), 328
Varicela o viruela loca (*Chickenpox*), 17, 215
herpes zoster (*shingles and*), 200
Varivax, 17
Vasectomía (*Vasectomy*), 272
Vaselina (petrolato) (*Vaseline*), 77, 250
Vaseline Intensive Care, 331
Vejiga, infección de la, o cistitis (*Bladder infection*), 256
Vena, inflamación de una (*Vein, inflammation of*), 114
Venéreas, enfermedades, vea Enfermedades de transmisión sexual (*Venereal diseases, see Sexually transmitted diseases*), 274
Verduras (*Vegetables*), 294
Verrugas (*Warts*), 207
genitales (*genital*), 275
plantares (*plantar*), 207
Vértigo (*Vertigo*), 164
Vesícula biliar (*Gallbladder*), 138
enfermedad de la, y tratamiento con hormonas (*Gallbladder disease, hormone therapy and*), 251
VHP o virus humano papiloma (*HPV or human papillomavirus*), 275
Viajes y vacunas (*Foreign travel, and immunizations*), 18, 19
VIH o virus de inmunodeficiencia humana (*HIV or human immunodeficiency virus*), 276
Violencia (*Violence*), 321
Viral, infección, comparada a la bacteriana (*Viral infection, compared to bacterial infection*), 135
Viruela loca (*Chickenpox*), 215
Virus de la inmunodeficiencia humana, VIH (*Human inmunodeficiency virus, HIV*), 276
Visión, vea también Ojos, problemas de los (*Vision, also see Eye problems*)
borrosa, con dificultad al tragar (*blurred, with difficulty swallowing*), 83
borrosa, con dolor en el ojo repentino (*blurred, with sudden eye pain*), 160, 163, 164
dolor de cabeza y problemas de la (*headache and visual disturbances*), 173, 176
prueba (*test*), 20

Vitales, signos (*Vital signs*), 21
Vitaminas (*Vitamins*), 294, 299, 300, 301
cáncer y (*cancer and*), 294
guía para el consumidor (*buyer's guide*), 301
náusea y vómitos del embarazo y (*morning sickness and*), 246
Vómitos (*Vomiting*), 80
deshidratación y (*dehydration and*), 72
con dolor de cabeza (*with headache*), 146, 176
envenenamiento y (*poisoning and*), 54
con golpes en la cabeza (*with head injuries*), 44
náusea y vómitos del embarazo (*morning sickness*), 246
en niños (*in children*), 221
con sangre (*bloody*), 81
con sueño, desgano, cuello o nuca tiesa (*with sleepiness, lethargy, stiff neck*), 146
trastornos de la alimentación y (*eating disorders and*), 318

W

WIC, programa para mujeres, bebés y niños (*Women, Infants, and Children, WIC program*), 246

Z

Zumbido en los oídos, vea Tinnitus (*Ringing in ears, see Tinnitus*), 169, 337

Índice (inglés - español)

A

Abdominal pain (*Dolor abdominal*)
- with bloating (*con hinchazón*), 79
- with fever (*con fiebre*), 69
- in lower right abdomen (*en el lado inferior derecho del abdomen*), 69
- between meals and at night (*entre comidas y por la noche*), 84

Abdominal problems (*Problemas abdominales*)
- appendicitis (*apendicitis*), 69
- blunt abdominal wounds (*contusiones abdominales*), 30
- chart (*cuadro*), 68
- colic (*cólicos*), 217
- constipation (*estreñimiento*), 70
- dehydration (*deshidratación*), 72
- diarrhea (*diarrea*), 74
- diarrhea in children (*diarrea en los niños*), 221
- food poisoning (*envenenamiento con alimentos*), 82
- heartburn or indigestion (*acidez, agruras o indigestión*), 75
- hemorrhoids (*hemorroides o almorranas*), 76
- hernias (*hernias o desaldillados*), 77
- irritable bowel syndrome (*síndrome del intestino delicado*), 78
- menstrual cramps (*calambres de la regla*), 252
- nausea (*náusea*), 80
- pinworms (*oxiuros o lombrices intestinales*), 227
- rigid or tender (*tieso o sensible*), 30
- stomach flu (*infecciones intestinales*), 82
- stomach flu, in children (*infecciones intestinales en los niños*), 221
- ulcers (*úlceras*), 84
- urinary incontinence (*pérdida del control para orinar*), 85
- urinary tract infection (*infecciones de las vías urinarias*), 256
- vomiting (*vómitos*), 80
- vomiting in children (*vómitos en los niños*), 221

Abrasions or scrapes (*Raspones*), 59

Abuse (*Abuso*)
- drug or alcohol (*del alcohol o de las drogas*), 309
- physical, emotional, or sexual (*físico, emocional o sexual*), 321

Accidental tooth loss (*Pérdida accidental de un diente*), 28

Acetaminophen (*Acetaminofeno*), 338

Achilles tendinitis (*Inflamación del tendón de Aquiles*), 110

Acne (*Acné*), 191

Acquired immune deficiency syndrome or AIDs (*Inmunodeficiencia adquirida, síndrome de, o SIDA*), 276

Addiction (*Adicción*), 309, 342

Adenoidectomy (*Adenoidectomía*), 154

Adenoiditis (*Adenoiditis*), 153

Adrenalin kit, for bee stings (*Botiquín de emergencia que contenga adrenalina, para piquetes de abejas*), 49

Advice nurses (*Enfermera consejera*), 5, 6

Aerobic exercise (*Ejercicio aeróbico*), 282

Affirmations (*Afirmaciones*), 323

AIDS (*SIDA*), 276

Al-Anon, 312

Alcohol, moderate use of (*Alcohol, uso moderado del*), 310

Alcohol problems (*Problemas con el alcohol*), 309

Alcoholics Anonymous (*Alcohólicos Anónimos*), 308, 311

Allergic reaction (*Reacción alérgica*), 48, 129

Allergies (*Alergias*), 127
- anaphylaxis (*anafilaxis*), 129
- antihistamines and (*antihistamínicos y*), 335
- asthma and (*asma y*), 132
- breast-feeding and (*amamantamiento y*), 129
- eczema and (*eczema y*), 193
- epinephrine kit (*jeringa de adrenalina para*), 129
- food (*a alimentos*), 306
- hives and (*urticaria o ronchas con comezón y*), 201
- immunotherapy (*inmunoterapia*), 130
- insect stings and (*piquetes de insectos y*), 47
- to medications (*a medicinas*), 341
- milk (*a leche*), 302
- rashes and (*salpullidos y*), 204
- shots (*inyecciones*), 130

Ambulance services, wise use of (*Uso sensato de los servicios de ambulancia*), 11

Anaphylactic shock (*Choque alérgico*), 129

Anemia (*Anemia debida a falta de hierro*), 304
Anger and hostility (*Ira y hostilidad*), 312
Angina (*Angina de pecho*), 138
Animal bites (*Mordidas de animales*), 28
Anorexia (*Anorexia*), 318
Antacids (*Antiácidos*), 332
  heartburn and (*acidez y*), 76
  ulcers and (*úlceras y*), 84
Antibiotic ointments (*Pomadas antibióticas*), 331
Antibiotics (*Antibióticos*), 339
  bacterial infections and (*infecciones bacterianas y*), 136
  diarrhea and (*diarrea y*), 74
  ear infections and (*infecciones repetidas de los oídos*), 168
  instructions for use (*guías para uso*), 340, 341
  nausea and vomiting and (*náusea y vómitos y*), 80
  side effects of (*efectos secundarios de los*), 340
  vaginal infections and (*infecciones vaginales y*), 259, 340
Antidiarrheals (*Antidiarreicos*), 333
Antifungal medications (*Medicina contra hongos*), 201
  for yeast infection (*para moniliasis*), 260
Antihistamines (*Antihistamínicos*), 335
  for itching (*para la comezón*), 198
Anti-inflammatories (*Medicinas antiinflamatorias*), 336, 337
  heartburn and (*acidez y*), 76
  high blood pressure and (*presión alta de la sangre y*), 237
  ulcers and (*úlceras y*), 84
Anus, see Rectal (*Ano, vea Recto*)
Anxiety (*Angustia o ansiedad*), 287, 313
  hyperventilation and (*hiperventilación y*), 45
Appendicitis (*Apendicitis*), 69
Arthritis (*Artritis*), 103
  back problems and (*problemas de la espalda y*), 89
  jaw pain and (*dolor de quijada y*), 188
  types of (*tipos de*), 104
Artificial sweeteners (*Dulcificantes o azúcares artificiales*), 297
Artificial tears (*Lágrimas artificiales*), 160
Ask-the-Doctor Checklist (*Lista de preguntas para el doctor*), 2
Aspirin (*Aspirina*), 336
  bruises and (*moretones y*), 31
  nosebleeds and (*sangrado de la nariz y*), 50
  tinnitus and (*tinnitus o zumbido en los oídos y*), 169, 337
  ulcers and (*úlceras y*), 84
Asthma (*Asma*), 132
  inhalers for (*inhaladores para el*), 133, 134
Athlete's foot (*Pie de atleta*), 199
Atopic dermatitis (*Eczema*), 193
Axillary temperature, how to take (*Cómo tomar la temperatura de la axila*), 22

B

Babies, see Infant and child health (*Bebés, vea Niños, la salud de los*)
Back injuries (*Lesiones de la espalda*), 87; also see Spinal injuries (*vea también Lesiones de la médula espinal*), 62
Back problems (*Problemas de la espalda*), 87
  arthritis and (*artritis y*), 89
  exercises to avoid (*ejercicios que deben evitarse*), 95
  exercises to prevent (*ejercicios para evitar*), 92
  with fever and chills in men (*con fiebre y escalofríos en hombres*), 267
  with fever and chills in women (*con fiebre y escalofríos en mujeres*), 257
  first aid for (*primeros auxilios para*), 88
  leg pain with (*dolor de pierna con*), 89
  menstrual cramps and (*calambres de la regla y*), 252
  osteoporosis and (*osteoporosis y*), 116, 117
  with painful urination in men (*con dolor al orinar en hombres*), 267
  with painful urination in women (*con dolor al orinar en mujeres*), 257
  physical therapy and (*terapia física y*), 98
  prevention (*prevención*), 90
  sciatica (*ciática*), 89
  surgery for (*cirugía para*), 97
Bacterial infections (*Infecciones por bacterias*), 135
Bacterial vaginosis (*Vaginosis bacteriana*), 258
Bad breath (*Mal aliento*), 182
Bald spots (*Manchas pelonas*), 204
Bandages, butterfly (*Parches de tipo mariposa*), 38
Basal body temperature (*Método de la temperatura*), 272
Bed-wetting (*Orinarse en la cama*), 214
Bee stings (*Piquetes de abeja*), 47

Belly breathing (*Respiración en ondas*), 289
Bellybuttons (*Ombligos*), 209
Benign prostatic hypertrophy (*Agrandamiento de la próstata no causado por cáncer*), 268
Benzoyl peroxide (*Peróxido de benzoílo*), 193
Binge eating (*Comer en exceso*), 318
Birth control (*Métodos anticonceptivos*), 271, 273, 274
chart (*cuadro*), 272
emergency contraception (*de emergencia*), 273
during menopause (*durante la menopausia*), 249
Birth control pills (*Píldoras anticonceptivas*), 272, 273
acne and (*acné y*), 191
bleeding between periods and (*sangrado entre reglas y*), 248
high blood pressure and (*presión alta de la sangre y*), 237
irregular periods and (*reglas irregulares y*), 248, 253
migraines and (*jaquecas y*), 177
Birth defects, folic acid and (*Defectos de nacimiento y ácido fólico*), 246
Birthmarks (*Marcas de nacimiento*), 196
Bites or stings (*Mordidas o piquetes*)
animal (*de animales*), 28
insect and spider (*de insectos y arañas*), 47
jellyfish (*de aguamalas o medusas*), 49
lice and scabies (*de piojos y sarna*), 203
ticks (*de garrapatas*), 64
Black eye (*Ojo moro*), 31
Blackheads (*Espinillas*), 191
Bladder infection (*Infección de la vejiga o cistitis*), 256
Bleeding (*Sangrado o hemorragia*), 37
blood in urine (*sangre en la orina*), 257, 267
cuts (*cortadas*), 37
gums (*de las encías*), 184, 187
head injuries and (*golpes o heridas en la cabeza y*), 42
how to control (*cómo controlar*), 37
between menstrual periods (*entre reglas*), 248
menstrual periods with heavy bleeding (*reglas con sangrado fuerte*), 249, 253
from a mole (*de un lunar*), 207
under a nail (*bajo una uña*), 29
nosebleeds (*sangrados de la nariz*), 50
rectal (*del recto*), 70, 76
shock and (*choque y*), 60
ulcers (*úlceras*), 84
in white of eye (*en lo blanco del ojo*), 163
Blisters (*Ampollas*), 194
burns and (*quemaduras y*), 32
frostbite and (*congelación de la piel y*), 41, 42
on genitals (*en los genitales*), 274
on lip or mouth (*en el labio o la boca*), 182
inside mouth (*dentro de la boca*), 181
Bloating, with irregular bowel habits (*Hinchazón con excrementos irregulares*), 78
Blood in sputum (*Sangre en el moco o flema*), 134, 143
Blood in stools (*Sangre en el excremento*), 70, 76, 80, 84
Blood in stool test (*Prueba para detectar sangre en el excremento*), 344
Blood in urine (*Sangre en la orina*), 222, 257
in men (*en los hombres*), 267
Blood pressure (*Presión de la sangre*), 24, 236
blood pressure cuff (*manguito para medir la*), 24, 329
dizziness and (*mareos y*), 164
high (*alta*), 236
how to measure (*cómo medir la*), 24, 343
test, frequency of (*frecuencia de la prueba*), 20, 24
Blood sugar, low or high (*Azúcar en la sangre, baja o alta*), 234
Blood test, for HIV infection (*Prueba de sangre para detectar el VIH*), 277
Blood under a nail (*Sangre bajo una uña*), 29
Blunt abdominal wounds (*Contusiones abdominales*), 30
Blurred vision, with difficulty swallowing (*Visión borrosa con dificultad para tragar*), 83
Body mechanics (*Mecánica del cuerpo*), 91
Boils (*Nacidos o furúnculos*), 195
Bone, muscle, and joint problems (*Problemas de los huesos, músculos y coyunturas*)
Achilles tendinitis (*inflamación del tendón de Aquiles*), 117
arthritis (*artritis*), 103
back problems (*problemas de la espalda*), 87
broken bones (*huesos rotos*), 120
bunions (*juanetes*), 106

bursitis (*bursitis*), 107
carpal tunnel syndrome (*síndrome del túnel del carpo*), 110
elbow pain (*dolor de codo*), 108
fatigue (*cansancio, fatiga*), 124, 125
fractures (*fracturas, quebraduras*), 120
growing pains (*dolores de crecimiento*), 114
hammertoes (*dedos engarrotados*), 106
hip pain (*dolor de cadera*), 110
jaw pain (*dolor de quijada*), 188
knee problems (*problemas de la rodilla*), 112
leg pain (*dolor de pierna*), 89, 114
muscle cramps (*calambres musculares*), 114
neck problems (*problemas del cuello*), 98
osteoporosis (*osteoporosis*), 115
phlebitis (*flebitis*), 114
plantar fasciitis (*fascitis plantar*), 117
shinsplints (*dolor en la espinilla*), 114
shoulder pain (*dolor de hombro*), 109
sports injuries (*lesiones deportivas*), 118, 120
sprains and strains (*torceduras y músculos jalados*), 120
stress fractures (*fracturas por estrés*), 120
tendinitis (*tendinitis*), 107
TMJ (*síndrome de la coyuntura temporomandibular*),187
turf toe (*dedo trabado*), 121
weakness (*debilidad*), 124
wrist pain (*dolor de muñeca*), 108

Botulism (*Botulismo*), 82
Bowel movements (*Excrementos*)
antidiarrheals (*antidiarreicos*), 333
black or tarry (*negros o como alquitrán*), 75, 76, 84
bleeding during (*sangre en los*), 70, 76, 84
constipation (*estreñimiento*), 70
diarrhea (*diarrea*), 74
irregular (*irregulares*), 79
laxatives (*laxantes*), 336
loose and watery (*sueltos y aguados*), 74
loss of control (*pérdida del control*), 70, 97
mucus in stool (*moco en el excremento*), 79
painful or difficult to pass (*con dolor o difíciles de pasar*), 70, 76
test for blood in (*prueba para detectar sangre en los*), 344

Breads and cereals (*Panes y cereales*), 294
Breast cancer (*Cáncer del seno*), 240
hormone therapy and (*tratamiento con hormonas y*), 251
Breast-feeding (*Amamantamiento*), 210
Breast health (*Salud de los senos*), 240
clinical breast exam (*examen profesional de los senos*), 242
mammogram (*mamografía*), 242
self-exam (*cómo examinarse los senos*), 240
Breathing problems (*Problemas de la respiración*); also see Chest and respiratory problems (*vea también Pecho, problemas de la respiración y del*)
cough and (*tos y*), 147, 278
hyperventilation (*hiperventilación*), 45
panting or difficulty (*jadeo o dificultad para respirar*), 131, 132, 136, 147
rapid, labored, shallow (*rápida, forzada, corta*), 147
rescue breathing (*respiración de boca a boca*), 55
shortness of breath (*respiración corta*), 132, 138, 147
wheezing or difficulty breathing (*la respiración le silba o tiene dificultad para respirar*), 131, 136, 147
Bronchitis (*Bronquitis*), 136
Bruises (*Moretones*), 31
Brushing teeth (*Cómo cepillarse los dientes*), 185
Bulimia (*Bulimia*), 318
Bunions (*Juanetes*), 106
Burns (*Quemaduras*), 32
chemical in eye (*con producto químico en el ojo*), 34
electrical (*eléctricas*), 33
sunburn (*de sol*), 62
Bursitis (*Bursitis*), 107

C

Caffeine (*Cafeína*), 296
Caffeine withdrawal, headaches and (*Falta de cafeína, dolores de cabeza por*), 178
Calcium (*Calcio*), 302
osteoporosis and (*osteoporosis y*), 116
Calendar method (*Método del calendario o ritmo*), 272, 274
Calluses (*Callos*), 208
Cancer (*Cáncer*)
aspirin and (*aspirina y*), 337
breast (*del seno*), 240

cervical (*de la cérvix*), 243
colon (*del intestino grueso*), 20
endometrial (*de la matriz*), 251
hormone therapy and (*tratamiento con hormonas y*), 251
prostate (*de la próstata*), 269
rectum (*del recto*), 20
skin (*de la piel*), 206
testicular (*de los testículos*), 265
vegetables and (*las verduras y el*), 294
Canker sores (*Llaguitas o "fuegos"*), 181
Carbohydrates (*Hidratos de carbono*), 294
Cardiologist (*Cardiólogo*), 13
Cardiopulmonary resuscitation, see CPR (*Resucitación cardiopulmonar, vea RCP*), 55
Carpal tunnel syndrome (*Síndrome del túnel del carpo*), 110
Cavities, see Tooth decay (*Caries, vea Picaduras de dientes*), 183
Centigrade-Fahrenheit conversion chart (*Temperaturas equivalentes en grados Fahrenheit y Centígrados*), 21
Cervical cancer (*Cáncer de la cérvix*), 243, 244
HPV and (*virus humano papiloma y*), 275
Cervical cap (*Capuchón cervical*), 272, 273
Cesarean deliveries (*Nacimientos por cesárea*), 247
Chancre (*Chancro*), 275
Charley horse, see Muscle cramps (*Dolor de caballo, vea Calambres musculares*), 114
Checkups, frequency of (*Frecuencia de chequeos*), 19, 20
Cheekbone, pain in (*Dolor en los huesos de las mejillas*), 148
Chemical in eye (*Producto químico en el ojo*), 34
Chest and respiratory problems (*Problemas del pecho y de la respiración*)
allergies (*alergias*), 127
angina (*angina de pecho*), 138
asthma (*asma*), 132
bacterial infections (*infecciones por bacterias*), 135
bronchitis (*bronquitis*), 136
chart (*cuadro*), 128
chest pain (*dolor de pecho*), 138
colds (*catarros*), 140
coughs (*tos*), 142, 143
CPR (*RCP, resucitación cardiopulmonar*), 55
croup (*crup*), 219
flu (*gripe*), 145
heart attack (*ataque al corazón*), 138, 139
hyperventilation (*hiperventilación*), 45
influenza (*influenza o gripe*), 145
laryngitis (*laringitis*), 146
pneumonia (*pulmonía*), 147
rescue breathing (*respiración de boca a boca*), 55
sinusitis (*sinusitis*), 148
sore throat (*dolor de garganta*), 150
strep throat (*infección por estreptococos en la garganta*), 150
swollen glands (*nodos linfáticos hinchados*), 152
tonsillitis (*amigdalitis*), 153
Chest pain (*Dolor de pecho*), 138
angina (*angina de pecho*), 138
burning underneath breastbone (*ardor debajo del esternón*), 75
chest wall pain (*dolor en la pared del pecho*), 138
hyperventilation and (*hiperventilación y*), 45
with productive cough and fever (*con tos con flema y fiebre*), 136, 147
radiating to arm, neck, or jaw (*que se extiende al brazo, al cuello, o a la quijada*), 138
with shortness of breath (*con respiración corta*), 138, 147
Chickenpox (*Varicela o viruela loca*), 17, 215
shingles and (*herpes zoster y*), 200
Child car seats (*Asientos de seguridad para niños*), 43, 210
Childhood rashes, chart (*Cuadro de salpullidos de la niñez*), 216
Children, see Infant and child health (*Niños, vea Niños, la salud de los*)
Chills and fever (*Escalofríos*), 145, 147
Chlamydia (*Clamidia*), 274
Choking (*Atragantamiento*), 34
first aid for (*primeros auxilios para*), 35
Heimlich maneuver (*maniobra de Heimlich*), 35
prevention (*prevención*), 35
Cholesterol (*Colesterol*), 234
HDL and LDL (*bueno y malo*), 234, 235
how to reduce (*cómo reducir el*), 235
tests, frequency of (*frecuencia de las pruebas*), 235
Chronic fatigue syndrome (*Síndrome de fatiga crónica*), 125

Chronic obstructive pulmonary disease (*Enfermedad crónica de obstrucción pulmonar*), 136
Cigarettes, see Smoking (*Cigarro, vea Fumar*)
Circumcision (*Circuncisión*), 211
Clinical breast exam (*Examen profesional de los senos*), 242
  frequency of (*frecuencia del*), 242
Cluster headaches (*Jaquecas repetitivas*), 176
Cold pack (*Compresas frías*), 123, 327
  guidelines for use (*guías para uso*), 123
Colds (*Catarros o resfriados*), 140
  hay fever (*"catarro alérgico"*), 129
  medications for (*remedios para*), 333
  vertigo and (*vértigo y*), 165
Cold sores (*Llagas de fiebre*), 182
  increased frequency of (*que aparecen con más frecuencia*), 278
Colic (*Cólicos*), 217
Compulsive overeating (*Comer en exceso*), 318
Concussion, see Head injuries (*vea Golpes en la cabeza*), 42
Condoms (*Condones*), 272, 273, 278
  AIDS and (*el SIDA y los*), 278
  sexually transmitted diseases and (*Enfermedades de transmisión sexual y*), 276, 278
Confusion (*Confusión*)
  following head injury (*después de un golpe a la cabeza*), 43, 44
  shock and (*choque y*), 60
Conjunctivitis (*Conjuntivitis, mal de ojo*), 160
Constipation (*Estreñimiento*), 70
  with abdominal pain and fever (*con dolor abdominal y fiebre*), 69
  hemorrhoids and (*hemorroides y*), 76
  irritable bowel syndrome and (*síndrome del intestino delicado y*), 78
  laxatives (*laxantes*), 336
Consumer, medical, see Medical consumer (*Consumidor de servicios médicos*)
Contact dermatitis (*Salpullido por tocar*), 204
Contact lenses (*Lentes de contacto*), 162
Contusions or bruises (*Moretones*), 31
Convulsions, with fever (*Convulsiones por fiebre*), 225
Corns and calluses (*Callos*), 208
Coughs (*Tos*), 142, 143
  with bronchitis (*con bronquitis*), 136
  chart (*cuadro*), 143
  with chest pain (*con dolor de pecho*), 136, 147
  with croup (*con crup*), 219
  dry and hacking (*seca*), 142
  medicine for (*medicinas para*), 334
  with pneumonia (*con pulmonía*), 147
  productive (*con flema*), 135, 136, 142, 147
  unexplained (*sin razón*), 278
CPR (*RCP*), 55
  ready reference chart (*guía rápida para la*), 57
Crabs, see Lice (*Ladilla, vea Piojos*), 203
Cradle cap (*Seborrea*), 218
Cramps (*Calambres*)
  with exercise (*con ejercicio*), 114, 115
  leg (*en la pierna*), 114
  menstrual (*de la regla*), 252
  muscle (*musculares*), 114
  stomach (*de la barriga*), 78, 82, 115
Cross-training, and sports injuries (*Diferentes tipos de actividades y lesiones deportivas*), 119
Croup (*Crup*), 219
C-section (*Cesárea*), 247
Cuts (*Cortadas*), 37
Cystitis (*Cistitis*), 256

D

Dairy foods (*Productos de leche*), 295, 302
Dandruff (*Caspa*), 197
Decision making, shared (*Decisiones, participar en la toma de*), 7
Decongestants (*Descongestionantes*), 333
  high blood pressure and (*presión alta de la sangre y*), 237
Dehydration (*Deshidratación*), 72
  rehydration drinks for (*bebidas de rehidratación para la*), 72
Dental care (*Cuidado de los dientes*)
  brushing (*cómo cepillarse*), 185
  for children (*para niños*), 186
  disclosing tablets (*tabletas reveladoras*), 185
  flossing (*cómo usar seda dental*), 185, 186
  fluoride (*fluoruro*), 185, 187
  sealants (*selladores*), 187
Dental problems, also see Mouth problems (*Problemas de los dientes, también vea Problemas de la boca*)
  bleeding gums (*encías que sangran*), 184, 187
  chart (*cuadro*), 182
  gingivitis (*gingivitis*), 184

gum (periodontal) disease (*periodontitis o inflamación de las encías*), 184
how to brush (*cómo cepillar*), 185
jaw pain (*dolor de la quijada*), 187, 188
plaque (*placa*), 183
TMJ (*síndrome de la coyuntura temporomandibular*), 187
toothache (*dolor de muelas*), 148, 187
tooth decay (*picaduras*), 183
tooth loss, accidental (*pérdida accidental de un diente*), 28
Dental visits, frequency of (*Frecuencia de las visitas al dentista*), 185, 186
Depression (*Depresión*), 315
Dermatitis, see Rashes (*Dermatitis, vea Salpullidos*), 204
Dermatologist (*Dermatólogo*), 13
Desensitization shots, see Immunotherapy (*Inmunoterapia*), 130
Diabetes (*Diabetes*), 231
emergencies (*emergencias de*), 233, 234
exercise and (*el ejercicio y la*), 232, 233, 286
Diaper rash (*Rozadura de pañal*), 220
Diaphragm (*Diafragma*), 272, 273
Diarrhea (*Diarrea*), 74
antidiarrheals (*antidiarreicos*), 333
black or tarry (*negra o como alquitrán*), 74
in children (*en los niños*), 221
dehydration and (*deshidratación y*), 72
with fever (*con fiebre*), 74
irritable bowel syndrome and (*síndrome del intestino delicado y*), 78
persistent (*persistente*), 78, 278
Diastolic blood pressure (*Presión de la sangre diastólica*), 24
Diet, also see Nutrition (*Dieta, vea también Nutrición*)
guidelines (*guía*), 293, 295
to lower cholesterol (*para reducir el colesterol*), 235, 236
to reverse heart disease (*para revertir un mal del corazón*), 236
Dieting, excessive, see Eating disorders (*Dieta en exceso, vea Trastornos de la alimentación*), 317
Digestive problems, see Abdominal problems (*Problemas de la digestión, vea Problemas del abdomen o barriga*)
Digital rectal exam (*Examen del recto*), 270
Diphtheria vaccine (*Vacuna de la difteria*), 16
Discharge (*Desecho*)
from ear (*del oído*), 168, 170
from eye (*del ojo*), 161, 162, 163
from nipple (*del pezón*), 242
from penis (*del pene*), 265, 274, 275
vaginal, abnormal (*anormal de la vagina*), 258, 259, 274, 275
vaginal, normal (*normal de la vagina*), 243
Disc injury, see Back problems (*Lastimadura de un disco, vea Problemas de la espalda*), 87, 89
Discipline, children (*Disciplina en los niños*), 212
Disclosing tablets (*Tabletas reveladoras*), 185
Dizziness (*Mareos*), 164
chest pain and (*dolor de pecho y*), 138
shock and (*choque y*), 60
Doctor (*Doctor*)
calling (*consultas por teléfono*), 5
finding the right (*cómo encontrar a un médico que esté dispuesto a ser su socio*), 5
for mental health problems (*para problemas de salud mental*), 308
partnership with (*asociación con el*), 3
questions to ask (*preguntas para el*), 5, 6
sharing decisions with (*tomar decisiones con el*), 7
types of (*tipos de*), 5, 6, 13
Doctor visits (*Visitas al doctor*)
preparing for (*cómo prepararse para las*), 2, 4
recommended schedule (*frecuencia recomendada*), 19, 20
Domestic violence (*Violencia doméstica*), 321
DPT vaccine (*Vacuna contra difteria, pertusis y tétano*), 16
Drinking, see Alcohol problems (*Tomar demasiado, vea Problemas con el alcohol*), 309
Drooling, excessive (*Mucho babeo*), 151
Drowning, see Rescue breathing (*Ahogarse, vea Respiración de boca a boca*), 55
Drowsiness, with headache, fever, stiff neck (*Mucho sueño, con dolor de cabeza, fiebre y cuello o nuca tiesa*), 146
Drug problems (*Abuso de las drogas*), 309, 310
Drugs, see Medications (*Drogas, vea Medicinas*)
Drug use, signs of (*Señas del uso de drogas*), 310
Dry eyes (*Resequedad de los ojos*), 159
Dry skin (*Piel seca*), 197
Duodenal ulcers (*Úlceras del duodeno*), 84
Dysmenorrhea (*Molestias de la regla*), 252

E

Eardrops, how to insert (*Cómo ponerse gotas en el oído*), 171
Eardrum rupture (*Tímpano reventado*), 166
Ear infections (*Infecciones de los oídos*), 166, 170
    adenoids and (*adenoides y*), 154
    recurrent (*repetidas*), 168
Early detection (*Detección temprana*), 19
Ear problems (*Problemas del oído*)
    chart (*cuadro*), 165
    dizziness (*mareos*), 164
    earache (*dolor de oído*), 166, 170
    eardrops, inserting (*cómo ponerse gotas en el oído*), 171
    ear infections (*infecciones del oído*), 166, 170
    ear tubes (*tubitos en los oídos*), 168
    earwax (*cera en los oídos*), 168
    feeling of fullness in ear (*sensación de tener el oído tapado*), 166, 170
    itchy ears (*comezón en el oído*), 170
    labyrinthitis (*laberintitis*), 165
    object in ear (*objeto en el oído*), 51
    otitis externa (*infecciones del canal externo del oído*), 170
    otitis media (*infecciones del oído medio*), 166
    otoscope (*otoscopio*), 327
    ringing or noise in ears (*zumbido en los oídos*), 166, 169, 337
    swimmer's ear (*infecciones del canal externo del oído*), 170
    tinnitus (*tinnitus o zumbido en los oídos*), 166, 169, 335
    vertigo (*vértigo*), 164
    water in ear (*agua en el oído*), 170
Ear tubes (*Tubitos en los oídos*), 168
Earwax (*Cera en los oídos*), 168
Eating disorders (*Trastornos de la alimentación*), 317
E. coli, 256
Eczema (*Eczema*), 193
Effusion (*Cuando el oído se llena de líquido*), 166
Ejaculation, painful (*Dolor al eyacular*), 267
Elbow pain (*Dolor de codo*), 108
Electrical burns (*Quemaduras eléctricas*), 33
Electrolyte solution, for dehydration (*Solución de electrolitos para la deshidratación*), 72
Emergencies, also see First Aid (*Emergencias, vea también Primeros auxilios*)
    bleeding (*hemorragias*), 37
    blunt abdominal wounds (*contusiones abdominales*), 30
    burns (*quemaduras*), 32, 62
    chest pain (*dolor de pecho*), 138
    choking (*atragantamiento*), 34, 35
    CPR (*RCP*), 55
    dealing with (*qué hacer en caso de*), 27
    frostbite (*congelación de la piel*), 41
    head injuries (*golpes en la cabeza*), 42
    heart attack (*ataque al corazón*), 26, 138, 139
    heat stroke (*insolación*), 44
    Heimlich maneuver (*maniobra de Heimlich*), 35
    hypothermia (*hipotermia*), 46
    legal protection and (*protección legal y*), 28
    poisoning (*envenenamiento*), 53
    rescue breathing (*respiración de boca a boca*), 55
    shock (*choque*), 60
    spinal injuries (*lesiones de la médula espinal*), 62
    suicide (*suicidio*), 320
    unconsciousness (*pérdida del conocimiento*), 65
Emergency room, preparing for visit (*Cómo prepararse para ir a la sala de emergencia*), 10
Emergency services, when to use (*Cuándo usar los servicios de emergencia*), 10, 11
Emotional problems, see Mental wellness (*Problemas emocionales, vea Salud mental*)
Encephalitis (*Encefalitis*), 146
Endocrinologist (*Endocrinólogo*), 13
Endometrial cancer, hormone therapy and (*Cáncer de la matriz y tratamiento con hormonas*), 251
Enuresis (bed-wetting) (*Orinarse en la cama*), 214
Epinephrine kit (*Jeringa de adrenalina*)
    for allergies (*para alergias*), 129
    for bee stings (*para piquetes de abeja*), 49
Epstein-Barr virus (*Virus Epstein-Barr*), 151
Erection problems (*Erección, problemas de*), 265
    diabetes and (*diabetes y*), 232
Erythema infectiosum (*Eritema infeccioso*), 230
Estrogen (*Estrógeno*), 249
Estrogen replacement therapy or ERT (*Tratamiento con hormonas*), 250
Eustachian tube (*Trompa de Eustaquio*), 166

Exams, preventive (*Pruebas para la detección temprana*), 19
Exercise, also see Fitness (*Ejercicio, vea también Buena condición física*)
  aerobic (*aeróbico*), 282
  how to overcome barriers (*cómo vencer las barreras al*), 285
  benefits of (*beneficios del*), 281
  cautions (*precauciones*), 286
  flexibility (*flexibilidad*), 285
  after injury (*después de una lesión*), 119
  muscle strengthening (*fortalecimiento de los músculos*), 285
  to prevent back problems (*para evitar problemas de la espalda*), 92
  to prevent neck problems (*para evitar problemas del cuello*), 102
  stress and (*estrés y*), 288
  stretching (*estiramiento y*), 284, 285
Expectorants (*Expectorantes*), 335
Extension exercises (*Ejercicios de extensión*), 93
Eyedrops, how to insert (*Cómo ponerse gotas para los ojos*), 162
Eyelid (*Párpado*)
  bump on, see Styes (*bolita en el, vea Orzuelos*), 163
  swollen, see Conjunctivitis (*hinchado, vea Infecciones de los ojos*), 160
Eye problems (*Problemas de los ojos*)
  black eye (*ojo moro*), 31
  blood in eye (*sangre en el ojo*), 163
  chart (*cuadro*), 160
  chemical in eye (*producto químico en el ojo*), 34
  conjunctivitis (*conjuntivitis*), 160
  contact lens irritation (*irritación por los lentes de contacto*), 162
  discharge (*desecho o lagaña*), 161, 162, 163
  dry eyes (*resequedad de los ojos*), 159
  eyedrops, inserting (*cómo ponerse gotas en los ojos*), 162
  flashes and floaters (*moscas volantes*), 161
  glaucoma (*glaucoma*), 164
  infections (*infecciones*), 160
  object in eye (*objeto en el ojo*), 52
  pain in (*dolor en el ojo*), 160, 162, 164
  pinkeye (*mal de ojo, llorona*), 160
  red and irritated (*rojo e irritado*), 161, 162, 163
  sensitivity to light (*sensibilidad a la luz*), 161, 162
  styes (*orzuelos o perrillas*), 163
  sunken eyes (*ojos hundidos*), 73
  twitches (*tics*), 161
  watery and itchy eyes (*ojos con lagrimeo y comezón*), 127, 161

F

Facial pain, with fever (*Dolor de cara, con fiebre*), 148, 149
Fahrenheit-Centigrade conversion chart (*Temperaturas equivalentes en grados Fahrenheit y Centígrados*), 21
Fainting (*Desmayo*), 65
Family doctor (*Doctor de familia*), 5, 6
Family medical history and preventive exams (*Historia médica familiar, y pruebas para la detección temprana*), 19, 20
Fatigue (*Fatiga*), 124, 125; also see Sleep problems (*vea también Problemas para dormir*), 319
  chronic fatigue syndrome (*síndrome de fatiga crónica*), 125
  severe and persistent (*grave y persistente*), 125, 278
Fats (*Grasas*), 298
Fear, see Anxiety (*Miedo, vea Angustia*), 313
Fecal incontinence (*Incontinencia fecal*), 70
Fever (*Fiebre o calentura*), 144, 223
  with abdominal pain (*con dolor abdominal*), 69
  in adults (*en adultos*), 144
  in children (*en niños*), 223
  chills and (*escalofríos y*), 145, 147
  convulsions (*convulsiones*), 225
  earache and (*dolor de oído y*), 166
  facial pain and (*dolor en la cara y*), 148, 149
  headache and stiff neck and (*dolor de cabeza y cuello o nuca tiesa y*), 146
  heat stroke and (*insolación y*), 44
  following immunizations (*después de las vacunas infantiles*), 18
  low back or pelvic pain and (*dolor en la espalda o cintura*), 257, 267
  during menstrual period (*durante la regla*), 248, 253
  muscle aches, weakness, fatigue and (*dolor de músculos, debilidad, fatiga y*), 125, 145, 150, 151
  painful urination and (*dolor al orinar y*), 257, 267
  persistent and unexplained (*persistente y sin explicación*), 125, 278
  productive cough and (*tos que produce flema y*), 136, 147

scarlet fever (*escarlatina*), 152
sore throat, swollen lymph glands, weakness, pain and (*dolor de garganta, nodos linfáticos hinchados, debilidad, dolor y*), 125, 150, 151
Fever convulsions (*Convulsiones por fiebre*), 225
Fiber (*Fibra*), 296
cancer and (*cáncer y*), 294
constipation and (*estreñimiento y*), 70
Finger, "jammed" (*"Dedo trabado"*), 121
Fingernail, blood under (*Sangre bajo una uña*), 29
Firearm safety (*Cómo evitar la violencia con pistolas y otras armas*), 321
First aid, also see Emergencies (*Primeros auxilios, vea también Emergencias*)
animal bites (*mordidas o piquetes de animales*), 28, 61
back problems (*problemas de la espalda*), 87
black eye (*ojo moro*), 31
bleeding (*hemorragias o sangrados*), 37
blisters (*ampollas*), 194
blood under a nail (*sangre bajo una uña*), 29
blunt abdominal wounds (*contusiones abdominales*), 30
bruises (*moretones*), 31
burns (*quemaduras*), 32, 62
chemical in eye (*producto químico en el ojo*), 34
choking (*atragantamiento*), 34, 35
CPR (*RCP*), 55
cuts (*cortadas*), 37
dizziness (*mareos*), 164
fainting (*desmayo*), 65
fever convulsions (*convulsiones por fiebre*), 225
fishhook removal (*cómo quitar un anzuelo*), 40
fractures (*fracturas*), 120
frostbite (*congelación de la piel*), 41
head injuries (*golpes o heridas en la cabeza*), 42
heat exhaustion (*agotamiento por calor*), 44
heat stroke (*insolación*), 44
Heimlich maneuver (*maniobra de Heimlich*), 34, 35
hyperventilation (*hiperventilación*), 45
hypothermia (*hipotermia*), 46
insect stings (*piquetes de insectos*), 47
jellyfish stings (*piquetes de medusa o aguamala*), 49
nosebleeds (*sangrado de la nariz*), 50
object in the ear (*objeto en el oído*), 51
object in the eye (*objeto en el ojo*), 52
object in the nose (*objeto en la nariz*), 52
poisoning (*envenenamiento*), 53
puncture wounds (*estacadas o pinchazos fuertes*), 54
rescue breathing (*respiración de boca a boca*), 55
scrapes (*raspones*), 59
shock (*choque o conmoción*), 60
spinal injuries (*lesiones de la médula espinal*), 62
splinters (*astillas*), 60
sprains and strains (*torceduras y músculos jalados*), 120
tick bites (*piquetes de garrapata*), 64
tooth loss, accidental (*pérdida accidental de un diente*), 28
trapped limbs (*qué hacer si una parte del cuerpo se le atora en algo*), 41
unconsciousness (*pérdida del conocimiento*), 65
Fishhook removal (*Cómo quitar un anzuelo*), 40
Fish oil, cholesterol and (*Pescado, el colesterol y el aceite de*), 236
Fitness, also see Exercise (*Buena condición física, vea también Ejercicio*), 281
personal fitness plan (*plan personal para estar en forma*), 282
setting goals (*cómo fijar metas*), 286
Flashes, eye (*Destellos y manchas, o moscas volantes*), 161
Flexibility (*Flexibilidad*), 285
Flexible sigmoidoscopy (*Sigmoidoscopia flexible*), 20
Flexion exercises (*Ejercicios de flexión*), 92
Floaters in eyes (*Manchas en los ojos o moscas volantes*), 161
Flossing teeth (*Cómo usar la seda dental*), 185
tools (*instrumentos*), 186
Flu (*Gripe*), 145
Lyme disease and (*enfermedad de Lyme y*), 64
shot, frequency of (*inyección, frecuencia de la*), 18, 145
stomach (*infecciones intestinales*), 82
Fluid in ear (*Líquido en el oído*), 166, 168
Fluoride (*Fluoruro*), 185, 187
Fontanelle (*Fontanela o mollera*)
bulging (*abultada*), 146
sunken (*hundida*), 73
Food allergies (*Alergias a alimentos*), 306

Food handling, to prevent food poisoning (*Manejo de alimentos, para prevenir intoxicación*), 82
Food poisoning (*Envenenamiento con alimentos*), 82
Foot pain (*Dolor de pie*), 104, 106, 117
Foreign travel, and immunizations (*Viajes y vacunas*), 18, 19
Foreskin (*Prepucio*), 264
  in babies (*en bebés*), 211
Fractures (*Fracturas*), 120
  splinting (*cómo entablillar*), 120
Fraud, health (*Fraude de salud*), 13
Freeing trapped limbs (*Qué hacer si una parte del cuerpo se le atora en algo*), 41
Frostbite (*Congelación de la piel*), 41
Fruits and vegetables (*Frutas y verduras*), 294
Fungal infections (*Infecciones por hongos*), 199
  antifungal medications (*medicina contra*), 201, 260
  nail infections (*infecciones de las uñas*), 200
  yeast infection (*infección de moniliasis o algodoncillo*), 200, 259

G

Gallbladder (*Vesícula biliar*), 138
Gallbladder disease, hormone therapy and (*Enfermedad de la vesícula biliar y tratamiento con hormonas*), 251
Gas, with abdominal bloating (*Gas con hinchazón abdominal*), 79
Gastric ulcers (*Úlceras gástricas*), 84
Gastroenteritis, see Stomach flu (*Gastroenteritis, vea Infecciones intestinales*), 82
  in children (*en niños*), 221
Gastroenterologist (*Gastroenterólogo*), 13
Gatorade, dehydration and (*Gatorade y la deshidratación*), 72
Generic drugs (*Medicina genérica*), 342
Genital herpes (*Herpes genital*), 274
Genitals (*Genitales*)
  female (*de la mujer*), 243, 244
  male (*del hombre*), 264
  sores on (*llagas en los*), 274, 275
  warts (*verrugas*), 275
Geriatrician (*Geriatra*), 13
German measles, see Rubella (*Peluza, vea Rubéola*), 229
Giardia lamblia, 74
Gingivitis (*Gingivitis*), 184
Glands, swollen (*Ganglios o nodos linfáticos hinchados*), 152
Glaucoma (*Glaucoma*), 164
Golfer's elbow (*Dolor de codo*), 108
Gonorrhea (*Gonorrea*), 275
Good Samaritan law (*Ley del "buen samaritano"*), 28
Gout (*Gota*), 104
Grief (*Pena*), 317
Growing pains (*Dolores de crecimiento*), 114
Guilt (*Culpa*), 325
Gums, bleeding (*Encías que sangran*), 184, 187
Gun safety (*Cómo evitar la violencia con pistolas*), 321
Gynecological health (*Salud de los órganos sexuales, mujeres*), 243
Gynecologist (*Ginecólogo*), 13

H

Haemophilus influenzae type b vaccine (*Haemophilus influenzae tipo b, vacuna*), 18
Hair problems (*Problemas del pelo*)
  bald spots (*manchas pelonas*), 204
  cradle cap (*seborrea*), 218
  dandruff (*caspa*), 197
  lice (*piojos*), 203
  ringworm (*culebrilla*), 199
Hammertoes (*Dedos engarrotados*), 106
Hands, pain, numbness, or tingling in (*Manos, dolor, entumecimiento o cosquilleo en las*), 111, 232
Hardiness (*Resistencia*), 324
Hay fever (*Fiebre del heno, o "catarro alérgico"*), 129
HBV, hepatitis B virus (*virus de la hepatitis B*), 17, 18, 275
HDL cholesterol (*colesterol bueno o provechoso*), 234
  hormone therapy and (*tratamiento con hormonas y*), 251
Headache (*Dolor de cabeza*)
  caffeine and (*cafeína y*), 178
  causes, chart (*posibles causas, cuadro*), 174
  in children (*en niños*), 175
  emergency symptoms (*síntomas de emergencia*), 173
  encephalitis and (*encefalitis y*), 146
  facial pain and (*dolor en la cara y*), 148, 149
  fever, stiff neck, vomiting, and (*fiebre, nuca tiesa, vómitos y*), 146
  head injuries and (*golpes o heridas en la cabeza y*), 44
  jaw pain and (*dolor de quijada y*), 178, 188
  meningitis and (*meningitis y*), 146

migraines (*jaquecas o migrañas*), 176
neck pain and (*dolor de cuello o nuca y*), 98, 146, 178
one-sided (*en un lado*), 176
with one-sided weakness, numbness, speech or vision problems (*con debilidad en un lado, entumecimiento, problemas del habla o de la visión*), 173
recurring (*repetitivos*), 176
sudden and severe (*repentino y fuerte*), 173, 176
tension (*debido a la tensión*), 178
tracking symptoms (*cómo llevar un registro de sus dolores de cabeza*), 177
with visual disturbances (*con problemas de la visión*), 173, 176
vomiting and (*vómitos y*), 146, 176

Head injuries (*Golpes o heridas en la cabeza*), 42
Head lice (*Piojos en la cabeza*), 203
Health fraud (*Fraude de salud*), 13
Health habits (*Formas de mantenerse sano*), 15
Hearing loss (*Sordera*), 166, 168, 170
Heart attack (*Ataque al corazón*), 26, 138, 139; also see CPR (*vea también RCP*), 55
aspirin and (*aspirina y*), 337
warning signs (*señales de advertencia*), 26

Heartbeat, also see Pulse (*Latidos del corazón, vea también Pulso*)
pounding or racing (*latidos fuertes*), 287, 313
rapid (*rápidos*), 45, 138

Heartburn or indigestion (*Acidez o indigestión*), 75
Heart disease (*Enfermedad del corazón*)
aspirin and (*aspirina y*), 337
exercise and (*ejercicio y*), 286
hormone therapy and (*tratamiento con hormonas y*), 251
men's health habits and (*hábitos de salud de hombres y*), 263
reversing (*cómo revertir el mal del corazón*), 236
risk factors for (*factores riesgosos*), 235

Heat exhaustion (*Agotamiento por calor*), 44
Heat stroke (*Insolación*), 44
Heel pain (*Dolor del talón*), 117
Heimlich maneuver (*Maniobra de Heimlich*), 34, 35
Helicobacter pylori, 84
Hemorrhage, see Stopping severe bleeding (*Cómo controlar una hemorragia fuerte*), 37
Hemorrhoids (*Hemorroides*), 76
HEPA filter, for allergies (*Filtro especial para alergias*), 130
Hepatitis B (*Hepatitis B*), 17, 18, 275
Hernias (*Hernias*), 77
Herniated disc, see Back problems (*Disco herniado, vea Problemas de la espalda*), 87
Herpes virus (*Virus del herpes*)
chickenpox (*varicela o viruela loca*), 215
cold sores and (*llagas de fiebre y*), 183
genital herpes (*herpes genital*), 274
zoster, shingles (*herpes zona*), 200

Hib vaccine (*Hib, vacuna*), 18
High blood pressure (*Presión alta de la sangre*), 236
High-density lipoprotein (HDL) cholesterol (*colesterol "bueno"*), 234, 235
Hip pain (*Dolor de cadera*), 110
also see Arthritis (*vea también Artritis*), 103

HIV or human immunodeficiency virus (*VIH o virus de inmunodeficiencia humana*), 276
Hives (*Urticaria o ronchas con comezón*), 201
Hoarseness (*Ronquera*), 147
Home medical records (*Expedientes médicos caseros*), 344
Home medical tests (*Pruebas médicas caseras*), 342
blood glucose (*azúcar en la sangre*), 232, 343
blood in stool (*sangre en el excremento*), 344
blood pressure (*presión de la sangre*), 24, 343
pregnancy tests (*pruebas de embarazo*), 245

Home pregnancy tests (*Pruebas de embarazo caseras*), 245
Hormone replacement therapy, HRT (*Tratamiento de estrógeno y progestina*), 250
Hospice (*Hospicio*), 11
Hospital, Patient's Bill of Rights (*El Código de los Derechos del Paciente*), 12
Hospitalization (*Hospitalización*)
how to improve your stay in the hospital (*cómo mejorar su estancia en el hospital*), 12
reducing costs (*reducir los costos*), 10, 11, 12

Hostility (*Hostilidad*), 312
Hot flashes (*Ataques de calor o bochornos*), 249
HPV, human papillomavirus (*VHP o virus humano papiloma*), 275

Human immunodeficiency virus, HIV (*Virus de inmunodeficiencia humana o VIH*), 276
Human papillomavirus, HPV (*VHP o virus humano papiloma*), 275
Humidifier (*Humidificador*), 328
Hydrocortisone cream (*Crema con hidrocortisona*), 331
for itching (*para la comezón*), 198
for psoriasis (*para la psoriasis*), 199
Hypertension (*Hipertensión*), 236
Hyperventilation (*Hiperventilación o "susto" con resuello fuerte*), 45
panic disorders and (*crisis de angustia y*), 314
Hypothermia (*Hipotermia*), 46
Hysterectomy (*Histerectomía*), 261
hormone therapy and (*tratamiento con hormonas y*), 250

I

Ibuprofen (*Ibuprofen*), 337
fever and (*fiebre y*), 144, 224
menstrual cramps and (*calambres de la regla y*), 253
ulcers and (*úlceras y*), 84
Ice, for injuries (*Hielo para lastimaduras*), 122
Immune system, healing and (*Sistema inmunológico, sanando y el*), 322
Immunizations (*Vacunas*), 16
chickenpox (*varicela*), 17, 215
influenza (*gripe*), 18, 145
pneumonia (*neumocócica*), 18
reactions to (*reacciones a las*), 18
tetanus (*tétano*), 16
for travel (*para viajar*), 18, 19
Immunotherapy, for allergies (*Inmunoterapia para alergias*), 130
Impetigo (*Impétigo*), 226
Impotence, see Erection problems (*Impotencia, vea Problemas de erección*), 265
Incontinence (*Incontinencia*), 85
fecal (fecal), 70
Indigestion (*Indigestión*), 75
Infant and child health (*La salud de los niños*)
bed-wetting (*orinarse en la cama*), 214
behavior (*comportamiento*), 212
bellybuttons (*ombligos*), 209
birthmarks (*marcas de nacimiento*), 196
breast-feeding (*amamantamiento o dar pecho*), 210
chickenpox (*varicela o viruela loca*), 215
child car seats (*asientos de seguridad para niños*), 210
childhood rashes, chart (*salpullidos de la niñez, cuadro*), 216
circumcision (*circuncisión*), 211
colic (*cólicos*), 217
cradle cap (*seborrea*), 218
croup (*crup o garrotillo*), 219
dehydration (*deshidratación*), 72
dental care (*cuidado dental*), 186
diaper rash (*rozadura de pañal*), 220
diarrhea (*diarrea*), 221
discipline (*disciplina*), 212
ear infections (*infecciones de los oídos*), 166
erythema infectiosum (*eritema infeccioso*), 230
fever (*fiebre*), 223
fever convulsions (*convulsiones por fiebre*), 225
headaches (*dolores de cabeza*), 175
immunizations (*vacunas*), 16, 18, 19
impetigo (*impétigo*), 226
measles, mumps, rubella (*sarampión, paperas y rubéola*), 17, 229
nutrition (*nutrición*), 305
pinworms (*oxiuros*), 227
prickly heat or sweat rash (*salpullido por calor*), 228
rashes chart (*cuadro de salpullidos*), 216
roseola (*roséola*), 229
sleep habits (*hábitos de dormir*), 213
temper tantrums (*berrinches o rabietas*), 212
toilet training (*cómo entrenar a su niño a usar el excusado*), 213
umbilical cords (*cordón umbilical*), 209
vomiting (*vómitos*), 221
Infection (*Infección*)
bacterial (*bacteriana*), 135
ear (*del oído*), 166
intestinal (*intestinal*), 82
intestinal, in children (*intestinal, en niños*), 221
prostate (*de la próstata*), 267
sexually transmitted (*transmitida por medio del sexo*), 274, 276
sinus (*de los senos paranasales*), 148
swollen glands and (*nodos linfáticos hinchados y*), 152
urinary tract (*de las vías urinarias*), 256
vaginal (*vaginal*), 258, 259
viral, compared to bacterial (*viral, comparada a la bacteriana*), 135
Influenza (*Influenza, vea Gripe*), 145
vaccine, frequency of (*vacuna, frecuencia de*), 18, 145

Ingrown toenails (*Uñas encarnadas, o uñeros*), 202
Inguinal hernia (*Hernias inguinales*), 77
Inhaler, for asthma (*Inhalador para el asma*), 133, 134
Injuries, also see First aid (*Golpes o heridas, vea también Primeros auxilios*)
  abdominal (*abdominales*), 30
  back problems and (*problemas de la espalda y*), 87
  broken bones (*huesos rotos*), 120
  head (*cabeza*), 42
  knee (*rodilla*), 112
  neck (*cuello*), 62, 99
  spinal (*médula espinal*), 62
  splinting (*cómo entablillar*), 120
  sports (*deportivas*), 118
  sprains and strains (*torceduras y músculos jalados*), 120
Insect repellents (*Repelentes contra insectos*), 48, 64
Insect stings (*Piquetes de insectos*), 47
  immunotherapy for (*inmunoterapia para los*), 130
Insomnia (*Insomnio*), 319
Insulin (*Insulina*), 231
Intercourse, painful (*Dolor durante relaciones sexuales*), 249, 259, 260
Internist (*Internista*), 5, 13
Intrauterine device, IUD (*Dispositivo intrauterino o DIU*), 248, 253, 272
Iron (*Pastillas de hierro*), 304
Irregular periods (*Reglas irregulares*), 248, 249, 253
Irritable bowel syndrome (*Síndrome del intestino delicado*), 78
Itching (*Comezón*), 198
  ears (*oídos*), 170
  genital (*genitales*), 199, 256, 258, 274
  rectal (*recto*), 76, 227
  scalp (*cuero cabelludo*), 197, 199
IUD, intrauterine device (*DIU o dispositivo intrauterino*), 248, 253, 272

J

Jammed toe or finger (*Dedo trabado*), 121
Jaundice (*Ictericia*), 275
Jaw pain (*Dolor de mandíbula o quijada*), 187
  with chest pain (*con dolor de pecho*), 138
  or noise in jaw (*o ruido en la quijada*), 188
  tension headache and (*dolor de cabeza debido a la tensión y*), 178
Jellyfish stings (*Piquete de medusa o aguamala*), 49
Job stress (*Tensión nerviosa en el trabajo*), 313
Jock itch (*Tiña de la ingle*), 199
Joint pain, see Bone, muscle, and joint problems (*Dolor de coyuntura, vea Huesos, músculos y coyunturas, problemas de los*)

K

Kegel exercises (*Ejercicios Kegel*), 86
Knee problems (*Problemas de la rodilla*), 112

L

Labyrinthitis (*Laberintitis*), 165
Lacerations or cuts (*Cortadas*), 37
Lactose intolerance (*Problemas para digerir leche*), 302
Laryngitis (*Laringitis*), 146
Laxatives (*Laxantes*), 336
  caution with appendicitis (*precaución con la apendicitis*), 70
  eating disorders and (*trastornos de la alimentación y*), 318
Lead poisoning (*Envenenamiento con plomo*), 53
Leg pain (*Dolor de pierna*), 114
  see Sciatica (*vea Ciática*), 89
Lethargy (*Desgano*)
  dehydration and (*deshidratación y*), 74
  following head injury (*después de un golpe en la cabeza*), 43
  with headache, fever, stiff neck (*con dolor de cabeza, fiebre, cuello o nuca tiesa*), 146
Lice (*Piojos*), 203
Lifting, proper posture (*Cómo levantar objetos*), 91, 92
Lightheadedness (*Mareos*), 164
Limbs, freeing trapped (*Qué hacer si una parte del cuerpo se atora en algo*), 41
Lockjaw, see Tetanus (*Trismo, vea Tétano*), 16
Low back pain (*Dolor de cintura o de espalda*), 87, 257, 267
Low-density lipoprotein (LDL) cholesterol (*colesterol "malo"*), 234, 235
Lumps (*Bultos o bolitas*)
  on anus (*en el ano*), 76
  in breast (*en el seno*), 240, 242
  in groin or scrotum (*en la ingle o escroto*), 78, 265
  in scrotum or on testes (*en el escroto o testículos*), 265

Lungs, see Chest and respiratory problems (*Pulmones, vea Pecho, problemas de la respiración y del*)
Lyme disease (*Enfermedad de Lyme*), 64
Lymph nodes, swollen (*Nodos linfáticos hinchados*), 152, 153

M

Mammogram (*Mamografía*), 242
Measles (*Sarampión*)
  symptoms of (*señas de*), 229
  vaccine (*vacuna*), 17
Medical consumer (*Consumidor médico*)
  costs (*formas de reducir costos*), 9
  emergency services (*servicios de emergencia*), 10, 11
  finding the right doctor (*cómo encontrar a un médico que esté dispuesto a ser su socio*), 5
  partnership with doctor (*en asociación con el doctor*), 3, 5
  questions about medical tests (*preguntas sobre pruebas médicas*), 2, 9
  questions about medications (*preguntas sobre medicinas*), 2, 10, 342
  questions about surgery (*preguntas sobre las operaciones*), 2, 10
  research (*cómo obtener información por su cuenta*), 8, 14
  shared decision making (*participar en la toma de decisiones*), 7
Medical exams, also see Home medical tests (*Exámenes médicos, vea también Pruebas médicas caseras*), 342
  cholesterol (*colesterol*), 235
  clinical breast exam (*examen profesional de los senos*), 242
  costs, reducing (*reduciendo costos*), 9
  flexible sigmoidoscopy (*sigmoidoscopia flexible*), 20
  mammograms (*mamografías*), 242
  Pap test and pelvic exam (*prueba de Papanicolaou y examen de la pelvis*), 243
  during pregnancy (*durante el embarazo*), 20
  questions to ask (*qué preguntar*), 2, 9
Medical records, home (*Expedientes médicos caseros*), 344
Medical research, doing your own (*Haciendo su propia investigación médica*), 14
Medications (*Medicinas*)
  acetaminophen (*acetaminofeno*), 338
  adverse effects of (*efectos graves de*), 341, 342
  allergic reactions to (*alergias a*), 341
  for allergies (*para alergias*), 333
  antacids (*antiácidos*), 332
  antibiotics (*antibióticos*), 339
  antidiarrheals (*antidiarreicos*), 333
  antihistamines (*antihistamínicos*), 335
  anti-inflammatories (*anti-inflamatorios*), 336, 337
  aspirin (*aspirina*), 336
  cold remedies (*remedios para el catarro*), 333
  costs, reducing (*cómo reducir los costos*), 10
  cough preparations (*medicinas para la tos*), 334
  decongestants (*descongestionantes*), 333
  depression and (*depresión y*), 315, 317
  dry eyes and (*resequedad de los ojos y*), 159
  erection problems and (*problemas de erección y*), 265
  generic (*genéricas*), 342
  guidelines for taking (*guías para el uso de*), 340
  high blood pressure and (*presión alta de la sangre y*), 237
  ibuprofen (*ibuprofen*), 337
  interactions (*reacciones*), 341, 342
  laxatives (*laxantes*), 336
  medicine spoon (*cuchara especial para las*), 328
  misuse of (*abuso*), 309
  naproxen (*naproxen*), 337
  nonsteroidal anti-inflammatory drugs (NSAIDs) (*antiinflamatorias sin esteroides*), 337
  over-the-counter (*sin receta*), 330, 331
  prescription (*de receta*), 339
  problems with (*problemas con*), 341, 342
  prostate problems and (*problemas de la próstata y*), 268
  questions to ask (*preguntas a hacer*), 2, 10, 342
  sleeping pills (*pastillas para dormir*), 341
  syrup of ipecac (*jarabe de ipecacuana*), 338
  tranquilizers (*tranquilizantes*), 341
Medicine spoon (*Cuchara especial para dar la medicina*), 328
Melanoma (*Melanoma*), 206
Menarche (*Menarquía*), 253
Meningitis (*Meningitis*), 146
Menopause (*Menopausia*), 249
  hormone therapy and (*tratamiento con hormonas y*), 250

Men's health (*Salud del hombre*)
- benign prostatic hypertrophy (*agrandamiento de la próstata, no causado por cáncer*), 268
- birth control (*métodos anticonceptivos*), 271, 272
- erection problems (*problemas de erección*), 265
- genital health (*salud de los genitales*), 264
- hernia (*hernia o desaldillado*), 77
- impotence, see Erection problems (*impotencia, vea Problemas de erección*), 265
- prostate cancer (*cáncer de la próstata*), 269
- prostate enlargement (*agrandamiento de la próstata*), 268
- prostate infection (*infección de la próstata*), 267
- sexually transmitted diseases (*enfermedades de transmisión sexual*), 274, 276
- testicular cancer (*cáncer de los testículos*), 265
- testicular self-exam (*cómo examinarse los testículos*), 265

Menstrual problems (*Molestias de la regla*)
- bleeding between periods (*sangrado entre reglas*), 248
- cramps (*calambres*), 252
- heavy periods (*reglas fuertes*), 249, 253
- irregular or missed periods (*reglas irregulares o que no vienen*), 248, 249, 253
- painful periods (*reglas con dolor*), 252
- premenstrual syndrome (PMS) (*síndrome premenstrual*), 254

Mental wellness (*Salud mental*)
- abuse (*abuso*), 321
- addiction (*adicción*), 309, 342
- affirmations (*afirmaciones*), 323
- alcohol problems (*problemas con el alcohol*), 309
- anger and hostility (*ira y hostilidad*), 312
- anorexia (*anorexia*), 318
- anxiety (*angustia*), 313
- bulimia (*bulimia*), 318
- compulsive overeating (*comer en exceso de modo compulsivo*), 318
- depression (*depresión*), 315
- domestic violence (*violencia doméstica*), 321
- drug problems (*problemas con las drogas*), 309, 310
- eating disorders (*trastornos de la alimentación*), 317
- grief (*pena*), 317
- guilt, avoiding (*evitando los sentimientos de culpa*), 325
- hardiness (*resistencia*), 324
- immune system and (*reforzando el sistema inmunológico*), 323
- insomnia (*insomnio*), 313, 319
- job stress (*tensión nerviosa en el trabajo*), 313
- panic attack (*crisis de angustia*), 314
- phobias (*fobias*), 314
- physical health and (*salud física y*), 322
- positive thinking (*pensamientos positivos*), 323
- professional help (*cómo conseguir ayuda profesional*), 307, 308
- relaxation exercises (*ejercicios de relajación*), 289
- seasonal affective disorder (*depresión de invierno*), 316
- self-care (*cuidado propio*), 307
- sleep problems (*problemas para dormir*), 319
- spirituality (*espiritualidad*), 324
- stress (*estrés o tensión*), 287
- suicide (*suicidio*), 320
- violent behavior (*comportamiento violento*), 321

Metered-dose inhaler, for asthma (*Inhalador para el asma*), 133, 134

Middle ear infections (*Infección del oído medio*), 166

Migraine headaches (*Migrañas o jaquecas*), 176

Milk, problems digesting (*Leche, problemas para digerir*), 302

Mind-body connection (*Conexión entre mente y cuerpo*), 322

Minerals (*Minerales*), 301

Missed or irregular periods (*Reglas que no bajan*), 248, 249, 253

Moles (*Lunares*), 206

Monilia, see Yeast infection (*vea Moniliasis*), 200, 259

Mononucleosis (*Mononucleosis*), 150

Morning sickness (*Náusea y vómitos del embarazo*), 246

Mosquito bites (*Piquetes de mosquitos*), 47

Mouth problems, also see Dental Problems (*Problemas de la boca, vea también Dientes, problemas de los*)
- bad breath (*mal aliento*), 182
- bleeding gums (*encías que sangran*), 184, 187
- canker sores (*llaguitas o fuegos*), 181
- chart (*cuadro*), 182

fever blisters (*llagas de fiebre*), 182
sores (*llagas raras*), 182, 278
sour or bitter fluid in mouth or throat (*líquido agrio o amargo en la boca o en la garganta*), 75
thrush (*moniliasis o algodoncillo*), 200
white coating on cheeks (*capa blanca en las mejillas*), 200
MSA (movement, strength, alternate activities) for joint injuries (*Movimiento, fortalecimiento, otras actividades, para lesiones de coyunturas*), 121, 122
Mucus method, birth control (*Método del moco, método anticonceptivo*), 272
Mucus, colored (*Moco o flema con color*), 135, 147
Mumps (*Paperas*)
symptoms of (*señas de*), 229
vaccine (*vacuna*), 17
Muscle, also see Bone, muscle, and joint problems (*Músculo, vea también Huesos, músculos y coyunturas, problemas de los*)
aches, with rash (*dolores con salpullido*), 64
cramps (*calambres*), 114
flexibility exercises (*ejercicios de flexibilidad*), 284, 285
progressive relaxation (*relajación progresiva*), 290
pulled (*jalados*), 120
spasms, around eye (*espasmos de los músculos alrededor de los ojos*), 161
strengthening exercises (*ejercicios de fortalecimiento*), 285
tension, headache and (*dolor de cabeza debido a la tensión en los músculos*), 178

N

Nail problems (*Problemas de las uñas*)
blood under a nail (*sangre bajo una uña*), 29
fungal infections (*infecciones por hongos*), 199
ingrown toenails (*uñas encarnadas*), 202
Naproxen (*Naproxen*), 337
Nasal discharge, colored (*Moco de la nariz, con color*), 135
Nasal spray, decongestant (*Gotas para la nariz*), 334
for sinusitis (*para la sinusitis*), 149
Natural family planning, birth control (*Planificación familiar natural, método anticonceptivo*), 272
Nausea (*Náusea*), 80
appendicitis and (*apendicitis y*), 69
diarrhea and (*diarrea y*), 74
food poisoning and (*envenenamiento con alimentos y*), 82
head injuries and (*golpes o heridas en la cabeza y*), 44
heat exhaustion and (*agotamiento por calor y*), 44
morning sickness and (*vómitos del embarazo y*), 246
stomach flu and (*infecciones intestinales y*), 82
vomiting and (*vómitos y*), 80
Navel, infants (*Ombligo, en niños*), 209
Neck, stiff (*Cuello o nuca tiesa*), 98
fever and (*fiebre y*), 146
Neck problems (*Problemas del cuello*), 98; also see Spinal injuries (*vea también Lesiones de la médula espinal*), 62
chest pain and (*dolor de pecho y*), 138
exercises to prevent (*ejercicios para evitar*), 102
jaw pain and (*dolor de quijada y*), 188
tension headache and (*dolor de cabeza debido a la tensión y*), 178
Neurologist (*Neurólogo*), 13
Neurotransmitters, depression and (*Neurotransmisores, depresión y*), 315
Nicotine patch (*Parche de nicotina*), 156
Nightmares (*Pesadillas*), 315
Nits (*Liendres*), 203
Nonoxynol-9 (*Nonoxynol-9*), 279
Nonsteroidal anti-inflammatory drugs (NSAIDs) (*Medicinas antiinflamatorias sin esteroides*), 337
heartburn and (*acidez y*), 76
high blood pressure and (*presión alta de la sangre y*), 237
ulcers and (*úlceras y*), 84
Nosebleeds (*Sangrados de la nariz*), 50
Nose drops, saline (*Solución salina para la nariz*), 149, 334
Nose problems (*Problemas de la nariz*)
allergies (*alergias*), 127
chart (*cuadro*), 128
medications for (*medicinas para los*), 333, 335
nasal discharge (*moco*), 127, 135, 140, 150
nosebleeds (*sangrados*), 50
object in nose (*objeto en la nariz*), 52
runny or stuffy (*que escurre o está tapada*), 127, 140, 148
saline nose drops (*gotas de solución salina para la nariz*), 149, 334

Numbness and tingling (*Entumecimiento y hormigueo*)
in fingers or hands (*en los dedos o manos*), 111, 232
in hands or feet (*en las manos o pies*), 232
in leg or foot (*en la pierna o pie*), 89, 232
Nurse practitioners (*Enfermeras especializadas*), 6
Nursing, see Breast-feeding (*Dar pecho, vea Amamantamiento*), 210
Nutrition (*Nutrición*)
breads and cereals (*panes y cereales*), 294
caffeine (*cafeína*), 296
calcium (*calcio*), 302
for children (*para niños*), 305
cholesterol (*colesterol*), 299
eating disorders (*trastornos de la alimentación*), 317
fats (*grasas*), 298
fiber (*fibra*), 296
food allergies (*alergias a alimentos*), 306
Food Guide Pyramid (*pirámide de alimentos*), 295
fruits and vegetables (*frutas y verduras*), 294
guidelines (*guía*), 295
iron (*hierro*), 304
lactose intolerance (*problemas para digerir leche*), 302
minerals (*minerales*), 301
protein (*proteína*), 299
sodium, salt (*sodio, sal*), 303
sugar (*azúcar*), 297
sweeteners, artificial (*"azúcares" artificiales o dulcificantes*), 297
vegetables (*verduras*), 294
vitamins (*vitaminas*), 294, 299, 301
water (*agua*), 297

O

Object (*Objeto*)
in the ear (*en el oído*), 51, 170
in the eye (*en el ojo*), 52
in the nose (*en la nariz*), 52
Obstetrician (*Obstetra*), 13
Office visits, preparing for (*Visitas de oficina, cómo preparar para las*), 2, 4
Omega-3 fatty acids (*Ácidos grasos de tipo omega-3*), 236
Oncologist (*Oncólogo*), 13
Ophthalmologist (*Oftalmólogo*), 13
Optimism, health and (*Optimismo, salud y el*), 323
Optometrist (*Optometrista*), 13
Oral contraceptives, see Birth control pills (*Anticonceptivos orales, vea Píldoras anticonceptivas*)
Orthopedist (*Ortopedista*), 13
Osteoarthritis (*Osteoartritis*), 103, 104
Osteoporosis (*Osteoporosis*), 115
hormone therapy and (*tratamiento con hormonas y*), 251
menopause and (*menopausia y*), 117, 249
Otitis externa, see Swimmer's ear (*vea Infecciones del canal externo del oído*), 170
Otitis media, see Ear infections (*vea Infecciones de los oídos*), 166, 170
Otoscope (*Otoscopio*), 329

P

PABA, 63
Pain (*Dolor*)
abdominal, see Abdominal Problems (*abdominal, vea Abdominales, problemas*)
back, see Back problems (*espalda, vea Espalda, problemas de la*), 87
cheeks, upper teeth, or forehead (*mejillas, dientes de arriba, o frente*), 148
chest (*pecho*), 138
ear (*de óido*), 166, 167, 168, 170
elbow (*de codo*), 108
growing pains (*de crecimiento*), 114
head, see Headache (*de cabeza, vea Cabeza, dolor de*), 173
hip (*de cadera*), 110
during intercourse (*durante relaciones sexuales*), 249, 258, 259, 260
jaw (*de quijada*), 188
joint, see Bone, muscle, and joint problems (*coyuntura, vea Huesos, músculos y coyunturas, problemas de los*)
knee (*de rodilla*), 110, 112
leg (*de pierna*), 114
neck, see Neck problems (*cuello, vea Problemas del cuello*), 98
pelvic/lower abdominal, in men (*de la pelvis/barriga, en hombres*), 267, 269
pelvic/lower abdominal, in women (*de la pelvis/barriga, en mujeres*), 252, 256, 259, 260
rectal (*del recto*), 70, 76
scrotum or groin (*escroto o ingle*), 78
shinsplints (*en la espinilla*), 114
shoulder (*de hombro*), 109
stomach, see Abdominal Problems (*estómago, vea Abdominales, problemas*)
throat (*de garganta*), 150, 153
during urination, in men (*al orinar, en hombres*), 267, 268, 274, 275

during urination, in women (*al orinar, en mujeres*), 256, 274, 275
wrist (*de muñeca)*, 108
Pain relievers (*Calmantes*), 336
Panic attack (*Crisis de angustia*), 314
Pap test (*Prueba de Papanicolaou*), 243
frequency of (*frecuencia de*), 244
HPV and (*VHP y*), 275
Patch, nicotine (*Parche de nicotina*), 156
Peak flow meter, for asthma (*Medidor de flujo máximo, para el asma*), 133
Pediatrician (*Pediatra*), 13
Pelvic exam (*Examen de la pelvis*), 243
Pelvic inflammatory disease (*Enfermedad inflamatoria de la pelvis*), 274, 275
Penile discharge (*Desecho del pene*), 274, 275
Penlight (*Linterna de bolsillo*), 329
Peptic ulcers (*Úlceras pépticas*), 84
Periodic abstinence (birth control) (*Período de no tener relaciones, método anticonceptivo*), 272, 274
Periodontal (gum) disease (*Periodontitis*), 184
Periods, see Menstrual problems (*Períodos, vea Regla, molestias de la*)
Pertussis vaccine (*Tos ferina o pertusis, vacuna*), 16
Pessimism, health and (*Pesimismo, salud y el*), 323
Phlebitis (*Flebitis*), 114
Phlegm, colored (*Flema con color*), 135, 147
Phobias (*Fobias*), 314
Physiatrist (*Fisiatra*), 13
Physical exams, frequency of (*Exámenes físicos, frecuencia de*), 19, 20
Physical therapists (*Fisioterapeutas*), 98
Physical therapy, back problems and (*La terapia física, problemas de la espalda y*), 98
Pill, the, see Birth control pills (*vea Píldoras anticonceptivas*)
Pimple on eyelid, see Styes (*Granito en el párpado, vea Orzuelos o perrillas*), 163
Pimples, see Acne (*Espinillas, vea Acné*), 191
Pinkeye (*Mal de ojo*), 160
Pinworms (*Oxiuros o lombrices intestinales*), 227
Placebo effect (*Efecto del placebo*), 323
Plantar fasciitis (*Fascitis plantar*), 117
Plantar warts (*Verrugas plantares, u "ojos de pescado"*), 207
Plaque, tooth decay and (*Placa, picaduras de dientes y*), 183
Pneumonia (*Pulmonía*), 147
immunization (*vacuna neumocócica*), 18
Podiatrist (*Podiatra*), 13
Poisoning (*Envenenamiento*), 53
food (*alimentos*), 82
lead poisoning (*plomo*), 53
Poison ivy, oak, sumac (*Plantas venenosas*), 204
Polio vaccine (*Polio, vacuna*), 17
Positive thinking (*Pensamientos positivos*), 323
Postnasal drip (*Moco que escurre por la parte trasera de la garganta*), 129, 141, 149
Posture (*Postura*)
to prevent back problems (*para evitar los problemas de la espalda*), 90
to prevent neck problems (*para evitar los problemas del cuello*), 99
Poultry, safe handling and cooking (*Pollo, cómo cocinarlo de una manera segura*), 82, 83
Prayer, healing and (*Rezo, el sanar y el*), 324
Pregnancy (*Embarazo*), 245
heartburn and (*acidez y*), 75
home test (*prueba de embarazo casera*), 245
morning sickness (*náusea y vómitos del*), 246
prenatal visits (*visitas del*), 20, 246
Premenstrual syndrome (PMS) (*Síndrome premenstrual*), 254
Pressure points, bleeding and (*Puntos de presión, hemorragias y*), 37
Preventive services, see Screening and early detection (*Servicios de prevención, vea Pruebas y detección temprana*), 19
Prickly heat or sweat rash (*Salpullido o ronchas por calor*), 228
Progesterone (*Progesterona*), 249
Progestin (*Progestina*), 250
Progressive muscle relaxation (*Relajación progresiva de los músculos*), 290
Prophylactic antibiotics, for recurrent ear infections (*Antibióticos de modo preventivo, para infecciones repetidas de los oídos*), 168
Prostaglandin (*Prostaglandina*), 252
Prostate problems (*Problemas de la próstata*), 267
cancer (*cáncer*), 269
digital rectal exam (*examen del recto*), 270
enlargement (*agrandamiento*), 268
prostate infection (*infección de la próstata o prostatitis*), 267

prostate-specific antigen (PSA) test (*prueba del* prostate-specific antigen), 270
prostatodynia (*prostatodinia*), 267
Protein (*Proteína*), 299
Psoriasis (*Psoriasis*), 199
Psychiatrist (*Siquiatra*), 13, 308
Psychological problems, see Mental self-care (*Problemas emocionales, vea Mental, salud*)
Psychologist (*Sicólogo*), 13, 308
Pubic lice (*Ladilla*), 203
Pulled muscle (*Músculo jalado*), 120
in chest (*en el pecho*), 138
Pulmonologist (*Pulmonólogo*), 13
Pulse (*Pulso*)
during exercise (*durante el ejercicio*), 282, 283
how to take (*cómo tomar el*), 23
rapid, with chest pain (*rápido, con dolor de pecho*), 138
weak and rapid (*débil y rápido*), 60
Puncture wounds (*Estacadas o pinchazos fuertes*), 54

Q

Quackery (*Engaños y charlatanería*), 13
Quitting smoking (*Cómo dejar de fumar*), 155, 156

R

Rabies (*Rabia*), 28
Rashes (*Salpullidos*), 204; also see Skin problems (*vea también Piel, problemas de la*)
chart of childhood rashes (*cuadro de salpullidos de la niñez*), 216
chickenpox (*varicela*), 215
contact dermatitis (*por tocar*), 204
following childhood immunizations (*después de las vacunas infantiles*), 18
diaper rash (*rozadura de pañal*), 220
feet, see Athlete's foot (*pies, vea Pie de atleta*), 199
groin, see Jock itch (*ingle, vea Tiña de la ingle*), 199
Lyme disease and (*enfermedad de Lyme y*), 64
during menstrual period, with fever (*durante la regla, con fiebre*), 253
with muscle aches and fever (*con dolor de músculos y fiebre*), 64
poison oak, ivy, sumac (*plantas venenosas*), 204
prickly heat or sweat rash (*por calor*), 228
purple, with fever (*morados, con fiebre*), 224
roseola (*roséola*), 229
scalp, see Ringworm (*cuero cabelludo, vea Culebrilla*), 199
with sore throat (*con dolor de garganta*), 152
after tick bite (*después del piquete de una garrapata*), 64
upper lip, see Impetigo (*labio de arriba, vea Impétigo*), 226
Rectal (*Recto*)
bleeding (*sangrado*), 70, 76
digital rectal exam (*examen del*), 270
itching (*comezón*), 76, 227
lump (*bolita*), 76
pain (*dolor*), 70, 76
Reflux of stomach acid (*Reflujo de ácido del estómago*)
heartburn and (*acidez y*), 75
sore throat and (*dolor de garganta y*), 150
Rehydration drinks (*Bebidas de rehidratación*), 72
Relaxation (*Relajación*), 289
progressive muscle (*progresiva de los músculos*), 290
belly breathing (*respiración en ondas*), 289
Rescue breathing (*Respiración de boca a boca*), 55
Respiration rate, how to take (*Ritmo de la respiración, cómo contar el*), 23
Respiratory problems, see Chest and respiratory problems (*Problemas de la respiración, vea Pecho, problemas de la respiración y del*)
Reye syndrome, aspirin and (*Síndrome de Reye, aspirina y*), 215
Rheumatoid arthritis (*Artritis reumatoide*), 104
Rheumatologist (*Reumatólogo*), 13
RICE (rest, ice, compression, elevation) for joint injuries (*Descanso, hielo, compresión y alzamiento para lesiones de las coyunturas*), 122
Rights and responsibilities, Kaiser Permanente members (*Derechos y responsabilidades como miembro de Kaiser Permanente*), 14
Ring, removing (*Cómo quitarse un anillo*), 121
Ringing in ears, see Tinnitus (*Zumbido en los oídos, vea Tinnitus*), 169, 337
Ringworm (*Culebrilla o tiña de la cabeza*), 199

Risk factors (*Factores riesgosos*)
diabetes (*diabetes*), 232
exercise and (*ejercicio y*), 286
glaucoma (*glaucoma*), 164
heart attack (*ataque al corazón*), 139
heart disease (*enfermedad del corazón*), 235
high blood pressure (*presión alta de la sangre*), 237
hormone therapy and (*tratamiento con hormonas y*), 251
osteoporosis (*osteoporosis*), 116
preventive exams and (*pruebas para la detección temprana y*), 19
prostate cancer (*cáncer de la próstata*), 269
Roseola (*Roséola*), 229
Rubella (*Rubéola*)
pregnancy and (*embarazo y*), 245
symptoms of (*señas de la*), 229
vaccine (*vacuna*), 17
Runny nose (*Nariz que escurre*)
allergies and (*alergias y*), 127
colds and (*catarros y*), 140
medications for (*medicinas para*), 333, 335
sinusitis and (*sinusitis y*), 148
watery eyes, sneezing and (*ojos con lagrimeo, estornudos y*), 127, 129

S

Safety (*Seguridad*)
child car seats (*asientos de seguridad para niños*), 210
fire prevention (*cómo evitar incendios*), 32
frostbite prevention (*cómo evitar la congelación de la piel*), 41, 42
gun safety (*seguridad con pistolas*), 321
hypothermia prevention (*cómo evitar la hipotermia*), 46
poisoning prevention (*cómo evitar envenenamientos*), 53, 54
Salicylic acid (*Ácido salicílico*), 208
Saline nasal spray (*Gotas de solución salina para la nariz*), 334
for sinusitis (*para sinusitis*), 149
Saliva, sticky (*Saliva pegajosa*), 73
Salt (*Sal*), 303
Scabies (*Sarna*), 203
Scalp (*Cuero cabelludo*)
bald spots on (*manchas pelonas en*), 199, 204
cradle cap (*seborrea*), 218
Scarlet fever (*Escarlatina*), 152
Sciatica (*Ciática*), 89
Scrapes (*Raspones*), 59
Screening tests (*Pruebas para la detección temprana*), 19
for alcohol and drug problems (*para los problemas con el alcohol y las drogas*), 311
clinical breast exam (*examen profesional de los senos*), 242
digital rectal exam (*examen del recto*), 270
flexible sigmoidoscopy (*sigmoidoscopia flexible*), 20
mammogram (*mamografía*), 242
Pap test (*prueba de Papanicolaou*), 243
prostate-specific antigen (PSA) test (*prueba de* prostate-specific antigen), 270
Scrotum (*Escroto*)
exam (*examen*), 265
lump in (*bulto en el*), 78, 265
pain or swelling in (*dolor o hinchazón en el*), 78, 265
Sealants, dental (*Selladores dentales*), 187
Seasonal affective disorder (*Depresión de invierno*), 316
Seat belts (*Cinturones de seguridad*), 43
Self-care (*Cuidado propio*)
supplies (*materiales*), 330
tools (*instrumentos*), 327
Self-exam (*Autoexamen*)
breast (*de los senos*), 240
testicles (*de los testículos*), 265
Serous otitis media (*Otitis media serosa*), 166
Sexual abuse (*Abuso sexual*), 321
Sexual health (*Salud sexual*)
AIDS (*SIDA*), 276
birth control (*métodos anticonceptivos*), 271, 272
chlamydia (*clamidia*), 274
condoms (*condones*), 272, 276, 278, 279
erection problems (*problemas de erección*), 265
genital herpes (*herpes genital*), 274
genital warts (*verrugas genitales*), 275
gonorrhea (*gonorrea*), 275
hepatitis B (*hepatitis B*), 275
herpes (*herpes*), 274
HIV infection (*infección por VIH*), 276
painful ejaculation (*dolor al eyacular*), 267
painful intercourse, for women (*dolor durante las relaciones sexuales, para las mujeres*), 249, 259, 260

sexually transmitted diseases (*enfermedades de transmisión sexual*), 274, 276
syphilis (*sífilis*), 275
Sexually transmitted diseases (*Enfermedades de transmisión sexual*), 274, 276
Shingles (*Herpes zoster*), 200
Shinsplints (*Dolor en las espinillas*), 114, 115
Shivering (*Temblores o escalofríos*), 46, 145, 147, 313
Shock (*Choque*), 60
Shortness of breath (*Respiración corta*), 132, 138, 147
cough and (*tos y*), 147
unexplained cough and (*tos sin razón y*), 278
Shoulder pain (*Dolor de hombro*), 109
Sideache, see Muscle cramps (*Dolor al lado, vea Calambres musculares*), 114
Sigmoidoscopy, flexible (*Sigmoidoscopia flexible*), 20
Sinusitis (*Sinusitis*), 148
Skin cancer (*Cáncer de la piel*), 206
Skin problems (*Problemas de la piel*)
acne (*acné*), 191
athlete's foot (*pie de atleta*), 199
atopic dermatitis (*eczema*), 193
bald spots (*manchas pelonas*), 204
bee stings (*piquetes de abeja*), 47
birthmarks (*marcas de nacimiento*), 196
blisters (*ampollas*), 194
boils (*nacidos o furúnculos*), 195
burns (*quemaduras*), 32
cancer (*cáncer*), 206
chart (*cuadro*), 192, 216
chickenpox (*varicela*), 215
cold sores (*llagas de fiebre*), 182
cool, clammy, and pale (*fresca, húmeda y pálida*), 44
corns and calluses (*callos*), 208
cradle cap (*seborrea*), 218
cuts (*cortadas*), 37
dandruff (*caspa*), 197
diaper rash (*rozadura de pañal*), 220
dry skin (*piel seca*), 197
eczema (*eczema*), 193
frostbite (*congelación de la piel*), 41
fungal infections (*infecciones por hongos*), 199
hives (*urticaria*), 201
hot, dry, and red (*caliente, seca y roja*), 44
impetigo (*impétigo*), 226
ingrown toenails (*uñas encarnadas*), 202
insect bites (*piquetes de insectos*), 47
itching (*comezón*), 198
jaundice (*ictericia*), 275
jellyfish stings (*piquetes de medusas o aguamalas*), 49
jock itch (*tiña de la ingle*), 199
lice (*piojos*), 203
Lyme disease (*enfermedad de Lyme*), 64
melanoma (*melanoma*), 206
moles (*lunares*), 206
pimples (*espinillas*), 191
plantar warts (*verrugas plantares*), 207
poison ivy, oak, sumac (*plantas venenosas*), 204, 205
prickly heat or sweat rash (*salpullido por calor*), 228
psoriasis (*psoriasis*), 199
rashes (*salpullidos*), 204, 216
ringworm (*culebrilla*), 199
roseola (*roséola*), 229
scabies (*sarna*), 203
scrapes (*raspones*), 59
shingles (*herpes zoster*), 200
skin cancer (*cáncer de la piel*), 206
sores (*llagas raras*), 182, 206, 278
spider bites (*piquetes de arañas*), 47
splinters (*astillas*), 60
sunburn (*quemaduras de sol*), 62
tick bites (*piquetes de garrapata*), 64
warts (*verrugas o mezquinos*), 207
yellow skin (*piel amarilla*), 275
Skin test (*Pruebas de la piel*)
for allergies (*para alergias*), 130
tuberculin (*tuberculina*), 19
Sleeping posture, to prevent back problems (*Postura de dormir, para evitar problemas de la espalda*), 91
Sleep problems (*Problemas para dormir*), 319
anxiety and (*angustia y*), 313
in infants (*en los bebés*), 213
sleeping pills and (*pastillas para dormir y*), 341
Slivers, removing (*Cómo sacar astillas*), 60
Smoking (*Fumar*)
asthma and (*asma y*), 132
cholesterol and (*colesterol y*), 236
chronic bronchitis and (*bronquitis crónica y*), 136
heartburn and (*acidez y*), 75
quitting (*cómo dejar de*), 155, 156
ulcers and (*úlceras y*), 84
Sodium (*Sodio*), 303
Soft spot or fontanelle (*Mollera o fontanela*)
bulging (*abultada*), 146
sunken (*hundida*), 73
Sore throat (*Dolor de garganta*), 150, 153
with rash (*con salpullido*), 152

Sores, unusual (*Llagas raras*), 182, 206, 278
Specialists, list of (*Especialistas, lista de*), 13
Spermicides (*Espermicidas*), 272, 279
sexually transmitted diseases and (*enfermedades de transmisión sexual y*), 279
Sphygmomanometer or blood pressure cuff (*Manguito para tomar la presión*), 24
Spider bites (*Piquetes de arañas*), 47
Spinal injuries (*Lesiones de la médula espinal*), 62
Spine, also see Back (*Médula espinal, vea también Espalda*), 87
Spirituality (*Espiritualidad*), 324
Splinters, removing (*Cómo sacar astillas*), 60
Splinting, for suspected fracture (*Cómo entablillar un hueso que pueda estar roto*), 120
Sports drinks, dehydration and (*Bebidas de deportistas, para la deshidratación*), 72
Sports injuries (*Lesiones deportivas*), 118
Sprains and strains (*Torceduras y músculos jalados*), 120
back (*espalda*), 87
neck (*cuello*), 98
sports injuries (*lesiones deportivas*), 118
Sputum (*Moco o flema)*
bloody or colored (*con sangre o de color*), 135, 147
postnasal drip (*en la garganta*), 129, 141, 149
Stabbing, see Puncture wounds (*Estacadas, vea Pinchazos fuertes*), 54
STDs (*Enfermedades de transmisión sexual*), 274, 276
Stethoscope (*Estetoscopio*), 329
Stiff neck (*Cuello o nuca tiesa*), 98
with headache, fever, nausea (*con dolor de cabeza, fiebre, náusea*), 146
Stitches or sutures (*Puntos*), 39
Stomach cramps, during exercise (*Calambres en el estómago durante el ejercicio*), 115
Stomach flu (*Infecciones intestinales*), 82
in children (*en los niños*), 221
Stomach problems, see Abdominal problems (*vea Abdominales, problemas*)
Stool, see Bowel movements (*Excrementos*)
Stool, test for blood in (*Prueba para detectar sangre en el excremento*), 344
Strains and sprains (*Músculos jalados y torceduras*), 120
back (*espalda*), 87
neck (*cuello*), 98
sports injuries (*lesiones deportivas*), 118
Strep throat (*Infección por estreptococos en la garganta*), 150
tonsillectomy and (*amigdalectomía y*), 154
Stress (*Estrés o tensión*), 287; also see Relaxation (*también vea Relajación*), 289
effect on the body (*cómo afecta al cuerpo*), 287
headaches and (*dolores de cabeza y*), 178
irritable bowel syndrome and (*síndrome del intestino delicado y*), 79, 80
job stress (*tensión nerviosa en el trabajo*), 313
managing (*cómo controlar*), 288
recognizing (*cómo reconocer*), 288
Stress fractures (*Fracturas por estrés*), 120
Stretching (*Estiramiento*), 92, 284, 285
Stroke (*Derrame cerebral*), 26
aspirin and (*aspirina y*), 337
Styes (*Orzuelos o perrillas*), 163
Subconjunctival hemorrhage, see Blood in the eye (*vea Sangre en el ojo*), 163
Sugar (*Azúcar*), 297
in the blood (*en la sangre*), 231, 343
Suicide (*Suicidio*), 320
Sunburn (*Quemaduras de sol*), 62
Sunken eyes (*Ojos hundidos*), 73
Sunken soft spot on infant's head (*Mollera hundida en un bebé*), 73
Sunscreen (*Loción protectora contra el sol*), 63
cold sores and (*llagas de fiebre y*), 183
Suppressants (*Supresores o calmantes de tos*), 335
Surgery (*Cirugía u operaciones*)
adenoidectomy (*adenoidectomía*), 154
back (*de la espalda*), 97
cesarean delivery (*nacimiento por cesárea*), 247
ear tubes (*tubitos en los oídos*), 168
for enlarged prostate (*para el agrandamiento de la próstata*), 268
questions to ask (*preguntas que hacer*), 2, 10
tonsillectomy (*amigdalectomía*), 154
tympanostomy (*timpanostomía*), 168
Sutures, are they needed? (*¿Se necesitan puntos?*), 39
Swallowing, painful or difficult (*Dificultad para tragar*), 152
with blurred vision (*con visión borrosa*), 83
with sore throat (*con dolor de garganta*), 152

Sweating (*Sudores*)
anxiety and (*angustia y*), 313
chest pain and (*dolor de pecho y*), 138
dehydration and (*deshidratación y*), 72
heat exhaustion and (*agotamiento por calor y*), 44
night sweats (*sudores por la noche*), 278
Sweat rash (*Salpullido por calor*), 228
Swelling (*Hinchazón*)
in one leg (*de una pierna*), 115
in lymph nodes (*nodos linfáticos*), 152
in scrotum (*en el escroto*), 78, 265
in tonsils (*en las amígdalas*), 153
Swimmer's ear (*Infecciones del canal externo del oído*), 166, 170
Swollen glands (*Nodos o ganglios linfáticos hinchados*), 152, 153
Syphilis (*Sífilis*), 275
Syrup of ipecac (*Jarabe de ipecacuana*), 338
Systolic blood pressure (*Presión sistólica de la sangre*), 24

T

Tar products, for psoriasis (*Productos con alquitrán, para la psoriasis*), 199
Tartar (*Sarro*), 185
Td, tetanus and diphtheria booster (*Refuerzo contra tétano y difteria*), 16
Teeth, also see Dental problems (*Dientes, también vea Boca, problemas de la*)
accidental loss (*pérdida accidental de un diente*), 28
brushing (*cómo cepillarse*), 185
decay (*picaduras de los*), 183
pain in (*dolor en los*), 148, 187
toothache (*dolor de muela*), 148, 187
Temperament, in children (*Comportamiento, en los niños*), 212
Temperature, also see Fever (*Fiebre o calentura*), 21
in children (*en los niños*), *223*
conversion chart (*cuadro de conversiones*), 21
how to take (*cómo tomar la*), 21, 22, 23
too low (*demasiado baja*), 46
Temper tantrums (*Rabietas*), 212
Temporomandibular joint syndrome (*Síndrome de la coyuntura temporomandibular*), 187
Tendinitis (*Tendinitis*), 107
Achilles (*del tendón de Aquiles*), 117
patellar (*patelar*), 113
Tension, see Stress (*Tensión, vea Estrés*)
headaches (*dolores de cabeza debidos a la*), 178
Testicles (*Testículos*)
cancer (*cáncer de los*), 265
self-exam (*cómo examinarse*), 265
Tests, see Medical exams (*Pruebas, vea Exámenes médicos*)
Tests for early detection (*Pruebas para la detección temprana*), 19
Tetanus (*Tétano*), 16
Thermometer (*Termómetro*), 21, 23, 329
how to read (*cómo leer un*), 22
Thirst (*Sed*), 232
Throat problems (*Problemas de la garganta*)
chart (*cuadro*), 128
hoarseness (*ronquera*), 147
postnasal drip (*moco que escurre por la parte trasera de la garganta*), 129, 141, 149
sore (*dolor de*), 150, 153
sour or bitter fluid in (*líquido agrio o amargo en la*), 75
strep (*infección por estreptococos*), 150
tonsillitis (*amigdalitis*), 153
Thrush (*Moniliasis o algodoncillo*), 200
Tick bites (*Piquetes de garrapata*), 64
Tinea cruris (*Infección por hongos en la ingle*), 199
Tinea pedis (*Pie de atleta*), 199
Tingling, see Numbness and tingling (*Hormigueo, vea Entumecimiento y hormigueo*)
Tinnitus (*Tinnitus o zumbido en los oídos*), 169
TMJ syndrome (*Síndrome de la coyuntura temporomandibular*), 187
Toe (*Dedo del pie*)
bunion (*juanete*), 106
hammertoe (*dedo engarrotado*), 106
jammed (*trabado*), 121
nail, blood under (*sangre bajo una uña*), 29
nail, ingrown (*uña encarnada*), 202
pain (*dolor*), 104, 106
swelling and pain in (*hinchazón y dolor en el*), 104, 106
Toilet training (*Cómo entrenar a su niño a usar el excusado*), 213
Tonsillectomy (*Amigdalectomía*), 154
Tonsillitis (*Amigdalitis*), 153
Tonsils (*Amígdalas o anginas*)
coating on (*capa que cubre las*), 150, 152
location of (*lugar donde están las*), 153
Tooth, see Teeth (*Diente, vea Dientes*)
Toxoplasmosis (*Toxoplasmosis*), 247
Tranquilizers (*Tranquilizantes*), 341
Trapped limbs, freeing (*Qué hacer si una parte del cuerpo se le atora en algo*), 41

Tubal ligation (*Ligadura de trompas*), 272
Tuberculin skin test (*Prueba de la tuberculina*), 19
Turf toe (*Dedo del pie trabado*), 121
Twitches, eye (*Tics en el ojo*), 161
Tympanostomy (*Timpanostomía*), 168

U

Ulcers (*Úlceras*), 84
Umbilical cords (*Cordón umbilical*), 209
Unconsciousness (*Pérdida del conocimiento*), 65
Upper respiratory infections (*Infecciones respiratorias*)
- colds (*catarros*), 140
- ear infections (*infecciones de los oídos*), 166
- influenza (*gripe*), 145
- sinusitis (*sinusitis*), 148

Urinary incontinence (*Pérdida del control para orinar*), 85
Urinary tract infections (*Infecciones de las vías urinarias*), 256
Urination (*Orinar*)
- bed-wetting (*orinarse en la cama*), 214
- blood in urine (*sangre en la orina*), 222, 257
- cola-colored (*de color de Coca Cola*), 222
- dark yellow urine (*orina amarilla oscura*), 73
- decreased force of stream, in men (*el chorro se vuelve menos fuerte, en hombres*), 268
- difficulty starting or dribbling after, in men (*dificultad para empezar y para dejar, en hombres*), 268
- frequent (*frecuente*), 232, 256, 267
- incontinence (*pérdida del control para orinar*), 85
- painful, in men (*con dolor, en hombres*), 267, 268
- painful, in women (*con dolor, en mujeres*), 256
- reduced amounts of urine (*orina menos*), 73, 256, 267

Urologist (*Urólogo*), 13
Urticaria or hives (*Urticaria*), 201
Uterine cancer, hormone therapy and (*Cáncer de la matriz, tratamiento con hormonas y*), 251

V

Vaginal (*Vagina*)
- discharge, normal (*desecho normal de la*), 243
- discharge, unusual (*desecho anormal de la*), 258, 259, 274, 275
- dryness (*resequedad en la*), 249
- infection (*infección en la*), 258, 259, 274
- lubricants (*lubricantes*), 250
- recurrent vaginal infections (*infecciones vaginales que se repiten*), 232

Vaginitis (*Vaginitis*), 258
Vaporizer (*Vaporizador*), 328
Varicella or chickenpox (*Varicela*), 17, 215
Vascular headaches, see Migraines (*Vea Jaquecas o migrañas*), 176
Vasectomy (*Vasectomía*), 272
VD, see Sexually transmitted diseases (*Enfermedades venéreas, vea Enfermedades de transmisión sexual*), 274, 276
Vegetables (*Verduras*), 294
Vein, inflammation of (*Vena, inflamación de una*), 114
Venereal disease (*Enfermedad venérea*), 274
Vertigo (*Vértigo*), 164
Violence (*Violencia*), 321
Viral gastroenteritis (*Infecciones intestinales*), 82
Viral infection, compared to bacterial infection (*Infección por virus, comparada con infección bacteriana*), 135
Vision, also see Eye problems (*Visión, vea también Ojos, problemas de los*)
- blurred, with difficulty swallowing (*borrosa, con dificultad para tragar*), 83
- blurred, with sudden eye pain (*borrosa, con dolor en el ojo repentino*), 160, 163, 164
- headache and visual disturbances (*dolor de cabeza y problemas de la*), 173, 176
- test (*chequeo de la*), 20

Vital signs (*Signos vitales*), 21
Vitamins (*Vitaminas*), 294, 299, 300, 301
- buyer's guide (*guía para comprar*), 301
- cancer and (*cáncer y las*), 294
- morning sickness and (*náusea y vómitos del embarazo y*), 246

Vomiting (*Vómitos*), 80
- with abdominal pain and fever (*con dolor abdominal y fiebre*), 69
- bloody (*con sangre*), 81
- in children (*en los niños*), 221
- dehydration and (*deshidratación y*), 72

eating disorders and (*trastornos de la alimentación y*), 318
with headache (*con dolor de cabeza*), 146, 176
with head injuries (*con golpes en la cabeza*), 44
morning sickness (*náusea y vómitos del embarazo*), 246
poisoning and (*envenenamiento y*), 54
with sleepiness, lethargy, stiff neck (*con mucho sueño, desgano, nuca tiesa*), 146

W

Warts (*Verrugas*), 207
genital (*genitales*), 275
plantar (*plantares*), 207
Wasp stings (*Piquetes de avispa*), 47
Water (*Agua*), 297
Water in ear, how to remove (*Cómo sacarse agua del oído*), 170
Weakness (*Debilidad*), 124
in leg or foot (*en la pierna o el pie*), 89, 97
Weight loss (*Pérdida de peso*), 304
also see Eating disorders (*vea también Trastornos de la alimentación*), 317
unexplained (*que no se puede explicar*), 157, 232, 278
Wellness, see Mental wellness (*Mental, salud*)
Wheezing (*Silbido*)
with allergies (*con alergias*), 131
with asthma (*con asma*), 132
with bronchitis (*con bronquitis*), 136
after insect sting (*después de un piquete de insecto*), 49
Whiplash, see Neck problems (*Problemas del cuello*), 98
jaw pain and (*dolor de quijada y*), 188
Whooping cough, see Pertussis (*Tos ferina*), 16
WIC, women, infants, children program, (*WIC, programa para mujeres, bebés y niños*), 246
Withdrawal birth control method (*Retirarse antes de eyacular*), 272
Women's health (*Salud de la mujer*)
birth control (*métodos anticonceptivos*), 271, 272
birth control during menopause (*métodos anticonceptivos durante la menopausia*), 249
bleeding between periods (*sangrado entre reglas*), 248
blood in the urine (*sangre en la orina*), 257
breast exam, clinical (*examen profesional de los senos*), 242
breast-feeding (*amamantamiento*), 210
breast self-exam (*cómo examinarse los senos*), 240
cesarean deliveries (*nacimiento por cesárea*), 247, 248
estrogen replacement therapy, ERT (*tratamiento en que se da puro estrógeno*), 250
home pregnancy tests (*pruebas de embarazo caseras*), 245
hormone replacement therapy, HRT (*tratamiento que combina las hormonas estrógeno y progestina*), 250
hot flashes (*ataques de calor o bochornos*), 249
hysterectomy (*histerectomía*), 261
incontinence (*pérdida del control para orinar*), 85
intercourse, painful (*dolor durante las relaciones sexuales*), 249, 259, 260
mammogram (*mamografía*), 242
menopause (*menopausia*), 249
menstrual cramps (*calambres de la regla*), 252
morning sickness (*náusea y vómitos del embarazo*), 246
osteoporosis (*osteoporosis*), 115, 251
Pap tests and pelvic exams (*pruebas de Papanicolaou y exámenes de la pelvis*), 243
periods, missed or irregular (*reglas irregulares o que no vienen*), 248, 249, 253
pregnancy (*embarazo*), 245
premenstrual syndrome, PMS (*síndrome premenstrual*), 254
sexually transmitted diseases (*enfermedades de transmisión sexual*), 274, 276
urinary tract infections (*infecciones de las vías urinarias*), 256
vaginitis (*vaginitis*), 258
yeast infections (*moniliasis*), 259
Wrist pain (*Dolor de muñeca*), 108, 110

Y

Yeast infections (*Moniliasis*), 200, 259
Yellow jacket stings (*Piquetes de abejas*), 47

Z

Zits, see Acne (*Espinillas, vea Acné*), 191